*nephylla*

*Bidens cannata*

*Botanika*

# DUSZY

# Elizabeth GILBERT

## Botanika

Przełożyła Ewa Ledóchowicz

DOM WYDAWNICZY REBIS

Tytuł oryginału
*The Signature of All Things*

Redaktor
Małgorzata Chwałek

Projekt i opracowanie graficzne okładki
Michał Pawłowski/www.kreskaikropka.pl

Do przygotowania ilustracji na okładce wykorzystano fotografie z zasobów
Fornax/Wikimedia Commons

Wydanie I
Poznań 2014

ISBN 978-83-7818-400-3

Dom Wydawniczy REBIS Sp. z o.o.
ul. Żmigrodzka 41/49, 60-171 Poznań
tel. 61-867-47-08, 61-867-81-40; fax 61-867-37-74
e-mail: rebis@rebis.com.pl
www.rebis.com.pl

*Dedykuję mojej babci, Maud Ednie Morcomb Olson,*
*z okazji Jej setnych urodzin*

Czym jest życie, nie wiemy. Jak działa, wiemy dobrze.

# PROLOG

Alma Whittaker, narodzona wraz z nowym stuleciem, wślizgnęła się na świat piątego stycznia 1800 roku.

Szybko – nieomal natychmiast – zaczęły się ustalać na jej temat zróżnicowane opinie.

Matka Almy, spojrzawszy po raz pierwszy na noworodka, poczuła zdecydowaną satysfakcję z oględzin. Beatrix Whittaker nie dopisywało dotychczas szczęście w produkowaniu następcy. Pierwsze trzy próby poczęcia spłynęły smutnymi strużkami, zanim zdążyły dać jakąkolwiek oznakę życia w łonie. Bohater ostatniej – doskonale ukształtowany syn – dotarł na sam próg istnienia, ale zmienił zdanie o poranku, kiedy miał zostać powity, i przybył jako już odeszły. Po takich stratach każde dziecko, które przeżyje, jest zadowalającym potomkiem.

Trzymając w ramionach swe krzepkie niemowlę, Beatrix mruczała modlitwy w ojczystym języku niderlandzkim. Modliła się, by córka wyrosła na osobę zdrową, wrażliwą i inteligentną i by nie kojarzono jej nigdy z nadmiernie upudrowanymi dziewczynami, by nie śmiała się głośno ze sprośnych historii ani nie przesiadywała przy stolikach karcianych z hulakami, by nie czytała francuskich powieści ani nie przejawiała manier charakteryzujących wyłącznie dzikich Indian oraz by w jakikolwiek sposób nie stała się kompromitacją dla szanującej się rodziny; jednym słowem, by nie została *een onnozelaar*, prostaczką. Tym zamknęło się błogosławieństwo – czy to, co miało stanowić błogosławieństwo w ustach poważnej niewiasty, jaką była Beatrix Whittaker.

Położna, miejscowa Niemka, uważała, że był to porządny poród w porządnym domu i w związku z tym Alma Whittaker jest porządnym noworodkiem. Sypialnia została dobrze ogrzana, zupa oraz piwo szczodrze rozdzielone, a matka dała przy porodzie pokaz tężyzny – takiej właśnie, jaka powinna cechować Holenderkę.

Co więcej, położna wiedziała, że jej zapłacą, i to sowicie. Każdy noworodek, który przynosi pieniądze, jest zadowalającym noworodkiem. W związku z tym położna też pobłogosławiła Almę, choć bez szczególnego zaangażowania.

To wszystko mniej obeszło Hanneke de Groot, zarządczynię majątku. Dziecko nie było chłopcem ani nie było też urodziwe. Miało buzię jak miska owsianki, bladą niczym świeżo pobielona podłoga. Jak wszystkie dzieci, będzie wymagać pracy. Jak wszelka praca, spadnie najprawdopodobniej na jej barki. Ale i tak pobłogosławiła dziecię, albowiem błogosławienie nowo narodzonego jest obowiązkiem, a Hanneke de Groot spełniała obowiązki. Zapłaciła położnej i zmieniła pościel. Nieumiejętnie pomagała jej w tym młoda pokojówka – gadatliwa wiejska dziewczyna, nowy nabytek w domostwie – którą bardziej interesowało gapienie się na noworodka niż porządkowanie rzeczy w sypialni. Nie przytaczamy imienia pokojówki, ponieważ Hanneke de Groot już następnego dnia zwolni ją, jako bezużyteczną, i odeśle bez żadnych referencji. Jednakowoż przez tę jedną noc przegrana i zbędna dziewczyna trzęsła się nad niemowlęciem, tęskniąc do własnego dzieciątka, i udzieliła nader czułego i szczerego błogosławieństwa malutkiej Almie.

Dick Yancey – wysoki, przerażający mężczyzna pochodzący z hrabstwa Yorkshire, który pracował dla pana domu jako rządzący żelazną ręką egzekutor wszelkich międzynarodowych interesów (stacjonował akurat w rezydencji owego stycznia, czekając, by stajały lody w porcie filadelfijskim i by mógł ruszyć w drogę do Holenderskich Indii Wschodnich) – miał ledwie kilka słów na określenie noworodka. Właściwie nigdy, bez względu na okoliczności, nie odznaczał się zbytnią rozmownością. Gdy oznajmiono mu, iż pani Whittaker powiła zdrowe niemowlę płci żeńskiej, pan Yancey zaledwie zmarszczył brwi oraz orzekł, w charakterystycznie oszczędny sposób, „Ciężki fach, życie". Czy to oznaczało błogosławieństwo? Trudno powiedzieć. Rozstrzygnijmy wątpliwość na jego korzyść i uznajmy, że oznaczało. Z pewnością to nie miała być klątwa.

Jeśli zaś chodzi o ojca Almy – Henry'ego Whittakera, pana na włościach – rad był z dziecięcia. I to jak najbardziej rad. Nie przeszkadzało mu, że noworodek nie jest chłopcem i że nie jest piękny.

Nie pobłogosławił Almy, ale tylko dlatego, że w ogóle nie miał w zwyczaju błogosławić. („Boże sprawy to nie moje sprawy", zwykł mawiać). Henry *podziwiał* swoje dziecko bez zastrzeżeń. Wszak to on je uczynił, a życiową postawą Henry'ego Whittakera było podziwiać bez zastrzeżeń wszystkie własne dzieła.

By uczcić tę chwilę, Henry przyniósł ananasa ze swojej największej szklarni i podzielił go na równe części dla wszystkich w domostwie. Padał gęsty śnieg, prawdziwa pensylwańska zima, ale on był w posiadaniu wielu opalanych węglem cieplarni własnego projektu – konstrukcji, których zazdrościli mu wszyscy zajmujący się uprawą roślin oraz wszyscy botanicy w obu Amerykach i które na dodatek przynosiły mu horrendalne bogactwo – jeśli więc chciał jeść ananasa w styczniu, dalibóg, mógł jeść ananasa w styczniu. A także czereśnie w marcu.

Zaraz potem wycofał się do gabinetu. Tam otworzył rejestr, w którym każdego wieczoru zapisywał wszelkie wydatki związane z majątkiem, zarówno te oficjalne, jak i nieoficjalne. Zaczął tak: „Nowy szlahetny i interesujoncy pasarzer zaczyna przebawiać z nami" [sic!], po czym drobiazgowo opisał poród, precyzyjnie podając godzinę oraz wyszczególniając koszty. Jego kaligrafia była haniebnie ściśnięta. Każde zdanie przypominało zwartą zabudowę wielkich i małych liter koegzystujących w ciasnej niedoli, wpełzających na siebie nawzajem, jakby próbowały się wydostać z kartki. Ortografia, którą stosował, nosiła znamiona całkowitej samowoli, a interpunkcja dawała powody do westchnień pełnych rozpaczy.

Lecz Henry Whittaker ani myślał zarzucać pisania raportu. Przywiązywał wagę do nadążania za wydarzeniami. Zdawał sobie sprawę, że zapisane przezeń stronice przeraziłyby każdego wykształconego człowieka, ale wiedział także, że nikt nigdy nie zobaczy jego pisma – nikt poza żoną Beatrix. Kiedy Beatrix dojdzie do siebie, przepisze notatki do własnej księgi, jak zawsze robiła, i elegancko zapisane tłumaczenie bazgrołów Henry'ego stanie się oficjalnym domowym sprawozdaniem.

Żona Beatrix była mu wspólniczką, nad wyraz biegłą w swej roli. Wykonywała dla niego i to, i wiele innych zadań.

Jeśli Bóg da, szybko do nich powróci.

Papiery już się piętrzyły.

CZĘŚĆ PIERWSZA

*Drzewo na gorączkę*

# ROZDZIAŁ PIERWSZY

W rzeczy samej, przez pierwsze pięć wiosen życia Alma Whittaker była zaledwie pasażerem na tym świecie – jak i my wszyscy jesteśmy pasażerami we wczesnych latach dzieciństwa. Początkowe dzieje tego zwykłego dziecka nie stały się jeszcze ani szlachetne, ani szczególnie interesujące, poza tym jedynie, iż minęły bez chorób oraz nieszczęśliwych wypadków, za to w dostatku o poziomie rzadko spotykanym w Ameryce owego czasu, nawet w eleganckiej Filadelfii. W jaki sposób jej ojciec stał się posiadaczem tak wielkiego majątku – stanowi historię, której warto poświęcić trochę czasu, teraz, kiedy czekamy, aż dziewczynka podrośnie i znowu przykuje naszą uwagę. W roku 1800 nie było bowiem wcale bardziej niźli w innych czasach na porządku dziennym, aby człowiek ubogiego stanu oraz półanalfabeta stał się najbogatszym mieszkańcem miasta, tak więc sposoby, dzięki którym doszedł do takiego sukcesu, są w rzeczy samej interesujące – choć być może nie aż tak szlachetne, jak on sam by je nadgorliwie próbował przedstawiać.

Henry Whittaker urodził się w 1760 roku we wsi Richmond, położonej nad Tamizą, nieco za Londynem w górę rzeki. Był najmłodszym synem w biednej rodzinie, która posiadała już i tak zbyt liczne potomstwo. W dwóch niewielkich pokojach z klepiskiem pod ledwo szczelnym dachem, odżywiany jednym posiłkiem prawie każdego dnia, wzrastał pod opieką matki, która nie piła, oraz ojca, który nie bił rodziny – inaczej więc niż w wielu domach tamtych czasów. Słowem – wiódł niemal uprzywilejowane życie. Matka jego uprawiała nawet prywatny kawałeczek piaszczystego ugoru z tyłu za domem, gdzie hodowała ostróżki i łubin, dla ozdoby, niczym dama. Henry'ego nie zwiodły jednak ani te ostróżki, ani łubiny. Spał zaledwie ścianą oddzielony od świń i nie było chwili, w której ubóstwo by go nie upokarzało.

Być może los mniej by mu doskwierał, gdyby nie zobaczył z bliska dobrobytu i nie porównałby go z własną biedą, ale chłopiec dorastał, będąc świadkiem bogactwa nie tylko wielkiego, lecz wręcz królewskiego. W Richmond znajdował się pałac, a przy nim – ku rozrywce i wypoczynkowi – duże ogrody, zwane Kew, ze znawstwem utrzymywane przez księżniczkę Augustę, która przywiozła z sobą z Niemiec świtę ogrodników, rwących się do stworzenia z naturalnych i wielce skromnych angielskich pastwisk sztucznego i iście królewskiego krajobrazu. Jej syn, przyszły król Jerzy III, jako dziecko spędzał tam wakacje. Kiedy zasiadł na tronie, podjął wysiłek przemiany Kew w ogród botaniczny, dorównujący rywalom na kontynencie. Anglicy na zimnej, wilgotnej, odosobnionej wyspie w upodobaniu do botaniki znajdowali się daleko za resztą Europy i Jerzy III ochoczo ruszył w pogoń za konkurencją.

Ojciec Henry'ego pracował w sadzie w Kew. Był skromnym człowiekiem, szanowanym za sposób bycia o tyle, o ile można darzyć szacunkiem skromnego ogrodowego robotnika. Pan Whittaker miał dobrą rękę do owocujących drzew, do których odnosił się z rewerencją. („Płacą ziemi za trud", mawiał, „w przeciwieństwie do pozostałych"). Onegdaj uratował ulubioną jabłoń króla, zaszczepiając oczko chorującego egzemplarza na mocniejszym odroście i pieczołowicie zabezpieczając miejsce gliną. Drzewo owocowało z nowego szczepu jeszcze tego samego roku i wkrótce dało dorodne jabłka. Po tym cudzie sam król nadał panu Whittakerowi przydomek „Jabłeczny Mag".

Jabłeczny Mag mimo różnorakich talentów był prostym człowiekiem, obdarzonym nieśmiałą żoną, ale jakimś sposobem zdołał wyprodukować z nią sześciu szorstkich i porywczych synów (wśród nich chłopca zwanego „Postrachem Richmond" i dwóch innych, których przeznaczeniem będzie śmierć w knajpianej burdzie). Najmłodszy, Henry, był najbardziej szorstki z nich wszystkich, ale może, aby przeżyć pozostałych braci, po prostu musiał taki być. Jak mały chart, uparty oraz wytrwały – co stanowi rzadkie i wybuchowe połączenie – nigdy nie inaczej jak ze stoickim spokojem przyjmował razy od braci, którzy często wystawiali na próbę jego nieustraszoność, lubili bowiem rzucać mu wyzwania pełne ryzyka. Ale nawet z dala od braci Henry był niebezpiecznym eksperymentatorem. Wzniecał zakazany ogień, śmigał po dachach, kpiąc z gospodyń domowych, groził małym dzieciom i nikogo by nie zdziwiło, gdyby spadł z czubka kościelnej wieży lub utonął w Tamizie – choć, dodajmy, czystym zbiegiem okoliczności żaden z owych scenariuszy nigdy się nie przytrafił.

W przeciwieństwie do braci miał Henry jedną pozytywną cechę. A dokładniej dwie: inteligencję oraz zainteresowanie drzewami. Byłoby przesadą utrzymywać, że Henry szanował drzewa tak jak jego ojciec, ale interesował się nimi, ponieważ drzewa były jedną z niewielu rzeczy w jego ubogim świecie, których łatwo mu było się nauczyć, a doświadczenie zdążyło Henry'emu pokazać, że uczenie się daje człowiekowi przewagę nad innymi. Jeśli była okazja, by się czegokolwiek nauczyć, to jeśli się chciało kontynuować egzystencję (a Henry chciał) i chciało się ostatecznie wzbogacić (a Henry chciał), wtedy należało się tego uczyć. Łacina, kaligrafia, łucznictwo, jeździectwo, taniec – te dziedziny znajdowały się poza jego zasięgiem. Ale miał drzewa i miał ojca, Jabłecznego Maga, który cierpliwie podejmował trud nauczania.

Uczył się więc Henry wszystkiego o narzędziach sadownika, o glinie, wosku i sekatorach, a także o sztuczkach okulizacji, klinowania, rozszczepiania, sadzenia oraz przycinania wyważoną ręką. Uczył się, jak przesadzać drzewa wiosną, gdy gleba jest nawilżona i zwarta, oraz jak to czynić jesienią, kiedy ziemia bywa sypka i sucha. Uczył się podpierać i otulać morele, by chronić je przed wiatrem, doglądać cytrusów w oranżerii, okadzać agrest przeciwko pleśni, amputować figom chore gałęzie, a także – na co nie trzeba zwracać uwagi. Dowiadywał się, kiedy zrywać postrzępioną korę ze starego drzewa i jak zdzierać ją jednym ruchem do samej ziemi bez lęku i wyrzutów sumienia, tak by pobudzić drzewo do życia na następne co najmniej kilkanaście sezonów.

Henry wiele się nauczył od ojca – chociaż się go wstydził, wyczuwając w nim słabość. Jeśli pan Whittaker naprawdę jest Jabłecznym Magiem, rozumował, dlaczego ów powszechny podziw nie przynosi mu majątku? Głupsi od niego ludzie są bogaci, i to wielu. Dlaczego rodzina Whittakerów ciągle mieszka ze świniami, gdy tuż obok znajdują się wielkie zielone pałacowe trawniki i przytulne domki przy Alejce Druhny, w których służba królowej śpi we francuskiej pościeli? Pewnego dnia Henry wdrapał się na szczyt kunsztownie zdobionego parkanu i wyśledził damę ubraną w strój koloru kości słoniowej, trenującą anglezowanie na nieskazitelnie białym koniu, podczas gdy sługa akompaniował dla jej przyjemności na skrzypcach. Oto, jak żyją ludzie tutaj, w Richmond, a tymczasem Whittakerowie nie mają nawet prawdziwej podłogi.

Lecz ojciec Henry'ego nigdy się nie starał o poprawę losu. Zarabiał tę samą marną pensję od trzydziestu lat i ani razu nie wygłosił komentarza na jej temat ani też nigdy nie narzekał na pracę na dworze, nawet podczas najpaskudniejszej pogody, choć trwało to już tak długo, że całkowicie zniszczyło mu zdrowie. Ojciec Henry'ego wybierał drogę najostrożniejszych kroczków przez życie, szczególnie kiedy miał do czynienia z lepszymi od siebie – a każdego uważał za lepszego od siebie. Pan Whittaker postawił sobie za punkt honoru nigdy nikogo nie obrażać oraz nigdy nie czerpać dodatkowych korzyści, nawet jeśli nadarzała się okazja gotowa na wyciągnięcie ręki. Powtarzał synowi: „Henry, w życiu nie bądź zuchwały. Owcę możesz zarżnąć tylko raz. Jeśli się jednak postarasz, każdego roku możesz się dzielić owcą".

Mając tak bezsilnego i utrudzonego ojca, czegóż innego mógł Henry Whittaker oczekiwać od życia prócz tego, co zdobędzie własnoręcznie? Człowiek powinien odnosić korzyści, zaczął sobie tłumaczyć, kiedy miał zaledwie trzynaście lat. Człowiek powinien móc codziennie zarzynać owcę.

Tylko gdzie ową owcę znaleźć?

Wtedy to Henry Whittaker zaczął kraść.


Gdy mijała połowa lat siedemdziesiątych osiemnastego wieku, ogrody Kew były już botaniczną arką Noego, szczycącą się zbiorami tysięcy gatunków, a każdego tygodnia przychodziły nowe transporty – hortensje z Dalekiego Wschodu, magnolie z Chin, paprocie z Indii Zachodnich. Co więcej, w Kew zaczął pracować nowy ambitny superintendent: sir Joseph Banks, świeżo przybyły z triumfalnej podróży dookoła świata na *Endeavorze* kapitana Cooka, podczas której pełnił funkcję naczelnego botanika. Banks, który w Kew pracował, nie pobierając wynagrodzenia (interesowała go bowiem wyłącznie chwała Imperium Brytyjskiego, jak mawiał, choć niektórzy suponowali, że było w tym również trochę zainteresowania chwałą sir Josepha Banksa), i z szaloną pasją kolekcjonował rośliny, całkowicie się oddawał realizowaniu projektu tworzenia najbardziej efektownego państwowego ogrodu botanicznego.

Och, ten sir Joseph Banks! Piękny, ambitny, pełen ducha rywalizacji dziwkarz i awanturnik! Ten mężczyzna był wszystkim, czym ojciec Henry'ego Whittakera nie był ani trochę. W wieku dwudziestu trzech lat dostał spadek, dzięki któremu mógł się pławić w sześciu tysiącach funtów rocznie, i tym samym stał się jednym z najbogatszych Anglików. Niewykluczone, że najprzystojniejszym. Mógł z łatwością oddać się w życiu wyłącznie luksusowemu nieróbstwu, ale zamiast tego Banks postanowił zostać najodważniejszym spośród przyrodniczych odkrywców – i podjął się tej roli, nie poświęcając nic a nic z właściwego sobie blasku tudzież powabu. Pokaźną część kosztów pierwszej wyprawy kapitana Cooka pokrył z własnej kieszeni, co zagwarantowało mu prawo zabrania na pokład przeładowanego statku dwóch czarnych służących, dwóch białych służących, zapasowego botanika, sekretarza naukowego, dwóch artystów, rysownika oraz parę włoskich chartów. Podczas owej dwuletniej przygody Banks uwodził tahitańskie królowe, tańczył nago z tubylcami na plażach i w świetle księżyca przyglądał się tatuowaniu pośladków barbarzyńskich dziewcząt. Wracając, przywiózł ze sobą do Anglii jako zwierzątko-maskotkę tahitańskiego mężczyznę o imieniu Omai, a także prawie cztery tysiące gatunków roślin – spośród których niemal połowa była światu nauki dotychczas nieznana. Niewątpliwie sir Joseph Banks cieszył się największą sławą oraz prezentował największą klasę pośród wszystkich mężczyzn w Anglii i Henry darzył go ogromnym podziwem.

Ale i tak go okradał.

Po prostu okazja *sama* wchodziła w ręce i była oczywista. W kręgach naukowych uważano Banksa nie tylko za wielkiego przyrodnika kolekcjonera, ale także znany był jako nie lada botaniczny chomik. W owych wytwornych czasach dżentelmeni botaniki zazwyczaj otwarcie się dzielili odkryciami, jedynie Banks nie dzielił się niczym. Profesorowie, dygnitarze i zbieracze przyjeżdżali z całego świata do Kew pełni nadziei, że pozyskają nasiona, sadzonki i próbki z ogromnego zielnika Banksa – ale on odprawiał wszystkich z kwitkiem.

Młody Henry podziwiał w Banksie chomika (sam także nie dzieliłby się skarbem, gdyby go posiadał), ale w rozsierdzonych obliczach zawiedzionych międzynarodowych gości szybko dostrzegł sprzyjającą okoliczność. Gdy gniewni opuszczali ogród, czekał na nich tuż za bramą Kew i zaczepiał przekleństwem pod adresem Banksa rzuconym po francusku, niemiecku, niderlandzku albo włosku. Potem się zbliżał, pytał, jakie próbki chcieliby mieć, i obiecywał je zdobyć w ciągu tygodnia. Zawsze miał przy sobie kawałek kartonu i ołówek kreślarski; jeśli ktoś nie mówił po angielsku, rysował, co chciałby dostać. Wszyscy botanicy byli wówczas świetnymi rysownikami, więc przedmiot ich pragnień nie pozostawiał wątpliwości. Nocą Henry zakradał się do szklarni, przemykając obok robotników pilnujących ognia w wielkich piecach buzujących podczas zimnych wieczorów, i kradł rośliny dla zysku.

Był urodzony do tego zadania. Biegle rozpoznawał rośliny, znał się na przechowywaniu sadzonek, dostatecznie był nieobcy w ogrodzie, aby nie wzbudzać podejrzeń, i mistrzowsko zacierał ślady. Co więcej, wyglądało na to, że sen nie jest mu potrzebny. Cały dzień pracował z ojcem w sadach, całą noc kradł – rzadkie rośliny, cenne rośliny, obuwiki, tropikalne storczyki, mięsożerne cuda z Nowego Świata. Zachowywał także wszystkie rysunki roślin, które szlachetni panowie robili, i uczył się ich, aż poznał każdy pręcik i każdy płatek każdej rośliny na globie, której pożądał wielki świat.

Jak wszyscy wykwalifikowani złodzieje, Henry skrupulatnie dbał o własne bezpieczeństwo. Nikomu się nie zwierzył z sekretu, a zyski chował w licznych przemyślnych kryjówkach w ogrodach Kew. Nie wydawał ani grosza. Pozwalał zdobytym srebrom spać w glebie niczym prawdziwym kłączom. Chciał, żeby to srebro się namnożyło, aż będzie mógł się wyrwać z biedy i zapłacić za prawo bycia krezusem.

Po roku Henry miał kilku stałych klientów. Jeden z nich, hodowca storczyków z paryskiego Ogrodu Botanicznego, wypowiedział być może pierwszy w życiu chłopca komplement: „Masz użyteczne, zręczne paluszki, co, mój mały?". Po dwóch latach Henry zarządzał kwitnącym interesem. Sprzedawał rośliny nie tylko poważanym botanikom, ale także bogatej londyńskiej socjecie, która marzyła o posiadaniu egzotycznych gatunków we własnych kolekcjach. W trzecim roku nielegalnie wysyłał sadzonki do Francji i Włoch, fachowo pakując rośliny w torf i wosk, by przetrwały podróż.

Na koniec jednakże, po trzech latach uprawiania owej przestępczej działalności, Henry Whittaker został przyłapany – i to przez własnego ojca.

Pan Whittaker, zazwyczaj śpiący kamiennym snem, zauważył raz po północy, jak syn wymyka się z domu. Pełen niedobrych ojcowskich przeczuć poszedł za chłopakiem do szklarni i zobaczył, jak ten selekcjonuje, kradnie i fachowo pakuje. W tym, co ujrzał, natychmiast rozpoznał nielegalny proceder.

Ojciec Henry'ego nie zwykł bić synów, nawet jeśli na to zasługiwali (a zasługiwali często), i również owej nocy nie sprawił Henry'emu lania. Nie doprowadził też do bezpośredniej konfrontacji z chłopcem. Henry nie zdawał sobie nawet sprawy, że został przyłapany. Nie, pan Whittaker uczynił coś gorszego. Następnego dnia z samego rana w pierwszej kolejności zażądał osobistej audiencji u sir Josepha Banksa. Nie było przyjęte, aby ktoś tak niepozorny jak Whittaker domagał się rozmowy z takim dżentelmenem jak Banks. Po trzydziestu latach niestrudzonej pracy ojciec Henry'ego był jednak wystarczająco otoczony szacunkiem, by czuć prawo do takiej jednorazowej nietypowej impertynencji. Co prawda był człowiekiem starym i ubogim, ale także Jabłecznym Magiem, wybawicielem ulubionego drzewa króla, i ów tytuł dawał mu wstęp.

Pan Whittaker wszedł do superintendenta prawie na kolanach, z pochyloną głową, skruszony niczym pokutnik. Wyspowiadał się ze wstydliwej sprawy związanej z synem oraz z podejrzenia, że

Henry prawdopodobnie kradnie od lat. Zaproponował, że za karę mogą jego samego usunąć z ogrodów Kew, byleby oszczędzono chłopcu aresztu i go nie skrzywdzono. Jabłeczny Mag obiecał, że wyjedzie z rodziną daleko od Richmond i dopilnuje, aby nazwisko Whittakerów nigdy więcej nie rzuciło cienia na ogrody Kew oraz pana Banksa.

Banks – poruszony tak niezwykłym poczuciem honoru sadownika – odrzucił tę propozycję i natychmiast posłał po młodego Henry'ego. To też nie było typowym zachowaniem. Sir Joseph Banks rzadko spotykał się w swoim gabinecie z niepiśmiennym robotnikiem z ogrodu, a jeszcze rzadziej z szesnastoletnim występnym synem niepiśmiennego robotnika. Prawdopodobnie powinien po prostu zlecić aresztowanie chłopaka. Za kradzież karano jednak powieszeniem, nawet znacznie młodsze od Henry'ego dzieci szły na stryczek – i to za zdecydowanie pośledniejsze przewinienia. Obca inwazja na własną kolekcję mocno Banksa irytowała, współczuł jednak ojcu i zanim wezwie sądowego urzędnika, postanowił najpierw samemu zbadać problem.

Problem, gdy się pojawił w gabinecie sir Josepha Banksa, okazał się chudym rudowłosym młodzieńcem o zaciśniętych ustach i nieprzeniknionym spojrzeniu, szerokich ramionach, zapadniętej piersi i bladej cerze, która już zdążyła ogorzeć od wystawiania na wiatr, deszcz i słońce. Chłopak był wyraźnie niedożywiony, ale miał słuszny wzrost i duże dłonie; Banks pomyślał, że gdyby dobrze go karmić, wyrósłby na potężnego mężczyznę.

Henry nie znał powodu, dla którego został wezwany do biura Banksa, ale miał wystarczająco rozumu, by się spodziewać najgorszego. Czuł poważne zaniepokojenie. Jedynie za sprawą gruboskórnego hartu zdołał wejść do gabinetu Banksa bez widocznego drżenia.

Dobry Boże, jakiż piękny był ten gabinet! I jak wspaniale ubrany Joseph Banks: lśniąca peruka i połyskliwy, czarny aksamitny surdut, wyglancowane buty oraz białe skarpety. Ledwie Henry przekroczył próg, natychmiast oszacował lekki mahoniowy sekretarzyk, pożądliwie otaksował piękne kolekcjonerskie szkatułki, ustawione w rzędku na każdej półce, i zerknął z podziwem na niczego sobie portret kapitana Cooka. Psiamać, sama rama tego portretu musiała kosztować z dziewięćdziesiąt funtów!

W przeciwieństwie do ojca Henry Whittaker nie zgiął się w ukłonie w obecności Banksa, lecz wyprostowany stanął przed wielkim człowiekiem i spojrzał mu w oczy. Banks siedział. Przez chwilę pozwolił Henry'emu stać w milczeniu, być może czekał na wyznanie lub błaganie o litość. Lecz Henry ani nic nie wyznał, ani nie prosił o łaskę, nawet nie zwiesił głowy zawstydzony i jeśli sir Joseph Banks sądził, że Henry Whittaker będzie na tyle niemądry, aby pierwszemu zabrać głos w tak ryzykownej sytuacji, to nie znał Henry'ego Whittakera.

Wreszcie po do długim milczeniu Banks zażądał:

– W takim razie powiedz, dlaczego mam zrezygnować z oglądania, jak wisisz w Tyburn?*

A więc o to chodzi, pomyślał Henry, capnęli mnie.

Mimo wszystko chłopak usilnie szukał planu. Potrzeba mu było taktyki i musiał ją znaleźć w ciągu jednego mgnienia oka. Ponieważ nie stracił nadaremnie czasu, kiedy starsi bracia obijali go bez powodu, i nauczył się tego i owego na temat walki, teraz wiedział, że gdy większy i silniejszy przeciwnik pierwszy zada ci cios, masz tylko jedną szansę, nim tamten rozgniecie cię na miazgę, mianowicie musisz szybko wyskoczyć z czymś nieoczekiwanym.

– Ponieważ mam użyteczne, zręczne paluszki – odparł.

Banks lubił niecodzienne wydarzenia, więc zaskoczony parsknął śmiechem.

– Przyznam, że nie widzę, na co mógłbyś się przydać, młody człowieku. Spotkała mnie z twojej strony jedynie kradzież ciężko przeze mnie zdobywanego skarbu.

Nie było to pytanie, lecz Henry i tak odpowiedział.

– Może i troszkę uszczupliłem.

– Nie zaprzeczasz?

– Nawet jakbym się najbardziej na świecie rozbeczał, nic to nie zmieni, co nie?

---

* Tyburn – niewielka miejscowość, dzisiaj część Londynu, w której od 1196 r. do końca XIX w. wykonywano egzekucje na skazańcach przez powieszenie. (Wszystkie przypisy pochodzą od tłumacza).

I tym razem Banks się roześmiał. Być może pomyślał, że Henry popisuje się fałszywą odwagą, ale odwaga Henry'ego była autentyczna. Tak samo jak jego strach. I jak brak skruchy. Przez całe życie Henry Whittaker uważał skruchę za słabość.

Banks zmienił taktykę.

– Muszę powiedzieć, młody człowieku, że jesteś ukoronowaniem zgryzoty swojego ojca.

– A on mojej – odpalił Henry.

I znów wybuch śmiechu zaskoczonego Banksa.

– Doprawdy? A czymże ten dobry człowiek kiedykolwiek ci się naraził?

– Uczynił mnie biednym, sir – odrzekł Henry, po czym w jednej chwili, nagle, wszystko pojął i dodał: – To był on, prawda? Ten, kto doniósł panu na mnie?

– Istotnie. Honorowy i lojalny człowiek, ten twój ojciec.

Henry wzruszył ramionami.

– Ale nie w stosunku do mnie, co?

Banks przyjął to do wiadomości i kiwnął głową, przyznając tym samym, że stracił punkt. Po chwili zapytał:

– Komu sprzedawałeś moje rośliny?

– Mancini, Flood, Willink – Henry odhaczał nazwiska na palcach – LeFavour, Miles, Sather, Evashevski, Feuerele, lord Lessing, lord Garner…

Banks przerwał machnięciem ręki. Patrzył na chłopca z nieskrywanym zdumieniem. Co dziwne, gdyby lista była skromniejsza, być może bardziej by się rozzłościł. Ale byli to najwięksi botanicy swego czasu. Kilkoro z nich Banks mienił przyjaciółmi. W jaki sposób chłopak do nich dotarł? Niektórzy od lat nie podróżowali do Anglii. To dziecko musi *eksportować*. Jaką jeszcze działalnością para się tuż pod jego nosem to stworzenie…?

– Skąd ty w ogóle wiesz, jak się obchodzić z roślinami? – zapytał Banks.

– Zawsze znałem rośliny, sir, całe życie. Tak jakbym wszystko o nich wiedział z góry.

– A ci ludzie, czy oni ci płacili?

– Inaczej by nie dostali roślin, co nie? – odparł Henry.

– Musisz dobrze zarabiać. Zapewne zgromadziłeś niezły stosik pieniędzy przez te lata.

Henry był za sprytny, żeby odpowiedzieć na taką zaczepkę.

– Młody człowieku, co zrobiłeś z pieniędzmi, które zarobiłeś? – nalegał Banks. – Nie widać, żebyś inwestował w garderobę. Twoje zarobki bez wątpienia należą do Kew. Gdzie one są?

– Wyszły, sir.

– Gdzie wyszły?

– W kości, sir. Bo widzi pan, mam słabość do hazardu.

To może być i może nie być prawdą, pomyślał Banks. Chłopak bez wątpienia ma więcej zimnej krwi niż jakiekolwiek dwunożne bydlę, które dotychczas poznał. Banks był zaintrygowany. W końcu sam trzyma dla rozrywki w domu poganina i, prawdę powiedziawszy, lubi też sam za półpoganina uchodzić. Stan, do którego należy, wymaga, by przynajmniej utrzymywać, że się podziwia dobre maniery, ale potajemnie i prywatnie superintendent wolał nieco więcej dzikości. Cóż to za nieokiełznany kogucik z tego Henry'ego Whittakera! Z każdą chwilą Banks był coraz mniej skłonny przekazać ów niecodzienny ludzki egzemplarz w ręce posterunkowego.

Henry, który wszystko widział, dostrzegł, że na obliczu Banksa zachodzą zmiany – rysy złagodniały, zakwitło zdumienie, zaśnił błysk szansy na uratowanie życia. Pchnięty potrzebą walki o przetrwanie chłopiec rzucił się jeszcze jeden, ostatni raz na ten błysk nadziei.

– Niech nie każe mnie pan wieszać, sir – powiedział. – Będzie pan potem żałował.

– Zamiast tego co proponujesz, żebym z tobą zrobił?

– Niech pan zrobi ze mnie użytek.

– A to czemu? – zapytał Banks.

– Bo jestem lepszy niż inni.

# ROZDZIAŁ DRUGI

I tak Henry mimo wszystko nie zawisł na szubienicy w Tyburn, a jego ojciec nie stracił posady w Kew. Whittakerów cudownie ułaskawiono, a Henry'ego spotkało jedynie zesłanie. Sir Joseph Banks wysłał go na morze, by sprawdzić, co z chłopaka wyrośnie. Był rok 1776 i kapitan Cook miał wyruszyć na trzecią wyprawę dookoła świata. Banks nie brał udziału w tej ekspedycji. Mówiąc po prostu, nie zaproszono go. Na drugą wyprawę zresztą też nie został zaproszony, co napełniło go goryczą. Rozrzutność Banksa oraz jego żądanie poświęcania mu uwagi obróciło kapitana Cooka przeciw niemu i, co karygodne, popchnęło do znalezienia zastępstwa. Cook ma teraz podróżować ze skromniejszym botanikiem, kimś łatwiejszym do kontrolowania – człowiekiem o nazwisku David Nelson, nieśmiałym, wykwalifikowanym ogrodnikiem z Kew. Banks pragnął jednak też mieć jakiś udział w wyprawie, a nade wszystko pragnął mieć oko na botaniczną kolekcjonerską działalność Nelsona. Nie lubił myśli, że ważne badania naukowe mają się odbywać za jego plecami. Ustalił więc, że Henry weźmie udział w wyprawie jako jeden z pomocników Nelsona, i zaopatrzył go w instrukcje, by wszystko obserwował, uczył się wszystkiego, wszystko zapamiętał, a po powrocie zdał Banksowi ze wszystkiego szczegółową relację. Czy mógł być większy pożytek z Henry'ego Whittakera niż obsadzenie go w roli donosiciela?

Co więcej, zesłanie chłopaka na morze było dobrą taktyką, pozwalało pozbyć się go na kilka lat z Kew i dawało zarazem zdrowe oddalenie, które pozwoli sprawdzić, jaki to człowiek ma wyrosnąć z tego Henry'ego. Trzy lata na pokładzie to czas wystarczający na ujawnienie się prawdziwego charakteru. Jeśli chłopak skończy powieszony na noku rei jako złodziej, morderca albo buntownik… cóż, to już będzie problem Cooka, nieprawdaż, nie Banksa. Chłopiec mógł jednak sprawdzić się na jakimś polu, a wtedy, gdy wyprawa utemperuje trochę jego dzikość, Banks będzie mógł go mieć dla siebie na przyszłość.

Nelsonowi przedstawił pomocnika tymi słowy: „Nelson, chcę, żebyś poznał swoją nową prawą rękę, pana Henry'ego Whittakera z richmondskich Whittakerów. Ma użyteczne, zręczne paluszki i jestem pewien, że gdy przyjdzie co do czego, przekonasz się, iż w sprawach roślin chłopak wie wszystko z góry".

Później, na osobności, udzielił Henry'emu ostatnich porad przed wysłaniem go na morze: „Kiedy będziesz na pokładzie, synu, dbaj każdego dnia o zdrowie i ćwicz z zapałem. Słuchaj pana Nelsona… jest nudny, ale wie o roślinach więcej, niż jesteś się w stanie nauczyć. Będziesz na łasce starszych marynarzy, ale nigdy nie wolno ci na nich narzekać, inaczej sobie zaszkodzisz. Trzymaj się z daleka od dziwek, jeśli nie chcesz złapać francy. Popłyną dwa statki, ty będziesz na *Resolution* z samym Cookiem. Nigdy nie stawaj mu na drodze ani nie przemawiaj w jego obecności. A jeśli już odezwiesz się do niego, to nigdy w taki sposób, w jaki kiedyś rozmawiałeś ze mną. Nie uzna tego za zabawne tak jak ja. Nie jesteśmy z Cookiem do siebie podobni. Ten człowiek to zaciekły pies na etykietę. Bądź dla niego niewidzialny, a będzie ci lżej. Na koniec ci powiem, że na pokładzie *Resolution*, tak jak na pokładach wszystkich statków Jego Królewskiej Mości, znajdziesz się w gronie wszelkiej maści osobników, zarówno łotrów, jak i dżentelmenów. Mądrze wybieraj, Henry. Wzoruj się na dżentelmenach".

Henry umyślnie nic po sobie nie pokazywał, nie dało się więc odczytać jego reakcji, dlatego też Banks nie spostrzegł, jak silne wrażenie zrobiło na chłopcu ostatnie pouczenie. Banks zasugerował coś, co brzmiało rozkosznie w uszach chłopaka – mianowicie szansę, że kiedyś zostanie dżentelmenem. Nawet więcej niż szansę, brzmiało to jak rozkaz, najmilszy rozkaz: „Ruszaj w świat, Henry, i ucz się, jak zostać dżentelmenem". W czasie ciężkich, samotnych lat, które miał Henry spędzić na morzu, owo przypadkowo rzucone przez Banksa słowo jedynie wzmocni się w młodym umyśle. Być może stanie się jedyną treścią myśli. Być może z upływem czasu Henry Whittaker – ten pełen ambicji, borykający się z przeciwnościami chłopak rozpierany wrodzoną skłonnością do aspiracji – zacznie je pamiętać jako *obietnicę*.

Henry wypłynął z Anglii w lipcu 1776 roku. Dwie podawano oficjalne przyczyny podjęcia przez Cooka trzeciej wyprawy. Pierwszą było dopłynięcie na Tahiti, by zwrócić rodzinnej ziemi maskotkę sir Josepha Banksa – mężczyznę imieniem Omai. Omai znużył się życiem dworskim i zatęsknił za domem. Stał się ponury, przytył i zaczął sprawiać kłopoty, co spowodowało, iż Banks znużył się maskotką. Drugim zadaniem było w następnej kolejności obranie kursu na północ, wzdłuż amerykańskiego wybrzeża Oceanu Spokojnego, w poszukiwaniu Przejścia Północno-Zachodniego.

Trudy zaczęły się dla Henry'ego natychmiast. Przydzielono mu miejsce na najniższym pokładzie, obok beczek oraz klatek z drobiem. Drób i kozy narzekały wniebogłosy dookoła niego, lecz Henry nie narzekał. Dorośli mężczyźni o zgrubiałych nadgarstkach i skórze na dłoniach popękanej od soli dręczyli go, krzywdzili i pogardzali nim. Starsi marynarze szyderczo nazywali go słodkowodnym węgorzem, który nie wie nic o surowych warunkach żeglugi oceanicznej. Powiadali, że podczas każdej wyprawy ktoś umiera i Henry będzie pierwszym, który zginie.

Nie docenili go.

Henry był najmłodszy, ale jak się okazało, nie najsłabszy. Życie na pokładzie nie cechowało się dużo większą niewygodą od tego, które zawsze wiódł. Poznawał wszystko, co miał poznać. Nauczył się zasuszać zebrane przez pana Nelsona rośliny i właściwie preparować je dla dokumentacji naukowej, nauczył się sporządzać farbami wizerunki roślin w plenerze – odganiając muchy, które lądowały na pigmentach nawet podczas ich rozrabiania – ale także zdobył wprawę w pomocy na statku. Kazano mu szorować octem każdą szparę na *Resolution* i zmuszano do wyłapywania robactwa z koi starszych marynarzy. Pomagał okrętowemu rzeźnikowi solić i beczkować wieprze, poznał, jak obsługiwać maszynę do destylacji wody. Nauczył się połykać własne wymiociny, by nie demonstrować przed nikim słabości. Przetrzymywał sztormy, nie okazując lęku ani przed grzmiącymi niebiosami, ani przed żadnym z ludzi. Jadał rekiny, ale też znajdujące się w ich brzuchach na wpół strawione ryby. Bez zająknięcia.

Cumował na Maderze, na Teneryfie oraz w Zatoce Stołowej. Na Przylądku po raz pierwszy zetknął się z przedstawicielami Holenderskiej Kompanii Wschodnioindyjskiej, którzy wywarli na nim duże wrażenie powagą, kompetencją i zamożnością. Obserwował marynarzy, którzy przepuszczają cały zarobek przy stołach do gry. Patrzył, jak pożyczają pieniądze od Holendrów, którzy z kolei stronili od hazardu. Henry także nie grał. Widział, jak marynarza z jego statku, niedoszłego fałszerza, złapano na oszustwie i wychłostano do utraty przytomności – z rozkazu kapitana Cooka. Sam nie popełniał przestępstw. Gdy okrążali Przylądek, było lodowato i wiał wiatr, a on trząsł się pod cienkim pojedynczym kocem i szczękał zębami tak mocno, że jeden sobie złamał, ale nie narzekał. Boże Narodzenie spędził na przenikliwie zimnej wyspie, zamieszkanej przez lwy morskie oraz pingwiny.

Przybił do brzegów Tasmanii i zobaczył tam nagich tubylców – czy też „Indian", jak zwali ich (oraz w ogóle wszystkich miedzianoskórych ludzi) Brytyjczycy. Obserwował, jak kapitan Cook, by uczcić historyczne spotkanie, wręcza Indianom pamiątkowe medale z wybitym wizerunkiem Jerzego III oraz datą wyprawy. Patrzył, jak Indianie natychmiast przekuwają medale na haki wędkarskie oraz ościenie. Stracił następny ząb. Widział, że angielscy żeglarze nie wierzą, by życie Indianina miało jakąkolwiek wartość, mimo iż Cook na darmo starał się im wpajać coś przeciwnego. Był świadkiem, jak marynarze biorą siłą kobiety, których nie zdołali nakłonić, nakłaniają kobiety, na które ich nie było stać, a także po prostu kupują sobie dziewczęta od ich ojców, jeśli mieli jakiekolwiek żelazo do wymiany za ciało. On sam unikał jakichkolwiek dziewcząt.

Spędzał całe dnie na pokładzie statku, pomagając panu Nelsonowi rysować, opisywać, wklejać i klasyfikować botaniczną kolekcję. Pan Nelson nie wzbudzał w nim jakiegoś szczególnego uczucia, poza tym jednym, że pragnął nauczyć się od niego tego wszystkiego, co botanik już znał.

Dopłynął do Nowej Zelandii, która, gdyby nie wytatuowane dziewczęta do kupienia za garść groszowych gwoździ, wyglądałaby w jego oczach dokładnie tak samo jak Anglia. Nie kupował dziewcząt. Widział, jak marynarze z jego statku w Nowej Zelandii kupują od ojca dwóch gorliwych i pełnych energii synów w wieku dziesięciu oraz piętnastu lat. Tubylczy chłopcy dołączyli do wyprawy jako pomocnicy. Podkreślano, że zrobili to z ochotą i z własnej woli. Ale Henry widział, jak bardzo chłopcy nie mają pojęcia, co to znaczy zostawić krewnych. Nazywali się Tibura i Gowah i próbowali się zaprzyjaźnić z Henrym, ponieważ był im najbliższy pod względem wieku. Ale on ich ignorował. Byli niewolnikami i byli przegrani. Nie zamierzał zadawać się z przegranymi. Patrzył, jak chłopcy jedzą surowe psie mięso i usychają z tęsknoty za domem. Wiedział, że w końcu umrą.

Popłynął na buchającą zielenią, pachnącą Tahiti. Patrzał, jak witano kapitana Cooka niczym wielkiego króla, który wraca do siebie, niczym wielkiego przyjaciela. Naprzeciw *Resolution* wypłynęło mrowie wykrzykujących jego imię Indian. Henry obserwował, jak Omaia – Tahitańczyka, który poznał króla Jerzego III – witają z powrotem w domu i traktują najpierw niczym bohatera, a potem coraz bardziej jak obcego. Dostrzegł, że teraz Omai nie przynależy już nigdzie. Obserwował Tahitańczyków tańczących do muzyki granej na angielskich dudach i piszczałkach, i widział pana Nelsona, swego statecznego mistrza botaniki, jak pewnej nocy się upił i obnażywszy do połowy, tańczył w rytm tahitańskich bębnów. Henry nie tańczył. Zobaczył kapitana Cooka wydającego okrętowemu golibrodzie rozkaz pozbawienia tubylca obu uszu za dwukrotną kradzież żelaza z kuźni na *Resolution*. Widział, jak jeden z wielkich tahitańskich wodzów próbował ukraść Anglikowi kota i został smagnięty za to pejczem przez twarz.

Patrzył, jak kapitan Cook, chcąc zaimponować tubylcom, puścił sztuczne ognie w zatoce Matavai, ale tylko ich przestraszył. Pewnej spokojnej nocy dostrzegł miliony niebieskich lampek na firmamencie nad Tahiti. Pił z orzechów kokosowych. Jadł psy i szczury. Oglądał kamienne świątynie pełne poniewierających się ludzkich czaszek. Wspinał się na zdradzieckie skały klifowego wybrzeża, w pobliżu wodospadów, by zebrać próbki paproci dla pana Nelsona, który nie potrafił się wspinać. Widział, jak kapitan Cook z trudem utrzymuje porządek i dyscyplinę wśród podopiecznych, którymi rządzi rozpusta. Wszyscy marynarze i oficerowie zakochiwali się w tahitańskich dziewczętach, a każda z nich uchodziła za znawczynię specjalnego tajemnego miłosnego rytuału. Mężczyźni nie chcieli opuścić wyspy. Henry wytrzymywał bez kobiet. Były piękne, miały piękne piersi, miały piękne włosy, pachniały nadzwyczajnie i zaludniały jego sny – ale większość z nich złapała już francuską chorobę. Oparł się stu wonnym pokusom. Wyśmiewano go za to. Ale on nadal się opierał. Planował dla siebie większe rzeczy. Skupiał się na botanice. Zbierał gardenie, orchidee, jaśminy i owoce chlebowca.

Popłynęli dalej. Na Wyspach Przyjaznych* patrzył, jak na rozkaz kapitana Cooka odcinają tubylcowi ramię do łokcia, ponieważ ukradł z pokładu *Resolution* siekierę. Na tych samych wyspach badali z panem Nelsonem rośliny, gdy tubylcy urządzili zasadzkę i całkowicie zdarli z nich ubrania – a co gorsza, zabrali im także botaniczne eksponaty oraz notesy. W spiekocie, nadzy i wstrząśnięci, wrócili na statek, ale Henry wciąż nie narzekał.

Uważnie obserwował dżentelmenów podróżujących na statku i oceniał ich maniery. Naśladował ich język. Ćwiczył słyszaną u nich wymowę. Poprawiał swoje zachowanie. Podsłuchał, jak jeden z kapitanów mówi do drugiego: „Arystokracja zawsze była sztucznym wynalazkiem, ale nie wymyślono jeszcze nic od niej lepszego, co utrzymałoby kontrolę nad niewyedukowanym i bezmyślnym motłochem". Widział, jak oficerowie wielokrotnie oddawali honory każdemu tubylcowi, który przypominał szlachcica (czy przynajmniej angielskie wyobrażenie szlachcica). Na każdej wyspie, do której przybił *Resolution*, oficerowie wyławiali tego spośród śniadych ludzi, który nosił okazalszą od innych ozdobę gło-

---

* Wyspy Przyjazne – współcześnie używana nazwa: Tonga (archipelag w Polinezji, na Oceanie Spokojnym).

wy, który miał więcej tatuaży albo dzierżył dłuższą dzidę, którego otaczało więcej żon albo był noszony przez innych w lektyce lub – wobec braku wymienionych luksusów – który był po prostu wyższy od innych. Anglicy traktowali takiego człowieka z szacunkiem. Z nim dobijali targu, jemu znosili podarunki i na niego czasami wołali „król". Zauważył, że dokądkolwiek na świecie udają się Anglicy, wszędzie sprawiają wrażenie, jakby szukali króla.

Henry polował na żółwie oraz jadał delfiny. Jego jadły czarne mrówki. Płynął dalej. Widział malutkich Indian z gigantycznymi muszlami w uszach. Widział sztorm, który w tropikach zabarwia niebo na obrzydliwy zielonawy kolor – jedyne, czego wyraźnie bali się starsi marynarze. Widział płonące góry nazywane wulkanami. Płynęli na północ. Znowu zrobiło się zimno. Znowu jadł szczury. Przybili do zachodniego wybrzeża Ameryki Północnej. Jadł sarninę i renifery. Widział ludzi odzianych w futra i handlujących skórami z bobrów. Widział, jak marynarzowi zaplątała się noga w łańcuch od kotwicy i porwało go za burtę. Zginął w odmętach.

Żeglowali dalej na północ. Zobaczył domy zbudowane z żeber wieloryba. Kupił skórę wilka. Razem z panem Nelsonem zbierał pierwiosnki, fiołki, borówki i jałowiec. Widział Indian, którzy mieszkali w jamach w ziemi i ukrywali przed Anglikami swoje kobiety. Jadł soloną wieprzowinę upstrzoną czerwiami. Stracił kolejny ząb. Kiedy przybył do Cieśniny Beringa, usłyszał dzikie bestie wyjące skroś arktycznej nocy. Każda sucha rzecz, którą posiadał, zawilgotniała, a potem pokryła się lodem. Patrzył, jak rośnie mu broda i mimo że rzadka, gromadzi sople. Obiad przymarzał do talerza, nim zdążył go zjeść. Nie narzekał. Nie chciał, żeby doniesiono sir Josephowi Banksowi, że kiedykolwiek narzekał. Przehandlował swoją skórę z wilka za parę butów śniegowych. Widział, jak pan Anderson, lekarz okrętowy, umiera i chowają go w morzu, w najposępniejszym krajobrazie, jaki człowiek może sobie wyobrazić – otoczonym zamarzłym światem wiecznej nocy. Obserwował marynarzy, wypalających salwę armatnią do lwów morskich na brzegu, dla sportu, dopóki nie padło na tamtej plaży ostatnie żywe stworzenie.

Widział ziemię, którą Rosjanie nazywają Alaską. Pomagał robić piwo z sosny, znienawidzone przez marynarzy, ale tylko to mieli do picia. Zobaczył Indian, mieszkających w norach nie lepszych od legowisk zwierząt, na które polowali i które zjadali, a także spotkał Rosjan porzuconych na stacji wielorybniczej. Zasłyszał uwagę kapitana Cooka na temat głównego oficera wśród Rosjan (wysokiego, przystojnego blondyna): „Widać, że pochodzi z dobrej rodziny". Wyglądało na to, że wszędzie, nawet w posępnej tundrze, ma znaczenie, czy się jest dżentelmenem z dobrej rodziny. W sierpniu kapitan Cook odpuścił. Nie znajdował Przejścia Północno-Zachodniego, a *Resolution* utknął pomiędzy katedrami gór lodowych. Zmienili kurs i skierowali się na południe.

Płynęli bez zatrzymywania, aż dotarli na Hawaje. Nie powinni byli nigdy płynąć na Hawaje. Bezpieczniej byłoby głodować wśród lodów. Hawajscy królowie byli rozwścieczeni, a tubylcy agresywni i kradli. Hawajczycy nie przypominali Tahitańczyków – nie mieli nic z łagodnych przyjaciół – a na dokładkę były ich tysiące. Lecz kapitan Cook potrzebował słodkiej wody i musiał zostać w porcie dopóty, dopóki nie zapełnią się ładownie statku. Wiele się wydarzyło kradzieży i wiele wymierzono kar. Karabiny strzelały, Indianie odnosili rany, wodzowie się burzyli, wymieniano pogróżki. Niektórzy powiadali, że kapitan Cook się wypala, że staje się bardziej brutalny po każdej kradzieży, demonstruje coraz bardziej teatralną złość i coraz bardziej zajadłe oburzenie. A mimo to Indianie wciąż kradli. Zakaz nie działał. Wyciągali gwoździe wprost ze statku. Ukradziono łodzie, a także dużo broni. Więc padło więcej strzałów i zabito więcej Indian. Henry przez tydzień ani na chwilę nie zmrużył oka. Zresztą nikt nie zmrużył oka, wszyscy czuwali.

Kapitan Cook udał się na ląd w nadziei na audiencję u wielkich wodzów. Chciał ich udobruchać, ale stanęły przed nim setki rozjątrzonych Hawajczyków. W ułamku chwili tłum był hałastrą. Henry Whittaker patrzył, jak kapitana Cooka spotyka śmierć od tubylczej włóczni przebijającej mu pierś i od maczet okładających jego głowę. Krew mieszała się z falami. W ciągu krótkiej chwili wielki nawigator przestał istnieć. Ciało zabrali tubylcy. Później tej samej nocy jakiś Indianin podpłynął kanoe do *Resolution* i dla zniewagi wrzucił na pokład kawał uda kapitana Cooka.

Henry obserwował, jak angielscy żeglarze w odwecie puszczają z ogniem całą osadę. Angielskich żeglarzy z trudnością dało się powstrzymywać przed wymordowaniem co do jednego wszystkich Indian na wyspie: mężczyzn, kobiet i dzieci. Odcięto głowy dwóm tubylcom i zatknięto na pale. Będzie ich więcej, obwieszczali marynarze, dopóki nie zwrócą zwłok kapitana Cooka, by można je było godnie pogrzebać. Następnego dnia reszta ciała Cooka pojawiła się na pokładzie *Resolution*, brakowało jednak kręgów oraz stóp, których już nigdy nie odzyskano. Henry patrzył, jak szczątki jego komandora chowane są w morzu. Kapitan Cook nigdy nie odezwał się słowem do Henry'ego Whittakera, a Henry – stosując zalecenia Banksa – nigdy nie pojawił się w polu widzenia Cooka. Ale teraz Henry Whittaker żył, a kapitan Cook nie.

Uznał, że po takim nieszczęściu wrócą do Anglii, ale nie uczynili tego. Kapitanem został człowiek o nazwisku Clark. Wciąż mieli zadanie do wykonania – jeszcze raz spróbować poszukać Przejścia Północno-Zachodniego. Kiedy powróciło lato, znowu pożeglowali na północ, w owo przerażające zimno. Henry'ego obsypał wulkaniczny popiół i pumeks. Każde świeże warzywo oraz owoc dawno zostały skonsumowane i gasili pragnienie słoną wodą. Za statkiem podążały rekiny, żywiące się tym, co spłukiwały latryny. Z panem Nelsonem zanotowali jedenaście nowych gatunków gęsi polarnej, z czego dziewięć jedli. W wodzie obok statku spostrzegł niedźwiedzia polarnego, leniwie płynące zagrożenie. Obserwował Indian przywiązanych do małego kanoe wyściełanego futrem i nawigujących wśród fal, jakby oni i ich łodzie stanowili jeden organizm. Widział pędzących po lodzie Indian, ciągniętych przez psy. Patrzył, jak następca kapitana Cooka – kapitan Clark – umiera w wieku trzydziestu ośmiu lat i chowany jest w morzu.

Teraz Henry przeżył już dwóch angielskich kapitanów.

I znowu odpuścili Przejście Północno-Zachodnie. Pożeglowali do Macao. Zobaczył flotylle chińskich dżonek i drugi raz spotkał przedstawicieli Holenderskiej Kompanii Wschodnioindyjskiej. W prostej czarnej odzieży i skromnych sabotach, byli wszędzie. Miał wrażenie, iż w każdym zakątku świata ktoś jest winien jakiemuś Holendrowi pieniądze. W Chinach Henry Whittaker dowiedział się o wojnie z Francją oraz rewolucji w Ameryce. Usłyszał wówczas o nich po raz pierwszy. W Manili oglądał hiszpański galeon załadowany, jak mówiono, srebrem wartym dwa miliony funtów szterlingów. Za swoje buty śniegowe kupił hiszpański mundur marynarski. Dostał biegunki – wszyscy dostali – ale przeżył. Przybił do brzegów Sumatry, potem Jawy, gdzie kolejny raz zobaczył, jak Holendrzy robią pieniądze. Zwrócił na to uwagę.

Ostatni raz opłynęli Przylądek i ruszyli w drogę powrotną do Anglii. Szóstego października 1780 roku szczęśliwie zacumowali w Deptford. Henry'ego nie było cztery lata, trzy miesiące i dwa dni. Stał się młodym dwudziestoletnim mężczyzną. Podczas podróży przyswoił dżentelmeńskie maniery. Miał nadzieję i oczekiwał, że tak się będzie o nim mówiło. Był także gorliwym obserwatorem oraz zbieraczem roślin, zgodnie z poleceniem, i teraz szykował się do wyjawienia całości sprawozdania sir Josephowi Banksowi.

Zszedł z pokładu, pobrał zapłatę, znalazł środek transportu do Londynu. Miasto podupadło, cuchnęło. Rok 1780 był dla Brytanii ciężki – motłoch, gwałty, antypapieska bigoteria, dom lorda Mansfielda doszczętnie spalony, rękawy sutanny arcybiskupa Yorku oderwane i rzucone mu prosto w twarz na środku ulicy, wyłamane kraty więzienia, stan wyjątkowy – lecz Henry o niczym nie wiedział i o nic nie dbał. Udał się piechotą na Soho Square numer 32, prosto do prywatnej rezydencji Banksa. Zapukał do drzwi, wypowiedział swoje imię i czekał gotowy przyjąć nagrodę.


Banks wysłał go do Peru.

*Taka* będzie nagroda Henry'ego.

Sir Joseph Banks raczej osłupiał, ujrzawszy u progu Henry'ego. Przez kilka ostatnich lat prawie całkiem zapomniał o chłopcu, chociaż był zbyt sprytny oraz zbyt ułożony, aby to okazać. Głowę mu obciążała zdumiewająca mnogość informacji i nie mniejsza porcja odpowiedzialności. Nie tylko doglądał rozwoju ogrodów Kew, lecz także nadzorował oraz finansował niezliczone wyprawy botaniczne po całym świecie. Prawie nie było statku, który by zawinął do Londynu i nie wiózł z daleka roślin, nasion, cebulek albo próbek dla sir Josepha Banksa. Do tego zajmował pozycję w kulturalnym towarzystwie i przykładał rękę do wszelkiego naukowego rozwoju w Europie, od chemii przez astronomię do hodowli owiec. Ujmując rzecz najprościej, sir Joseph Banks miał głowę nazbyt zaprzątniętą różnymi sprawami i przez ostatnie cztery lata nie myślał o Henrym Whittakerze tyle, ile Henry Whittaker rozmyślał o nim.

Mimo to zaprosił Henry'ego łaskawie do prywatnego gabinetu i stopniowo zaczął sobie przypominać syna ogrodnika z Kew. Poczęstował go kieliszkiem porto – którego Henry nie przyjął – i kazał chłopcu opowiedzieć wszystko o podróży. Oczywiście Banks wiedział, że *Resolution* przybił szczęśliwie do wybrzeża Anglii. Podczas trwania wyprawy otrzymywał listy od pana Nelsona, Henry był jednak pierwszą osobą prosto z pokładu, którą widział, w końcu więc – kiedy nareszcie pojął, kim chłopak jest – okazał mu pełną dociekliwości ciekawość. Henry opowiadał przez niespełna dwie godziny, przedstawiając szczegółowo wszystkie sprawy botaniczne oraz osobiste. Trzeba dodać, iż jego mowa była pełna bardziej swobody niźli taktu, dzięki czemu relacja stała się dla słuchającego prawdziwym skarbem. Przy końcu opowieści Banks poczuł, że jest wybornie doinformowany. A niczym tak się nie delektował jak świadomością, że poznaje sprawy, o których nikt nie podejrzewa go, że wie, tymczasem teraz – na długo, zanim udostępnią mu oficjalne i politycznie wygładzone dzienniki pokładowe z *Resolution* – wiedział już wszystko o wydarzeniach podczas trzeciej wyprawy kapitana Cooka.

Im dłużej Henry mówił, tym większe robił na Banksie wrażenie. Superintendent wyraźnie widział, że chłopak kilka lat spędził nie tyle na studiowaniu, ile wręcz na podbijaniu botaniki i jest w nim teraz potencjał na pierwszorzędnego znawcę roślin. Banks zrozumiał, że trzeba mu będzie zatrzymać Henry'ego, nim ktoś inny go przechwyci. Sam był seryjnym przywłaszczycielem. Często robił użytek z pieniędzy oraz osobistego czaru, by wyławiać młodych obiecujących ludzi z innych instytucji oraz wypraw i oddawać ich w usługi Kew. Oczywiście, z czasem także tracił młodych pracowników – zwabionych bezpiecznymi i dostatnimi posadami ogrodników w bogatych posiadłościach. Tego jednego postanowił jednak nie stracić.

Henry był zapewne źle wychowany, ale Banksowi nie przeszkadzali źle wychowani ludzie, jeśli byli kompetentni. Wielka Brytania naprodukowała przyrodników niczym siemiena lnianego, lecz większość z nich to były zakute pały i dyletanci. Tymczasem Banks pożądał nowych gatunków. Sam z chęcią dołączyłby do ekspedycji, ale dobiegał pięćdziesiątki i okrutnie dokuczała mu podagra. Opuchnięty i zbolały, tkwił uwięziony przez większą część dnia przy biurku. Musiał wysyłać innych zbieraczy w zastępstwie. Przeciwnie do tego, jak mogłoby się wydawać, wcale nie było tak łatwo ich znaleźć. Wbrew oczekiwaniom niewielu młodych i sprawnych fizycznie ludzi skłonnych było kiepsko zarabiać za gotowość na śmierć od malarii na Madagaskarze albo w katastrofie morskiej u brzegów Azorów, albo podczas napadu bandytów w Indiach czy w więzieniu w Granadzie, albo po prostu za gotowość, by na zawsze zniknąć na Cejlonie.

Jeśli chodzi o Henry'ego, Banks wziął się na sposób. Trzeba sprawić, by chłopak poczuł, jak gdyby został *już* na zawsze przeznaczony do pracy dla Banksa, i aby nie miał czasu na rozważania, by nikt go nie zniechęcił, by nie zadurzył się w jakiejś szykownie ubranej dziewczynie ani nie zaczął czynić własnych planów na przyszłość. Należało przekonać Henry'ego, że wszystko jest już ustalone i że jego przyszłość należy do Kew. Henry Whittaker był śmiałym młodym osobnikiem, lecz Banks zdawał sobie sprawę, że pozycja społeczna, oparta na majątku, władzy i sławie, daje mu przewagę – rzeczywiście, bywały chwile, kiedy dzięki niej sprawiał wrażenie, jakby był ramieniem samej bożej Opatrzności. Sposób polegał na tym, by owego ramienia użyć szybko i bez zmrużenia powiek.

– Dobra robota – rzekł Banks, wysłuchawszy relacji. – Świetnie się sprawiłeś. W następnym tygodniu wysyłam cię w Andy.

Henry musiał przez chwilę pomyśleć: Co to są Andy? Wyspy? Góry? Państwo? Takie jak Holandia?

Banks tymczasem mówił dalej, tak jakby wszystko już było ustalone.

– Finansuję ekspedycję botaniczną do Peru, wyrusza w środę za

tydzień. Poprowadzi was pan Ross Niven. To Szkot, stary wyga...
może trochę za stary, jeśli mam być szczery... ale jest twardy jak
nikt. Zna te swoje drzewa i zapewne zna tę swoją Amerykę Południową. Przyznam, że wolę Szkota od Anglika do takiej roboty.
Myślą trzeźwiej i są lojalniejsi, bardziej stworzeni do podążania ku
wyznaczonym celom z żarliwym zapałem, a tego przecież oczeku-
jemy od naszych ludzi za granicą. Twoje wynagrodzenie, Henry, to
czterdzieści funtów rocznie i chociaż nie są to pieniądze, za które
obrośniesz w piórka, to zważ, iż posada jest wielce zaszczytna i pociąga za sobą wdzięczność Imperium Brytyjskiego. Ponieważ jesteś
nadal kawalerem, na pewno ci to wystarczy. Im oszczędniej żyjesz
teraz, Henry, tym bogatszym będziesz człowiekiem potem.

Henry spojrzał, jakby chciał zadać pytanie, więc Banks natychmiast go ubiegł.

– Przypuszczam, że nie mówisz po hiszpańsku? – zapytał z przy-
ganą w głosie.

Henry potrząsnął głową.

Banks westchnął z teatralnym niezadowoleniem.

– Cóż, rozumiem, że się nauczysz. Mimo to pozwolę ci wziąć
udział w wyprawie. Niven mówi w ich języku, chociaż komicznie
grasejuje. Jakoś dacie sobie radę z hiszpańską władzą. Oni trzymają w Peru kontrolę, jak wiesz, no i przeszkadzają... ale przypuszczam, że to ich teren. Jeden Bóg wie, jak bardzo chciałbym
tam jednak przetrząsnąć każdy kawałek dżungli, jeśli się da. Nie
znoszę Hiszpanów, Henry. Nienawidzę hiszpańskiego prawa do
dóbr martwej ręki, stwarzającego tylko trudności i korumpującego
wszystkich zainteresowanych. I mają upiorny Kościół. Możesz sobie wyobrazić, że jezuici nadal wierzą, że cztery rzeki wypływające
z Andów to te same rzeki, które według Księgi Rodzaju przepływa-
ły przez Raj? Pomyśl tylko, Henry, pomylić Orinoko z Tygrysem!

Henry nie miał pojęcia, o czym tamten mówi, ale milczał. Przez
ostatnie cztery lata nauczył się odzywać tylko wtedy, kiedy wiedział, co powiedzieć. Co więcej, nauczył się również, że milczenie
może uspokoić rozmówcę co do twojej inteligencji. Na koniec był
rozproszony wciąż rozbrzmiewającym w jego głowie echem słów:
„Tym bogatszym będziesz człowiekiem potem...".

Banks potrząsnął dzwonkiem i do pokoju wszedł blady służący bez wyrazu, usiadł przy sekreterze i wyjął papier do pisania. Banks bez zbędnych słów zaczął od razu dyktować:

„Sir Joseph Banks ma przyjemność polecić Pana Szanownemu Lordowi Komisarzowi przy Ogrodach Jego Królewskiej Mości zwanych Kew et cetera, et cetera… Z rozkazu Jego Lordowskiej Mości powiadamiamy, iż został Pan, Henry Whittakerze, mianowany na stanowisko zbieracza roślin przy Ogrodach Jego Królewskiej Mości et cetera, et cetera… na wynagrodzenie Waszmości oraz zakwaterowanie, opłaty i wydatki przeznacza się pensję czterdziestu funtów szterlingów rocznie et cetera, et cetera, et cetera".

Później Henry dojdzie do wniosku, że bardzo dużo tych et cetera jak za czterdzieści funtów rocznie, ale czy miał inną przyszłość? Nastąpiło pełne wywijańców zaskrobanie pióra i Banks zaczął leniwie machać kartką, by ją osuszyć.

– Twoim celem, Henry, jest drzewo chinowe. Możesz je znać jako drzewo na gorączkę. To z niego pochodzi „kora jezuitów", lekarstwo. Dowiedz się wszystkiego na jego temat. To fascynujące drzewo i chciałbym, żeby było dokładniej zbadane. Nie rób sobie wrogów, Henry. Strzeż się złodziei, głupców i heretyków. Sporządzaj dużo notatek i nie zapomnij zapisać, na jakiej glebie znajdziesz ten gatunek… na piaszczystej, ilastej czy bagiennej… tak abyśmy mogli spróbować zasadzić go tutaj, w Kew. Licz się z każdym groszem. Myśl jak Szkot, chłopcze! Mniej sobie dogodzisz teraz, bardziej dogodzisz sobie w przyszłości, kiedy już zbijesz fortunę. Unikaj pijaństwa, lenistwa, kobiet oraz melancholii; nacieszysz się tymi wszystkimi przyjemnościami później w życiu, gdy już będziesz starym bezużytecznym człowiekiem jak ja. Bądź uważny. Lepiej, żeby się nikt nie dowiedział, że jesteś botanikiem. Chroń swoje rośliny przed kozami, psiarnią, kotami, gołębiami, drobiem, robactwem, pleśnią, marynarzami, słoną wodą…

Henry słuchał jednym uchem.

Jedzie do Peru.

W środę następnego tygodnia.

Jest botanikiem, nominowanym przez króla Anglii.

# ROZDZIAŁ TRZECI

Henry dotarł do Limy po blisko czterech miesiącach morskiej podróży. Oto znalazł się w mieście pięćdziesięciu tysięcy dusz – kolonialnej placówce, w której borykające się z losem hiszpańskie rodziny z wyższych sfer mniej znajdowały pożywienia niż muły, które ciągnęły ich powozy.

Przybył sam. Ross Niven, szef całej ekspedycji (ekspedycji, która, nawiasem mówiąc, składała się wyłącznie z Henry'ego Whittakera oraz Rossa Nivena), zmarł po drodze, niedaleko wybrzeży Kuby. Starego Szkota nie powinno się było wypuszczać z Anglii. Cierpiał na suchoty, był blady i pluł krwią podczas kaszlu, ale się uparł i zataił chorobę przed Banksem. Nie przeżył nawet miesiąca na morzu. Na Kubie Henry bazgrołami napisał ledwo czytelny list do Banksa, w którym podał wiadomość o śmierci Nivena i wyraził zdecydowane pragnienie samotnego kontynuowania misji. Nie czekał na odpowiedź. Nie chciał być wezwany do powrotu.

Zanim Niven zmarł, zdążył jednakże podjąć pożyteczny trud nauczenia Henry'ego paru rzeczy na temat drzewa chinowego. Według jego opowieści, około roku 1630 jezuiccy misjonarze przebywający w peruwiańskich Andach zauważyli, że Indianie Keczua piją gorący napar ze sproszkowanej kory, aby przeciwdziałać gorączce i dreszczom, wywołanym przez zimno panujące na dużych wysokościach. Jakiś bystry zakonnik zaczął się zastanawiać, czy ów gorzki proszek nie byłby dobry na gorączkę i dreszcze towarzyszące malarii – chorobie, której nie znano w Peru, ale która w Europie kosiła w równym stopniu papieży co biedaków. Zakonnik wysłał trochę proszku z chinowca do Rzymu (owego malarycznego miasta na moczarach) i dołączył instrukcję, jak go zastosować. Okazało się, że chinowiec w cudowny sposób przerywa pasmo spustoszeń powodowanych malarią, choć nikt nie rozumiał dlaczego. Jakikolwiek mechanizm to był, kora chinowca leczyła z malarii całkowicie, bez skutków ubocznych poza utrzymującym się niedosłyszeniem, co wydawało się niewielką ceną za życie.

Na początku osiemnastego wieku peruwiańska kora, czy jak inni ją zwali, „kora jezuitów", stanowiła najcenniejszy towar eksportowany z Nowego Świata. Jeden gram czystej kory był wart tyle co jeden gram srebra. Była to terapia dla bogatych ludzi, ale w Europie było wielu bogaczy i żaden z nich nie chciał umierać na malarię. Potem sam Ludwik XIV wyleczony został korą jezuitów, co tylko jeszcze bardziej wywindowało cenę. Tak jak Wenecja bogaciła się na pieprzu, Chiny na herbacie, tak jezuici bogacili się na korze z peruwiańskiego drzewa.

Tylko Brytyjczykom wolno szło uznanie wartości kory – głównie za sprawą nastawienia antyhiszpańskiego i antypapieskiego, ale także z powodu utrzymującego się większego upodobania do puszczania krwi pacjentom niż do leczenia ich podejrzanym proszkiem. Na dodatek wydobycie leczniczych składników z kory chinowej wymagało skomplikowanej wiedzy. Rosło około siedemdziesięciu gatunków tych drzew i nikt nie potrafił dokładnie określić, która kora ma najsilniejsze działanie. Trzeba było polegać na uczciwości zbieracza, a był nim najczęściej oddalony o sześć tysięcy mil Indianin. Proszek, znany jako „kora jezuitów", na który najczęściej się natykano w londyńskich aptekach, szmuglowany do kraju tajnymi kanałami z Belgii, był zazwyczaj fałszowany i nieskuteczny. Niemniej jednak kora zwróciła wreszcie uwagę sir Josepha Banksa, który chciał się dowiedzieć więcej na jej temat. A teraz – czując subtelną zapowiedź możliwości zbicia majątku – chciał tego także Henry, który właśnie się stał przywódcą własnej ekspedicji.

Wkrótce Henry poruszał się po Peru jak dźgany czubkiem bagnetu, a tym bagnetem była rozpierająca go ambicja. Ross Niven na łożu śmierci udzielił Henry'emu trzech rozsądnych wskazówek dotyczących podróżowania po Ameryce Południowej i młody człowiek mądrze stosował się do nich wszystkich. Pierwsza: Nigdy nie noś butów. Zahartuj stopy tak, by wyglądały jak nogi Indianina, i na zawsze odrzuć butwiejący dotyk zawilgoconej wyprawionej zwierzęcej skóry. Druga: Porzuć ciężkie ubranie. Noś się lekko i naucz się marznąć, tak jak Indianie. Będziesz dzięki temu zdrowszy. I trzecia: Codziennie się kąp w rzece, tak jak to robią Indianie.

Na tym zamknęła się cała wiedza, jaką posiadł Henry Whittaker, razem z informacją, że chinowiec może się okazać lukratywny i że można znaleźć go tylko w wysokich Andach, w oddalonym zakątku Peru zwanym Loksa. Nie miał ani pomocnika, mapy ani podręcznika z dalszymi instrukcjami, wziął się więc do tego po swojemu. By dotrzeć do Loksy, musiał pokonać rzeki, brnąć przez ciernie, znosić węże, choroby, upał, zimno, ulewy, hiszpańskich urzędników oraz – najbardziej z tego niebezpieczne – własne uparte muły, eksniewolników i rozgoryczonych Murzynów, których języków, żalów oraz tajemnic mógł się jedynie domyślać.

Bosy i głodny, wszystkich poganiał. Tak jak Indianie, żuł liście kakaowca, by zachować siłę. Nauczył się hiszpańskiego, to znaczy z uporem utrzymywał, że mówi po hiszpańsku i że ludzie go rozumieją. Jeśli go nie rozumieli, coraz bardziej podnosił głos, aż pojmowali. W końcu dotarł do celu. Wyszukał i przekupił *cascarilleros*, „korowników", Indian z okolicy, którzy wiedzieli, gdzie rosną najlepsze drzewa. Sam także badał teren i dotarł do jeszcze bardziej ukrytych zagajników drzew chinowych.

Henry, nieodrodny syn sadownika, po krótkim czasie zaobserwował, że większość drzew chinowych jest w złym stanie, chorują i są zbyt eksploatowane. Znalazł zaledwie kilka drzew o pniach grubych niczym on sam w talii, grubszych nie było. Zaczął okładać drzewa mchem w miejscach, gdzie ścięto korę, by mogły się zagoić. Nauczył *cascarilleros* okorowywać w pionie, a nie w poziomie, co dla drzewa jest zabójcze. Inne chore drzewa ścinał i tworzył gaje odroślowe. Kiedy sam chorował, nie przerywał pracy. Gdy nie mógł iść z powodu słabości albo infekcji, kazał swoim Indianom przywiązywać się do muła, jakby był jeńcem, i w taki sposób odwiedzał drzewa. Jadł świnki morskie. Zastrzelił jaguara.

Pozostał w Loksie przez cztery ciężkie lata, na boso i marznąc, śpiąc w szałasie z bosymi i zziębniętymi Indianami, którzy dla ogrzania palili ogniska z łajna. Pielęgnował gaj drzew chinowych, które wedle prawa należały do Hiszpańskiej Farmacji Królewskiej, ale Henry po cichu uważał je za własne. Zaszedł tak daleko w góry, że żaden Hiszpan mu nie przeszkadzał, a po pewnym czasie Indianie także się z nim oswoili. Dzięki uważnym obserwacjom zrozumiał, że drzewa chinowe o ciemnej korze dają mocniejsze lekarstwo od pozostałych i że młode odrosty chyba produkują najlepszą korę. Częste przycinanie wydawało się więc korzystne. Rozpoznał oraz nazwał siedem nowych gatunków drzew chinowych, lecz większość z nich uznał za nieprzydatne. Uwagę skoncentrował na drzewie, które nazywał chinowcem *roja* – czerwone drzewo, najbogatsze. Zaszczepił je na odrostach gatunków bardziej krzepkich i odpornych na choroby, by otrzymać wyższy plon.

Wiele także rozmyślał. Młody człowiek w dalekim, rosnącym wysoko w górach lesie ma mnóstwo czasu na myślenie i Henry tworzył wielkie teorie. Od zmarłego Rossa Nivena wiedział, że handel korą jezuitów przynosi Hiszpanii dziesięć milionów reali rocznie. Dlaczego sir Joseph Banks chciał, by jedynie badał ową substancję, kiedy mogliby ją także sprzedawać? I dlaczego produkcja kory jezuitów musi się odbywać jedynie w niedostępnej części świata? Henry pamiętał, jak ojciec go uczył, iż w historii ludzkości każda wartościowa roślina była najpierw poszukiwana i zbierana dziko, zanim zaczęła być uprawiana, a szukanie dzikich drzew (co w tym wypadku oznacza wspinanie się w Andach) i zbieranie z nich plonów jest znacznie mniej wydajne niż ich uprawianie (czyli poznawanie, jak je pielęgnować gdzie indziej, na kontrolowanych plantacjach). Wiedział, że Francuzi próbowali przenieść chinowca do Europy w 1730 roku, ale nic z tego nie wyszło, i był pewien, że wie, dlaczego ponieśli porażkę: nie rozumieli, że w grę wchodzi wysokość geograficzna. Nie da się zasadzić tego drzewa w dolinie Loary. Chinowiec potrzebuje wysoko położonego terenu, rozrzedzonego powietrza i wilgotnego lasu, a we Francji nie ma takiego miejsca. Nie ma go też w Anglii. Ani, jeśli o tym mowa, w Hiszpanii. Szkoda. Klimatu nie da się importować.

Cztery lata myślenia naprowadziły Henry'ego na pomysł: Indie. Henry szedł o zakład, że chinowiec doskonale by rósł u zimnych, wilgotnych podnóży Himalajów – on sam nigdy nie był w tamtym rejonie świata, ale słyszał o nim od brytyjskich oficerów, kiedy podróżował po Macao. Co więcej, czemu by nie hodować tego pożytecznego medycznie drzewa bliżej ognisk samej choroby, bliżej rejonów, gdzie znajdzie zastosowanie? W Indiach rozpaczliwie potrzebowano kory jezuitów, by walczyć z gorączką osłabiającą brytyjskie oddziały oraz zastępy lokalnych pracowników. Teraz lekarstwo zbyt dużo kosztowało, by je podawać zwykłym żołnierzom oraz robotnikom, ale nie musi tak być. Około 1780 roku europejska cena kory jezuitów zawierała dwieście procent narzutu względem ceny peruwiańskiej, z czego większość stanowił koszt transportu. Czas zakończyć poszukiwania, a zacząć uprawę drzewa dla zysku, bliżej terenów, gdzie jest potrzebne. Dwudziestoczteroletni teraz Henry Whittaker wierzył, że właśnie on tego dokona.

Peru opuścił z początkiem roku 1785. Zabierał z sobą nie tylko notatki, próbki kory zawinięte w len oraz wielkie herbarium, ale także pędy odcięte od gołych korzeni i jakieś dziesięć tysięcy nasion chinowca *roja*. Wiózł do domu także różnorodne papryki oraz trochę nasturcji i kilka rzadkich fuksji. Jednak prawdziwym łupem był ów ładunek nasion. Henry czekał na nie dwa lata, czekał, by jego najlepsze drzewa wypuściły kwiaty, a tych – by nie ściął mróz. Potem suszył nasiona przez miesiąc na słońcu, obracając co dwie godziny, by nie dopuścić pleśni, a na noc zawijał w len, by uchronić przed rosą. Miał świadomość, że nasiona rzadko przeżywają rejs oceaniczny (nawet Banks nie zdołał pomyślnie dowieźć nasion z podróży z Cookiem), postanowił więc wypróbować trzy różne sposoby pakowania. Część nasion przewoził w piachu, partię w wosku, a resztę trzymał luzem w wysuszonym mchu. Wszystkie włożył do wołowych pęcherzy, by miały sucho, a następnie ukrył, owijając w alpakę.

Hiszpanie wciąż mieli monopol na chinowce, Henry więc formalnie stał się przemytnikiem. Z tego powodu postanowił ominąć ruchliwe brzegi Oceanu Spokojnego i podążył na wschód drogą lądową przez Amerykę Południową, legitymując się paszportem, który określał go jako francuskiego handlarza suknem. Razem z mułami i eksniewolnikami oraz ze swoimi nieszczęśliwymi Indianami wybrali szlak złodziei – z Loksy rzeką Zamora do Amazonki, a z jej nurtem do wybrzeży Atlantyku. Stąd pożeglował do Hawany, potem do Kadyksu, a stamtąd do rodzinnej Anglii. Trwało to półtora roku. Nie stanęli mu na drodze ani piraci, ani sztormy, ani wycieńczające choroby. Nie stracił żadnego eksponatu. I nie było to wcale aż takie trudne.

Sir Joseph Banks, pomyślał, będzie z niego zadowolony.


Ale sir Joseph Banks nie był zadowolony, kiedy Henry znowu się z nim spotkał w przytulnym i komfortowym domu pod numerem 32 przy Soho Square. Postarzał się, do tego był bardziej schorowany i zmartwiony niż kiedykolwiek. Podagra męczyła go niemiłosiernie i musiał się zmagać z naukowymi zagadnieniami, które uznawał za decydujące dla przyszłości Imperium Brytyjskiego.

Banks starał się znaleźć sposób na wyzwolenie Anglii z uzależnienia od obcych producentów bawełny. Do Brytyjskich Indii Zachodnich* wysłał rolników znających się na uprawie, którzy usiłowali – dotychczas bez powodzenia – założyć tam plantacje. Próbował też, także bez sukcesu, przełamać holenderski monopol na handel przyprawami korzennymi – hodując muszkatołowiec oraz goździkowiec w Kew. Złożył przed królem propozycję, by zamienić Australię na kolonię karną, lecz nikt go nie słuchał. Pracował nad budową dwunastometrowego teleskopu dla astronoma Williama Herschela, który pragnął odkryć nowe komety oraz planety. Ale nade wszystko Banks pożądał balonów. Francuzi mieli balony. Francuzi eksperymentowali z gazami lżejszymi od powietrza i wysyłali ludzi ponad dachy Paryża. Anglicy zostawali w tyle! W imię nauki oraz bezpieczeństwa narodowego, na Boga, *Imperium Brytyjskiemu potrzebne są balony*.

Tak więc Banks nie był tego dnia w nastroju, by wysłuchiwać zapewnień Henry'ego, że to, czego Imperium Brytyjskie rzeczywiście potrzebuje, to plantacje drzewa chinowego w środkowych partiach indyjskich Himalajów – pomysł, który w żaden sposób nie posuwał naprzód sprawy bawełny, korzeni, tropienia komet

---

* Brytyjskie Indie Zachodnie – obecnie Karaiby.

ani baloniarstwa. Umysł Banksa zagracało zbyt dużo spraw, a stopa bolała go jak diabli i energiczne wtargnięcie Henry'ego Whittakera na tyle go zirytowało, by w następstwie zlekceważył całą rozmowę. I tu sir Joseph Banks popełnił rzadki u niego błąd taktyczny – błąd, który ostatecznie drogo będzie Anglię kosztował.

Trzeba jednakże odnotować, że i Henry popełnił tego dnia taktyczne błędy względem Banksa. W gruncie rzeczy kilka z rzędu. Pojawienie się bez zapowiedzi pod numerem 32 przy Soho Square było pierwszym z nich. Owszem, wcześniej też tak uczynił, ale teraz Henry nie był już pyskatym wyrostkiem, któremu można wybaczyć takie uchybienie w obyciu. Teraz był dorosłym (i rosłym) mężczyzną, którego nieprzerwane dudnienie w drzwi frontowe niosło zapowiedź nie czego innego, jak towarzyskiej impertynencji oraz zagrożenia fizycznego.

Co więcej, Henry pojawił się na progu u Banksa z pustymi rękoma, czego nie ma prawa robić botaniczny kolekcjoner. Przywieziony z Peru zbiór znajdował się wciąż na pokładzie statku z Kadyksu, bezpiecznie zadokowanego w porcie. Była to imponująca kolekcja, ale jakże Banks miał o tym wiedzieć, skoro wszystkie okazy znajdowały się poza jego wzrokiem schowane w wołowych pęcherzach, beczkach, workach z juty oraz wiwariach, szklanych pojemnikach niczym przenośne oranżerie. Henry powinien był coś przynieść i osobiście przekazać Banksowi do rąk – jeśli nie pęd samego chinowca *roja*, to przynajmniej ładnie kwitnącą fuksję. Cokolwiek, co zwróciłoby uwagę starego człowieka i rozjaśniło mu czoło przekonaniem, że czterdzieści funtów rocznie, które pompował w Henry'ego Whittakera oraz w Peru, nie zostało roztrwonione.

Ale Henry nic nie rozjaśnił. Zamiast tego miotał się przed Banksem i obcesowo zarzucał: „Jest pan w błędzie, sir, wyłącznie badając chinowca, kiedy powinien pan go sprzedawać!". Owa niewiarygodnie nierozważna wypowiedź zarzucała Banksowi głupotę, a zarazem brukała numer 32 przy Soho Square nieprzyjemnym cieniem *handlu* – jak gdyby sir Joseph Banks, najbogatszy dżentelmen w Brytanii, kiedykolwiek musiał się osobiście uciekać do handlowania.

By oddać Henry'emu sprawiedliwość, trzeba powiedzieć, że nie miał całkiem przytomnej głowy. Spędził samotnie wiele lat w dalekim lesie, a młody człowiek w lesie może się stać niebezpiecznie nieskrępowanym myślicielem. W myślach Henry omawiał ten temat z Banksem tak wiele razy, że teraz, podczas rzeczywistej konwersacji, tracił cierpliwość. W jego wyobraźni wszystko już było ustalone i zwieńczone sukcesem. W głowie Henry'ego istniał tylko jeden możliwy scenariusz: Banks przywita pomysł jako znakomity, przedstawi Henry'ego odpowiednim urzędnikom Departamentu Indyjskiego, załatwi pozwolenia, zapewni finansowanie i uruchomi – najlepiej nazajutrz po południu – ów fantastyczny projekt. W marzeniach Henry'ego plantacje chinowców już rosły w Himalajach, on sam był już imponująco bogatym człowiekiem, którym według obietnicy Josepha Banksa miał się stać, i witano go już jako dżentelmena w kręgach londyńskiego towarzystwa. Ale najbardziej z wszystkiego Henry Whittaker pozwolił sobie na przeświadczenie, że on i Joseph Banks traktują się już nawzajem jak drodzy i bliscy przyjaciele.

Otóż jest całkiem prawdopodobne, że Henry Whittaker i sir Joseph Banks mogliby zostać drogimi i bliskimi przyjaciółmi, gdyby nie jedno drobne ale, takie mianowicie, że sir Joseph Banks nigdy nie widział w Henrym Whittakerze niczego więcej nad źle wychowanego i potencjalnie skłonnego do kradzieży małego cwaniaka, którego jedyną rolą w życiu jest dać się wyżąć w służbie lepszym od siebie.

– Uważam także – ciągnął Henry, gdy tymczasem Banks wciąż dochodził do siebie po obrazie jego wrażliwości, honoru oraz salonu – iż powinniśmy omówić moją nominację na członka Królewskiego Towarzystwa Naukowego.

– Słucham? – odparował Banks. – Kto, na Boga, nominował ciebie na członka Królewskiego Towarzystwa Naukowego?

– Wierzę, że pan to uczyni – odparł Henry – w nagrodę za moją pracę i pomysłowość.

Na chwilę Banks zaniemówił. Uniósł bezwiednie brwi. Wziął gwałtowny wdech. A potem – najbardziej niefortunnie dla przyszłości Imperium – parsknął śmiechem. Śmiał się tak szczerze, że aż musiał oczy ocierać chusteczką z belgijskiej koronki, kosztującą zapewne więcej niż dom, w którym dorastał Henry Whittaker.

Dobrze było tak się roześmiać po męczącym dniu i Banks bez reszty dał się porwać wesołości. Tak bardzo się śmiał, że kamerdyner stojący za drzwiami gabinetu aż wsadził głowę do środka ciekawy, skąd taki wybuch radości. Tak bardzo się śmiał, że aż nie mógł mówić. Co może było najlepszym rozwiązaniem, bo nieogarnięty śmiechem Banks i tak miałby problem ze znalezieniem słów, by wyrazić absurdalność usłyszanego poglądu – mianowicie że Henry Whittaker, który na całkiem dobrą sprawę powinien osiem lat temu zawisnąć na szubienicy w Tyburn, który miał szczwaną twarz urodzonego kieszonkowca, którego karygodnie pisane listy były prawdziwym źródłem rozrywki dla Banksa przez ostatnie lata, którego ojciec (biedak!) dotrzymywał towarzystwa świniom – że ten młody *naciągacz* oczekuje zaproszenia do najbardziej szacownego i najbardziej uprzywilejowanego naukowego stowarzyszenia w całej Brytanii? Cóż za piramidalna bzdura!

Oczywiście to sir Joseph Banks był powszechnie wielbionym prezesem Royal Society of Fellows, Królewskiego Towarzystwa Naukowego – o czym Henry dobrze wiedział – i gdyby tylko nominował jakiegoś kulawego nudziarza na członka Towarzystwa, Towarzystwo zaprosiłoby potwora z otwartymi ramionami i na dokładkę wybiło medal na jego cześć. Ale zaprosić Henry'ego Whittakera? Temu bezczelnemu hultajowi, temu śliskiemu jak makrela gówniarzowi, temu dupkowi żołędnemu pozwolić, żeby dodawał do swojego nieczytelnego podpisu skrót *RSF*?

Nigdy.

Kiedy Banks dostał ataku śmiechu, Henry'emu żołądek się ścisnął i skurczył w małą, twardą piąstkę. Gardło też mu się ścisnęło, jak gdyby w końcu założono na nie pętlę. Zamknął oczy i ujrzał morderstwo. Był zdolny do morderstwa. Wyobraził sobie morderstwo i skrupulatnie rozważył wszelkie konsekwencje morderstwa. Przez długą chwilę powoli rozmyślał na temat morderstwa, podczas gdy Banks się śmiał i śmiał.

Nie, zadecydował Henry. Morderstwo nie.

Otworzył oczy. Banks się wciąż tak samo śmiał. Henry był jednak przemienionym człowiekiem. To, co pozostało w nim do owego dnia z młodości, w jednej chwili uschło i odpadło. Od tego momentu w jego życiu nie będzie się liczyć, kim się może *stać*, ale co może *pozyskać*. Nigdy nie będzie dżentelmenem. I dobrze. Chrzanić dżentelmenów. Chrzanić ich wszystkich. Pewnego dnia Henry będzie bogatszy od wszystkich dżentelmenów razem wziętych i będzie miał na własność wielu z nich, całych, od stóp do głów. Henry odczekał, aż Banks przestanie się śmiać, po czym bez słowa wyniósł się z gabinetu.

Natychmiast ruszył pod latarnie i znalazł sobie prostytutkę. Przycisnął ją do ściany w zaułku i ostrym waleniem pozbył się dziewictwa, tak długo czyniąc obrażenia w trakcie tej czynności zarówno na dziewczyny, jak i swoim ciele, dopóki nie wyzwała go od brutali. Znalazł pub, wypił dwa dzbany rumu, wyładował się na nieznajomym przy użyciu pięści, został wyrzucony na ulicę i skopany w nery. A więc to ma – odfajkowane. Wszystko, czego sobie odmawiał przez ostatnie osiem lat w imię stawania się szanowanym dżentelmenem, wszystko zostało odfajkowane. Widzisz, jakie to łatwe? Bez przyjemności, żeby było jasne, ale odfajkowane.

Wynajął łódkę i kazał się zabrać w górę rzeki, do Richmond. Była już noc. Przeszedł obok nędznego domu rodziców, nie zatrzymując się. Nigdy więcej nie ujrzy swojej rodziny – i nie zapragnie ujrzeć. Zakradł się do Kew, znalazł szpadel i wykopał wszystkie pieniądze, które ukrył w wieku szesnastu lat. Całkiem pokaźna ilość srebra czekała na niego w glebie, o wiele większa, niż się spodziewał.

– Dobry chłopak – pochwalił swoje młodsze złodziejskie i zapobiegliwe wcielenie.

Przespał się nad rzeką, głowę złożywszy na wilgotnym worku pełnym monet. Następnego dnia wrócił do Londynu i nabył porządną garderobę. Doglądnął przeniesienia całej peruwiańskiej kolekcji – nasion, pęcherzy i próbek kory – ze statku, który przypłynął z Kadyksu, na statek udający się do Amsterdamu. Prawnie cały zbiór należała do Kew. Pieprzyć Kew. Pieprzyć Kew do ostatniej kropli krwi. Niech Kew go teraz szuka.

Trzy dni później dopłynął do Holandii, a tam sprzedał swoją kolekcję, pomysły oraz usługi Holenderskiej Kompanii Wschodnioindyjskiej – której przebiegli i poważni prezesi przyjęli go, trzeba rzec, bez cienia uśmiechu.

# ROZDZIAŁ CZWARTY

Sześć lat później Henry Whittaker był bogatym człowiekiem znajdującym się na prostej drodze do jeszcze większego majątku. Jego plantacje chinowca doskonale prosperowały w holenderskiej kolonii na Jawie, plewiąc się radośnie niczym zielsko w chłodnej, wilgotnej, pociętej na terasy górskiej posiadłości zwanej Pengalengan. Warunki panowały tam niemal identyczne do tych, jakie Henry wiedział, że charakteryzują peruwiańskie Andy oraz niskie partie Himalajów. Henry mieszkał na plantacji i starannie doglądał swego botanicznego skarbu. To jego amsterdamscy partnerzy dyktowali teraz światową cenę kory jezuitów, zbierając plon sześćdziesięciu florenów za każde sto funtów kory, która przechodziła przez ich ręce. Nie nadążali z przetwarzaniem surowca. Była tu fortuna do zrobienia, ale prawdziwa fortuna rodzi się w szczegółach. Henry cały czas uszlachetniał sad, teraz chroniony przed zapylaniem krzyżowym przez zmniejszenie zagęszczenia drzew, i zaczynał produkować korę o mocniejszym działaniu oraz bardziej zwartą niż jakakolwiek pochodząca z samego Peru. Co więcej, transport był sprawny, a cały proceder pozbawiony podejrzanej ingerencji Hiszpanów oraz Indian – i świat uznał produkt za niezawodny.

Kolonie holenderskie stały się największym producentem oraz odbiorcą kory jezuitów. Proszek uwalniał od malarii ich żołnierzy, zarządców oraz robotników na terenie całych Indii Wschodnich. Przewaga, jaką to im dawało nad konkurencyjnymi koloniami – w szczególności angielskimi – była w sensie dosłownym nie do policzenia. Pełen niepohamowanej mściwości Henry czynił wszystko, co leżało w jego mocy, aby całkowicie blokować dostęp produktu na angielskie rynki albo przynajmniej windować cenę, kiedy kora jezuitów znajdowała drogę do Anglii lub jej terytoriów.

Tymczasem w Kew sir Joseph Banks, który wypadł z gry, ostatecznie podjął próbę wyhodowania chinowca w Himalajach, ale nie mając dostępu do wiedzy Henry'ego Whittakera, pozostawał daleko w tyle. Brytyjczycy tracili majątek, energię i nadzieje, uprawiając złe gatunki drzewa na złej wysokości, o czym Henry się dowiadywał z zimną satysfakcją. Około 1790 roku każdego tygodnia umierały w Indiach na malarię niezliczone rzesze brytyjskich obywateli i poddanych Imperium z powodu braku dostępu do dobrej kory jezuitów, podczas gdy Holendrzy parli do przodu w bezczelnym zdrowiu.

Henry podziwiał Holendrów i dobrze mu się z nimi pracowało. Bez wysiłku ich rozumiał – owych pracowitych, niezmordowanych kopaczy kanałów, piwoszy, mówiących bez ogródek kalwinów liczykrupy, którzy od szesnastego wieku zaprowadzali w handlu porządek i przez całe życie spali spokojnie każdej nocy, przeświadczeni, że to Bóg sobie tego życzy, aby byli bogaci. Naród bankierów, kupców oraz ogrodników, Holendrzy, jak Henry lubili widzieć własne kalkulacje jako złocące się zyskiem i dlatego trzymali świat w niewoli wygórowanych odsetek. Nie oceniali jego prymitywnych manier ani gwałtownego zachowania. Bardzo szybko Henry Whittaker oraz Holendrzy zaczęli przynosić sobie nawzajem zdumiewający majątek. W Holandii niektórzy nazywali Henry'ego „Peruwiańskim Księciem".

Henry był teraz bogatym trzydziestojednolatkiem i nadszedł czas, by wyreżyserować pozostałą część życia. Na początek dobrze będzie zacząć własny interes, całkowicie niezależny od holenderskich partnerów, pomyślał i uważnie przepatrywał możliwości. Nie fascynowały go minerały ani kamienie szlachetne, ponieważ nie miał żadnej wiedzy w tych dziedzinach. Tak samo rzecz się miała z budową statków, wydawaniem książek oraz tekstyliami. To musi być botanika. Ale jaki rodzaj botaniki? Henry nie miał ochoty wchodzić na rynek handlu przyprawami korzennymi, chociaż było głośno, iż zbija się na tym ogromne majątki. Zbyt wiele nacji parało się już przyprawami, a wedle oceny Henry'ego koszty ochrony produktu przed piratami oraz konkurencyjną flotą mogły przewyższyć zyski. Nie wzbudzał jego uznania także handel cukrem ani bawełną. Uważał te rodzaje działalności za ryzykowne i kosztowne oraz z natury nierozłącznie powiązane z niewolnictwem. Henry Whittaker nie chciał mieć nic do czynienia z niewolnictwem – i nie dlatego, by uważał je za odrażające moralnie, ale ponieważ uznał, że jest finansowo nieefektywne, organizacyjnie nieuporządkowane oraz kosztowne, a do tego nadzorowane nieraz przez najbardziej podejrzanych na ziemi pośredników. Tym, co naprawdę go interesowało, były rośliny lecznicze – rynek, którego dotychczas jeszcze nikt nie zaczął spieniężać.

A więc niechże będzie to farmacja i rośliny lecznicze.

Następnie musiał zadecydować, gdzie ma mieszkać. Był właścicielem ładnej posiadłości na Jawie razem z jej setką służących, ale przez ostatnie lata już mu zbrzydł klimat atakujący chorobami tropikalnymi, tak że utrzymywanie zdrowia wprowadzałoby mu okresowo zamęt w życie do końca dni. Potrzebował bardziej umiarkowanej macierzy. Odciąłby sobie ramię, jeśli miałby kiedykolwiek jeszcze zamieszkać w Anglii. Kontynent też mało go pociągał: Francja pełna była irytujących ludzi; Hiszpania skorumpowana i niestabilna; Rosja nie do przyjęcia; Włochy absurdalne; Niemcy sztywne; Portugalia w uwiądzie. Holandia, chociaż przychylnie do niego nastawiona, nudna.

W rachubę wchodzą Stany Zjednoczone Ameryki, zadecydował. Henry nigdy tam nie był, ale słyszał obiecujące relacje. W szczególności dotyczyły one miasta zwanego Filadelfią – tętniącej życiem stolicy owego młodego państwa. Mówiono, że to miasto z dobrym portem, centralnie położone na Wschodnim Wybrzeżu, zaludnione pragmatycznymi kwakrami: farmaceutami i ciężko pracującymi farmerami. Wieść niosła, że nie ma tam pyszniącej się arystokracji (jaka jest w Bostonie), umartwiających się purytanów (jacy są w Connecticut) oraz dokuczliwych samozwańczych feudalnych książąt (jacy są w Wirginii). Miasto ufundowano na zdrowych podstawach tolerancji religijnej, wolności prasy oraz dobrym projektowaniu krajobrazu, a dokonał tego William Penn – człowiek, który hodował sadzonki drzew w wannach i który widział swą metropolię jako wielką wylęgarnię roślin oraz idei. Każdego przyjmowano w Filadelfii z otwartymi ramionami, dosłownie każdego z wyjątkiem, oczywiście, Żydów. Słysząc to wszystko, Henry przeczuwał, że Filadelfia stanowi rozległą krainę niewyczerpanych zysków, i powziął zamiar zrobić z niej dobry użytek.

Zanim jednak gdziekolwiek osiądzie, chciał się wyposażyć w żonę i – ponieważ nie był głupcem – chciał holenderskiej żony. Pragnął mądrej i uczciwej kobiety, w największym stopniu pozbawionej lekkomyślności, a taką znaleźć można było w Holandii. Henry dogadzał sobie, oczywiście, w ciągu tych lat z prostytutkami i nawet trzymał młodą Jawajkę w posiadłości w Pengalengan, ale nadszedł czas, by się zakrzątnąć koło porządnej żony. Pamiętał radę mądrego portugalskiego żeglarza, który przed laty mu powiedział: „Sposób na szczęśliwe i pomyślne życie, Henry, jest prosty. Wybierz jedną kobietę, dobrze ją sobie wybierz – a potem się poddaj".

Henry popłynął do Holandii, by ją wybrać. Zrobił to szybko i z wyrachowaniem. Wyjął żonę z szanowanego starego rodu van Devenderów, którzy od wielu pokoleń opiekowali się amsterdamskimi ogrodami botanicznymi Hortus. Należały one do czołowych doświadczalnych ogrodów Europy – stanowiły wynik jednego z najstarszych w historii połączeń botaniki, nauki oraz handlu – i van Devenderowie z dumą zawsze nimi zarządzali. Nie należeli do żadnej arystokracji ani nie byli szczególnie bogaci, ale Henry nie potrzebował bogatej kobiety. Byli za to pierwszorzędną europejską rodziną naukowców – a to podziwiał.

Niestety, podziw nie był obopólny. Jacob van Devender, ówczesna głowa rodu oraz ogrodów (i mistrz hodowli ozdobnych aloesów) słyszał o Henrym Whittakerze i nie lubił go. Wiedział, że za owym młodym człowiekiem ciągnie się historia kradzieży oraz że sprzedał ojczyznę dla zysku. Nie było to postępowanie, które Jacob van Devender aprobował. Jacob był Holendrem i owszem, cenił własny kapitał, ale nie był bankierem ani spekulantem. Nie mierzył wartości ludzi wysokością ich kupki złota.

Niemniej miał doskonale rokującą córkę – przynajmniej w oczach Henry'ego. Na imię jej było Beatrix. Urody nie miała ani zbyt pospolitej, ani szczególnie pięknej, co stanowiło w sam raz materiał na żonę. Była korpulentna i płaska, idealna mała baryłka, i kiedy Henry ją poznał, zaczynała już się toczyć w kierunku staropanieństwa. Większości konkurentów Beatrix van Devender wydawała się zbytnio wyedukowana. Konwersowała biegle na temat botaniki w pięciu żywych językach i dwóch martwych z fachowością dorównującą męskiej. Zdecydowanie nie była kokietką. Nie stanowiła ozdoby salonu. Nosiła się w szerokiej gamie kolorów powszechnie kojarzonych z upierzeniem wróbli. Wyhodowała w sobie zdecydowaną podejrzliwość wobec pasji, przesady oraz piękna, pokładając zaufanie wyłącznie w tym, co jest solidne oraz wiarygodne, i zawsze przedkładając przyswojoną wiedzę nad odruch instynktu. Henry'emu jawiła się jako żywa płyta balastu, a tego właśnie szukał.

A co Beatrix widziała w Henrym? Pozostaje to dla nas pewną zagadką. Henry nie należał do przystojnych. Z pewnością też nie był wytworny. Prawdę powiedziawszy, w jego ogorzałej twarzy, wielkich dłoniach oraz prostackich manierach było coś z wiejskiego kowala. Większość uważała go za niesolidnego oraz niewiarygodnego. Henry Whittaker był wybuchowym, hałaśliwym i wojowniczym mężczyzną, na całym świecie miał wrogów. W ostatnich latach zaczął również więcej pić. Która szanująca się młoda kobieta dobrowolnie by sobie wybrała takiego osobnika na męża?

– Ten człowiek nie ma zasad – sprzeciwiał się córce Jacob van Devender.

– Ależ, ojcze, jest ojciec w wielkim błędzie – korygowała go córka. – Henry Whittaker ma wiele zasad. Jedynie może w nie najlepszym gatunku.

Owszem, Henry był bogaty i pewna część postronnych obserwatorów snuła domysły, iż być może Beatrix docenia jego majątek bardziej, niż daje po sobie poznać. Ponadto Henry zamierzał zabrać ją do Ameryki, a być może – jak dowcipkowali sobie plotkarze – ma ona jakiś wstydliwy skryty powód, by pragnąć na zawsze wyjechać z Holandii.

Prawda była jednak prostsza: Beatrix van Devender wyszła za Henry'ego Whittakera, ponieważ spodobało jej się to, co w nim ujrzała. Podobała jej się jego siła, jego spryt, jego dominacja oraz to, jak rokował. Był szorstki, zgoda, ale i ona nie była wydelikaconym kwiatuszkiem. Wzajemnie respektowali własną bezceremonialność. Rozumiała, czego od niej potrzebuje, i była pewna, że mogłaby z nim pracować – a może nawet troszkę nim kierować. W ten oto sposób Henry i Beatrix szybko oraz otwarcie zawiązali przymierze. Jedynym określeniem precyzyjnie oddającym charakter ich związku jest holenderskie słowo, handlowy termin: *partenrederij* – partnerstwo oparte na uczciwej wymianie i otwartych stosunkach, w którym zyski jutra są wynikiem dzisiejszych obietnic i w którym współpraca obu stron w równym stopniu przyczynia się do dobrobytu.

Rodzice się jej wyparli. Czy może ściślej mówiąc, Beatrix się ich wyparła. Byli surową rodziną, wszyscy. Nie godzili się na jej małżeństwo, a niezgoda na coś w wykonaniu van Devenderów zwykła trwać wiecznie. Beatrix wybrała Henry'ego, wyjechała do Stanów Zjednoczonych i nigdy więcej nie kontaktowała się z Amsterdamem. Jej ostatnie widzenie z rodziną polegało na spotkaniu z młodszym bratem Deesem, dziesięciolatkiem, który rozpłakał się przy pożegnaniu i ciągnąc ją za spódnicę, szlochał: „Zabierają ją ode mnie! Zabierają ją ode mnie!". Na co ona odczepiła palce brata ze swego rąbka i pouczyła go, by nigdy więcej nie przynosił sobie wstydu publicznymi łzami, po czym odeszła.

Do Ameryki Beatrix zabrała osobistą pokojówkę, nadzwyczaj kompetentną młodą pedantkę Hanneke de Groot. A także wzięła sobie z biblioteki ojca wydanie *Micrographii* Roberta Hooke z 1665 roku oraz nad wyraz cenny zbiór botanicznych ilustracji Leonharta Fuchsa. Do sukni podróżnej doszyła dziesiątki małych kieszonek i do każdej włożyła po cebulce najcenniejszych oraz najrzadszych tulipanów hodowanych w ogrodach Hortus, każdą otuloną w mech. Zabrała także z sobą dziesiątki czystych ksiąg rachunkowych.

Już wtedy planowała własną bibliotekę, własny ogród oraz – jak się miało okazać – własny majątek.


Beatrix przybyła z Henrym Whittakerem do Filadelfii na początku roku 1793. Miasto nieotoczone murem ani niechronione fortyfikacjami składało się w owym czasie z ruchliwego portu, kwartału budynków mieszczących urzędy handlowe oraz polityczne, skupiska obejść farmerskich i kilku wytwornych nowych posiadłości. Było to miejsce szerokich twórczych możliwości – istny aluwialny, urodzajny zagon potencjalnego wzrostu. Pierwszy Bank Stanów Zjednoczonych otworzył się tam zaledwie rok wcześniej. Cały stan Pensylwania walczył podówczas z okolicznymi lasami – zwyciężali mieszkańcy uzbrojeni w siekiery, woły oraz ambicje. Henry kupił 350 arów pastwisk na zboczach oraz nietkniętych lasów wzdłuż zachodniego nabrzeża rzeki Schuylkill z zamiarem dołączenia dalszych terenów, gdy tylko będzie w stanie je nabyć.

Pierwotnie Henry zamierzał stać się bogaty w wieku lat czterdziestu, ale ostro dosiadł koni, jak to się mówiło, i przybył do celu wcześniej. Miał dopiero trzydzieści dwa lata, a już trzymał w banku pieniądze w funtach, florenach, gwineach, a nawet rosyjskich rublach. Chciał wszakże być jeszcze bogatszy. Najpierw jednak, zaraz po przyjeździe do Filadelfii, należało się zaprezentować.

Henry Whittaker swoją posiadłość nazwał White Acre, Biały Akr, grą brzmień nawiązując do własnego nazwiska, i natychmiast przystąpił do budowy palladiańskiej rezydencji o lordowskich proporcjach, daleko piękniejszej od jakiejkolwiek prywatnej budowli stojącej w mieście. Dom miał być kamienny, ogromny, o wyważonej kompozycji, pomalowany na kolor bladożółty i ozdobiony pięknymi pawilonami, dobudowanymi od wschodniej oraz zachodniej strony, kolumnowym portykiem od południa oraz szerokim tarasem od strony północnej. Wybudował także wielką wozownię, ogromną kuźnię oraz wymyślną stróżówkę, a w ogrodzie postawił kilka obiektów małej architektury – w tym jeden, który będzie pierwszą z wielu wolno stojących cieplarni, pomarańczarnię wzorowaną na słynnej konstrukcji z Kew oraz zaczątek ogromnej oranżerii o oszałamiającej skali. Na błotnistym nabrzeżu rzeki Schuylkill – na którym zaledwie pięćdziesiąt lat wcześniej Indianie zbierali dziką cebulę – wybudował własną rampę przeładunkową dla barek rzecznych, taką, jakie mają stare bogate posiadłości wzdłuż Tamizy.

W owych dniach miasto Filadelfia w przeważającej części wciąż wiodło żywot skromny, lecz Henry zaprojektował White Acre jako bezczelną obrazę panującego ducha oszczędności. Pragnął, by jego posiadłość pulsowała ekstrawagancją. Nie bał się zawiści. W istocie uważał bycie przedmiotem zawiści za piekielnie wzmacniający sport, a także dobry interes, zawiść przyciąga bowiem ludzi. Dom zaprojektował tak, by wydawał się okazały nie tylko z daleka – łatwo dostrzegalny z wody, swobodnie posadowiony na wyniesionym cyplu, chłodno przyglądający się miastu rozciągniętemu na drugim brzegu rzeki – ale by także najmniejszym detalem zaświadczał o bogactwie. Każda klamka miała być mosiężna, a cały mosiądz miał być wypolerowany i lśnić. Meble przybywały prosto od Seddona* z Londynu, ściany pokryto belgijską tapetą, zastawa stołowa pochodziła z kantońskich Chin, piwnica zapełniona została jamajskim rumem oraz winem bordoskim z Francji, ręcznie dmuchane szklane lampy sprowadzono z Wenecji, a bzy zasadzone dookoła posesji wcześniej kwitły w imperium osmańskim.

Pozwalał, by o jego bogactwach krążyły niekontrolowane plotki. Był majętny, ale nic mu nie szkodziło, że ludzie wyobrażają go sobie jako krezusa. Kiedy sąsiedzi zaczęli szeptać, że konie Henry'ego Whittakera podkuwane są srebrem, pozwolił, żeby w to wierzono; podkuwane były żelazem, jak wszystkie inne konie, co więcej, Henry podkuwał je własnoręcznie (umiejętność, którą zdobył w Peru – na kiepskich mułach i przy użyciu kiepskich narzędzi). Ale czemu każdy miał o tym wiedzieć, gdy plotka była o tyle milsza i budziła większy respekt?

Henry zrozumiał czar pieniądza, ale zrozumiał też tajemniczy czar władzy. Wiedział, że jego posiadłość nie może tylko olśniewać, musi także onieśmielać. Ludwik XIV zabierał gości na spacer po swych ogrodach nie dla rozrywki, lecz dla manifestacji siły: każde kwitnące egzotyczne drzewo, każda roziskrzona fontanna i wszystkie bezcenne greckie posągi były jedynie środkami komunikowania światu konkretnego, jednoznacznego przesłania: *Nie radzę zaczynać ze mną wojny!* Henry życzył sobie, by White Acre wyrażała dokładnie to samo.

---

* George Seddon (1727–1801) angielski stolarz meblowy, właściciel wielkiej i najsłynniejszej w XVIII w. manufaktury wykwintnych mebli w Anglii.

W pobliżu portu w Filadelfii postawił magazyn i fabrykę i natychmiast rozpoczął import oraz przetwarzanie roślin leczniczych z całego świata: sprowadzał ipekakuanę, mydleniec biegunecznikowy, rzewień, gwajakowiec, kolcorośl i sarsaparylę. Założył spółkę z lojalnym farmaceutą, kwakrem Jamesem Garrickiem, i we dwójkę od razu zaczęli produkować tabletki, proszki, maści oraz toniki.

Interes z Garrickiem uruchomiony został w samą porę. Latem 1793 roku Filadelfię pustoszyła epidemia żółtej febry. Ciała tarasowały ulice, osierocone dzieci tuliły się w rynsztokach do martwych matek. Ludzie umierali parami, rodzinami, całymi pękami tuzinów – w czasie drogi do śmierci wymiotując szerzącymi chorobę rzekami czarnego szlamu, wydobywającego się z ich gardeł oraz trzewi. Lokalni medycy uznali, że jedyną możliwą terapią jest jeszcze bardziej, drastyczniej oczyszczać pacjentów poprzez wielokrotne wywoływanie torsji oraz biegunki. Najlepiej znanym wówczas na świecie środkiem przeczyszczającym była roślina zwana jalapą; od pewnego czasu Henry Whittaker importował ją w belach z Meksyku.

Sam podejrzewał, że kuracja jalapą jest nieskuteczna, i zabronił ją stosować wszystkim w domu. Pamiętał, że kreolscy medycy na Karaibach – o wiele lepiej obeznani z żółtą febrą niż ich koledzy z północy – stosowali wobec pacjentów mniej barbarzyńskie metody, polegające na uzupełnianiu płynów oraz zalecaniu odpoczynku. Na uzupełnianiu płynów oraz odpoczynku nie da się jednak zarobić, na jalapie natomiast można, i to dobrze. Tym to sposobem pod koniec roku 1793 jedną trzecią mieszkańców Filadelfii zabrała żółta febra, a Henry Whittaker podwoił majątek.

Zarobione środki wykorzystał na budowę kolejnych dwóch szklarni. Za poradą Beatrix zaczął uprawiać w nich rodzime amerykańskie kwiaty, drzewa oraz krzewy – na eksport do Europy. Pomysł wart był zachodu. Amerykańskie łąki oraz lasy obfitowały w gatunki, które dla europejskiego oka wyglądały egzotycznie i można było łatwo sprzedawać je za granicę. Henry miał już dość wysyłania pustych statków z Filadelfii; teraz mógł zarabiać na kursach w obie strony. Przetwarzanie uprawianej na Jawie z holenderskimi partnerami kory jezuitów wciąż przynosiło krocie, ale lokalnie też można było zbijać fortunę. W 1796 roku Henry wysyłał pracowników w góry Pensylwanii, by zbierali korzeń żeń-szenia na eksport do Chin. W rzeczy samej, przez wiele następnych lat był jedynym człowiekiem w Ameryce, który znalazł sposób, by sprzedawać cokolwiek Chińczykom.

Pod koniec 1798 roku amerykańskie szklarnie Henry'ego wypełniały także tropikalne egzotyki na sprzedaż dla nowych amerykańskich arystokratów. Gospodarka Stanów Zjednoczonych znajdowała się w momencie ostrego i raptownego wzrostu. Emerytowani Jerzy Waszyngton oraz Tomasz Jefferson wycofali się do swoich wiejskich rezydencji. W związku z tym wszyscy zapragnęli mieć naraz wiejską rezydencję. Młody naród, bezceremonialnie się dorabiając, zaczął sprawdzać, gdzie leżą granice skrupułów. Niektórzy się bogacili, inni popadali w nędzę. Trajektoria Henry'ego szybowała jedynie do góry. Podstawą jego każdej kalkulacji było: „Wygram", i niezmiennie wygrywał – w imporcie, w eksporcie, w produkcji, we wszelkiego rodzaju oportunizmie. Pieniądz zdawał się kochać Henry'ego. Pieniądz wszędzie za nim podążał jak mały podekscytowany piesek. W 1800 roku z łatwością osiągnął pozycję najbogatszego człowieka w Filadelfii i jednego z trzech najbogatszych ludzi na półkuli zachodniej.

Kiedy więc córka Henry'ego, Alma, przyszła na świat owego roku – równo trzy tygodnie po śmierci Jerzego Waszyngtona – narodziła się przedstawicielowi całkowicie nowego gatunku istot, niewidzianych dotychczas na świecie: potężnemu, nowo ukształtowanemu amerykańskiemu sułtanowi.

CZĘŚĆ DRUGA

❧

*Śliweczka z White Acre*

# ROZDZIAŁ PIĄTY

B yła niewątpliwie córką swego ojca. Mówiono tak o niej od samego początku. Po pierwsze, Alma Whittaker wszystko miała dokładnie takie jak Henry: rudość włosów, rumianość cery, wąskość ust, szerokość czoła, nadmiar nosa. Była to okoliczność raczej niekorzystna, ona jednak zrozumie to dopiero po wielu latach. Fizjonomia Henry'ego znacznie lepiej pasowała do dorosłego mężczyzny niż do małej dziewczynki. Nie żeby sam Henry miał coś przeciwko takiemu stanowi rzeczy; Henry Whittaker lubił patrzeć na własną podobiznę, gdziekolwiek ją widział (w lustrze, na portrecie, w twarzy dziecka), z wyglądu Almy zawsze więc czerpał satysfakcję.

– Nie ma wątpliwości, kto dał jej początek! – powtarzał chełpliwie.

Do tego Alma była tak samo jak on bystra. Oraz nieugięta. Prawdziwy mały dromader – niezmordowany i nieutyskujący. Nigdy niechorujący. Uparty. Od kiedy się nauczyła mówić, nie odpuściła w żadnej sprzeczce. Gdyby jej naprzykrzająca się matka konsekwentnie nie kruszyła w niej zuchwalstwa, mogłaby wyrosnąć na prawdziwą impertynentkę. A tak odznaczała się jedynie dużą siłą przekonywania. Chciała zrozumieć świat i nabrała zwyczaju tropienia informacji do jej ostatnich najtajniejszych kryjówek, tak jakby w każdym wypadku chodziło o losy narodów. Żądała wytłumaczenia, dlaczego kucyk to nie jest młody koń. Żądała wyjaśnienia, dlaczego powstają iskry, kiedy przesuwa ręką po prześcieradłach w gorący letni wieczór. Żądała nie tylko informacji, czy grzyby to rośliny czy zwierzęta, ale – kiedy ją otrzymywała – żądała także wyjaśnienia „skąd to wiadomo na pewno".

Z tego typu niecierpliwą ciekawością Alma urodziła się właściwym rodzicom; dopóki pytania świadczyły o myśleniu, otrzymywała odpowiedź. Zarówno Henry, jak Beatrix, obydwoje nietolerancyjni wobec tępoty, zachęcali córkę do dociekliwości. Nawet na pytanie o grzyby padła poważna odpowiedź (tym razem z ust Beatrix, która zacytowała radę wielkiego szwedzkiego taksonoma roślin, Karola Linneusza, pomagającą odróżniać minerały od roślin, a rośliny od zwierząt: „Kamienie rosną. Rośliny rosną i żyją. Zwierzęta rosną, żyją i czują”). Beatrix nie uważała, iżby czteroletnia dziewczynka była za mała, aby omawiać z nią Linneusza. Rozpoczęła edukację Almy, gdy tylko dziecko było w stanie utrzymać się samodzielnie w pionie. Jeśli inni ludzie mogą uczyć swe pociechy seplenić modlitwy oraz dukać katechizm, kiedy tylko zaczną mówić, to – Beatrix była przekonana – dziecko Whittakerów też można zacząć uczyć, wszystkiego.

W efekcie Alma przed czwartym rokiem życia umiała liczyć – po angielsku, niderlandzku, francusku oraz po łacinie. Na naukę łaciny Beatrix kładła szczególny nacisk, ponieważ wierzyła, że nikt, kto nie zna łaciny, nie zdoła poprawnie napisać zdania po angielsku ani po francusku. Wcześnie też poddana została próbie nauki greki, choć z mniejszym przekonaniem. (Nawet Beatrix nie wydało się konieczne uczyć dziecko greki przed piątym rokiem życia). Matka sama uczyła swą inteligentną córkę, i to z satysfakcją. Nie ma usprawiedliwienia dla rodzica, który osobiście nie uczy dziecka myślenia. Beatrix uważała także, iż intelektualne możliwości ludzkości od drugiego stulecia systematycznie się pogarszają, i wielce ją radowało prowadzenie małego ateńskiego Likejonu tutaj, w Filadelfii – wyłącznie na użytek własnej córki.

Hanneke de Groot, zarządzająca czeladzią, czuła, iż młody dziewczęcy umysł Almy za bardzo obciążony jest nauką, ale Beatrix nie chciała tego słuchać, tak bowiem edukowana była ona sama oraz każdy inny potomek van Devenderów – męski czy żeński – od niepamiętnych czasów. „Nie bądź naiwna, Hanneke”, beształa ją. „Jeszcze nigdy w historii świata żadna zdolna dziewczynka, ciesząca się dostatkiem jedzenia oraz zdrowym organizmem, nie zginęła od zbyt dużego obciążenia nauką”.

Beatrix przedkładała użyteczne nad jałowe i budujące nad zabawne. Była podejrzliwa wobec wszystkiego, co nazywano „niewinną rozrywką", oraz nienawidziła tego, co głupie i podłe. Zbiór głupich i podłych rzeczy zawierał: puby; upudrowane różem kobiety; dni wyborów (można się natknąć na motłoch); jedzenie lodów; wizyty w lodziarniach; anglikanów (co do których odkryła, że są katolikami w przebraniu, a ich z kolei religia, jak utrzymywała, kłóci się zarówno z moralnością, jak i zdrowym rozsądkiem); herbatę (porządne holenderskie kobiety piją tylko kawę); ludzi, którzy zimą powożą saniami bez dzwonków przy koniach (nie słyszysz, jak nadjeżdżają z tyłu!); tanią pomoc domową (okazja, ale przysparzająca kłopotów); ludzi, którzy płacą służącym rumem zamiast pieniędzmi (przykładają się do społecznego problemu pijaństwa); ludzi, którzy przychodzą do ciebie z kłopotami, a potem nie chcą słuchać dobrej rady; obchody noworoczne (kolejny rok nadejdzie tak czy inaczej i cały ten hałas oraz dzwonienie dzwonów nie ma żadnego na to wpływu); arystokrację (szlachectwo powinno zależeć od postępowania, a nie dziedziczenia); rozpieszczanie dzieci (dobre zachowanie należy dostrzegać, nie nagradzać).

Wyznawała dewizę: *labor ipse voluptas* – praca jest nagrodą. Była przekonana, że nieodłączną częścią godności jest powściągliwość oraz chłodne podejście do emocji; wręcz uznawała, że to chłód wobec emocji stanowi definicję godności. Najbardziej Beatrix Whittaker wierzyła w poważanie oraz moralność – ale gdyby kazano jej wybrać między nimi, prawdopodobnie wybrałaby poważanie.

I tego wszystkiego usiłowała nauczyć córkę.


Jeśli chodzi o Henry'ego Whittakera, z oczywistych powodów nie był w stanie pomóc przy nauczaniu Almy języków klasycznych, ale doceniał edukacyjne wysiłki Beatrix. Będąc zdolnym, lecz nieuczonym botanikiem, zawsze czuł, że greka i łacina są jak dwie wielkie żelazne zapory blokujące przed nim drzwi do wiedzy; nie pozwoli, by jego córka miała podobnie ograniczony dostęp. Co więcej, nie pozwoli, żeby jego córka miała ograniczony dostęp do czegokolwiek.

Czego więc Henry uczył Almę? Cóż, bezpośrednio nie uczył jej niczego. Nie miał cierpliwości do udzielania formalnej nauki ani nie lubił mieć do czynienia z dziećmi. Czego jednak Alma się nauczyła od ojca pośrednio – stanowi długą listę. Przede wszystkim – nie irytować. Gdy rozzłościła ojca, natychmiast wyrzucał ją z pokoju, wbiła więc sobie od najwcześniejszych mlecznych lat do głowy, by nigdy nie drażnić ani nie prowokować Henry'ego. Było to niełatwe wyzwanie dla Almy, wymagało bowiem utemperowania własnych naturalnych odruchów (którymi, należy uściślić, były właśnie drażnienie i prowokowanie). Nauczyła się za to, że ojciec nie ma zupełnie nic przeciwko poważnym, interesującym oraz poprawnie sformułowanym pytaniom wyrażanym przez córkę – jeśli nie przerywała mu, gdy mówił albo (co było bardziej podstępne) kiedy myślał. Czasem jej pytania zdawały się go bawić, choć nie zawsze rozumiała dlaczego – na przykład kiedy zapytała, czemu pan wieprz potrzebuje tak dużo czasu, aby się wspiąć na grzbiet pani świni, podczas gdy byk zawsze tak szybko sobie radzi z krową. Pytanie to pobudziło Henry'ego do śmiechu. Alma nie lubiła, jak się z niej śmiano. Nauczyła się nigdy więcej nie zadawać takiego pytania.

Alma zrozumiała, że ojciec nie ma cierpliwości do robotników, do gości, do swojej żony, do niej samej, nawet do własnych koni – ale rośliny nigdy nie wytrącają go z równowagi. Dla roślin był zawsze wyrozumiały oraz pełen wybaczenia. To z tego powodu Alma czasami pragnęła być rośliną. Nie mówiła jednak o tym pragnieniu, boby się zbłaźniła, a nauczyła się od Henry'ego, że nigdy nie wolno robić z siebie błazna. „Świat to błazen, co jedynie czeka na nabicie w butelkę", często mawiał i wpoił córce, że istnieje olbrzymia przepaść między ludźmi głupimi a bystrymi i należy dołączać do bystrych. Na przykład demonstrowanie pragnienia posiadania czegoś, czego nie można posiadać, nie jest postawą bystrego człowieka.

Alma nauczyła się od Henry'ego, że istnieją na świecie odległe miejsca, do których czasami wyruszają mężczyźni, by nigdy z nich nie wrócić, ale jej ojciec pojechał w tamte miejsca i *powrócił z nich*. (Lubiła sobie wyobrażać, że wrócił dla niej, czyli po to, aby zostać jej tatą, chociaż nigdy niczego takiego nie dał jej do zrozumienia). Nauczyła się, że Henry stawił czoło światu, ponieważ był odważny. Nauczyła się, że ojciec życzy sobie, aby i ona była odważna, nawet podczas najstraszniejszych momentów – kiedy grzmi, gdy cię goni gęś, kiedy wylewa rzeka Schuylkill, gdy staje przed tobą małpa z łańcuchem na szyi, która wyskoczyła z wozu druciarza. Henry nie pozwalał Almie na strach przed żadną z tych rzeczy. Zanim dobrze pojęła, czym jest śmierć, i tej zabronił się córce bać.

– Każdego dnia ktoś umiera – powiedział. – Ale jest ledwo jedna szansa na osiem tysięcy, że to będziesz ty.

Nauczyła się, że bywają tygodnie – szczególnie te deszczowe – kiedy ciało dokucza ojcu bardziej, niż powinien pokornie znosić jakikolwiek mężczyzna w chrześcijańskim świecie. W jednej nodze miał dotkliwy ból po niewłaściwym złożeniu złamanej kości i wstrząsały nim nawracające dreszcze, na które zapadł w owych odległych, niebezpiecznych miejscach na drugim końcu świata. Zdarzało się, że Henry zostawał w łóżku przez pół miesiąca. Nie wolno było mu wtedy zawracać głowy. Nawet kiedy zanosiło się do niego listy, trzeba było robić to po cichu. Z powodu owych dolegliwości Henry musiał zrezygnować z wszelkich podróży i to dlatego zwoływał cały świat do siebie. W White Acre zawsze roiło się od przyjezdnych, a w salonie oraz przy stole w jadalni ubijano interesy. Także dlatego miał Henry człowieka – pochodzącego z Yorkshire strasznego łysego mężczyznę o lodowatym spojrzeniu – który podróżował po świecie zamiast Henry'ego i w jego imieniu narzucał światu dyscyplinę The Whittaker Company. Alma się nauczyła, by nigdy nie rozmawiać z Dickiem Yanceyem.

Wiedziała, że jej ojciec nie przestrzega dnia Pańskiego, aczkolwiek utrzymuje oznaczoną swoim imieniem najlepszą prywatną ławkę w szwedzkim kościele luterańskim, w którym Alma spędzała z matką niedziele. Matka Almy niespecjalnie zwracała uwagę na Szwedów, ale ponieważ nie było w pobliżu Holenderskiego Kościoła Reformowanego, szwedzki lepszy był od żadnego. Szwedzi rozumieli przynajmniej i podzielali podstawowe zasady nauczania kalwińskiego: Człowiek sam jest odpowiedzialny za własną sytuację życiową oraz zapewne znajduje się na pozycji przegranej i jego przyszłość rysuje się ponuro. A to było dla Beatrix znajome i pokrzepiające. Lepsze od innych religii, szerzących fałszywą otuchę.

Alma wolałaby nie mieć obowiązku chodzenia do kościoła, wolałaby, tak jak ojciec, w niedzielę zostawać w domu i pracować przy roślinach. W kościele było nudno i niewygodnie oraz pachniało przeżutym tytoniem. Latem indyki i psy wchodziły czasami przez otwarte drzwi, chroniąc się w cieniu przed nieznośnym upałem. Zimą w starym kamiennym budynku panował niemożliwy chłód. Gdy przez jedno z wysokich okien o karbowanych szybkach wpadał do wnętrza promień światła, Alma zwracała ku niemu twarz, jak pochodząca z tropików winorośl próbująca wspiąć się na wolność w jednym z pawilonów ojca, w których wymuszano na roślinach wzrost.

Ojciec Almy nie lubił kościołów ani religii, to było pewne, ale często wzywał Boga, przeklinając wrogów. Pozostałe rzeczy, których Henry nie lubił, stanowiły długą listę i Alma dobrze ją poznała. Wiedziała, że ojciec nie cierpi wielkich mężczyzn, którzy trzymają małe pieski. Nie znosi także ludzi, którzy kupują szybkie konie, choć nie potrafią dobrze nimi powozić. Nie cierpiał też: rekreacyjnych żaglówek; inspektorów; tandetnych butów; francuskiego (języka, jedzenia, ludzi); nerwowych urzędników; małych porcelanowych talerzyków, które tłuką się w męskich łapach; poezji (ale nie piosenek!); pochylonych grzbietów tchórzy; złodziei; synów kurew; kłamliwego języka; dźwięku skrzypiec; wojska (jakiegokolwiek wojska); tulipanów ("pretensjonalne cebule!"); sójek; picia kawy ("cholerny nieprzyzwoity holenderski obyczaj!"); oraz – choć Alma jeszcze nie rozumiała, co znaczy którekolwiek z tych słów – zarówno niewolnictwa, jak i abolicjonizmu.

Henry potrafił być podjudzaczem. Mógł obrazić i zlekceważyć Almę w ciągu chwili tak krótkiej, jakiej kto inny potrzebowałby raptem na zapięcie guzika od kamizelki ("Kto by lubił takie głupie i samolubne prosię!"), ale były też chwile, kiedy wyglądał na wyraźnie z niej zadowolonego, a nawet dumnego. Do White Acre przybył pewnego razu obcy mężczyzna, by sprzedać Henry'emu kuca dla córki do nauki jazdy konnej. Kucyk nazywał się Soames i miał jasną maść w kolorze lukru. Alma natychmiast go pokochała. Wynegocjowano cenę. Mężczyźni zgodzili się na trzy dolary. Alma, która miała wówczas sześć lat, zapytała: „Przepraszam pana, ale czy w cenę wchodzi uzda i siodło, które kucyk ma teraz na sobie?".

Usłyszawszy pytanie, obcy stanął jak wryty, a Henry parsknął śmiechem. „A to cię ma, człowieku!", ryknął. Do końca dnia czochrał Almie główkę, kiedy była w pobliżu, i mówił: „Jakiego to świetnego małego licytatora mam za córkę!".

Alma wiedziała, że ojciec pije z butelek wieczorami i że te butelki czasami zawierają niebezpieczeństwo (podniesiony głos; wyrzucenie z pokoju), ale czasami mogą zawierać cud – na przykład pozwolenie, by usiąść ojcu na kolanach, gdzie można było usłyszeć fantastyczne opowieści i zostać nazwanym najrzadszym ze zdrobnień: „Śliweczka". W takie wieczory ojciec opowiadał różne rzeczy, na przykład: „Śliweczko, powinnaś zawsze nosić na sobie tyle złota, żeby ci wystarczyło na okup, gdyby ktoś cię porwał. Zaszyj je w obrębek, jeśli trzeba, ale pamiętaj, żeby zawsze mieć przy sobie pieniądze!". Po czym Henry opowiadał, jak żyjącym na pustyni Beduinom zdarza się zaszywać sobie pod skórę kamienie szlachetne na czarną godzinę. Wyjawił, że on sam ma wszyty pod fałdę skóry na brzuchu szmaragd z Ameryki Południowej. Dla niewprawnego oka wygląda to na bliznę od postrzelenia. Nigdy, przenigdy go jej nie pokaże – ale szmaragd wciąż tam jest.

– Musisz zawsze mieć przy sobie łapówkę na czarną godzinę, Śliweczko – dodawał.

Na kolanach u ojca Alma dowiedziała się, że Henry Whittaker żeglował z wielkim człowiekiem o nazwisku kapitan Cook. Opowieści z tego okresu były najwspanialsze. Pewnego dnia na powierzchnię oceanu wypłynął wieloryb gigant, a paszczę miał otwartą. Kapitan Cook skierował statek prosto do jego wnętrza, obejrzał sobie brzuch wieloryba w środku, po czym pożeglował z powrotem – płynąc do tyłu! Pewnego razu Henry usłyszał niosący się po morzu płacz i dostrzegł syrenkę kołyszącą się na grzbiecie fali. Syrenka miała rany zadane przez rekina. Za pomocą liny Henry wyciągnął syrenkę z wody, lecz ona zmarła w jego ramionach. Zdążyła jednak przedtem pobłogosławić w imię Boże Henry'ego

Whittakera – i przepowiedzieć mu, że pewnego dnia będzie bardzo bogaty! I w taki oto sposób stał się właścicielem tego wielkiego domu – za sprawą błogosławieństwa syrenki!

– W jakim języku mówiła syrenka? – chciała wiedzieć Alma, wyobrażając sobie, że prawie na pewno musiała to być greka.

– Po angielsku! – odparł Henry. – Dobry Boże, Śliweczko, dlaczegóż miałbym ratować jakąś cholerną obcą syrenkę?

Matka budziła respekt Almy oraz onieśmielenie, ale uwielbieniem dziewczynka darzyła ojca. Niczego nie kochała mocniej niż jego. Kochała go bardziej niż kucyka Soamesa. Ojciec był kolosem, a ona spoglądała na świat spomiędzy jego ogromnych kolan pełna zachwytu. W porównaniu z Henrym Pan z Biblii był nudny i daleki. Tak jak Pan z Biblii, Henry sprawdzał czasami miłość Almy – szczególnie po otwarciu tych swoich butelek. „Śliweczko", potrafił powiedzieć, „czy nie pobiegłabyś pędem, na jaki tylko stać twoje pałąkowate nóżyny, na dół do przystani, żeby zobaczyć, czy przybyły może do twojego tatusia jakieś statki z Chin?".

Przystań była oddalona o siedem mil, do tego leżała po drugiej stronie rzeki. Mogła być dziewiąta wieczorem w niedzielę, na zewnątrz mogłaby szaleć lodowata marcowa burza, a Alma ześliznęłaby się z kolan ojca i puściła biegiem. Służący musiałby schwytać ją przy drzwiach i zanieść z powrotem do salonu, inaczej bowiem – w wieku sześciu lat, bez płaszczyka, bez kapturka, bez grosza przy duszy oraz bez najmniejszego nawet kawałeczka złota zaszytego w obrębek – na Boga, uczyniłaby to.


Jakież dzieciństwo wiodła ta dziewczynka!

Alma Whittaker nie tylko miała potężnych oraz mądrych rodziców, ale cała posiadłość White Acre stała przed nią otworem i mogła eksplorować ją do woli. Zaiste, prawdziwa Arkadia. Było co w niej poznawać. Już sam dom stanowił niezgłębiony cud. We wschodnim pawilonie stała niezgrabna wypchana żyrafa o przestraszonym i komicznym pysku. U wejścia na wewnętrzny dziedziniec ustawiono gigantyczne trzyczłonowe żebra mastodonta, które farmer wykopał na pobliskim polu i zhandlował Henry'emu za nową strzelbę. Była sala balowa, lśniąca i pusta. Raz Alma – chłodną wczesną jesienią – znalazła w niej uwięzionego kolibra, który śmignął jej tuż koło ucha, wykonując najbardziej niezwykłą powietrzną ewolucję (wydawał jej się jubilerskim pociskiem wystrzelonym z malutkiej armaty). W gabinecie ojca żył w klatce gwarek, który przybył aż z dalekich Chin i potrafił mówić z płomienną elokwencją (tak przynajmniej twierdził Henry), tyle że wyłącznie we własnym języku. Były też skóry rzadkich węży, spreparowane i wypchane sianem oraz trocinami. Na półkach tłoczyły się korale z południowego Pacyfiku, jawajskie bożki, biżuteria z lazurytu ze starożytnego Egiptu oraz zakurzone tureckie almanachy.

A jadało się w tak wielu miejscach! W jadalni, salonie, kuchni, saloniku, gabinecie, na oszklonej werandzie, w zacienionych altankach. Podawano tam na lunch herbatę, pierniczki, jadalne kasztany i brzoskwinie. (Ale jakie brzoskwinie! – z jednej strony różowe, z drugiej złote). Zimą można było dostać zupę do dziecięcego pokoju na piętrze i pałaszując ją, obserwować płynącą poniżej rzekę, która połyskiwała pod wypolerowanym lustrem martwego nieba.

Na wolnym powietrzu rozkosze były jeszcze bardziej obfite i napęczniałe tajemnicą. Stały tam imponujące cieplarnie. Wypełniały je cykasy, palmy i paprocie, umieszczone głęboko w czarnych, cuchnących pogarbarskich trocinach z kory dębowej, dobrze trzymających ciepło. Był tam głośny i przerażający silnik do nawilżania powietrza. Były tajemnicze pomieszczenia do pędzenia roślin – zawsze tak nagrzane, że się w nich omdlewało – w których delikatne importowane rośliny dochodziły do siebie po długiej morskiej podróży, a orchidee dawały się nakłaniać do kwitnięcia. W oranżerii rosły drzewa cytrynowe, które każdego lata wystawiano na zewnątrz jak suchotniczych pacjentów, by mogły się nacieszyć naturalnym słońcem. Przy końcu alei dębowej ukrywała się mała grecka świątynia, w której można było wyobrażać sobie Olimp.

Na terenie posiadłości znajdowała się mleczarnia, a zaraz za nią spiżarnia owiana pociągającymi oparami alchemii, przesądów i czarów. Niemieckie dojarki stawiały kredą na drzwiach spiżarni znaki odczyniające urok i zanim weszły do środka, mamrotały zaklęcia. Ser się nie zsiądzie, mówiły Almie, jeśli diabeł rzucił przekleństwo. Kiedy Alma zapytała o to Beatrix, została zbesztana za naiwną łatwowierność i otrzymała długi wykład, w jaki sposób zsiada się ser – to znaczy poprzez doskonale wytłumaczalną chemiczną przemianę świeżego mleka po dodaniu podpuszczki, a następnie przez leżakowanie w woskowych otoczkach i w kontrolowanej temperaturze. Wygłosiwszy lekcję, Beatrix szła zetrzeć kredowe znaki z drzwi do spiżarni i udzielić dojarkom nagany za zachowanie jak przesądne idiotki. Następnego dnia Alma z powrotem widziała na drzwiach napisane znaki. W taki bądź inny sposób ser dojrzewał prawidłowo.

Dalej ciągnęły się bez końca dzikie tereny leśne – celowo niekultywowane – pełne królików, lisów oraz parkowych jeleni, które chętnie jadły z ręki. Rodzice pozwalali Almie – mało tego, zachęcali ją! – by penetrowała las, kiedy tylko zechce, i poznawała tym sposobem dziki świat. Zbierała więc chrząszcze, pająki oraz ćmy. Pewnego dnia zaobserwowała, jak duży wąż w paski został zjedzony kawałek po kawałku przez znacznie większego czarnego węża – proces trwał wiele godzin i był przerażającym, ale i efektownym widowiskiem. Kiedy indziej przyglądała się, jak tygrzyki paskowane ryją głębokie kanały w ściółce leśnej, a drozdy zbierają mech oraz błoto na brzegu rzeki, potrzebne do budowy gniazda. Zaopiekowała się przystojnym małym gąsienicem (przystojnym przynajmniej według gąsienicowych norm) i zawinęła go w liść, by zabrać do domu jako przyjaciela, ale, niestety, niechcący na nim usiadła i pozbawiła go życia. Był to potężny cios, lecz cóż, żyło się dalej. Matka tak jej mówiła: „Skończ z tym płaczem i żyj dalej". Wyjaśniono jej, że zwierzęta umierają. Niektóre zwierzęta, na przykład owce i krowy, rodzą się *wyłącznie* po to, żeby umrzeć. Nie da się opłakiwać każdej śmierci. W wieku ośmiu lat Alma z pomocą Beatrix własnoręcznie wykonała sekcję głowy jagnięcia.

Do lasu Alma zawsze chodziła ubrana w najwygodniejszą sukienkę oraz wyposażona w osobisty zestaw zbieracza, złożony ze szklanych fiolek, małych pudełeczek, waty i bloku do zapisywania. Wychodziła przy każdej pogodzie, ponieważ rozkosz znaleźć można przy każdej pogodzie. Jednego roku późnokwietniowa burza śniegowa zaskakująco przemieszała śpiew ptaków i odgłos dzwonków u sań i już samo to warte było wyjścia z domu. Nauczyła się, że ostrożne stąpanie po błocie z uwagi na buty oraz brzeg sukienki nigdy nie pomaga w osiąganiu postępu badawczego. Nie zdarzyło się, by po powrocie do domu usłyszała reprymendę na temat zabłoconych butów, jeśli przynosiła dobre okazy do własnego herbarium.

Kuc Soames był dla Almy nieodłącznym towarzyszem w owych wyprawach – czasami przemierzając las z nią na grzbiecie, czasami postępując za nią niczym wielki, dobrze ułożony pies. Latem nosił na uszach wspaniałe jedwabne wstążki do odganiania jętek. Zimą nosił futro pod siodłem. W kompletowaniu kolekcji botanicznej Soames był najlepszym partnerem, jakiego można było sobie wyobrazić, i Alma rozmawiała z nim całymi dniami. On zaś dla dziewczynki zrobiłby wszystko z wyjątkiem szybkiego truchtu. I tylko od czasu do czasu zdarzało mu się zjeść kolekcjonerskie okazy.

Podczas dziewiątego upalnego lata swego życia Alma Whittaker całkowicie samodzielnie nauczyła się odczytywać godzinę na podstawie obserwacji zachowania kwiatów. Zauważyła, że zawsze o piątej rano otwierają się kwiatostany kozibrodów. O szóstej otwierają płatki stokrotki oraz pełniki. Gdy zegar bije na siódmą, rozchylają kwiaty mlecze. O ósmej przypada czas na szkarłatny kurzyślad. O dziewiątej godzinie: na gwiazdnicę. O dziesiątej: polny szafran. O jedenastej proces zaczyna się odwracać. W południe zamyka płatki kozibród. O pierwszej zamyka się gwiazdnica. O trzeciej składa kwiatostany mlecz. Jeśli Alma nie zdołała wrócić do domu, z umytymi rękoma, punktualnie na godzinę piątą – kiedy zamykają się pełniki, a zaczyna otwierać płatki wiesiołek – niechybnie czekały ją kłopoty.

Najbardziej ze wszystkich rzeczy Alma chciała się dowiedzieć, skąd to wszystko jest sterowane. Jakiż to naczelny zegar za tym stoi? Rozbierała kwiaty na części i badała ich wewnętrzną budowę. To samo robiła z owadami i każdą znalezioną padliną. Pewnego późnowrześniowego poranka zafascynowało ją nieoczekiwane pojawienie się kwiatu krokusa, wedle jej dotychczasowej wiedzy rośliny, która kwitnie tylko na wiosnę. Cóż za odkrycie! Od nikogo nie była w stanie wydostać ani jednej rozsądnej odpowiedzi, gdzież te rośliny się pchają z kwitnięciem w taki zimny początek jesieni, bez liści, niczym nieosłonięte, właśnie wtedy, kiedy wszystko inne umiera. „To są krokusy jesienne", powiedziała jej wreszcie Beatrix. Tak, w jasny i niezaprzeczalny sposób musiały nimi być – ale w jakim celu? Czemu kwitną teraz? Czy to są głupie kwiaty? Czy straciły poczucie czasu? Jak ważny ma taki krokus obowiązek do wypełnienia, że godzi się cierpieć, zmuszając się do kwitnienia podczas pierwszych przejmująco mroźnych nocy? Nikt nie potrafił tego wytłumaczyć. „Po prostu w taki sposób zachowuje się ta odmiana", wyjaśniła Beatrix. Alma uznała to za nietypowo, jak na matkę, niezadowalającą odpowiedź i nalegała dalej, ale Beatrix potrafiła jedynie dodać: „Nie ma na wszystko odpowiedzi".

Była to tak zdumiewająca nowina, że Alma zaniemówiła na wiele godzin. Zdolna była jedynie usiąść i w stanie jakiegoś odurzenia zaskoczeniem obracać w sobie ów nowy pogląd. Kiedy się już pozbierała, narysowała tajemniczy jesienny krokus w bloku do notatek oraz zapisała datę i własne pytania tudzież protesty. Była w tym skrupulatna. Rzeczy trzeba rejestrować – nawet te, których się nie rozumie. Beatrix uczyła ją, że wszystkie swoje odkrycia powinna zawsze notować, sporządzając rysunek tak dokładny jak to tylko możliwe, oraz wszędzie tam, gdzie się da, przypisywać kategorie według poprawnej systematyki.

Alma lubiła szkicować, ale gotowy wynik często sprawiał jej zawód. Nie potrafiła rysować ani twarzy, ani zwierząt (nawet jej motyle miały zaczepny wygląd), choć po pewnym czasie uznała, że rysowanie roślin wychodzi jej *jako tako*. Pierwszym sukcesem było kilka całkiem niezłych szkiców baldachów – roślin z tej samej rodziny co marchew, o pustej wewnątrz łodydze, na której rozkładają się płaskie kwiatostany. Baldachy były precyzyjnie narysowane, chociaż wolałaby, żeby były nie tylko precyzyjne – chciałaby, żeby były też piękne. Powiedziała o tym matce, a ta ją poprawiła: „Piękna nie potrzeba. Piękno jest zakłóceniem precyzji".

Czasami Alma spotykała w lesie inne dzieci. Zawsze wpadała wtedy w popłoch. Wiedziała, kim są intruzi, chociaż nigdy z nimi

74

nie rozmawiała. Były to dzieci pracowników jej rodziców. Posiadłość White Acre przypominała żyjącego olbrzyma, a jedna jego połowa utrzymywała służbę – ogrodników niemieckiego i szkockiego pochodzenia, których ojciec wolał od leniwych tubylczych Amerykanów oraz pokojówki z Holandii, których z kolei domagała się matka, gdyż im ufała. Ludzie służący w domu mieszkali na strychu, a ci, którzy pracowali na zewnątrz, mieli zakwaterowanie we wspólnych domkach i chatach rozrzuconych po całej posiadłości. Były to zresztą całkiem ładne chaty – nie dlatego, by Henry dbał o wygodę robotników, ale ponieważ nie mógł znieść widoku nędzy.

Gdy Alma w lesie napotykała dzieci robotników, z miejsca ogarniał ją strach i przerażenie. Miała jednak metodę, jak przeżyć taką pełną zgrozy chwilę: udawała, że ich wcale nie ma. Przejeżdżała obok dzieci oraz *ponad* nimi na swym lojalnym kucu (który jak zwykle poruszał się wolnym i beztroskim krokiem, jak gdyby był gęstą, ostygłą melasą). Alma wstrzymywała oddech, mijając dzieci, nie patrzyła ani w lewo, ani w prawo, dopóki nie miała pewności, że się pozbyła intruzów. Jeśli nie patrzyła na nich, nie musiała wierzyć, że istnieją.

Dzieci robotników nigdy nie zaczepiały Almy. Prawdopodobnie kazano im zostawiać ją w spokoju. Wszyscy bali się Henry'ego Whittakera, więc być może dzieci automatycznie bały się też córki Henry'ego. Czasami z bezpiecznej odległości Alma je szpiegowała. Ich zabawy były prymitywne oraz niezrozumiałe. Nosiły inne od niej ubrania. Żadne z tamtych dzieci nie miało przewieszonego przez ramię zestawu do botanicznego kolekcjonerstwa i żadne nie jeździło na kucyku o kolorowych jedwabnych wstążkach przy uszach, jak Alma. Krzyczały na siebie nawzajem, używając brzydkich słów. Alma bała się tych dzieci bardziej niż czegokolwiek innego na świecie. Często pojawiały się w jej snach jako koszmary.

Ale istniał sposób na koszmary: szło się do sutereny na poszukiwanie Hanneke de Groot. Czasami to pomagało i koiło. Hanneke de Groot, przełożona służby domowej, panowała nad kosmosem posiadłości White Acre, a to panowanie przydawało jej najbardziej uspokajająco działającej powagi. Sypiała we własnej kwaterze tuż obok kuchni, umiejscowionej na dole w suterenie, tam gdzie palenisko nigdy nie gasło. Żyła otoczona ciepłym piwnicznym powietrzem, przepojonym wonią solonych szynek, które zwisały z każdej belki. Hanneke mieszkała w klatce – tak przynajmniej widziała to Alma – ponieważ okna i drzwi w jej prywatnych pokojach zaopatrzone były w kraty, albowiem to Hanneke, sama jedna, miała dostęp do domowych sreber oraz platerów i ona zarządzała wypłatami dla całej służby.

– Nie mieszkam w klatce – poprawiła kiedyś Almę. – Mieszkam w skarbcu.

Kiedy koszmary nie dawały Almie spać, czasami odważała się na przerażającą podróż na dół, przez trzy ciemne kondygnacje, do najniższego kąta w suterenie, gdzie kurczowo chwytała się krat kwatery Hanneke i wołała, żeby ją wpuścić. Takie wyprawy były zawsze ryzykowne. Czasami Hanneke wstawała, rozespana i zrzędząca, otwierała kratę niczym klawisz i pozwalała Almie wejść do swojego łóżka. Ale czasami łajała ją, nazywając niemowlakiem, i pytała, czemu musi dręczyć zmęczoną Holenderkę, po czym wysyłała Almę koszmarnymi ciemnymi schodami na górę z powrotem do jej własnego pokoju.

Te rzadkie razy, gdy udawało się wejść do łóżka Hanneke, warte były jednak ceny dziesięciu innych przypadków, kiedy się zostało wyrzuconym, Hanneke opowiadała bowiem ciekawe historie i była biegła w mnóstwie rzeczy! Znała matkę Almy od zawsze, od najwcześniejszego dzieciństwa. Snuła opowieści o Amsterdamie, których Beatrix nigdy by nie opowiedziała. Zawsze mówiła do Almy po niderlandzku i ten język na zawsze pozostał dla uszu Almy językiem pocieszenia i skarbców bankowych, solonych szynek i bezpieczeństwa.

Nigdy nie przyszłoby Almie do głowy szukać w nocy ukojenia u matki, której sypialnia sąsiadowała z jej własną. Matka Almy miała wiele talentów, ale nie było pośród nich talentu do pocieszania. Wedle tego, co Beatrix Whittaker często powtarzała, każde dziecko na tyle duże, iż potrafi chodzić, mówić oraz rozumować, powinno być zdolne – bez niczyjej pomocy – pocieszyć się samo.

Był też świat obcych osobistości. Nieprzerwana parada gości składała wizyty w White Acre prawie codziennie, przyjeżdżając powozami, konno, łodzią albo przychodząc na piechotę. Ojciec Almy żył w prawdziwym strachu przed nudą, lubił więc wzywać gości do swego stołu, by spożywali z nim obiad, by go zabawiali, by przynosili wieści ze świata lub by przedstawiali pomysły na nowe przedsięwzięcia. Kiedykolwiek Henry Whittaker wzywał ludzi, przybywali – do tego pełni wdzięczności.

– Im więcej się ma pieniędzy – wyjaśnił Almie – tym lepsze się stają maniery ludzi. Oto fakt godny uwagi.

A Henry miał już wówczas całkiem imponujący majątek. Jeszcze w maju 1803 roku załatwił sobie kontrakt z rządowym delegatem, człowiekiem o imieniu Israel Whelen, zaopatrującym w środki medyczne amerykańską wyprawę Lewisa i Clarke'a. Henry wyposażył wyprawę w potężny zapas rtęci, laudanum, rzewienia, opium, korzenia kolombo, kalomelu, wymiotnicy, ołowiu, cynku, siarczanów – spośród tych wszystkich substancji część być może miała medyczne działanie, ale wszystkie z pewnością przynosiły intratny dochód. W 1804 roku niemiecki farmaceuta po raz pierwszy wyizolował z maku leczniczą morfinę i Henry od razu zainwestował w produkcję tego użytecznego specyfiku. W kolejnym roku dostał kontrakt na zaopatrzenie w środki medyczne całej armii Stanów Zjednoczonych. Dawało mu to pewien rodzaj władzy politycznej oraz powierniczej, tak więc owszem, ludzie przychodzili do niego na obiady.

Pod żadnym względem nie były to obiady towarzyskie. Whittakerowie nigdy nie zaliczali się do mile widzianych przez małe, elitarne kręgi filadelfijskiej śmietanki towarzyskiej, ani też nigdy nie próbowali się do niej dostać. Gdy pierwszy raz przyjechali do miasta, zaproszono ich jeden jedyny raz – na obiad do Anne i Williama Binghamów, na rogu Trzeciej Ulicy i Świerkowej, ale spotkanie się nie udało. Przy deserze pani Bingham – zachowująca się tak, jak gdyby przebywała na sali rozpraw – zapytała Henry'ego:

– Co to za nazwisko, Whittaker? Jest mi nieznane.

– Środkowa Anglia – odparł Henry. – Pochodzi od słowa Warwickshire.

– Czy Warwickshire jest państwa rodową siedzibą?

– To i inne miejsca, bynajmniej. My, Whittakerzy, staramy się siadać wszędzie tam, gdzie znajdujemy krzesło.

– Ale czy pański ojciec, sir, jest nadal w posiadaniu majątku Warwickshire?

– Mój ojciec, madame, jeśli w ogóle jeszcze żyje, posiada dwie świnie oraz osobisty urynał pod łóżkiem. Bo samo łóżko wątpię, żeby faktycznie było jego własnością.

Whittakerowie nie otrzymali od Binghamów powtórnego zaproszenia na obiad. Ale nie przywiązywali do tego wagi. Beatrix potępiała styl konwersacji oraz stroju modnych pań, a Henry nie lubił drętwych manier wielkopańskich salonów. Wysoko na wzgórzu po drugiej stronie rzeki stworzyli za to własny krąg towarzyski. Obiady u Whittakerów nie stanowiły targowiska dla wymiany plotek, lecz dostarczały intelektualnej oraz handlowej stymulacji. Jeżeli gdzieś na świecie jakiś młody człowiek robił coś ciekawego, Henry żądał, by sprowadzono mu go do stołu. Jeśli przez Filadelfię przejeżdżał stary filozof albo wielki uczony, albo odważny nowy wynalazca, zapraszał ich także. Czasami na obiady przychodziły kobiety, jeśli były żonami wielkich myślicieli albo tłumaczkami ważnych książek, albo gdy były interesującymi aktorkami na objazdowych występach.

Dla niektórych ludzi stół Henry'ego okazywał się niestrawny. Obiady podawano obfite – ostrygi, befsztyki, bażanty – i posiłki w White Acre niekoniecznie odprężały, o czym Alma zdążyła się wcześnie przekonać. Gości mogło spotkać przesłuchanie, wyzwanie, prowokacja. Znani przeciwnicy sadzani byli obok siebie. Podczas rozmowy, przypominającej bardziej ring niż salon, burzono obiegowe opinie. Niektórzy goście opuszczali White Acre z uczuciem największego oburzenia. Inni – inteligentniejsi czy może bardziej gruboskórni lub rozpaczliwiej szukający protekcji – opuszczali posiadłość z lukratywnym kontraktem w kieszeni, dochodowym partnerstwem albo właściwym listem poleconym do odpowiednio wpływowej osoby na przykład w Brazylii. Jadalnia w White Acre stanowiła niebezpieczne pole gry, ale zwycięstwo na nim odniesione mogło ugruntować komuś karierę na resztę życia.

Odkąd Alma skończyła cztery lata, zapraszano ją do owego szermierczego stołu i sadzano najczęściej u boku ojca. Wolno jej było zadawać pytania, jeśli nie dyktowała ich głupota. Niektórzy goście byli nawet pod dużym urokiem dziecka. Pewnego razu specjalista w dziedzinie symetrii chemicznej stwierdził: „Ależ ty jesteś mądra, rozmawia się z tobą jak z książką!" – Alma nigdy nie zapomni tego komplementu. Z kolei inny wielki naukowiec, jak się okazało, nie był w stanie zaakceptować przepytywania przez małą dziewczynkę. Henry zauważył wówczas, iż wielcy ludzie nauki, którzy nie potrafią obronić swojej teorii przed dzieckiem, zasługują według niego, by publicznie uznać ich za oszustów.

Henry był zdania, a Beatrix z przekonaniem potakiwała, że nie ma tematu zbyt ponurego, zbyt zawiłego, zbyt poruszającego, by go nie omawiać w obecności dziecka. Jeśli Alma nie zrozumie, o czym się mówi, perorowała Beatrix, będzie to stanowić jedynie większą dla niej zachętę, by rozwijać intelekt i następnym razem nie zostawać w tyle. W sytuacjach, gdy Alma nie będzie miała nic do dodania w trakcie rozmowy, Beatrix ją uczyła, by się uśmiechała do osoby, która przemawiała ostatnia, i grzecznie rezonowała: „Proszę mówić dalej". Gdyby zaś Alma miała się nudzić przy stole, cóż, to z pewnością będzie wyłącznie jej problem. Obiadowe przyjęcia w White Acre nie były wydawane dla uciechy dziecka (Beatrix Whittaker utrzymywała, że bardzo niewiele w życiu powinno się czynić dla uciechy dziecka) i im szybciej Alma nauczy się siedzieć przez wiele godzin bez ruchu na twardym krześle, uważnie przysłuchując się konwersacjom na tematy znacznie przewyższające jej pojmowanie, tym będzie dla niej lepiej.

Takim sposobem lata wczesnego dzieciństwa Alma spędziła na słuchaniu najdziwniejszych rzeczy: relacji tych, którzy badali rozkład ludzkich szczątków; ludzi, którzy mieli pomysły na import doskonałych belgijskich sikawek do Ameryki; ludzi, którzy wykonywali anatomiczne rysunki monstrualnych deformacji ciała; ludzi, którzy uważali, że każde lekarstwo, które się połyka, można równie dobrze wetrzeć w ciało i zostanie wchłonięte przez skórę; ludzi, którzy badali naturalne środowisko źródeł siarkowych; oraz człowieka, który był specjalistą od procesów oddechowych ptactwa wodnego (zagadnienia, które, jak twierdził, obfituje w najwięcej ekscytujących faktów w świecie naturalnym – chociaż jego monotonna prezentacja przy stole podczas obiadu nie bardzo potwierdziła ową tezę).

Podczas niektórych wieczorów Alma, prawdę mówiąc, całkiem nieźle się bawiła. Najbardziej lubiła, kiedy przychodzili aktorzy oraz odkrywcy i opowiadali zdumiewające historie. Kiedy indziej dyskusja powodowała powszechne napięcie. Jeszcze inne wieczory były torturą nieskończonej nudy. Czasami zasypiała z otwartymi oczami przy stole, dając radę trzymać się prosto w krześle jedynie za sprawą panicznego strachu przed naganą matki oraz dzięki rusztowaniu w gorsecie sukienki wyjściowej. Wieczorem, który Alma zapamięta na zawsze – który później wyda jej się apogeum dzieciństwa – był jednak wieczór odwiedzin włoskiego astronoma.

Późnym latem 1808 roku Henry Whittaker nabył nowy teleskop. Nocne niebo podziwiał dotychczas jedynie przez znakomite niemieckie soczewki, ale zaczynał się czuć jak celestialny analfabeta. Miał żeglarską znajomość gwiazd – całkiem niebagatelną – pragnął jednak być na bieżąco z najnowszymi osiągnięciami. A ostatnio dokonała się ogromna inwazja na terytorium astronomii i Henry coraz bardziej czuł, że nocne niebo zaczyna stanowić kolejną księgę, którą ledwo, ledwo potrafi odczytać. Gdy więc do Filadelfii przyjechał maestro Luca Pontesilli, wybitny włoski astronom, by wygłosić odczyt w Amerykańskim Towarzystwie Filozoficznym, Henry zwabił go do White Acre, wydając na jego cześć bal. Chodziły pogłoski, że Pontesilli jest wielkim zwolennikiem tańca, Henry więc uznał, że się nie oprze balowi.

Było to najbardziej dopracowane i kunsztowne przedsięwzięcie, jakiego się podjęli Whittakerowie. Wczesnym popołudniem przybyli najznamienitsi filadelfijscy gastronomowie – Murzyni w wykrochmalonych białych uniformach – i zaczęli układać wykwintne bezy oraz mieszać kolorowe ponce. Tropikalne kwiaty, które dotychczas nie opuściły pachnących cieplarni, rozłożone zostały w wyszukanych kompozycjach po całym domu. Potem orkiestra w osobach nadętych obcych mężczyzn zaczęła się niespodziewanie tłoczyć w salonie, stroić instrumenty i narzekać na upał. Alma została doszorowana i zapakowana w białą krynolinę, grzywa jej rudych niepokornych włosów zaś ujarzmiona atłasową kokardą niemal większą od jej głowy. A potem przybyli goście, w kłębach jedwabiu oraz pudru.

Było gorąco. Upał utrzymywał się już od miesiąca i nadszedł chyba najgorętszy z wszystkich dni. Spodziewając się niekorzystnej aury, Whittakerowie rozpoczęli bal po dziewiątej, dobrze po zachodzie słońca, jednak mordercze gorąco ciągle jeszcze wisiało w powietrzu. Sala balowa szybko zamieniła się w cieplarnię, parującą i wilgotną, ku wielkiemu zadowoleniu tropikalnych roślin, lecz nie dam. Muzycy cierpieli i spływali potem. Goście wylewali się przez drzwi w poszukiwaniu ulgi, okupowali werandy, opierali się o marmurowe posągi i próżno próbowali zaczerpnąć trochę chłodu od kamienia.

Gasząc pragnienie, ludzie wypili zapewne znacznie więcej ponczu, niż zamierzali. W naturalnej tego konsekwencji stopniały zahamowania i wszystkich ogarnęła atmosfera niefrasobliwego odurzenia. Orkiestra porzuciła sztywność salonu i zorganizowała żwawą hulankę na szerokim trawniku. Wyniesiono na zewnątrz lampy i pochodnie, zanurzając wszystkich gości w niespokojnych i dzikich cieniach. Czarujący włoski astronom próbował uczyć dżentelmenów z Filadelfii szalonych kroków tańca neapolitańskiego oraz zrobił kółko z każdą z dam – a wszystkie uznały go za komicznego, uroczego i porywającego. Próbował nawet tańczyć z murzyńskimi gastronomami, ku ogólnej wesołości.

Pontesilli miał owego wieczoru wygłosić odczyt bogato zilustrowany planszami poglądowymi oraz wykresami i wyjaśnić elipsoidalne orbity oraz krążenie planet. Pomysł został jednak w którymś momencie zarzucony. Czy po tak rozbrykanym towarzystwie można było szczerze oczekiwać, że spokojnie zasiądzie do naukowego wykładu?

Alma nigdy się nie dowie, czyj to był pomysł – Pontesillego czy ojca – ale tuż po północy zadecydowano, że sławny włoski maestro-kosmolog zrekonstruuje model wszechświata na wielkim trawniku w White Acre, wykorzystując do tego celu gości jako ciała niebieskie. Model nie zachowa skali, narzekał podchmielony Włoch, ale przynajmniej da paniom jakiekolwiek wyobrażenie o życiu planet i ich wzajemnych relacjach.

Pontesilli w pięknym stylu głównodowodzącego, a zarazem komika, umieścił Henry'ego Whittakera – Słońce – pośrodku trawnika. Potem zebrał kilku innych panów, by służyli jako planety, i rozstawił ich promieniście od gospodarza. Ku dzikiej uciesze wszystkich zgromadzonych starał się tak pod względem rozmiaru dobierać mężczyzn do poszczególnych ról, by jak najlepiej reprezentowali planety, które mieli przedstawiać. I tak malutkiego Merkurego przedstawiał drobniutki, acz pełen godności handlarz zbożem z Germantown. Ponieważ Wenus oraz Ziemia muszą być większe od Merkurego, ale względem siebie są prawie tej samej wielkości, Pontesilli wybrał na owe planety braci z Delaware – dwóch mężczyzn nieomal identycznych co do wzrostu, tuszy oraz karnacji. Mars powinien być większy od handlarza zbożem, ale nie aż tak duży jak bracia z Delaware; poważany bankier o wysportowanej sylwetce nadawał się idealnie. Na Jowisza wziął Pontesilli emerytowanego kapitana żeglugi morskiej, człowieka o rzeczywiście zdumiewającej otyłości, którego pojawienie się w Układzie Słonecznym doprowadziło całe towarzystwo do histerycznego śmiechu. Jeśli chodzi o Saturna, trochę mniej gruby, choć nadal czarująco korpulentny dystrybutor prasy w porcie dopełnił obrazu.

I tak to się posuwało, aż wszystkie planety ustawiono dookoła w stosownej odległości od Słońca oraz od siebie nawzajem. Wtedy Pontesilli wprawił ich w ruch dookoła Henry'ego, rozpaczliwie starając się utrzymać każdego z podpitych dżentelmenów na poprawnej niebieskiej orbicie. Wkrótce panie wszczęły rwetes, by je także dopuścić do zabawy, Pontesilli więc ustawił je dookoła panów, by służyły za księżyce, każdy na własnej wąskiej orbicie. (Matka Almy z zimną księżycową perfekcją zagrała rolę ziemskiego miesiąca). Nieco dalej, poza trawnikiem, maestro wykreował gwiezdne konstelacje spreparowane z najładniejszych młodych dziewcząt.

Orkiestra znowu uderzyła w ton i ów krajobraz ciał niebieskich przybrał postać najdziwniejszego i najpiękniejszego walca, jaki kiedykolwiek widzieli zacni ludzie w Filadelfii. Henry Whittaker, Król Słońce, o włosach barwy płomienia, stał rozpromieniony w centrum tego wszystkiego, a wokół niego obracali się mężczyźni duzi i mali, podczas gdy kobiety krążyły dookoła mężczyzn. Grona niezamężnych panien błyszczały w najdalszych krańcach wszechświata, dalekie niczym nieznane galaktyki. Pontesilli wspiął się na szczyt otaczającego ogród wysokiego muru i niebezpiecznie się chwiejąc, dyrygował całą sceną i nawoływał pośród nocy: „Panowie, utrzymujcie tę samą prędkość! Panie, nie porzucajcie swoich orbit!".

Alma też chciała być w środku. W życiu nie widziała nic równie podniecającego. Jeszcze nigdy nie była poza łóżkiem o tak późnej porze – oprócz chwil nocnych koszmarów – ale w ogólnej wesołości jakoś o niej zapomniano. Była jedynym obecnym w tym towarzystwie dzieckiem, jak zawsze bywała jedynym dzieckiem w towarzystwie. Podbiegła do ogrodzenia i krzyknęła w górę, do niebezpiecznie chwiejnego maestra Pontesillego: „Proszę mnie wstawić, sir!". Włoch popatrzył na dół ze swej grzędy, usilnie starając się skoncentrować wzrok – co to za dziecko? Być może całkiem by na nią nie zareagował, ale wtedy ze środka Układu Słonecznego rozległ się ryk:

– Wyznacz dziewczynce *miejsce*!

Pontesilli wzruszył ramionami.

– Jesteś kometą! – krzyknął w stronę Almy, cały czas machając jedną ręką i udając, że dyryguje wszechświatem.

– Co robi kometa, sir?

– Lataj dookoła we wszystkich kierunkach! – zakomenderował Włoch.

Tak uczyniła. Rzuciła się między planety, nurkując i wirując pośród wszystkich orbit, drobiąc truchtem, zataczając kręgi, aż rozwiązała się wstążka na jej włosach. Kiedy zbliżała się do ojca, krzyczał:

– Nie tak blisko, Śliweczko, bo się spalisz na popiół!

I odpychał ją daleko od swej porywczej, zapalnej osoby, zmuszając, by biegła w innym kierunku.

W pewnej chwili, zdumiewające, ktoś wcisnął jej w rękę pryskającą pochodnię. Alma nie zauważyła, kto jej to dał. Dotychczas nigdy nie powierzono jej ognia. Pochodnia pluła iskrami i posyłała w powietrze kłaczki płonącej smoły, kiedy Alma mknęła przez kosmos – ona, jedyne ciało w niebiosach, które nie musi przestrzegać wyznaczonego eliptycznego toru.

Nikt jej nie zatrzymywał.

Była kometą.

Nie czuła, że nie leci.

# ROZDZIAŁ SZÓSTY

D zieciństwo Almy – czy też najmniej skomplikowany i najbardziej niewinny jego etap – zakończyło się gwałtownie pewnej nocy, tuż przed świtem, w listopadzie 1809 roku, w całkowicie poza tym zwyczajny wtorek.

Z głębokiego snu obudziły Almę podniesione głosy oraz chrzęst kół powozu na żwirowym podjeździe. Miejsca w domu, w których powinna panować o takiej porze cisza (na przykład korytarz przed drzwiami jej pokoju albo służbowe kwatery na górze), rozbrzmiały odgłosami bieganiny we wszystkich kierunkach. Wstała, drżąc z chłodu, zapaliła świecę, wciągnęła skórzane buty i sięgnęła po szal. Instynktownie czuła, że White Acre ma zmartwienie i może być potrzebna jej pomoc. W późniejszych latach będzie sobie przypominać tę myśl jako absurdalną (doprawdy, jakże mogła przypuszczać, że faktycznie może w czymkolwiek pomóc?), ale wtedy widziała siebie jako młodą damę zbliżającą się do dziesiątego roku życia i wciąż jeszcze była przeświadczona o ważności własnej osoby.

Kiedy doszła do szczytu szerokich schodów, ujrzała grupę mężczyzn stojących w wielkich drzwiach wejściowych z latarniami w dłoniach. Ojciec w szynelu narzuconym na strój nocny stał pośrodku nich i widać było, że jest mocno zirytowany. Hanneke de Groot także była na dole, w czepku na włosach. I matka. A więc sprawa jest poważna; Alma jeszcze nigdy nie widziała matki na nogach o takiej porze.

Prócz tego wszystkiego było coś jeszcze – i Alma popatrzyła prosto w tamtą stronę. Między Beatrix a Hanneke stała mała dziewczynka, trochę niższa od Almy, o platynowoblond warkoczach spadających na plecy. Każda z kobiet trzymała rękę na chudym ramieniu dziewczynki. Almie dziecko wydało się jakby znajome. Może to córka jednego z robotników? Nie była pewna. Dziewczynka, kimkolwiek była, miała najpiękniejszą buzię, chociaż widać było w świetle lampy, że jest teraz zaskoczona i przestraszona.

Tym, co Almę zaniepokoiło, nie był jednak strach dziewczynki, ale raczej władcza pewność uścisku, jakim Beatrix i Hanneke ją trzymały. Kiedy zaczął się zbliżać do nich jeden z mężczyzn, kobiety stanęły jeszcze ciaśniej i wyraźnie wzmocniły uścisk. Mężczyzna zrobił krok w tył. Całe szczęście, że się wycofał, pomyślała Alma, w owej chwili dostrzegła bowiem wyraz twarzy matki: nieustępliwą wściekłość. Tak samo wyglądała Hanneke. Wściekłość rysowała się na twarzach dwóch najważniejszych w życiu Almy kobiet i to ona wzbudziła niewytłumaczalny, zimny dreszcz strachu, który nią wstrząsnął: działo się tutaj coś alarmującego.

Raptem Beatrix i Hanneke odwróciły głowy, spoglądając w górę, gdzie stała Alma ze świecą w ręku i w wysokich butach, patrząc w niemym osłupieniu. Odwróciły się w jej kierunku w taki sposób, jakby na nie zawołała i jakby nie życzyły sobie, aby im przeszkadzała.

– Marsz do *łóżka*! – krzyknęły obie, Beatrix po angielsku, Hanneke po niderlandzku.

Alma może by i zaprotestowała, ale wobec tak zjednoczonej siły odczuwała bezradność. Zacięty i surowy wyraz ich twarzy ją przeraził. Nigdy jeszcze nie widziała czegoś podobnego. Była tu niepotrzebna, to jasne.

Jeszcze raz spojrzała na piękne dziecko stojące pośrodku hallu pełnego obcych ludzi i uciekła do swojego pokoju. Przez całą długą godzinę siedziała na skraju łóżka, nasłuchując, aż uszy zaczęły ją boleć, pełna nadziei, że ktoś do niej przyjdzie, wytłumaczy albo pocieszy. Ale odgłosy przycichły, dało się słyszeć konie odjeżdżające galopem, a do niej nadal nikt nie przychodził. W końcu Alma opadła na poduszkę i zasnęła na kołdrze, owinięta w szal i w ciężkich butach na nogach. Kiedy rano się obudziła, tłum obcych zniknął z White Acre.

Ale dziewczynka została.

Na imię było jej Prudence.

Czy może raczej była to Polly.

Czy też, by rzec dokładnie, na imię było jej Polly-Która-Została-
-Prudence.

Dzieje miała paskudne. W White Acre dokładano starań, aby je
zatuszować, ale tego typu historie nie lubią być chowane pod kocem i w ciągu kilku dni Alma już je znała. Dziewczynka była córką
naczelnego ogrodnika zajmującego się warzywnikiem w majątku,
spokojnego Niemca, który z wielce lukratywnym skutkiem zre-
wolucjonizował projekt szklarni na melony. Za żonę miał kobietę
z Filadelfii, prostą z urodzenia, ale słynącą z urody, znaną powszechnie ladacznicę. Ogrodnik, jej mąż, ją uwielbiał, ale nie był
w stanie upilnować. O tym także powszechnie wiedziano. Przez
lata kobieta bezustannie przyprawiała mu rogi, niewiele wkładając
wysiłku, by ukryć wybryki. On spokojnie to tolerował – albo nie
zauważając, albo udając, że nie zauważa – do chwili, kiedy nagle
tolerować przestał.

Owej listopadowej wtorkowej nocy w 1809 roku ogrodnik
zbudził żonę ze spokojnego snu u swego boku, wywlókł za włosy
na zewnątrz i przeciął jej jednym ruchem gardło od ucha do ucha.
Natychmiast po tym powiesił się na rosnącym obok wiązie. Zamieszanie obudziło innych robotników w White Acre. Wielu wybiegło
z domów sprawdzić, co się dzieje. Owa nagła śmierć pozostawiła za
sobą małą dziewczynkę o imieniu Polly.

Polly była w wieku Almy, ale delikatniejsza i zjawiskowo śliczna. Wyglądała jak idealna mała figurka wyrzeźbiona z luksusowego
francuskiego mydła, w które ktoś wprawił parę lśniących pawio-
modrych oczu. Ale to drobne różowe poduszeczki warg czyniły
dziewczynkę więcej niż po prostu ładną; zamieniały ją w mały, niepokojąco rozkoszny cukiereczek, wykutą w miniaturze Batszebę.

Gdy owej tragicznej nocy grupa konstabli oraz rosłych wyrob-
ników przyszła do White Acre z Polly w swoich rękach – Beatrix
i Hanneke natychmiast dostrzegły, jakie niebezpieczeństwo grozi
dziecku. Niektórzy z mężczyzn sugerowali, że dziewczynkę należy
odprowadzić do przytułku, ale inni ochoczo oświadczali, że osobiście się zajmą sierotą. Połowa ze znajdujących się w pomieszczeniu

mężczyzn spółkowała w tym czy innym momencie z matką owej dziewczynki – o czym Beatrix i Hanneke dobrze wiedziały – i nie miały ochoty wyobrażać sobie, co może czekać to śliczne stworzenie, ten kurewski skrzek.

Dwie kobiety jednomyślnie wyrwały Polly z rąk motłochu i skutecznie utrzymały ją od niego z dala. Nie była to przemyślana decyzja. Nie był to również gest miłosierdzia, spowity ciepłą opończą matczynej dobroci. Nie, to był czyn spowodowany wyłącznie intuicją, płynącą z głębokiego, niewypowiedzianego źródła kobiecej wiedzy o tym, jak funkcjonuje świat. Nie zostawia się w środku nocy samej i bez opieki tak malutkiej i tak ślicznej kobiecej istotki z dziesiątką rozochoconych chłopów.

Ale kiedy już Beatrix i Hanneke uchroniły Polly – kiedy mężczyźni zniknęli – co miały z nią począć? Wtedy podjęły decyzję przemyślaną. Czy też to raczej Beatrix podjęła decyzję, albowiem była jedyną osobą w domostwie sprawującą władzę decydowania. W istocie podjęła decyzję raczej szokującą. Postanowiła zatrzymać Polly na zawsze, natychmiast adoptować ją jako Whittakerównę.

Później Alma się dowiedziała, że Henry Whittaker zaprotestował (nie był zadowolony, że obudzono go pośrodku nocy, a jeszcze mniej, że niespodziewanie pozyskał nową córkę), lecz Beatrix ucięła jego narzekanie jednym ostrym spojrzeniem, a Henry miał dość zdrowego rozsądku, by nie protestować powtórnie. Niech będzie i tak. Zresztą mieli przecież zbyt małą rodzinę, a Beatrix nie udawało się jej powiększyć. Czyż nie przyszły na świat jeszcze dwa noworodki po Almie? Czyż oba zdołały wziąć chociaż jeden oddech? Czyż owe martwe niemowlęta nie spoczywają na cmentarzu przy luterańskim kościele, bezużyteczne? Beatrix zawsze pragnęła mieć jeszcze jedno dziecko i oto teraz, zrządzeniem losu, dziecko przybyło. Dodając Polly do gospodarstwa domowego, Whittakerowie skutecznie w ciągu jednej nocy podwoili potomstwo. Miało to swój sens. Decyzja Beatrix była szybka i pozbawiona wątpliwości. Henry już bez żadnego protestu wyraził zgodę. Zresztą nie miał wyboru.

Skądinąd mała ślicznotka nie wydawała się kompletną prostaczką. Rzeczywiście, kiedy wszystko ucichło, Polly zademonstrowała dobre maniery – niemal arystokratyczne obycie – co tym bardziej było godne odnotowania u dziecka, które dopiero co straciło obydwoje rodziców.

Beatrix dostrzegła w Polly niewątpliwe zadatki, a także nie widziała żadnej innej szansy na przyzwoitą dla niej przyszłość. W porządnym domu, pod odpowiednim moralnym wpływem dziewczynka przestawi się na życiowe tory inne niż szukanie przyjemności i występek, za które jej matka zapłaciła ostateczną cenę. Najpierw trzeba było ją wyczyścić. Biedactwo miało całe buty i ręce we krwi. Potem trzeba było zmienić jej imię. Polly nadaje się dla ptaszka w klatce albo ulicznicy. Od tej chwili dziecko nazywać się będzie Prudence* – imię, które zgodnie z nadzieją i oczekiwaniem Beatrix posłuży dziecku jako drogowskaz w słusznym kierunku.

Tak oto wszystko zostało rozwiązane w ciągu jednej godziny. I tak oto doszło do tego, iż Alma obudziła się następnego ranka zdumiona informacją, że ma od teraz siostrę i że jej siostra na imię ma Prudence.

Przybycie Prudence do White Acre zmieniło wszystko. W późniejszych latach, kiedy Alma będzie kobietą nauki, lepiej pojmie, że wprowadzenie jakiegokolwiek nowego elementu do kontrolowanego środowiska zmienia owo środowisko na różnorakie i nieprzewidywalne sposoby, lecz jako dziecko odczuła jedynie nieprzyjazne naruszenie porządku i przeczucie nadchodzącej katastrofy. Trzeba powiedzieć, iż Alma nie przyjęła intruza serdecznie. Ale też, dlaczegóż by miało być inaczej? Czy ktokolwiek z nas kiedykolwiek przyjął serdecznie intruza?

Na początku Alma w najmniejszym stopniu nie rozumiała, dlaczego ta dziewczynka u nich jest. To, czego się dowiedziała na temat dziejów Prudence nieco później (wyciągnięte od mleczarek, nie inaczej, niż po niemiecku!), wiele wyjaśniło – ale pierwszego dnia po przybyciu dziewczynki do White Acre nikt niczego Almie nie wyjaśnił. Nawet Hanneke de Groot, która zwykle znała tajemnic więcej od innych, rzekła tylko: „Wedle zamiarów Boga, moje dziecko, tak będzie najlepiej". A gdy Alma nie dawała za wygraną

---

* *Prudence* (ang.) – rozwaga

i naciskała o więcej informacji, Hanneke zbyła ją świszczącym szeptem: „Miej litość i o nic więcej nie pytaj!".

Dziewczynki oficjalnie przedstawiono sobie przy śniadaniu. Nie wspomniano o przelotnym spotkaniu poprzedniej nocy. Alma nie mogła oderwać oczu od Prudence, ta zaś – od talerza. Beatrix wyjaśniła obu pewne rzeczy, ale żadna nie miała zbytniego sensu. Ktoś o nazwisku pani Spanner przyjedzie po południu z Filadelfii, by skroić dla Prudence nowe sukienki z tkanin bardziej odpowiednich niż obecny strój. Przybędzie również nowy osiołek i Prudence będzie musiała się nauczyć go dosiadać, im wcześniej, tym lepiej. Będzie także odtąd w White Acre guwerner. Beatrix zadecydowała, że uczenie dwóch dziewcząt naraz zbyt nadweręży jej siły, a ponieważ Prudence nie pobierała dotąd żadnej edukacji, młody i energiczny guwerner będzie dobrym nabytkiem w gospodarstwie. Dziecinny pokój zostanie w związku z tym zamieniony w regularną klasę. Rzecz jasna, od Almy oczekiwać się będzie, iż pomoże siostrze w opanowaniu pisania, dodawania i rachunków. Alma jest oczywiście mocno zaawansowana w ćwiczeniach umysłu, lecz jeśli Prudence uczciwie się przyłoży – a siostra pomoże – też zdoła osiągnąć znakomite wyniki. Młody dziewczęcy umysł, oświadczyła Beatrix, ma imponującą elastyczność, a Prudence jest wystarczająco młoda, by zdążyć nadrobić zaległości. Ludzki umysł, jeśli sumiennie ćwiczony, powinien być w stanie podołać wszystkiemu, czego od niego wymagamy. To wyłącznie sprawa wytężonej pracy.

Beatrix mówiła, a Alma nie odrywała wzroku. Czy może istnieć coś tak niepokojąco pięknego jak twarz Prudence? Jeśli piękno jest naprawdę zakłóceniem precyzji, jak zawsze twierdziła jej matka, czym jest Prudence? Być może najmniej precyzyjnym i najbardziej zakłócającym obiektem we wszechświecie. Alma poczuła w owej chwili, jak zwielokrotnia się jej niepokój. Naraz coś okropnego zaczęła sobie uzmysławiać na własny temat, coś, do rozmyślania nad czym nigdy wcześniej nie miała powodów: *ona sama nie jest ślicznotką*. Dopiero teraz, przez straszliwe porównanie, zdała sobie nagle z tego sprawę. Prudence była filigranowa, Alma duża. Włosy Prudence falowały złotobiałym jedwabiem, włosy Almy miały barwę i fakturę rdzy – i rosły bardzo nietwarzowo we wszystkich kierunkach z wyjątkiem jednego, do dołu. Nos Prudence był małym kwiatuszkiem; u Almy wyrósł jak ziemniak. I tak dalej, od stóp do głów: najbardziej żałosna wyliczanka.

Gdy śniadanie się zakończyło, Beatrix ogłosiła: „A teraz, dziewczęta, podejdźcie i uściśnijcie się jak siostry". Alma objęła Prudence posłusznie, ale bez serdeczności. Kiedy stały obok siebie, kontrast był jeszcze wyraźniejszy. Alma czuła, że razem najbardziej przypominają doskonałe jajeczko małego drozda i wielką pospolitą szyszkę sosnową nagle i z niewytłumaczalnych powodów dzielące jedno gniazdo.

Z tego wszystkiego Alma bliska była płaczu albo kłótni. Czuła, że ma ponurą minę. Beatrix musiała to dostrzec, bo rzekła: „Prudence, wybacz, muszę zamienić z twoją siostrą słowo na osobności". Wzięła Almę za ramię, ściskając tak mocno, że aż zabolało, i wyprowadziła ją do hallu. Alma poczuła napływające łzy, ale zmusiła je, by się cofnęły, potem by znowu się cofnęły, a potem by cofnęły się jeszcze raz.

Beatrix spojrzała z góry na swoje jedyne naturalne dziecko i zaczęła mówić głosem z zimnego granitu:

— Nie chcę więcej widzieć na twarzy mojej córki takiej miny jak ta, którą właśnie zobaczyłam. Zrozumiałaś?

Alma zdołała wmówić jedno niepewne słowo („Ale…"), kiedy jej przerwano.

— Bóg nie pochwala wybuchów zazdrości ani złośliwości – kontynuowała Beatrix – i żadnych takich zachowań nie pochwala twoja rodzina. Jeśli nosisz w sobie uczucia, które są niemiłe albo nieżyczliwe, skaż je na poronienie i pogrzeb je. Stań się mistrzynią siebie, Almo Whittaker. Czy jasno się wyraziłam?

Tym razem Alma tylko pomyślała jedno słówko („Ale…"); musiała jednak pomyśleć zbyt głośno, matka bowiem jakimś sposobem je usłyszała. A to już za bardzo wyprowadziło Beatrix z równowagi.

— Żal mi ciebie, Almo Whittaker, że z taką samolubnością traktujesz innych – powiedziała przez zęby, zaciśnięte teraz już z prawdziwej złości. – Ostatnie dwa słowa wypluła niczym dwa odłamki lodu: – Popraw się.

Ale Prudence również musiała się poprawić, i to niemało!

Po pierwsze, była daleko za Almą, jeśli chodzi o naukę. Szczerze mówiąc, które dziecko nie byłoby daleko za Almą Whittaker? W wieku dziewięciu lat wszak bez wysiłku czytała w oryginale *Commentarii*... Gajusza Juliusza Cezara, czytała także Korneliusza Neposa. Z powodzeniem umiała obronić Teofrasta przed Pliniuszem. (Pierwszy był prawdziwym człowiekiem nauk naturalnych, powiedziałaby, a drugi zaledwie pisarzem). Jej greka, którą uznawała za rodzaj majaków matematyki, też była coraz lepsza.

Prudence zaś potrafiła po prostu pisać i liczyć. Miała słodki, melodyjny głos, ale sama jej mowa – jaskrawe piętno nieszczęsnego pochodzenia – wymagała wielu poprawek. Na początku pobytu dziewczynki w White Acre Beatrix cały czas wyłuskiwała, jakby ostrym końcem drutu do robótek ręcznych, zwroty, które trzeba było wytrzebić, brzmiały bowiem zbyt pospolicie lub prostacko. Zachęcała również Almę do korygowania siostry. Beatrix uczyła Prudence nie mówić *tam i nazad*, ponieważ *w tę i z powrotem* brzmi o wiele wykwintniej. Słowo *chętka* w każdym kontekście brzmi wulgarnie, tak samo słowo *zgraja*. Gdy w White Acre pisano list, *nadawano* go potem na poczcie, a nie *wrzucano*. Człowiek nie *choruje*, lecz *niedomaga*. Człowiek nie wychodzi do kościoła *już* tylko *wkrótce*. Nie jest się *prawie* przy czymś, jest się *blisko* czegoś. Człowiek nie *gna*, a *podąża* za czymś. I w ich rodzinie się nie *gada*; się *konwersuje*.

Bardziej zlęknione dziecko pewnie w ogóle przestałoby mówić. Bardziej wojowniczo nastawione mogłoby żądać wyjaśnień, czemu Henry Whittaker może się odzywać jak jakiś cholerny sztauer – czemu wolno mu nazywać innego człowieka podczas obiadu przy stole „chujodojnym osłem", i to prosto owemu w twarz, i czemu Beatrix nigdy go nie poprawia – podczas gdy reszta rodziny musi „konwersować" niczym radcy. Lecz Prudence nie była ani zlękniona, ani wojownicza. Okazywała niezachwianą czujność i bez zmrużenia oka doskonaliła się każdego dnia, jakby szlifowała ostrze swojej najtajniejszej duszy, zważając, by nigdy nie popełnić dwa razy tego samego błędu. Po pięciu miesiącach pobytu w White Acre mowa Prudence nie wymagała już żadnego oczyszczania. Nawet

Alma nie mogła znaleźć błędu, chociaż ustawicznie szukała. Pozostałe aspekty – postawa Prudence, jej maniery, codzienna toaleta – równie szybko poddały się modelowaniu.

Prudence przyjmowała korygowanie bez skargi. Wręcz zdawało się, że pożąda tego – zwłaszcza ze strony Beatrix! Kiedykolwiek przytrafiło się Prudence nie wykonać zadania poprawnie lub gdy zanurzyła się w egoistycznych myślach albo poczyniła nieprzemyślaną uwagę, osobiście potem relacjonowała to Beatrix, wymieniała swe błędy i chętnie poddawała się pouczeniom. Tym sposobem Prudence uczyniła z Beatrix nie tylko swą matkę, ale także matkę-powierniczkę. Dla Almy, która od wczesnego dziecięctwa ukrywała przewiny i pod kłamstwem chowała niedociągnięcia, takie zachowanie było monstrualnie niezrozumiałe.

W rezultacie Alma traktowała Prudence z rosnącą podejrzliwością. Było w niej coś twardego jak diament, co najprawdopodobniej musiało maskować niegodziwość albo nawet zło. Dziewczynka wydawała się wykrętna i przebiegła. Miała zwyczaj wyślizgiwać się z pokoju, nie odwracając się tyłem do nikogo i bezgłośnie zamykając za sobą drzwi, a to nie budziło zaufania. Prudence była również zbyt uprzejma, nigdy nie zapominała dat ważnych dla innych ludzi, zawsze dbała, by w odpowiednim dniu złożyć pokojówkom życzenia urodzinowe, i inne tego typu rzeczy. Dla Almy owo pilne dążenie do dobroci wydawało się u niej zanadto niestrudzone, tak samo jak u stoików.

Alma wiedziała, że bez wątpienia mało przynosi jej korzyści porównywanie siebie z taką idealną lakierowaną osobą jak Prudence. Henry nazwał ją nawet „Nasze Małe Cacko"; dawne przezwisko Almy, „Śliweczka", zdawało się przy tym skromne i prostackie. Wszystko, co było związane z Prudence, powodowało, że Alma czuła się skromna i prostacka.

Coś niosło jednak pociechę. Przynajmniej w klasie Alma zawsze miała przewagę. Prudence nigdy nie była w stanie dogonić siostry. Nie żeby się nie starała, przeciwnie, dziewczynka ciężko pracowała. Biedactwo, zmagała się z książkami jak baskijski kamieniarz. Każda z nich była dla Prudence niczym granitowa płyta do wniesienia na szczyt wzgórza w pełnym słońcu i z zadyszką. Samo patrzenie na nią było bolesne, ale Prudence, uparta w wysiłku, ani razu się nie rozpłakała. W konsekwencji robiła postępy – najbardziej zdumiewające, trzeba przyznać, biorąc pod uwagę jej pochodzenie. Zawsze zmagała się z matematyką (rachunki nigdy się jej nie zgadzały), ale wbiła do głowy podstawy łaciny, a po jakimś czasie potrafiła całkiem znośnie posługiwać się językiem francuskim z ładnym akcentem. Jeśli chodzi o pismo, to nie ustawała w ćwiczeniu, aż każdy znak swą elegancją dorównywał iście książęcej.

Największa nawet dyscyplina oraz zapał nie wystarczą jednak do zamknięcia przepaści w królestwie nauki: talenty umysłu Almy dalece wykraczały poza to, co Prudence mogłaby kiedykolwiek osiągnąć. Alma miała świetną pamięć do słówek oraz wrodzone wybitne zdolności do rachunków. Uwielbiała ćwiczenia, testy, formułki, twierdzenia. Przeczytanie czegoś raz było dla Almy zdobyciem tego na własność po wsze czasy. Potrafiłaby zanalizować wywód w taki sposób, jak żołnierz rozbiera swój karabin – pół śpiąc, wybudzona w ciemności, a rzecz i tak pięknie rozłożyłaby się na części. Analiza matematyczna wywoływała u niej napady ekstazy. Gramatyka była starą przyjaciółką – być może dzięki posługiwaniu się podczas dorastania tak wieloma językami naraz. Kochała także swój mikroskop, który był dla niej magicznym przedłużeniem własnego prawego oka, pozwalającym zajrzeć prosto do gardła samemu Stwórcy.

Mógłby ktoś przypuszczać, że guwerner, którego Beatrix koniec końców zatrudniła, wolał w związku z tym Almę od Prudence, lecz w rzeczywistości tak nie było. Bardzo uważał, by nie stawiać żadnego dziecka wyżej drugiego – obie dziewczynki traktował jako nudny obowiązek. Był raczej bezbarwnym młodym mężczyzną, Brytyjczykiem z urodzenia, o dziobatej, świecącej się cerze oraz ustawicznym wyrazie zmartwienia na twarzy. Często wzdychał. Nazywał się Arthur Dixon i był świeżo upieczonym absolwentem Uniwersytetu w Edynburgu. Beatrix wybrała go na stanowisko guwernera po rygorystycznej rekrutacji dziesiątek innych kandydatów, których odrzuciła za – prócz innych uchybień – zbytnią głupotę, zbytnią rozmowność, zbytnią religijność, brak wystarczającej religijności, zbytni radykalizm, zbytnią przystojność, zbytnią tuszę oraz zbytnie jąkanie się.

Przez pierwszy rok zatrudnienia Arthura Dixona Beatrix często siadywała w klasie, cerując w kącie i obserwując, czy Arthur nie robi merytorycznych błędów lub czy nie traktuje dziewcząt w jakikolwiek niestosowny sposób. Wreszcie zdobyła pewność: młody Dixon jest idealnie nudnym świetnym akademikiem, w którym nie widać śladu niedojrzałości czy dowcipu. Można mu więc całkowicie zaufać i oddać Whittakerówny na nauki, cztery dni w tygodniu, przemienny kurs filozofii przyrody, łaciny, francuskiego, greki, chemii, astronomii, mineralogii, botaniki oraz historii. Almie zadawano również dodatkowe prace z optyki, algebry oraz geometrii przestrzennej, których – w niecodziennym geście litości – Beatrix oszczędziła Prudence.

W piątki odchodzono od tego rozkładu zajęć i z centrum Filadelfii przyjeżdżali mistrz rysunku, mistrz tańca oraz mistrz muzyki, by dopełnić edukacji panien. Wcześnie rano od dziewcząt oczekiwano także zaangażowania przy boku matki w jej osobistym greckim ogrodzie – triumfie matematyki i piękna, który Beatrix osiągnęła, przycinając rośliny według ścisłych zasad symetrii euklidesowej (wszystkie kule, stożki i wypracowane trójkąty równiutko przycięte, sztywne i precyzyjne). Spodziewano się także, że dziewczęta oddadzą się doskonaleniu w robótkach ręcznych co najmniej kilka godzin tygodniowo. Wieczorami Alma i Prudence były oczywiście wołane na dół do jadalni. Zasiadały tam do oficjalnego obiadu i inteligentnie zabawiały gości z całego świata. Jeśli w White Acre nie było akurat gości, Alma i Prudence spędzały wieczory w saloniku, do późna w nocy asystując matce i ojcu przy załatwianiu oficjalnej korespondencji związanej z posiadłością. Niedziele poświęcone były na kościół. Zbliżanie się pory snu przynosiło długie litanie wieczornych modlitw.

Resztę czasu miały dla siebie.


Ów rozkład zajęć nie był wcale taki ciężki – przynajmniej dla Almy. Energiczna i ciekawa młoda panna nie potrzebowała wiele odpoczynku. Lubiła umysłową pracę, lubiła ogrodnictwo oraz rozmowy podczas obiadowych posiedzeń. Zawsze była szczęśliwa, jeśli mogła późno w nocy pomóc ojcu przy korespondencji (bo teraz była to często jedyna okazja na bliski z nim kontakt). Dawała nawet jakoś radę wykroić kilka godzin dla siebie, w czasie których tworzyła pełne inwencji małe botaniczne projekty. Eksperymentowała z pędami uciętymi z wierzb i zastanawiała się, jak to jest, że wypuszczają one korzenie czasami z pączków, a czasami z liści. Rozkładała na czynniki pierwsze i zapamiętywała, suszyła i klasyfikowała każdą znalezioną roślinę. Założyła piękny *hortus siccus* – wspaniałe niewielkie suche herbarium.

Alma uwielbiała botanikę, z każdym dniem bardziej. Jej uwagę przykuwał nie tyle wygląd roślin, ile ich magiczna systematyka. Z pasją traktowała systemy, porządki, przegródki oraz indeksy; botanika dostarczała wyśmienitej okazji, by zanurzyć się w tych przyjemnościach. Wysoko ceniła także fakt, że jeśli poprawnie umiejscowić roślinę w systematyce, zostanie już tam na zawsze. Frapowały ją również poważne matematyczne reguły, które stanowiły nieodłączną część symetrii roślin – owe niezmienne zasady wywoływały w niej spokój oraz szacunek. Każdy gatunek ma na przykład taki sam stosunek działek kielicha do płatków korony i ów stosunek nigdy się nie zmienia. Można regulować zegarek, wartość stała. Botaniczne proporcje tworzyły niezmienne, pokrzepiające, nieugięte prawa. Pięciopręcikowa roślina zawsze będzie miała pięć pręcików – nigdy cztery, nigdy sześć. Lilia nigdy nie zmieni zdania i nie stanie się piwonią.

Jeśli Alma pragnęła czegokolwiek, to aby móc poświęcić w życiu jeszcze więcej czasu na studiowanie roślin. Nawiedzały ją osobliwe fantazje. Pragnęła mieszkać w koszarach armii nauk przyrodniczych, gdzie o świcie budziłby ją dźwięk trąbki i maszerowałaby w szeregu razem z innymi młodymi przyrodnikami, w mundurach, do całodziennej pracy w lesie, u potoków i w laboratoriach. Pragnęła mieszkać w botanicznym klasztorze czy jakimś rodzaju botanicznego zakonu, w otoczeniu innych oddanych taksonomistów, gdzie nikt nie przeszkadzałby drugiemu w badaniach i gdzie wszyscy dzieliliby się z innymi swoimi najbardziej fascynującymi odkryciami. Nawet więzienie botaniczne byłoby wspaniałe! (Nie przychodziło Almie na myśl, że istniały na świecie takie miejsca intelektualnego odosobnienia i odgrodzonej izolacji, a nazywały się „uniwersytetami". Ale małe dziewczynki nie marzyły o uniwersytetach w 1810 roku).

Tak więc Almie nie przeszkadzała ciężka praca. Jedynie żywo nienawidziła piątków. Lekcje sztuki, tańca, muzyki – wszystkie te rzeczy irytowały ją i odciągały od jej prawdziwych zainteresowań. Nie miała wdzięku. Nie potrafiła odróżnić jednego słynnego obrazu od drugiego ani nigdy nie nauczyła się rysować twarzy, nie nadając obliczu modela charakteru albo zbiega, albo denata. Daru muzycznego także nie posiadała i kiedy osiągnęła wiek jedenastu lat, ojciec oficjalnie zażądał, by przestała torturować pianino. We wszystkich tych dziedzinach przodowała Prudence, która potrafiła także pięknie szyć i posługiwać się serwisem herbacianym z mistrzowską delikatnością; miała prócz tego wiele innych drobnych i drażniących talentów. W piątki Alma doświadczała najczarniejszych i najbardziej zawistnych myśli na temat siostry. Na przykład bywało, że myślała, iż naprawdę z radością oddałaby własną znajomość jednego z dodatkowych języków (byle nie grekę!) za banalną umiejętność złożenia koperty *chociaż jeden raz* tak pięknie, jak potrafiła robić to Prudence.

Pomimo to – albo może właśnie z tego powodu – Alma odczuwała prawdziwą satysfakcję w dziedzinach, w których była od siostry lepsza. Miejscem, w którym jej wyższość okazywała się szczególnie godna uwagi, był sławetny stół oraz obiady Henry'ego Whittakera, zwłaszcza gdy powietrze aż gęstniało od ambitnych projektów. Wraz z wiekiem przybywało Almie odwagi w konwersacji, swobody, dociekliwości. Prudence nigdy nie osiągnęła takiej pewności siebie przy stole. Zwykle siedziała milcząca i śliczna, rodzaj bezużytecznej ozdoby towarzystwa, po prostu zajmując krzesło pomiędzy gośćmi i nie wnosząc swoją obecnością nic ponad urodę. W pewnym sensie jednak się przydawała. Można było posadzić ją obok kogokolwiek, nigdy nie narzekała. Podczas licznych wieczorów biedną dziewczynę umyślnie sadzano pomiędzy najbardziej nudnymi oraz przygłuchymi starymi profesorami – doskonałymi mumiami mężczyzn – którzy grzebali sobie w zębach widelcem albo przysypiali podczas posiłku, lekko chrapiąc, gdy wokół nich szalała gorąca dyskusja. Prudence nigdy się nie sprzeciwiała ani nie prosiła o bardziej błyskotliwych sąsiadów przy stole. Wyglądało na to, że naprawdę nie ma dla niej różnicy, kto siedzi obok: nigdy nie zmieniała przybranej pozy oraz starannie dobranego wyrazu twarzy.

Tymczasem Alma rzucała się na każdy możliwy temat – od zarządzania terenami rolnymi przez molekuły gazu do fizjologii łzy. Na przykład pewnego wieczoru przybył do White Acre gość, który niedawno powrócił z Persji, gdzie pod starożytnym miastem Isfahan znalazł okaz rośliny, która, jak sądził, wytwarza swoistą żywicę – pradawny i kosztowny składnik farmaceutyczny, którego źródło było dotychczas nieznane Zachodowi, ponieważ handel nim pozostawał całkowicie w przestępczych rękach. Młody człowiek pracował dla Korony Brytyjskiej, ale zawiódł się na zwierzchnikach i pragnął omówić z Henrym Whittakerem możliwość finansowania dalszych badań. Henry i Alma – jakby byli jednym mózgiem, co zdarzało im się często przy stole podczas oficjalnych obiadów – zasypali go z obu stron pytaniami, jak dwa pasterskie psy z przeciwległych rogów zaganiające stado.

– Jaki panuje klimat w tamtym regionie Persji? – zapytał Henry.

– I jaka wysokość? – dodała Alma.

– Sir, rośliny rosną na rozległej nizinie – odpowiedział gość – i, powiadam panu, są pełne żywicy, wyciska się jej ogromne ilości…

– Tak, tak – przerwał mu Henry. – Albo tylko pan tak twierdzisz. Musisz nam pan chyba poprzysiąc, bo widzę, że przywiozłeś jako dowód zaledwie jej naparstek. Ale powiedz mi, ile płacisz pan urzędnikom w Persji? Mam na myśli haracz za przywilej szwendania się po ich kraju i zbierania sobie żywicy wedle widzimisię.

– Owszem, żądają pewnej opłaty, sir, ale to nic nieznacząca suma…

– My nie płacimy haraczu – uciął Henry. – Nie gustuję w tym słowie. Czemu dał pan komukolwiek do zrozumienia, co pan tam robi?

– Ależ, sir, nie przystoi uprawianie przemytu!

– Naprawdę? – Henry uniósł brew. – Nie przystoi?

– A czy można by było uprawiać roślinę gdzie indziej? – wyrwała się Alma. – Sam pan rozumie, sir, nie byłoby dla nas korzystnie wysyłać pana każdego roku na kosztowną wyprawę po zbiory do Isfahanu.

– Nie miałem jeszcze okazji zbadać...

– Czy można by było założyć uprawę na Kathijawarze – zapytał Henry. – Zna pan tam kogoś?

– Nie wiem, sir, ja tylko...

– A czy można ją uprawiać na południu Ameryki? – wtrąciła Alma. – Jakiej wilgotności potrzebuje ta roślina?

– Nie jestem zainteresowany żadnym przedsięwzięciem, które wymagałoby zakładania plantacji na południu Ameryki, i ty, Almo, dobrze o tym wiesz – wtrącił Henry.

– Ależ ojcze, ludzie mówią, że dorzecze Missouri...

– Powiedz szczerze, Almo, przypuszczasz, że dorzecze Missouri dobrze by zrobiło temu blademu małemu angielskiemu okruszkowi...?

Rzeczony blady mały angielski okruszek zamrugał i sprawił wrażenie, jakby utracił zdolność mówienia. Alma jednak parła dalej, pytając gościa ze wzrastającym podnieceniem:

– Czy pan uważa, sir, że roślina, o której pan opowiada, jest tą samą, którą opisuje Dioskorydes w *Peri hyles iatrikes*? To by było coś, nieprawdaż? Mamy wspaniałe wczesne wydanie Dioskorydesa w naszej bibliotece. Jeśli miałby pan ochotę, mogę je panu pokazać po obiedzie.

W tym momencie do rozmowy włączyła się wreszcie Beatrix, strofując czternastoletnią córkę.

– Zastanawiam się, Almo, czy to jest rzeczywiście niezbędnie konieczne obdarzać cały świat każdą swoją myślą. Czy nie lepiej byłoby pozwolić naszemu biednemu przybyszowi, by spróbował najpierw odpowiedzieć na jedno pytanie, zanim zaatakujesz go następnym? Młody człowieku, proszę spróbować jeszcze raz. Co usiłował pan przedtem powiedzieć?

Ale natychmiast znowu zabrał głos Henry.

– Pan mi nawet nie przywiozłeś sadzonek, prawda? – zapytał przytłoczonego biedaka, który teraz już zupełnie nie wiedział, komu z Whittakerów powinien odpowiedzieć w pierwszej kolejności, i w związku z tym popełnił poważny błąd, nie odpowiadając nikomu.

Zapanowała długa cisza i wszyscy zwrócili na niego wzrok. Ale mimo to młody człowiek wciąż nie mógł wykrztusić słowa.

Zdegustowany Henry przerwał milczenie, zwracając się ku Almie.

– Ach, daj spokój, Śliweczko. Nie wzbudził mojego zainteresowania. Nie przemyślał sprawy. Ale popatrz tylko na niego! Wciąż tu siedzi, je mój obiad, pije moje bordo i ma ochotę na moje pieniądze!

Alma dała więc spokój i nie kontynuowała wypytywania o żywicę, Dioskorydesa ani perskie obyczaje plemienne. Odezwała się pogodnie do innego dżentelmena przy stole – nie zauważając, że ów drugi młody osobnik raczej zbladł na tę okoliczność.

– Z pana fantastycznego artykułu wnioskuję, że znalazł pan całkiem niezwykłe skamieliny! Czy miał już pan okazję porównać tę kość do współczesnych okazów? Czy naprawdę pan uważa, że to są zęby hieny? I wciąż pan utrzymuje, że jaskinia została zalana wodą? Czy czytał pan niedawny artykuł pana Winstona o pierwotnych powodziach?

W tym czasie Prudence – niezauważona przez nikogo – zwróciła się chłodno do młodego Anglika, siedzącego obok niej, tego, któremu właśnie stanowczo zamknięto usta, i rzuciła: „Proszę mówić dalej".


Później, jeszcze przed pójściem do łóżka, po wieczornej księgowości oraz modlitwie, Beatrix napomniała dziewczęta, jak codziennie miała w zwyczaju.

– Almo – zaczęła – grzeczna dysputa to nie wyścig do mety… Rzadko, ale jednak może się okazać, że jeśli pozwoliłabyś swojej ofierze dokończyć myśl, to i skorzystałabyś, i usłyszała coś interesującego. Twoja wartość jako gospodyni polega na uwidacznianiu talentów gości, a nie przechwalaniu się własnymi.

Alma chciała zaprotestować.

– Ale…

Beatrix jednak jej przerwała.

– Co więcej, nie trzeba pękać ze śmiechu, usłyszawszy żart… rozbawił towarzystwo, spełnił swój obowiązek, wystarczy. Ostatnio zauważyłam, że zbyt długo się śmiejesz. Nie spotkałam jeszcze prawdziwie dostojnej damy, która wydawałaby z siebie okrzyki jak dzika gęś. – Następnie Beatrix zwróciła się do Prudence. – Jeśli o ciebie chodzi, to pochwalam niewdawanie się w jałową i irytującą paplaninę, ale całkiem co innego jest tak zupełnie wyłączyć się z konwersacji. Goście pomyślą, że jesteś nieukiem, którym nie jesteś. Byłaby to niefortunna kompromitacja dla naszej rodziny, gdyby ludzie uważali, że tylko jedna z moich córek potrafi mówić. Wstydliwość, co powtarzałam ci już po wielekroć, jest jedynie innym rodzajem próżności. Pozbądź się jej.

– Przepraszam, matko – powiedziała Prudence. – Nie czułam się dobrze dzisiaj wieczorem.

– Rozumiem, że *sądzisz*, iż nie czułaś się dobrze dzisiaj wieczorem. Ale widziałam cię z tomem liryki w rękach tuż przed obiadem, całkiem radośnie trwoniącą czas. Ktokolwiek, kto może czytać lirykę tuż przed obiadem, nie może się aż tak źle czuć godzinę później.

– Przepraszam, matko – powtórzyła Prudence.

– Chciałabym także porozmawiać z tobą, Prudence, na temat zachowania pana Edwarda Portera podczas obiadu. Nie powinnaś pozwalać temu mężczyźnie wlepiać w siebie wzrok tak długo. Takie zaabsorbowanie jest dla wszystkich poniżające. Musisz nauczyć się przerywać mężczyznom, gdy się tak zachowują, przemawiając do nich na poważne tematy inteligentnie i w sposób opanowany. Być może pan Porter zbudziłby się wcześniej ze swego namiętnego zamroczenia, gdybyś podjęła z nim dyskusję na przykład na temat rosyjskiej kampanii. Nie wystarczy być po prostu dobrą, Prudence, trzeba też być mądrą. Jako kobieta będziesz oczywiście zawsze miała wyższą niż mężczyźni moralną świadomość, ale jeśli nie wyostrzysz sobie umysłu w obronie własnej, to twoja moralność na niewiele ci się przyda.

– Rozumiem, matko – odrzekła Prudence.

– Nie ma nic ważniejszego od godności, dziewczęta. Czas pokaże, która ją ma, a która nie.

– Dziękuję, matko – odpowiedziała Prudence.

Alma, rozdrażniona i zawstydzona, nie powiedziała nic.

Życie mogłoby być przyjemniejsze dla Whittakerówien, gdyby nauczyły się sobie pomagać – jak kulawy ze ślepym – uzupełniając wzajemnie słabe strony. One jednak kuśtykały obok siebie w milczeniu, każda z dziewcząt pozostawiona sama sobie w samotnym przedzieraniu się po omacku przez własne niedostatki oraz kłopoty.

Oddać im trzeba – oraz ich matce, która wpajała im grzeczność – że dziewczęta nigdy nie były dla siebie niemiłe. Ani razu nie odezwały się do siebie nieuprzejmie. Jeśli padał deszcz, szły ramię przy ramieniu, pod jedną parasolką. Ustępowały sobie przejścia w drzwiach, każda dając drugiej pierwszeństwo. Proponowały drugiej ostatni kawałek tortu albo najlepsze krzesło, stojące najbliżej grzejącego pieca. Obdarowywały się wzajemnie skromnymi, ale przemyślanymi podarkami podczas Wigilii. Jednego roku Alma kupiła dla Prudence – która lubiła rysować kwiaty (pięknie, trzeba przyznać, ale niezbyt *wiernie*) – śliczną książkę o botanicznych ilustracjach zatytułowaną *Every Lady Her Own Drawing Master: A New Treatise on Flower Painting*. Tego samego roku Prudence wykonała dla Almy kunsztowną poduszeczkę na szpilki, wyszytą jej ulubionym kolorem ciemnofioletowym. Tak więc starały się być dla siebie uprzejme.

„Dziękuję za poduszeczkę na szpilki", napisała w układnej notce Alma do Prudence. „Z pewnością z niej skorzystam, kiedy poczuję potrzebę używania szpilek".

Rok po roku dziewczęta Whittakerów odnosiły się do siebie jak najpoprawniej, chociaż prawdopodobnie powodowane odmiennymi pobudkami. Dla Prudence wymuszona grzeczność była stanem naturalnym. Od Almy wszakże wymuszona grzeczność wymagała maksymalnego wysiłku – ustawicznego i nieomal fizycznego ujarzmiania wszystkich niższych odruchów, zmuszanych do posłuszeństwa wyłącznie przez moralną dyscyplinę oraz lęk przed matczyną naganą. Tym sposobem zachowano dobre maniery i w White Acre panował spokój. Naprawdę jednak między Almą i Prudence stał mur wielki jak falochron i nie zmniejszał się z biegiem czasu. Co więcej, nikt im nie próbował pomóc go skruszyć.

Pewnego zimowego dnia, gdy dziewczęta miały po piętnaście lat, do White Acre prosto z Ogrodu Botanicznego w Kalkucie przyjechał w odwiedziny przyjaciel Henry'ego z dawnych lat. Jeszcze w progu, strzepując płatki śniegu z płaszcza, gość zawołał: „Henry Whittaker, ty stary spryciarzu! Pokaż no mi tę swoją słynną córkę, o której wszyscy mówią!".

W salonie nieopodal dziewczęta przepisywały botaniczne notatki. Słyszały każde słowo.

Henry zakrzyknął dobitnym głosem:

– Śliweczko! Chodź tutaj szybko! Chcą cię obejrzeć!

Alma pośpieszyła w stronę przedsionka, rozpromieniona i pełna ufnej nadziei. Obcy przez chwilę się jej przyglądał, wreszcie parsknął gromkim śmiechem.

– Nie, ty cholerny głupcze… nie o tę mi chodzi! Pokaż mi tę śliczną!

Bez słowa sprzeciwu Henry zawołał:

– Och, czyli interesuje cię Nasze Małe Cacko? Prudence, chodź tutaj! Chcą cię obejrzeć!

Prudence wśliznęła się bezgłośnie i stanęła za Almą, która właśnie powoli się zapadała w podłogę niczym w gęste i straszliwe bagno.

– No proszę! – odezwał się gość, przewiercając Prudence wzrokiem na wylot. – Ach, ależ ona *jest* przepyszna, nieprawdaż? Zastanawiałem się. Myślałem, że wszyscy muszą trochę przesadzać…

Henry machnął z lekceważeniem ręką.

– Ech, za dużo wszyscy widzicie w Prudence – odparł. – Dla mnie ta pospolita jest warta co najmniej dziesięć tych ślicznych.

Jak więc sami widzicie, jest całkiem prawdopodobne, że obie dziewczynki cierpiały w równym stopniu.

# ROZDZIAŁ SIÓDMY

Rok 1816 miał zostać zapamiętany przez historię jako Rok
Pozbawiony Lata – nie tylko w White Acre, ale prawie na
całym świecie. Wulkaniczne wybuchy na wyspach Indonezji napełniły ziemską atmosferę popiołem i ciemnością, zsyłając suszę
na Amerykę Północną oraz mroźną klęskę głodu na większość obszaru Europy i Azji. Nie obrodziła kukurydza w Nowej Anglii, nie
obrodził ryż w Chinach ani jęczmień i pszenica w północnej Europie. Ponad sto tysięcy Irlandczyków zginęło z głodu. Konie oraz
bydło, pozbawione paszy, masowo marły. (Niemiecki wynalazca,
w odpowiedzi na śmierć tak wielu zwierząt, zaczął pracować nad
pomysłem maszyny transportowej działającej bez koni, która zostanie później nazwana bicyklem). Brak pożywienia doprowadził
do rozruchów we Francji, Anglii i Szwajcarii. W Quebecu spadło
dwanaście cali śniegu w czerwcu. We Włoszech padał śnieg brązo-
woczerwony i ludzie spodziewali się apokalipsy.

Pensylwanię przez letnie miesiące 1816 roku spowijał gęsty,
zimny, ciemny tuman. Mało co rosło. Zima, która potem nadeszła, była jeszcze gorsza. Tysiące rodzin utraciło wszystko. Dla
Henry'ego Whittakera nie był to jednakże zły rok. Piece w cieplarniach mimo półmroku zachowały przy życiu lwią część egzotycznych roślin, zresztą nigdy nie oparłby swojego utrzymania
wyłącznie na uprawach na otwartym powietrzu. Większość roślin
leczniczych importował z Ameryki Południowej, gdzie pogoda
wciąż dopisywała. Co więcej, z powodu zaburzeń klimatycznych
dużo ludzi chorowało, a chorzy ludzie kupowali dużo produktów
farmaceutycznych. W związku z tym pod względem botanicznym
oraz finansowym Henry za bardzo nie ucierpiał.

Tego roku jednakże do prosperity doprowadziła Henry'ego spekulacja nieruchomościami. A prawdziwą przyjemność przyniosły mu rzadkie książki. Farmerzy tłumnie opuszczali Pensylwanię, kierując się na zachód w nadziei znalezienia jaśniejszego słońca, zdrowszej gleby oraz bardziej gościnnego środowiska. Henry skupował wiele z pozostawionych przez zrujnowanych ludzi posiadłości, wchodząc w ten sposób w posiadanie znacznej liczby znakomitych młynów, lasów oraz pastwisk. Całkiem sporo pierwszorzędnych rodzin z Filadelfii także popadło owego roku w ruinę, dostawszy się w spiralę spadku gospodarczego wywołanego przez fatalną pogodę. Doskonała wiadomość dla Henry'ego. Gdy bankrutowała kolejna bogata rodzina, skupował z potężnym rabatem ich ziemię, ich meble, ich konie, ich eleganckie francuskie siodła i perskie dywany oraz – zwłaszcza – ich zbiory biblioteczne.

Z biegiem czasu pozyskiwanie wspaniałych woluminów stało się rodzajem pasji dla Henry'ego Whittakera – wręcz manii, która prawdopodobnie w oczach innych mały miała sens, wziąwszy pod uwagę, że zbieracz z trudnością literował tekst angielski, a już z całą pewnością nie był w stanie czytać, dajmy na to, Katullusa. Henry jednak nie pragnął czytać owych ksiąg; pragnął jedynie je posiadać, jako trofea, w rozrastającej się bibliotece w White Acre. Medyczne, filozoficzne i kunsztownie wydane botaniczne książki – pożądał właściwie wszystkich. Wiedział, że owe tomy olśniewają gości w każdym calu na równi z tropikalnymi skarbami w jego szklarniach. Wprowadził nawet zwyczaj, by przed obiadem wybierać (czy raczej, by Beatrix wybierała) jedną rzadką oraz cenną książkę do pokazania zgromadzonym gościom. Szczególnie lubił powtarzanie owej ceremonii, gdy składali wizytę słynni uczeni; uwielbiał obserwować, jak zamroczeni żądzą posiadania wstrzymują oddech; większość literatów nigdy nie spodziewała się trzymać we własnych rękach wczesnoszesnastowiecznego Erazma z Rotterdamu, drukowanego greką po jednej, a łaciną po drugiej stronie.

Henry nabywał książki łapczywie i zmysłowo. Kupował cudze biblioteki nie na tytuły, lecz na kufry. Oczywiście wszystkie te egzemplarze wymagały segregacji i, rzecz jasna, Henry się do tego zadania nie nadawał. Przez lata obowiązek ich szacowania, fizycznego oraz intelektualnego, spoczywał na Beatrix Whittaker, która systematycznie plewiła zasoby, zatrzymując skarby, większość odpadów zaś przekazując Filadelfijskiej Bibliotece Publicznej. Późną jesienią 1816 roku Beatrix nie nadążała jednak z pracą. Książki napływały szybciej, niż była je w stanie sortować. W powozowni stało wiele kufrów wciąż nieotwartych, każdy wypełniony kolejnymi tomami. Nowe okazyjne zakupy kompletnych księgozbiorów, które przybywały do White Acre każdego tygodnia (wraz z finansową ruiną kolejnych szlachetnych rodzin), sytuowały kolekcję blisko granicy, za którą stawała się prawdziwym problemem.

Beatrix do pomocy przy przesiewaniu książek wyznaczyła Almę – oczywistą kandydatkę do takiego zadania. Prudence się nie nadawała, jej greka była beznadziejna, łacina prawie beznadziejna, a do tego nie potrafiła zrozumieć, w jaki sposób precyzyjnie rozdzielać botaniczne tytuły na wydane przed oraz po 1753 roku (co znaczy przed oraz po wdrożeniu systematyki Linneusza). Alma natomiast, już szesnastoletnia, pokazała, że jest wydajna, i podeszła z entuzjazmem do porządkowania biblioteki w White Acre. Miała solidne podstawy, by rozumieć historyczne znaczenie tego, co brała do rąk, i ogarniało ją gorączkowe podniecenie, gdy przystępowała do pilnego katalogowania. Miała również dosyć siły fizycznej, by dźwigać ciężkie skrzynie oraz pudła. W dodatku pogoda była tak beznadziejna owego 1816 roku, że żadnej przyjemności nie dawało przebywanie na zewnątrz, a praca w ogrodzie nie przynosiła żadnej korzyści. Alma z ochotą uznała biblioteczne czynności za rodzaj ogrodnictwa pod dachem, i to z całym towarzyszącym mu zwykle zadowoleniem, jakie niosła praca mięśni oraz piękne odkrycia.

Co więcej, spostrzegła, że ma pewne talenty do naprawy ksiąg. Doświadczenie z wklejaniem roślinnych okazów przydało się doskonale przy posługiwaniu się materiałami używanymi w tak zwanym „Składziku introligatorskim" – malutkim ciemnym pomieszczeniu, do którego prowadziły ukryte drzwiczki tuż obok biblioteki; Beatrix trzymała tam papier, tkaniny, skórę, wosk oraz kleje potrzebne do zabezpieczania delikatnych starych wydań. Po kilku miesiącach Alma tak dobrze dawała sobie radę z wszystkimi zadaniami, iż Beatrix całkowicie powierzyła jej pieczę nad biblioteką w White Acre, zarówno tą złożoną z posegregowanych, jak i niespisanych jeszcze tomów. Beatrix była już zbyt korpulentna i zbyt ją męczyło wspinanie się na biblioteczne drabiny, zresztą miała już powyżej uszu tej pracy.

Cóż, niektórzy mogą zapytać, czy – w roku 1816 – przyzwoitą oraz niezamężną szesnastolatkę faktycznie winno się było zostawić samą sobie, bez żadnego nadzoru, pod lawiną nieocenzurowanych książek, zaufać jej rozsądkowi w samotnym przedzieraniu się przez tak olbrzymi zalew niczym nieskrępowanych idei. Jedyne, co możemy przypuścić, to że prawdopodobnie Beatrix uznała, iż jeśli chodzi o Almę, wykonała już, co do niej należało, i pomyślnie wychowała młodą niewiastę, będącą bez wątpienia osobą praktyczną i porządną oraz nieskłonną wchłaniać wypaczone idee. Albo też jest możliwe, iż Beatrix nie całkiem zdawała sobie sprawę, na jakie książki natrafi Alma w owych nieotwartych ciągle kufrach. Albo nawet przeświadczona była, iż bezpretensjonalność Almy oraz pewna jej niezdarność uczyniły dziewczynę odporną na niebezpieczeństwa, pożal się Boże, *zmysłowości*. Lub może też być wreszcie, że Beatrix (która zbliżała się do pięćdziesiątki i cierpiała na ataki zawrotów głowy oraz roztargnienia) po prostu przestała na pewne rzeczy zwracać uwagę.

Nigdy potem nie przyjdzie jej się dowiedzieć, z czyjego zbioru pochodziła książka. Alma znalazła ją w nieoznaczonym kufrze, zawierającym prócz tego mało istotną kolekcję publikacji głównie o tematyce medycznej – trochę typowego Galena, trochę współczesnych przekładów Hipokratesa, nic specjalnego. Ale między tym wszystkim znajdował się opasły, solidnie oprawiony w cielęcą skórę tom noszący tytuł *Cum grano salis*, anonimowego autora. Taki dziwny tytuł: *Ze szczyptą soli*. W pierwszej chwili Alma pomyślała, że jest to rozprawa kulinarna, coś podobnego do piętnastowiecznego weneckiego przedruku *De re coquinaria* z czwartego wieku, którego egzemplarz biblioteka w White Acre już posiadała w swym zbiorze. Przerzuciwszy szybko strony, stwierdziła jednak, że książka napisana jest po angielsku i nie zawiera ilustracji ani spisu produktów adresowanych dla kucharzy. Otworzyła na pierwszej stronie i to, co przeczytała, wielce nią wstrząsnęło.

„Zastanawia mnie", pisał Anonim we wstępie, „że przy narodzinach wyposaża się nas w najcudniejsze cielesne sterczyny i dziurki, które najmłodsza dziatwa zna jako źródła czystej rozkoszy, które my jednakowoż w imię cywilizacji zwać zmuszeni jesteśmy ohydą: przenigdy do dotykania, przenigdy do dzielenia się, przenigdy do sprawiania przyjemności! Jednak dlaczegóż nie wolno nam eksplorować owych darów ciała, zarówno u siebie samych, jak i u współbraci? Tylko nasz umysł zapobiega owym zachwytom, tylko nasz sztuczny zmysł 'cywilizacji' broni nam tej prostej rozrywki. Mój własny umysł, niegdyś zamknięty w więzieniu trudnej przyzwoitości, na długie lata się rozwarł gwałtownie dzięki najwykwintniejszym spośród fizycznych przyjemności. I otóż odkryłem, że cielesnemu wyrazowi poświęcać się można jak sztukom pięknym, jeśli uprawiamy go z takim samym oddaniem jak muzykę, malarstwo bądź literaturę.

Co znajdziesz na tych kartach, Czytelniku, jest szczerym opisaniem mego życia, poświęconego erotycznym przygodom, a choć niektórzy zwać je mogą *nieprzyzwoitymi*, ja oddawałem się im pełen szczęścia... i ufam, bez czynienia szkody... od mej wczesnej młodości. Gdybym był człowiekiem religijnym, schwytanym w okowy wstydu, nazwać mógłbym tę księgę *spowiedzią*. Ale nie jest moim udziałem płciowy wstyd, a prowadzone przeze mnie badania wykazały, że *wiele grup ludzkich jak świat długi i szeroki również nie podziela płciowego wstydu*. Doszedłem do przeświadczenia, iż nieobecność seksualnego wstydu może być w samej rzeczy naszym, jako gatunku ludzkiego, stanem naturalnym... stanem, który cywilizacja nasza, niestety, wypaczyła. Z tego to powodu nie *spowiadam się* z moich dziejów, lecz zaledwie je *ujawniam*. Tuszę i ufam, iż wyjawienia moje czytane będą jako przewodnik oraz rozrywka nie tylko przez dżentelmenów, lecz również przez śmiałe tudzież wyedukowane damy".

Alma zamknęła książkę. Znała ten ton. Oczywiście nie znała autora we własnej osobie, ale rozpoznawała jego typ: wykształcony literat z gatunku często obiadujących w White Acre. To był typ człowieka, który z łatwością zapisywał czterysta stron na temat filozofii naturalnej koników polnych, ale w tym tutaj wypadku postanowił napisać czterysta stron na temat swoich przygód zmysłowych. Takie własne rozpoznanie autora oraz obeznanie z nim wywoływały u Almy zarówno zmieszanie, jak i stanowiły pokusę. Jeśli taka rozprawa napisana została przez przyzwoitego dżentelmena, w przyzwoitym stylu, czy to czyniło i ją przyzwoitą?

Co powiedziałaby na to Beatrix? Alma oczywiście dobrze wiedziała co. Beatrix powiedziałaby, że to książka zakazana, niebezpieczna oraz obrzydliwa – całkowicie bezwartościowe czyste wynaturzenie. Co miałaby zamiar uczynić Beatrix z książką? Bez wątpienia chciałaby ją zniszczyć. Co zrobiłaby z taką książką Prudence, gdyby kiedykolwiek ją znalazła? Prudence zapewne za żadne skarby by jej nie tknęła. Albo, gdyby już w jakiś sposób książka znalazła się jednak w jej rękach, posłusznie zaniosłaby ją Beatrix do zniszczenia i najprawdopodobniej otrzymałaby na dokładkę surowe upomnienie, że w ogóle jej dotykała. Ale Alma nie była Prudence.

Co w takim razie Alma by uczyniła?

Alma uznała, że zniszczyłaby książkę, nie mówiąc nic o tym nikomu. Nawet postanowiła zniszczyć ją natychmiast. Jeszcze tego popołudnia. Nie czytając z niej ani słowa więcej.

Otworzyła na przypadkowej stronie. I znowu rozpoznała ów znajomy, poważny ton, wypowiadający się na najbardziej niewiarygodny temat.

„Pragnąłem zbadać", pisał autor, „w jakim wieku kobieta traci zdolność odczuwania przyjemności zmysłowej. Mój przyjaciel, właściciel burdelu, który w przeszłości asystował przy jakże wielu moich eksperymentach, opowiadał o pewnej kurtyzanie, która z przyjemnością uprawiała zawód od czternastego roku życia po rok sześćdziesiąty czwarty i jako siedemdziesięciolatka żyła w miasteczku nieopodal mnie. Napisałem list do rzeczonej niewiasty, a ona odpowiedziała z najbardziej czarującą otwartością i serdecznością. Po upływie miesiąca odwiedziłem ją, a ona pozwoliła mi zbadać swoje genitalia, których nie byłoby wcale łatwo odróżnić od genitaliów znacznie młodszej kobiety. Zademonstrowała także, iż jest wciąż jak najbardziej zdolna do odczuwania zadowolenia. Stosując własne palce oraz cienką warstewką oleju z orzechów pokrywszy łechtaczkę, pocierała sama siebie aż do osiągnięcia szczytu rozkoszy..."

Alma zatrzasnęła książkę. Nie wolno jej zatrzymywać. Spali ją w piecu kuchennym. Nie po południu, bo ktoś mógłby ją przyłapać, ale później, wieczorem.

Jeszcze raz otworzyła, znów na przypadkowej stronie.

„Doszedłem do przekonania", kontynuował spokojnie narrator, „że są ludzie, którzy odnoszą korzyści i cielesne, i umysłowe podczas regularnego smagania po nagich pośladkach. Wiele razy widziałem, jak takie praktyki podnoszą na duchu zarówno mężczyzn, jak kobiety, i podejrzewam, iż może to być najkorzystniejsza dostępna nam terapia przeciwko melancholii oraz innym niedomaganiom umysłu. Przez dwa lata utrzymywałem stosunki towarzyskie z najrozkoszniejszym dziewczęciem, pokojówką modystki, której niewinne, ba, wręcz anielskie krągłości stwardniały i wzmocniły się od wielokrotnego biczowania i której zgryzoty zwykle usuwało kosztowanie pejcza. Jak uprzednio opisywałem na niniejszych stronach, miałem onegdaj w gabinecie kunsztowną leżankę, zrobioną specjalnie na me zamówienie przez wyśmienitego londyńskiego tapicera, wyposażoną w kołowrotki oraz liny. Oważ pokojówka nade wszystko inne uwielbiała mocno być przywiązaną do owej leżanki i brać członek mój do ust, ssąc mnie jak dziecko cieszące się z laski cukru, podczas gdy jej towarzyszka..."

Alma znowu zamknęła książkę. Każdy o umyśle choćby jedynie znikomo rozwiniętym ponad przeciętną ordynarność natychmiast przestałby to czytać. Lecz co w takim razie z toczącym trzewia Almy robakiem ciekawości? Co z jego pożądaniem, by żywić się każdego dnia nowością, osobliwością, *prawdą*?

Alma znowu otworzyła książkę i czytała prawie godzinę, całkowicie pochłonięta przez płynące z niej bodźce, wątpliwości oraz chaos. Świadomość ciągnęła ją za kraj sukni, błagając, by przestała, ale ona nie mogła przestać. To, co odkrywała na owych kartach, wywoływało w niej troskę i niepokój, wzburzało ją i pozbawiało oddechu. Kiedy poczuła, że może zaraz naprawdę zemdleć od pomieszanych tropów imaginacji, które wirowały jej teraz w głowie, zatrzasnęła w końcu tom i z powrotem zamknęła w nieszkodliwym kufrze, z którego pochodził.

Pospiesznie opuściła wozownię, wygładzając fartuszek wilgotnymi dłońmi. Na zewnątrz było zimno i pochmurno, tak jak cały czas owego roku, i siąpiła nieprzyjemna mżawka. Powietrze wisiało gęste tak, że można byłoby je nadziać na widelec. Miała do wypełnienia kilka ważnych zadań tego dnia. Obiecała Hanneke de Groot, że dopilnuje opuszczania do piwnicy beczek z cydrem na zimę. Ktoś wyrzucił papiery pod bzy wzdłuż płotu od strony Południowego Lasu; trzeba je było uprzątnąć. Krzewy rosnące na tyłach greckiego ogrodu matki zaatakowane zostały przez bluszcz i należało chyżo posłać tam chłopaka, żeby je oczyścił. Alma weźmie się do tych obowiązków niezwłocznie i, jak zwykle, sprawnie.

*Sterczyny i dziurki.*

Była w stanie myśleć wyłącznie o sterczynach i dziurkach.


Nadszedł wieczór. Do jadalni wniesiono światło i rozstawiono porcelanę. Spodziewano się niebawem gości. Alma ubrana była wieczorowo, otulona w kosztowną suknię z pogrubionego muślinu. Powinna była oczekiwać gości w salonie, wymówiła się jednak na chwilę koniecznością wizyty w bibliotece. Schowała się w składziku introligatorskim za drzwiami ukrytymi tuż obok wejścia do biblioteki. Nie znalazła bliżej żadnych innych drzwi zaopatrzonych w solidny zamek. Nie miała ze sobą owej książki. Nie potrzebowała jej; obrazy, którymi epatowała, towarzyszyły Almie w każdym miejscu posiadłości owego popołudnia, dzikie, uporczywe i drobiazgowe.

Pełna była myśli, które zgłaszały gwałtowne żądania wobec ciała. Wagina sprawiała jej ból, narastający całe popołudnie. Jeśli miałaby to określić, bolesne wrażenie jakiegoś niedostatku pomiędzy nogami odczuwała niczym czary mary, piekielne łowy. Jej wagina dopominała się ostrego pocierania. Przeszkadzały jej spódnice. Konała z podrażnienia przez suknię. Uniosła halki. Siedząc na małym stołeczku w ciasnym, ciemnym, zaryglowanym składziku introligatorskim, wypełnionym zapachem kleju oraz skóry, rozsu-

111

nęła nogi i zaczęła się pieścić, grzebiąc w sobie, wkładając palce do środka i dotykając dookoła, zapamiętale badając swoje gąbczaste płatki, próbując znaleźć tego diabła, który się gdzieś w nich ukrył, żądna usunąć owego diabła własnoręcznie.

Znalazła. Pocierała mocniej i mocniej. Wszystko puściło. Ból w waginie przemienił się w coś innego – słup ognia, wir rozkoszy, cug żaru. Podążyła za wrażeniem tam, gdzie prowadziło. Bez ważkości, bez imienia, bez myśli, bez historii. Nastąpił wybuch fosforescencji, jakby się fajerwerk rozładował tuż przed jej oczami, i było po wszystkim. Poczuła spokój i rozgrzanie. Pierwszy świadomy raz w życiu jej umysł wolny był od ciekawości, wolny od troski, wolny od pracy oraz od zadziwienia. A potem, ze środka tego cudownego futrzanego znieruchomienia, wynurzyła się myśl, która pochwyciła Almę i opanowała:

*Będę musiała zrobić to jeszcze raz.*


Nie upłynęło pół godziny, a Alma stała w przedsionku White Acre, podenerwowana i zakłopotana, witając gości przybywających na obiad. Tego wieczoru był wśród nich młody człowiek nazwiskiem George Hawkes, filadelfijski wydawca znakomitych rycin botanicznych, książek, periodyków oraz czasopism; a także dystyngowany starszy pan o nazwisku James K. Peck, który wykładał w College of New Jersey w Princeton i dopiero co opublikował książkę na temat fizjologii Murzynów. Blady guwerner dziewcząt, Arthur Dixon, obiadował z rodziną jak zwykle, aczkolwiek nie był znany z tego, by kiedykolwiek pragnął wnieść cokolwiek do konwersacji, zwykle raczej spędzał wieczór, z zakłopotaniem przyglądając się własnym paznokciom.

George Hawkes, botaniczny wydawca, wiele razy już gościł w White Acre i Alma go lubiła. Był nieśmiały, ale sympatyczny, diablo inteligentny i miał postawę wielkiego, niezdarnego, przestępującego z nogi na nogę niedźwiedzia. Nosił za duże ubrania, niedopasowane kapelusze i zawsze sprawiał wrażenie, że nie wie, gdzie stanąć. Wielkim wyzwaniem było nakłonić George'a, żeby się odezwał, ale kiedy już zaczął mówić, był niezastąpiony. Wiedział więcej na temat botanicznego rytownictwa niźli ktokolwiek inny w Filadelfii i to, co wydawał, było wyjątkowo kunsztowne. Z miłością wypowiadał się na temat roślin, na temat artystów oraz introligatorstwa i Alma ogromnie lubiła jego towarzystwo.

Jeśli chodzi o drugiego gościa, profesora Pecka, stanowił nowy nabytek przy obiadowym stole i Alma od pierwszej chwili poczuła do niego niechęć. Wszystko wskazywało w nim na nudziarza, i to zdecydowanego. Natychmiast po przybyciu, jeszcze w przedsionku, zajął gospodarzom dwadzieścia minut, zdając w homeryckim stylu relację z perypetii podróży z Princeton do Filadelfii. Gdy wyczerpał ów zajmujący temat, wyraził zdumienie, że Alma, Prudence oraz Beatrix dotrzymają towarzystwa dżentelmenom przy stole, jako że konwersacja z pewnością je przerośnie.

– Ależ nie – zapewnił gościa Henry. – Sądzę, że przekona się pan wkrótce, iż moja żona oraz córki są całkiem znośnie zdolne do konwersowania.

– Czyżby? – zapytał dżentelmen. – A na jakież to tematy?

– Cóż – odparł Henry i potarł policzek, zastanawiając się nad rodziną. – Ta tutaj Beatrix zna się na wszystkim, Prudence ma artystyczną oraz muzyczną wiedzę, natomiast Alma... ta wysoka... jest prawdziwą bestią w dziedzinie botaniki.

– Botaniki – powtórzył pan Peck protekcjonalnym tonem. – Najbardziej rozwijający wypoczynek dla dziewcząt. Skłonny jestem przypuszczać, jedyna naukowa dziedzina nadająca się dla płci żeńskiej, o czym wnioskuję na podstawie braku w onej przemocy oraz matematycznej wykładni. Własna moja córka wykonuje ładne rysunki polnych kwiatków.

– Musi to być dla niej zajmujące – mruknęła Beatrix.

– A jakże, bardzo – rzekł profesor Peck, po czym zwrócił się do Almy. – Rozumie panienka, paluszki damy są bardziej giętkie. Gładsze aniżeli męskie. Odpowiedniejsze niźli męskie ręce, jak niektórzy twierdzą, do delikatnych czynności przy kolekcjonowaniu roślin.

Alma, która nie zwykła się czerwienić, oblała się rumieńcem od stóp do głów. Czemu ten mężczyzna mówi jej o paluszkach, o giętkości, o gładkości, o delikatności? Teraz każdy patrzy na palce Almy, które zaledwie chwilę temu głęboko chowały się w waginie. To okropne. Kątem oka dostrzegła, jak stary przyjaciel George Hawkes, wydawca książek botanicznych, uśmiecha się do niej z nerwowym współczuciem. George zawsze się czerwienił, kiedy tylko ktoś na niego patrzył i kiedy zmuszano go do zabrania głosu. Być może współczuł jej teraz żenującej sytuacji. Czując na sobie wzrok George'a, Alma spłoniła się jeszcze bardziej. Po raz pierwszy w życiu odjęło jej mowę i tylko pragnęła, żeby już nikt się jej nie przyglądał. Zrobiłaby wszystko, żeby uciec od obiadu owego wieczoru.

Na szczęście dla Almy profesor Peck nie wydawał się zainteresowany nikim prócz samego siebie i kiedy podano obiad, rozpoczął długi i pełen szczegółów wywód, jak gdyby pomylił White Acre z salą wykładową w Princeton, a gospodarzy ze studentami.

– W ostatnich czasach – zaczął, pedantycznie złożywszy serwetkę – pojawia się opinia, że negroidyzm jest zwykłą chorobą skóry, którą zapewne można by było, używając stosownych związków chemicznych, *zmyć* jako taką, przekształcając Murzyna w zdrowego białego człowieka. Jest to błędne. Jak pokazały moje badania, Murzyn nie jest zakażonym białym, lecz osobnym własnym gatunkiem, co zaraz wykażę…

Almie trudno się było skupić. Myślami krążyła wokół *Cum grano salis* oraz wydarzeń w składziku introligatorskim. Zważmy, ów dzień nie był pierwszą sposobnością dla Almy Whittaker, by się dowiedzieć czegoś o genitaliach czy nawet ludzkich stosunkach płciowych. W przeciwieństwie do innych dziewcząt – którym w domu mówiono, że to Indianie przynoszą dzieci lub że zapłodnienie następuje po wprowadzeniu ziarenek do małych nacięć na boku kobiecego ciała – Alma znała podstawy ludzkiej anatomii, zarówno męskiej, jak i żeńskiej. W White Acre znajdowało się zdecydowanie zbyt dużo medycznych traktatów oraz książek naukowych, by mogła tkwić w całkowitej nieświadomości w tym zakresie. Co więcej, język botaniki, który był tak gruntownie Almie znany, cechowała wysoka erotyzacja. (Sam Linneusz nazywał zapylenie „małżeństwem", płatki kwiatowe zwał „szlachetnymi zasłonami łoża", a raz odważnie opisał kwiat, posiadający dziewięć pręcików i jeden słupek jako „dziewięciu mężczyzn z jedną kobietą w sypialni wspólnej narzeczonej").

Zresztą Beatrix nie dopuściłaby do wychowania własnych córek na niewiniątka, wystawione na niebezpieczeństwa samopoznawania, szczególnie wziąwszy pod uwagę nieszczęsną historię biologicznej matki Prudence. Tak więc ona sama, Beatrix, udzieliła dziewczętom wyjaśnień – obfitujących w zająknienia oraz wyraźne cierpienie, a także niemało wachlowania ręką przy szyi – na temat podstawowych czynności związanych z ludzkim rozmnażaniem. Rozmowa nikomu nie sprawiła przyjemności i nikt jej nie przedłużał, starając się raczej, by zakończyła się najszybciej, jak to możliwe – ale przynajmniej informacje zostały przekazane. Kiedyś Beatrix nawet ostrzegła Almę, że nie należy dotykać pewnych części ciała w celu innym niż utrzymywanie czystości oraz że nie powinno się na przykład zbyt długo przebywać w ustronnym miejscu z powodu zagrożenia samotnymi nieczystymi namiętnościami. Alma nie zwróciła wówczas uwagi na ostrzeżenie, ponieważ nie widziała w nim sensu: Kto kiedykolwiek chciałby przedłużać siedzenie w ustronnym miejscu?

Jednakże po odkryciu *Cum grano salis* Alma nagle zrozumiała, że najdziwniejsze i najbardziej niewyobrażalne zmysłowe sprawy dzieją się wszędzie na świecie. Mężczyźni i kobiety robią ze sobą razem po prostu zdumiewające rzeczy, i to czynią je nie tylko dla prokreacji, ale i dla rekreacji – pospołu mężczyźni i mężczyźni, kobiety i kobiety, dzieci i służący, farmerzy i podróżnicy, marynarze i szwaczki, a czasami nawet mężowie i żony! Człowiek może nawet robić najbardziej zdumiewające rzeczy sam *ze sobą*, jak to właśnie poznała Alma w składziku. Z cienką warstewką oleju z orzechów lub bez.

Czy inni też to robią? Nie wygibasy penetracji, ale owo prywatne pocieranie? Anonim napisał, że tak, wielu – wedle jego badań oraz doświadczenia nawet damy szlachetnie urodzone. A Prudence? Czy ona też to robi? Czy kiedykolwiek doznała gąbczastych płatków, wiru płomienia, wybuchu fosforescencji? Niewyobrażalne; Prudence przecież się nawet nie poci. Trudno było odczytać wyraz jej twarzy, a co dopiero odgadnąć, co kryje pod ubraniem albo chowa w swej głowie.

A co robi Arthur Dixon, guwerner? Czy coś, oprócz akademickiej nudy, się czai w *jego* głowie? Czy jego ciało skrywa coś więcej niż tiki oraz wieczny suchy kaszel? Popatrzyła na Arthura, szukając jakichś oznak życia zmysłowego, lecz ani jego postać, ani twarz nic nie objawiły. Nie potrafiła go sobie wyobrazić w dreszczu upojenia, takim, jakiego sama doświadczyła w składziku introligatorskim. Ledwo umiała go sobie przedstawić w pozycji leżącej, ale w żaden sposób nie była w stanie zobaczyć go bez ubrania. Wydawał się człowiekiem urodzonym od razu w siedzącej, wyprostowanej postawie, ubrany w ciasną kamizelkę i wełniane bryczesy, nieszczęśliwie wzdychający z ciężką książką w ręce. Jeśli miał potrzeby, gdzie i kiedy je zaspokajał?

Alma poczuła na ramieniu dotyk zimnej dłoni. Ręka należała do matki.

– A jakie ty masz zdanie, Almo, na temat rozprawy profesora Pecka?

Beatrix wiedziała, że Alma nie słucha. Skąd ona o tym wie? I o czym jeszcze wie? Alma szybko się pozbierała, wróciła myślą do początku obiadu, próbując przywołać kilka zdań czy idei, które rzeczywiście usłyszała. Nietypowo, nic nie wymyśliła. Odchrząknęła i powiedziała:

– Chciałabym przeczytać całość rozprawy profesora Pecka, zanim wydam jakikolwiek osąd.

Beatrix rzuciła córce ostre spojrzenie: pełne wyrzutu i zaskoczenia.

Natomiast profesor Peck potraktował oświadczenie Almy jako zaproszenie do kontynuacji wywodu – wręcz do *recytacji* przeważającej części pierwszego rozdziału, z pamięci, dla dobra pań zgromadzonych przy stole. Henry Whittaker zazwyczaj nie pozwalał na tego typu doskonałe nudziarstwo we własnej jadalni, tym razem jednak Alma zauważyła na jego twarzy wyraz wyczerpania i osłabienia, najprawdopodobniej zapowiedź kolejnego okresowego ataku choroby. Jedynie nadciągająca niedyspozycja tak wyciszała jej ojca. Znając go, a Alma znała ojca, mogła przypuszczać, że spędzi nazajutrz cały dzień w łóżku, a być może i wszystkie dni pozostałe do końca tygodnia. Prawda jednak jest taka, że Henry znosił monotonną recytację profesora Pecka dzięki szczodremu napełnianiu kieliszka za kieliszkiem bordoskim winem oraz dzięki przymykaniu powiek na długie chwile.

Alma analizowała w tym czasie George'a Hawkesa, wydawcę botanicznych publikacji. Czy on robi takie rzeczy? Czy kiedykolwiek pocierał sam siebie aż do szczytu zadowolenia? Anonim napisał, że mężczyźni praktykują onanizm nawet częściej niż kobiety. Młody człowiek, pełen zdrowia i energii, może podobno pieszczotą doprowadzić sam siebie do ejakulacji wiele razy w ciągu dnia. Nikt nie określiłby George'a akurat jako pełnego energii, ale był młodym mężczyzną o dużym, ciężkim, pocącym się ciele – ciele, które zdawało się być pełne *czegoś*. Czy George zrobił coś takiego niedawno, może nawet tego samego dnia? Co w tej chwili robi członek George'a Hawkesa? Leniwie spoczywa? Czy skłania się ku pożądaniu?

Nagle wydarzyło się coś najbardziej zdumiewającego pod słońcem.

Prudence Whittaker *przemówiła*.

– Proszę wybaczyć, sir – powiedziała Prudence, zwracając się tymi słowy oraz spokojnym spojrzeniem bezpośrednio do profesora Pecka – ale jeśli dobrze zrozumiałam, określił pan różne typy ludzkiego owłosienia i uznał je za dowód, iż Murzyni, Indianie, ludzie orientalni oraz ludzie biali są przedstawicielami różnych gatunków. Ja jednak nie mogę się powstrzymać od zdumienia nad pana przypuszczeniem. W naszej tutaj posiadłości, sir, hodujemy różnego rodzaju owce. Być może zauważył je pan wcześniej dzisiejszego wieczoru, zmierzając do nas podjazdem? Niektóre z tych owiec mają sierść jedwabistą, inne mają grube i sztywne futro, a jeszcze inne gęste wełniane loki. Z pewnością, sir, nie zgłosiłby pan wątpliwości... mimo różnic w ich okryciu... wszystkie są owcami. I, proszę wybaczyć, jestem przekonana, że wszelkie rodzaje owiec można z powodzeniem krzyżować. Czyż nie jest tak samo z człowiekiem? Czyż nie można w takim razie z tego wywieść, iż Murzyni, Indianie, ludzie orientalni oraz biały człowiek również są jednym gatunkiem?

Wszyscy skierowali wzrok na Prudence. Alma poczuła się, jakby ktoś wyrwał ją ze snu kubłem lodowatej wody. Henry otworzył oczy. Pełen rozbudzonej uwagi, wyprostował się i odstawił kieliszek. Subtelne oko dostrzegłoby, że i Beatrix lekko się pochyliła w krześle, jakby gotowa do uważnej czujności. Arthur Dixon, guwerner, otworzył szeroko oczy, spoglądając na Prudence, po czym w panice rozejrzał się natychmiast dookoła, zaniepokojony, czy nie jego oskarżą o ten wybuch. Rzeczywiście, było się czym zdumiewać. Było to najdłuższe przemówienie, jakie Prudence kiedykolwiek wygłosiła, czy to przy obiedzie czy *gdziekolwiek*.

Niestety Alma nie śledziła dyskusji, nie potrafiła więc orzec, czy oświadczenie Prudence jest celne oraz zasadne, ale, dobry Boże, jakże ta dziewczyna przemówiła! Wszyscy byli poruszeni, z wyjątkiem, jak się zdawało, samej Prudence, która oczekując na odpowiedź, patrzyła na profesora Pecka całkiem nieporuszona w typowym dla siebie chłodnym pięknie, utkwiwszy w nim niebieskie jasne oczy, nieruchome i szeroko otwarte. Tak jakby na porządku dziennym było dla niej stawianie wyzwań znakomitym princetończykom.

– Nie możemy porównywać ludzi do owiec, panienko – poprawił ją profesor Peck. – Z tego jedynie powodu, że dwa stworzenia mogą się krzyżować… przepraszam, czy pani ojciec wybaczy mi poruszenie tego tematu w towarzystwie pań?

Henry, całkiem bacznie się przysłuchujący, wykonał ręką władczy gest przyzwolenia.

– Z tego jedynie powodu, że dwa stworzenia mogą się krzyżować, nie wnioskujemy, że są tego samego gatunku. Konie mogą się krzyżować z osłami, jak pani zapewne wie. Także kanarki z ziębami, koguty z kuropatwami, kozły z owcami. Nie czyni to je równymi biologicznie. Co więcej, dobrze wiadomo, że Murzyni przyciągają odmienny od białych ludzi typ wszy głowowych oraz robaków jelitowych, co bezspornie dowodzi różnicy gatunkowej.

Prudence pokiwała grzecznie głową w stronę gościa.

– Moja omyłka, sir – powiedziała. – Błagam, proszę mówić dalej.

Alma siedziała milcząca i skonsternowana. Po co to gadanie o krzyżowaniu? I do tego właśnie dzisiaj?

– Podczas gdy *różnica* między rasami jest widoczna i oczywista nawet dla dziecka – kontynuował profesor Peck – *wyższość* białego człowieka powinna wydać się jasna dla każdego, kto otrzymał choćby najlichszą edukację w dziedzinie historii ludzkości oraz pochodzenia człowieka. Jako Teutoni otrzymaliśmy cenne dobrodziejstwo cywilizacji od pokonanych Rzymian i wkrótce poparliśmy chrześcijaństwo. Jako rasa cenimy cnoty, krzepkie zdrowie, gospodarność oraz moralność. Trzymamy na wodzy pasje. Dlatego przewodzimy. Inne rasy, cofające się przed cywilizacją, nigdy nie mogłyby uczynić takiego postępu i stworzyć waluty, alfabetu oraz produkcji. Ale żadna z ras nie jest tak beznadziejna jak murzyńska. Murzyn przejawia nadmierny rozwój zmysłów uczuciowych, co odpowiada za jego niesławny brak samokontroli. Możemy zaobserwować, jak ów nadmierny rozwój zmysłowości uwidacznia się w budowie jego twarzy. Za dużo tam jest oczu, ust, nosa oraz uszu… co świadczy o tym, że Murzyn nie jest w stanie opanować nadmiernego pobudzenia zmysłowego. W związku z tym zdolny jest do najgorętszych uczuć, ale także do najmrocznjejszej przemocy. Moralna świadomość jest u tego gatunku słaba i zredukowana. Co więcej, Murzyn nie może się zaczerwienić i w związku z tym niezdolny jest do wstydu.

Na samo wspomnienie czerwienienia się ze wstydu Alma… oblała się rumieńcem. Tego wieczoru była całkowicie niezdolna do samokontroli. George Hawkes znowu się do niej uśmiechnął, kolejny raz z serdecznym współczuciem, na co zaczerwieniła się jeszcze bardziej. Beatrix rzuciła Almie spojrzenie tak miażdżąco szydercze, że przez chwilę dziewczyna się obawiała, że wymierzy jej policzek. Alma prawie *chciałaby* otrzymać policzek, choćby dlatego, by otrzeźwieć.

Prudence – zdumiewające – przemówiła znowu.

– Zastanawiam się – rzekła głosem spokojnym i opanowanym – czy najmądrzejszy Murzyn ma wyższą inteligencję od najgłupszego białego człowieka? Zadaję to pytanie, profesorze Peck, wyłącznie dlatego, ponieważ w zeszłym roku nasz guwerner, pan Dixon, opowiedział nam o karnawale, w którym onegdaj uczestniczył, gdzie zauważył dawnego niewolnika o nazwisku Fuller, z Marylandu, który był znany z biegłości w liczeniu. Zgodnie z tym, co opowiedział pan Dixon, jeśli podało się owemu Murzynowi precyzyjną datę oraz godzinę własnych narodzin, był w stanie natychmiast obliczyć, ile się żyło sekund, sir, uwzględniając lata przestępne. Ewidentnie musiał być to najbardziej imponujący pokaz.

Arthur Dixon wyglądał, jakby miał zemdleć.

Profesor, który teraz był już wyraźnie zirytowany, odpowiedział:

— Panienko, widziałem w czasie karnawału muły, które nauczono liczyć.

— Ja również — odparła Prudence, także tym razem bezbarwnym, niespeszonym tonem. — Ale nigdy jeszcze nie spotkałam karnawałowego muła, sir, którego by nauczono obliczać przestępne lata.

— W takim razie więc — rzekł profesor do Prudence, niecierpliwie kiwnąwszy w jej stronę głową — wyjaśnię to tak. Osobniki będące idiotami, a nawet osobniki będące mędrcami znajdzie się w każdym gatunku. W żadną stronę nie jest to jednak normą. Gromadzę czaszki i białych ludzi, i Murzynów oraz robię ich pomiary od lat. Jak dotychczas, z moich badań bezspornie wynika, że czaszka białego człowieka napełniona wodą mieści jej średnio cztery uncje więcej niż czaszka Murzyna... dowodząc tym większej pojemności intelektualnej.

— Zastanawiam się — powiedziała łagodnym głosem Prudence — co by nastąpiło, gdyby był pan spróbował wlać wiedzę do czaszki żywego Murzyna, zamiast wlewać wodę do czaszki martwego?

Dookoła stołu zaległa martwa cisza. George Hawkes, wydawca publikacji botanicznych, jeszcze się tego wieczoru nie odezwał i najwyraźniej właśnie zrezygnował z zamiaru zabrania głosu. Arthur Dixon doskonale udawał trupa. Oblicze profesora Pecka przybrało zdecydowanie purpurowy odcień. Prudence, o wyglądzie jak zwykle porcelanowym i nienagannym, czekała niewinnie na odpowiedź. Henry Whittaker wpatrywał się w adoptowaną córkę z narastającą czcią, jednakże z jakiegoś powodu też postanowił nie zabierać głosu — być może zbyt niedomagał, by się angażować osobiście, lub być może był po prostu ciekaw, do czego dalej poprowadzi ta najbardziej nieoczekiwana wymiana. Alma także nie wniosła żadnego wkładu. Szczerze mówiąc, nie potrafiła *nic* dodać. Jeszcze nigdy nie miała tak mało do powiedzenia, jak i nigdy jeszcze Prudence nie była tak elokwentna. Czyli na Beatrix spocząć musiał obowiązek przywrócenia słów do stołu, co uczyniła ze swoim typowym solidnym holenderskim zmysłem odpowiedzialności.

– Byłabym zachwycona, profesorze Peck – powiedziała Beatrix – gdybym mogła zobaczyć wyniki pana badań, o których pan wspomniał wcześniej, dotyczących wielorakich różnic w zakresie wszy głowowych oraz jelitowych pasożytów pomiędzy Murzynem a białym człowiekiem. Być może ma pan dokumentację ze sobą? Znalazłabym wielką przyjemność, mogąc ją przejrzeć. Biologia na pasożytniczym poziomie ma dla mnie największy urok.

– Nie mam przy sobie dokumentacji, szanowna pani – odrzekł profesor, powoli odzyskując poczucie godności. – Ani też jej nie potrzebuję. Dokumentacja w tym wypadku nie jest konieczna. Zróżnicowanie między wszami głowowymi i jelitowymi robakami, pasożytującymi na Murzynach oraz na białym człowieku, jest powszechnie znanym faktem.

Można byłoby nie dać wiary, ale Prudence znowu przemówiła.

– Szkoda – mruknęła, chłodna jak marmur. – Proszę nam wybaczyć, sir, ale w tym domu nigdy nie jest udzielane nam pozwolenie, by się opierać na założeniu, że dany fakt jest wystarczająco znany, aby można było uchylić się od konieczności dokładnej dokumentacji.

Henry Whittaker – choć chory i słaby – parsknął śmiechem.

– I to, sir – zagrzmiał w stronę profesora – jest powszechnie znany fakt.

Beatrix, jak gdyby nigdy nic, zwróciła się do kamerdynera:

– Wygląda na to, że jesteśmy gotowi na deser.


Zamiarem gospodarzy było zatrzymać gości na noc w White Acre, jednakże profesor Peck, zmieszany i zirytowany, postanowił wziąć od razu po kolacji powóz i wrócić do miasta, stwierdzając, że woli zanocować w hotelu w centrum i następnego dnia ruszyć o świcie w męczącą powrotną podróż do Princeton. Nikomu nie było żal, że wychodzi. George Hawkes zapytał, czy mógłby skorzystać z podwody, na co wielki uczony, profesor Peck, gburowato się zgodził. Nim jednak George udał się do wyjścia, oznajmił, że pragnie zamienić na osobności słowo z Almą oraz Prudence. Prawie nie odzywał się podczas obiadu, teraz jednakże chce coś powiedzieć... i, jak się wydaje, chce to powiedzieć obu dziewczętom. We trójkę – Alma, Prudence oraz George – weszli do salonu, a inni tymczasem kręcili się w przedsionku, odbierając płaszcze oraz pakunki.

George zwrócił się do Almy, zachęcony przez Prudence ledwie dostrzegalnym skinieniem głowy.

– Panno Whittaker – zaczął – pani siostra powiedziała mi, że napisała pani, dla własnej wyłącznie satysfakcji, zajmujący artykuł na temat roślin *Monotropa uniflora*. Jeśli nie jest pani zbyt zmęczona, czy zechciałaby pani podzielić się ze mną swoim odkryciem?

Alma była zaskoczona. Dziwna prośba, do tego o dziwnej porze.

– Jest pan pewien, że rozmowa o moich botanicznych zamiłowaniach nie znuży pana o tak późnej godzinie? – próbowała zasugerować.

– Ależ nie, panno Whittaker – odpowiedział George. – Z wielką chęcią. Może mnie to najwyżej odprężyć.

Na te słowa i Alma poczuła się rozluźniona. Nareszcie jakiś prosty temat! Nareszcie botanika!

– A więc, panie Hawkes – zaczęła – jak pan z pewnością wie, *Monotropa hypopitys* rośnie tylko w cieniu i ma mdłobiały kolor, rzec można, wręcz jak upiór. Dawniejsi przyrodnicy zakładali, że roślinie *Monotropa* brakuje pigmentu, ponieważ w jej środowisku nie ma słońca, uważam jednak, iż ta teoria ma mały sens, ponieważ niektóre ze spotykanych u nas najżywszych odcieni zieleni także znajdujemy w cieniu, u takich roślin jak na przykład paprocie albo mech. Co więcej, moje badania pokazują, że *Monotropa* zarówno odchyla się *od* słońca, jak wychyla *ku* niemu, co każe mi przypuszczać, że prawdopodobnie nie czerpie pokarmu ze słonecznych promieni, lecz z całkiem innego źródła. Uznałam, że *Monotropa* pozyskuje pokarm od roślin, na których żyje. Innymi słowy, uważam, że jest pasożytem.

– Co przywołuje na pamięć temat dzisiejszej wcześniejszej dyskusji – rzekł George z lekkim uśmiechem.

Dobry Boże, George Hawks zażartował! Alma roześmiała się zachwycona. Prudence się nie śmiała, siedziała obok i obserwowała ich jedynie, piękna i daleka jak obrazek.

– Prawie tak! – powiedziała Alma, nabierając rozpędu. – Ja jednakże, w przeciwieństwie do profesora Pecka i jego wszy, jestem w stanie przedłożyć pewną dokumentację. Zauważyłam pod mikroskopem, że łodyga *Monotropy* jest zbudowana z takiej samej porowatej tkanki, poprzez jaką inne rośliny pobierają powietrze oraz wodę, co więcej, wydaje się, iż nie posiada ona mechanizmu do wyciągania wilgoci z gleby. Uważam, iż *Monotropa* pobiera pokarm oraz wilgoć z rośliny, na której się rozwija. Uważam, że truposzowaty brak koloru wywodzi się z tego, że zajada pokarm, który został już strawiony, mianowicie przez jej gospodarza.

– Nadzwyczajne przypuszczenie – rzekł George Hawkes.

– Na tym etapie to faktycznie wyłącznie przypuszczenie. Być może pewnego dnia chemia będzie w stanie dowieść tego, co mój mikroskop teraz jedynie sugeruje.

– Jeśli nie miałaby pani nic przeciwko udostępnieniu mi swojego artykułu w tym tygodniu – powiedział George – rozważyłbym jego publikację.

Alma tak była oczarowana nieoczekiwaną propozycją (i odurzona dziwnymi wydarzeniami owego dnia oraz poruszona prywatną rozmową z dorosłym mężczyzną, o którym dopiero co roiła zmysłowe fantazje), że nie zastanawiała się nad najdziwniejszym elementem owej wymiany zdań – mianowicie nad rolą własnej siostry. Czemu Prudence w ogóle asystowała przy rozmowie? Dlaczego skinęła nieznacznie głową, dając George'owi Hawkesowi znak, by zaczął mówić? I kiedy – w jakim to wcześniejszym, niepostrzeżonym momencie – miała w ogóle okazję rozmawiać z George'em Hawkesem na temat prywatnych projektów botanicznych Almy? Kiedy w ogóle zdołała *dostrzec* jej prywatne projekty botaniczne?

Jakiegokolwiek innego wieczoru takie pytania natychmiast zajęłyby myśli Almy i poruszyłyby jej ciekawość, lecz tego dnia je oddaliła. Tego wieczoru – na zamknięcie dnia, który był najdziwniejszym oraz najbardziej naznaczonym roztargnieniem dniem w jej życiu – umysł Almy wirował i zanurzał się w tak wielu myślach, że te akurat przegapiła. Skonsternowana, zmęczona i nieco oszołomiona życzyła George'owi Hawkesowi dobrej nocy, po czym poszła z siostrą do salonu, by czekać tam na matkę, której trzeba będzie stawić czoło, kiedy nadejdzie.

Na myśl o Beatrix Alma nieco się otrząsnęła z euforii. Egzekwowane przez matkę wieczorne omawianie bieżących niedociągnięć córek nigdy nie należało do przyjemności, ale tym razem perspektywa lustracji napełniała Almę przerażeniem większym niż zazwyczaj. Poczynania w ciągu dnia (znalezienie książki, podniecające myśli, samotna rozkosz w składziku introligatorskim) sprawiły, iż miała wrażenie, że w widoczny sposób promieniuje winą. Bała się, że Beatrix to wyczuje. Na dokładkę, konwersacja przy obiedzie była tego wieczoru katastrofalna: Alma wyszła na rażąco głupią, a Prudence była, bezprecedensowo, prawie niegrzeczna. Beatrix nie będzie zadowolona z żadnej z nich.

Alma i Prudence czekały na matkę w salonie ciche jak zakonne siostry. Dziewczynki zawsze milczały w swoim towarzystwie. Nigdy nie zdołały znaleźć komfortowych, łatwych tematów do rozmowy. Nigdy też nie paplały. Przenigdy. Prudence siedziała ze spokojnie złożonymi rękoma, Alma natomiast nerwowo bawiła się rąbkiem chusteczki i spoglądała na siostrę, szukając w niej czegoś, czego nawet nie umiała nazwać. Może braterstwa. Może ciepła. Jakiegoś rodzaju sympatii. Może nawiązania do któregokolwiek z wydarzeń tego wieczoru. Prudence jednak – lśniąca intensywnie jak nigdy tym swoim żywym, ultrasłonecznym pięknem – nie zachęcała do żadnej bliskości. Mimo to Alma postanowiła spróbować.

– Prudence, te koncepcje, o których dzisiaj wieczorem mówiłaś – zapytała – skąd je wzięłaś?

– Najwięcej od pana Dixona. Warunki życia oraz niedola afrykańskiej rasy są ulubionym tematem naszego dobrego nauczyciela.

– Naprawdę? Nigdy nie słyszałam, żeby o tym mówił.

– A jednak ma na ten temat zdecydowaną opinię – odparła Prudence bez najmniejszej zmiany wyrazu twarzy.

– Czy on jest w takim razie abolicjonistą?

– Tak, jest nim.

– Dobre nieba. – Alma była zdziwiona samą myślą, iż Arthur

Dixon może mieć zdecydowaną opinię na *jakikolwiek* temat. – Najlepiej, żeby mama i tata nie dowiedzieli się o tym!

– Mama wie – odrzekła Prudence.

– Wie? A tata?

Prudence nie odpowiedziała. Alma miała więcej pytań – znacznie więcej pytań – ale Prudence wyglądała, jak gdyby nie miała ochoty na dyskusję. W pokoju znowu zapanowała cisza. A potem Alma nieoczekiwanie wdarła się w tę ciszę, pozwalając, by z jej ust trysnęło dzikie i nieopanowane pytanie.

– Prudence – zapytała – co myślisz o panu George'u Hawkesie?

– Uważam go za porządnego dżentelmena.

– A ja uważam, że jestem najstraszliwiej w nim zakochana! – wykrzyknęła Alma, samą siebie zdumiewając owym absurdalnym, nieoczekiwanym oświadczeniem.

Nim Prudence zdołała odpowiedzieć – jeśliby w ogóle jakkolwiek odpowiedziała – do pokoju wkroczyła Beatrix i spojrzała na dwie siedzące na otomanie dziewczynki. Przez długą chwilę nic nie mówiła. Trzymała je w żelaznym uścisku surowego, nieustępliwego wzroku, przyglądając się najpierw jednej, potem drugiej. Dla Almy było to straszniejsze od wszystkich wygłoszonych do tej pory kazań, milczenie zawierało bowiem nieskończone, wszechwładne, przerażające możliwości. Beatrix może być wiadome cokolwiek, może wiedzieć o *wszystkim*. Alma skubała rożek chusteczki, wyrywając z niego nitki. Wyraz twarzy Prudence i jej poza nie uległy zmianie.

– Dzisiaj wieczorem jestem zmęczona – powiedziała Beatrix, przerywając w końcu okropną ciszę. Spojrzała w stronę Almy. – Nie mam woli rozmawiać tej nocy o twoich uchybieniach, Almo. Jeszcze bardziej by to zachwiało moim samopoczuciem. Niech zostanie tylko powiedziane, że jeśli kiedykolwiek znowu zobaczę u ciebie takie ogłupienie z rozdziawionymi ustami przy stole, poproszę, żebyś zabrała posiłek do innego pomieszczenia.

– Ale, matko… – zaczęła Alma.

– Nie tłumacz się, córko. To na nic.

Beatrix się odwróciła, chcąc wyjść z pokoju, ale nagle z powrotem spojrzała w ich stronę i zawiesiła wzrok na Prudence, jak gdyby właśnie coś sobie przypomniała.

– Prudence – powiedziała – dobry występ dzisiaj.

Było to całkowicie nieoczekiwane. Beatrix nigdy nie wygłaszała pochwał. Ale prawdę powiedziawszy, czy zdarzyło się cokolwiek tego dnia, co *nie byłoby* zupełnie niecodzienne? Zaskoczona Alma jeszcze raz popatrzyła na Prudence, jeszcze raz czegoś w niej szukając. Zrozumienia? Współczucia? Podzielanego zdumienia? Ale Prudence nie okazywała nic i nie odpowiedziała na spojrzenie. Alma dała więc spokój. Wstała z otomany, wzięła swoją świecę oraz szal i skierowała się ku schodom. Przy pierwszym stopniu jednakże odwróciła się do Prudence i zadziwiła samą siebie raz jeszcze.

– Dobrej nocy, siostro – powiedziała.

Nigdy dotychczas nie użyła tego określenia.

– Wzajemnie – było jedyną odpowiedzią Prudence.

# ROZDZIAŁ ÓSMY

Pomiędzy zimą 1816 roku a jesienią roku 1820 Alma Whittaker napisała nieco ponad trzy tuziny artykułów dla George'a
Hawkesa, a on opublikował je wszystkie w miesięczniku „Botanica
Americana". Żaden z artykułów nie był pionierski, ale wyrażone
w nich pomysły cechowała błyskotliwość, pozbawione błędów ilustracje oraz solidny, rygorystycznie przestrzegany poziom naukowy. Jeśli prace Almy nie do końca porywały świat, z całą pewnością
porywały Almę, a jej osiągnięcia były bardziej niż wystarczająco
dobre dla łamów „Botanica Americana".

Alma wnikliwie opisywała wawrzyn, mimozę oraz werbenę. Pisała o winorośli oraz kameliach, o pachnącej pomarańczy, o do-
pieszczaniu fig. Wydawała pod nazwiskiem A. Whittaker. Zarówno
ona, jak i George Hawkes uznali, że nie przyniesie Almie szczególnych korzyści obwieszczanie drukiem, że jest kobietą. W naukowym świecie tamtych dni wciąż panowało wyraźne rozróżnienie
na „botanikę" (badanie roślin przez mężczyzn) oraz „grzeczną botanikę" (badanie roślin przez kobiety). Fakt, „grzeczna botanika"
często była nie do odróżnienia od „botaniki" – z tym wyjątkiem,
że jedną dziedzinę traktowano z szacunkiem, a drugą bez – niemniej jednak Alma nie chciała, by ze wzruszeniem ramion uważano ją za zwykłą grzeczną botaniczkę.

Oczywiście nazwisko Whittaker znane było w świecie roślin oraz
nauki i wielu botaników dobrze wiedziało, kim jest „A. Whittaker". Jednak nie każdy to wiedział. W odpowiedzi na artykuły
Alma otrzymywała czasami listy z całego świata, przysyłane do niej
na adres drukarni George'a Hawkesa. Niektóre z listów zaczynały się od: „Drogi Panie...". Inne listy adresowane były do „Pana

A. Whittakera". Jedno niezapomniane pismo przyszło nawet do „Doktora A. Whittakera".

Odkąd George i Alma dzielili się badaniami oraz wspólnie redagowali artykuły, George stał się jeszcze częstszym gościem w White Acre. Na szczęście z upływem czasu jego nieśmiałość trochę złagodniała. Można go było teraz słyszeć przy stole obiadowym, zdobywającego się nawet na żart.

Jeśli chodzi o Prudence, już nigdy więcej nie zabrała głosu podczas obiadu. Jej wybuch na temat Murzynów owego wieczoru z profesorem Peckiem musiał być wynikiem jakiejś krótkotrwałej gorączki, nigdy potem nie powtórzyła już wystąpienia, nigdy też nie rzuciła wyzwania żadnemu z gości. Od tamtego wieczoru Henry nieustannie zaczepiał Prudence, wypytując ją o poglądy oraz dając jej przydomek „nasza śniadolubna bojowniczka", ale ona odmawiała wypowiadania się na ten temat. Wycofała się do swej chłodnej, zdystansowanej, tajemniczej pozy, traktując wszystko i wszystkich z tą samą obojętną i nieodgadnioną grzecznością.

Dziewczęta dorastały. Kiedy nadeszły ich osiemnaste urodziny, Beatrix wreszcie przerwała lekcje z guwernerem, ogłaszając edukację za ukończoną i oddalając biednego, dziobatego, nudnego Arthura Dixona, który wyjechał, by objąć stanowisko profesora filologii klasycznej na Uniwersytecie Pensylwanii. Wyglądało na to, że przestano w ten sposób uważać dziewczęta za dzieci. Każda inna matka, prócz Beatrix Whittaker, mogłaby uznać ów okres za czas przeznaczony na polowanie na męża. Każda inna matka prezentowałaby, pełna ambicji, Almę oraz Prudence w towarzystwie, zachęcając dziewczęta do flirtowania, do tańców oraz do wabienia. Mogłaby to być słuszna chwila na zaopatrzenie ich w nowe suknie, wypróbowanie nowych fryzur oraz zamówienie nowych portretów. Takie plany jednakże w ogóle nie postały w głowie Beatrix.

Prawdę powiedziawszy, Beatrix nigdy nie wyświadczyła Prudence i Almie rzetelnej przysługi w zakresie ich zdatności do zamążpójścia. Byli tacy w Filadelfii, którzy szeptali, że Whittakerowie tak wychowali dziewczęta, iż w ogóle się nie nadają do wydania za mąż przez tę całą ich edukację oraz izolację od lepszych rodzin. Żadna z dziewcząt nie miała przyjaciół. Obiad jadły zawsze tylko z dorosłymi ludźmi nauki, ich umysły musiały niewątpliwie być życiowo nieukształtowane. Nie miały najmniejszego przygotowania w zakresie poprawnej rozmowy z młodym kawalerem. Alma była tego typu dziewczyną, która – gdy składający wizytę młodzieniec zachwycał się liliami wodnymi w jednym ze ślicznych stawów w White Acre – mówiła: „Nie, sir, myli się pan. To nie są lilie wodne. To lotusy. Widzi pan, lilie wodne unoszą się na powierzchni wody, podczas gdy lotusy wyrastają nieco ponad nią. Jeśli pojmie pan tę różnicę, nigdy więcej ich pan nie pomyli".

Alma wyrosła na wysoką niczym mężczyzna, szeroką w ramionach dziewczynę. Sprawiała wrażenie, jakby się mogła zamachnąć siekierą. (Faktycznie, *mogła* zamachnąć się siekierą i często musiała to robić podczas botanicznych prac polowych). Ściśle rzecz biorąc, wszystko to nie stało, oczywiście, na przeszkodzie małżeństwu. Niektórzy mężczyźni lubili większe kobiety, bo to obiecywało silniejszy popęd, a Alma, można było skonstatować, miała do tego ładny profil – przynajmniej z lewej strony. Z całą pewnością cechował ją dobry, przyjazny charakter. A jednak brakowało jej pewnego niewidocznego, istotnego składnika, i z tego powodu pomimo całego żarliwego erotyzmu, ukrytego w zakamarkach jej ciała, jej obecność w pomieszczeniu nie wzbudzała ognia w żadnym z przedstawicieli płci męskiej.

Może chodziło o to, że sama Alma uważała siebie za szpetną. Być może wierzyła, że taka jest, ponieważ zbyt wiele razy jej to powtarzano, i to na wiele sposobów. Nawet ostatnio potwierdzenie, że jest pospolita, przyszło od samego ojca, który – wypiwszy najwyraźniej za dużo rumu pewnego wieczoru – rzekł do niej ni stąd, ni zowąd: „Nic sobie z tego nie rób, Śliweczko!".

– Nic sobie nie robić z czego, ojcze? – zapytała Alma, podnosząc wzrok znad listu, który dla niego przepisywała.

– Niech to cię nie zatrważa, Almo. Milutka buzia to nie wszystko. Jest mnóstwo kobiet, które są kochane, a nie są pięknościami. Pomyśl o własnej matce. Nawet przez jeden dzień w życiu nie była ładna, a jednak znalazła męża, czyż nie? Pomyśl o pani Cavendesh, która mieszka niedaleko mostu! Widziałaś jej twarz: kobieta wygląda jak straszydło, a jednak mąż uznał ją za godziwą, by zrobić z nią siedmioro dzieci. Ktoś się znajdzie i dla ciebie, Śliweczko, i twierdzę, że wielki będzie z niego szczęściarz!

I to wszystko mówiono jej jako *pocieszenie*!

Prudence natomiast powszechnie uznawano za piękność, być może największą w Filadelfii, całe miasto jednak zgodnie twierdziło, że jest zimna i nie do zdobycia. Prudence wzbudzała zazdrość u kobiet, to pewne, ale nie jest jasne, czy wzbudzała namiętność u mężczyzn. Zwykle zachowaniem dawała im do zrozumienia, że nie ma się co trudzić, więc przezornie się nie trudzili. Wlepiali wzrok, bo nie można się było powstrzymać od wlepiania wzroku w Prudence Whittaker, ale się nie zbliżali.

Ktoś mógłby sądzić, że Whittakerówny przyciągną łowców posagu. Oczywiście wielu młodych mężczyzn pożądało pieniędzy Whittakerów, ale być może perspektywa zostania zięciem Henry'ego Whittakera wydawała się bardziej zagrożeniem niżli gratką i być może nikt nie wierzył, że Henry kiedykolwiek w ogóle rozstanie się ze swoją fortuną. Tak czy inaczej, nawet perspektywa dziedziczenia majątku nie przyciągnęła żadnych konkurentów w pobliże White Acre.

Po posiadłości zawsze kręcili się jacyś mężczyźni – ale pojawiali się w poszukiwaniu Henry'ego, a nie jego córek. O każdej porze dnia można się było natknąć na mężczyzn stojących w przedsionku i mających nadzieję na audiencję u Henry'ego Whittakera. Byli to mężczyźni wszelakiego autoramentu: desperaci, marzyciele, gniewni oraz kłamcy. Przybywali do posiadłości, dźwigając gablotki, wynalazki, rysunki, schematy albo pozwy. Przybywali, proponując akcje giełdowe, wnioski o kredyt, prototyp nowej pompy próżniowej albo gwarantowaną kurację przeciwko żółtaczce, jeśli tylko Henry zainwestuje w ich badania. Nie przybywali jednak do White Acre dla przyjemności zalotów.

Jedynie George Hawkes był inny. Nigdy o nic nie zabiegał u Henry'ego, przychodził do White Acre wyłącznie dla konwersacji i kosztowania płodów cieplarnianych. Henry lubił towarzystwo George'a, ponieważ młodzieniec publikował w swych pismach najnowsze naukowe odkrycia i wiedział o wszystkim, co się dzieje w botanicznym świecie. George nie zachowywał się jak amant –

nie był ani flirciarski ani nazbyt wesoły – ale przynajmniej *dostrzegał* Whittakerówny i był dla nich miły. Zawsze okazywał troskliwość wobec Prudence. A do Almy się odnosił, jakby była szanowanym kolegą botanikiem. Alma doceniała szacunek George'a, lecz pragnęła czegoś więcej. Akademicka dysputa, rzecz jasna, nie jest rodzajem rozmowy, do jakiej młody mężczyzna zaprasza kobietę, którą kocha. Ogromna szkoda, albowiem Alma Whittaker rzeczywiście kochała George'a Hawkesa z całego serca.

Był to osobliwy obiekt miłości. Nikt nigdy nie dostrzegłby w George'u atrakcyjności, ale w oczach Almy był wzorem. Czuła, że w jakiś sposób tworzą dobraną parę, być może nawet parę oczywistą. Bez dwóch zdań George był zbyt duży, zbyt blady, zbyt niezdarny i ciężki – ale przecież i Alma taka była. Ubranie miał zawsze niedopasowane, lecz i Alma nie zwracała uwagi na modę. Kamizelki zawsze wkładał za ciasne, a spodnie za luźne, ale gdyby Alma była mężczyzną, z pewnością tak właśnie by się ubierała, zawsze bowiem stawała wobec podobnego dylematu, próbując dobrać części garderoby. George posiadał zdecydowanie za dużo czoła, a nie dość wystarczająco brody, ale był też właścicielem wielkiej, elektryzującej burzy ciemnych, cudownych włosów, które Alma bardzo chciałaby dotknąć.

Alma nie wiedziała, jak odgrywać kokietkę, więc nie flirtowała z George'em. Nie miała innego pomysłu na zabieganie o jego względy prócz pisania dla niego artykułu za artykułem na coraz bardziej niejasne tematy botaniczne. Między Almą i George'em wydarzyła się tylko jedna chwila, którą można by było w uzasadniony sposób zinterpretować jako przejaw czułości. W kwietniu 1818 roku Alma pokazała George'owi Hawkesowi pod swym mikroskopem piękne powiększenie *Carchesium polypinum* (doskonale oświetlone i żywe orzęski, szczęśliwie pląsające w małej sadzawce wody ze stawu, z wirującymi dzwonkami, falującymi rzęskami i frędzlowatymi, kwitnącymi odnóżkami). George pochwycił jej lewą dłoń i ścisnąwszy ją spontanicznie między swoimi dwiema dużymi, wilgotnymi dłońmi, wykrzyknął: „Dobre nieba, panno Whittaker! Jakąż znakomitą się pani stała mistrzynią mikroskopii!".

Ten dotyk, to ściśnięcie dłoni, ta pochwała wprawiły serce Almy w bezładnie szalone bicie. Co więcej, godzinę później pogoniły ją prosto do składziku introligatorskiego, by mogła tam doznać zaspokojenia za pomocą własnych rąk.

O, tak – znowu do składziku!

Izdebka stała się od jesieni 1816 roku miejscem odwiedzanym przez Almę codziennie – po prawdzie, czasami kilkakrotnie w ciągu dnia, z dłuższymi przerwami jedynie podczas menstruacji. Można byłoby się zdziwić, kiedy znajdowała czas na takie zajęcia przy swych studiach oraz obowiązkach, ale ujmując to najprościej, nie było w ogóle mowy o *nieznajdowaniu* go. Ciało Almy – wysokie i męskie, twarde i piegowate, duże z budowy, grube w kłykciach, kwadratowe w biodrach i rozrośnięte w klatce – stało się przez te lata nieprawdopodobnym narządem seksualnego pożądania, ustawicznie nad miarę przepełnionym potrzebą.

*Cum grano salis* przeczytała wielokrotnie i we wdzięcznej pamięci wynosiła pod niebiosa, ponadto ruszyła po dalsze śmiałe lektury. Kiedy tylko ojciec kupował cudze księgozbiory, Alma zawsze najskrupulatniej je przeglądała w poszukiwaniu czegoś niebezpiecznego, czegoś o zwodniczej okładce, czegoś zakazanego, chowającego się pomiędzy innymi nieszkodliwymi tytułami. W taki sposób znalazła Safonę i Diderota, a także kilka niepokojących przekładów japońskich podręczników rozkoszy. Znalazła francuską księgę dwunastu miłosnych przygód, ułożonych podle miesięcy, zatytułowaną *L'Année galante*, która opowiada o perwersyjnych konkubinach oraz zbereźnych duchownych, o upadłych baletnicach oraz uwiedzionych guwernantkach. (Och, te cierpiętnicze uwiedzione guwernantki! Zredukowane do roli przedmiotu zaliczania, o zrujnowanym przez to życiu, oto czym były! Pojawiały się w tak wielu niegrzecznych książkach! Czemu w ogóle ktokolwiek chciał zostać guwernantką, dziwiła się Alma, jeśli to prowadziło wyłącznie do gwałtu oraz zniewolenia?) Alma przeczytała nawet regułę tajnego „Klubu Chłosty dla Pań" z Londynu, a także wiele opowieści o rzymskich orgiach oraz obscenicznych hinduskich inicjacjach religijnych. Wszystkie te książki oddzielała od innych i chowała do skrzyń w powozowni, na starym stryszku na siano.

A było tego coraz więcej! Skrupulatnie wertowała periodyki medyczne, w których czasami znajdowała sprawozdania z najdziwaczniejszych i podejrzanych sprawek ludzkiego ciała. Czytała tam trzeźwo przedstawione teorie o prawdopodobnym hermafrodytyzmie Adama i Ewy. Czytała naukowe raporty o łonowym owłosieniu rosnącym w tak nietypowej bujności, że można było zarządzać jego zbiory i sprzedawać na peruki. Czytała statystyki odnoszące się do zdrowia prostytutek z rejonu Bostonu. Czytała relacje marynarzy, którzy parzyli się z fokami. Czytała porównawcze opisy rozmiarów penisów u różnych ras oraz w różnych kulturach, a także u różnych gatunków ssaków.

Zdawała sobie sprawę, że nie powinna żadnego z tych materiałów czytać, ale nie potrafiła się im oprzeć. Wszystkie te lektury wypełniły jej głowę istną cyrkową paradą ciał – obnażonych i wychłostanych, pozbawionych godności i poniżonych, rzewnych i całkiem rozłożonych (jedynie po to, by zaraz się pozbierać do dalszego poniżania). Nabawiła się także obsesji na punkcie idei brania rzeczy do ust – by być konkretnym, rzeczy, których dama nigdy nie powinna pragnąć do ust wkładać. Na przykład części ciał należących do innych ludzi. A najbardziej ze wszystkich – męskiego członka. Pożądała męskiego członka w ustach bardziej, niźli pożądała go w swej waginie, ponieważ pragnęła najbliższego jak to możliwe zetknięcia z tym czymś. Lubiła przecież poznawać rzeczy z bliska, nawet pod mikroskopem, pragnęła więc zobaczyć, a nawet spróbować najbardziej ukrytej strony mężczyzny – najtajniejszego gniazdka jego istnienia. Myślenie o tym wszystkim, a także wzmożona świadomość własnych warg oraz języka stały się kłopotliwą obsesją, narastającą w niej aż do całkowitego owładnięcia. Pozbyć się kłopotu mogła tylko za pomocą własnych palców i wyłącznie w składziku introligatorskim – w owej bezpiecznej, izolującej od świata ciemności, otaczającej ją znanymi zapachami skóry i kleju oraz zaopatrzonej w dobry, niezawodny zamek u drzwi. Pozbyć się go mogła jedynie z jedną ręką pomiędzy nogami, a drugą w ustach.

Alma wiedziała, że zadawanie sobie gwałtu jest szczytem zła i że może nawet zaszkodzić zdrowiu. I znowu, nie mogąc powstrzymać dociekliwości, zaczęła badać temat, a to, czego się dowiedziała, nie było zbyt zachęcające. W jednym z brytyjskich medycznych pism fachowych przeczytała, że dzieci zdrowo odżywiane oraz zażywające świeżego powietrza wzrastają bez żadnych seksualnych podniet w ciele ani nie szukają zmysłowych doznań. Proste radości wiejskiego życia, utrzymywał autor, dostarczają tyle rozrywki młodym ludziom, że nie powinna ich wcale ogarniać potrzeba eksplorowania genitaliów. Z innego pisma dowiedziała się, że przedwczesny rozwój seksualny może być spowodowany moczeniem nocnym, zbyt częstymi karami cielesnymi w dzieciństwie, podrażnieniem odbytu spowodowanym przez robaki albo (i tutaj Alma wstrzymała oddech) „przedwczesnym rozwojem intelektualnym". To musiało się jej przytrafić, pomyślała. Jeśli bowiem umysł nazbyt jest rozwijany w młodym wieku, nieuchronnie rodzi się perwersja i ofiara szuka sposobów, by sobie dogodzić substytutami stosunku. To jest zasadniczo problem rozwojowy chłopców, jak czytała, ale w rzadkich przypadkach pojawia się również u dziewcząt. Problem należy traktować poważnie. Młodzi ludzie, którzy samozadowalają swoje ciała, pewnego dnia stają się małżonkami, którzy męczą partnerów potrzebą stosunku każdej nocy w tygodniu, aż rodzina się staje chora, rozpada się i w rezultacie bankrutuje. Samozaspokojenie niszczy również zdrowie ciała, powodując zaokrąglenie pleców oraz utykanie.

Innymi słowy, nawyk nie zapowiadał się dobrze. Alma jednakże pierwotnie nie zamierzała wyrobić w sobie nawyku samozadowalania. Czyniła najsolenniejsze oraz najbardziej szczere przysięgi, że przestanie. Czy też, czyniła je przynajmniej *na początku*. Obiecywała sobie, że przestanie czytać sprośne rzeczy. Obiecywała, że przestanie się nurzać w zmysłowych fantazjach na temat George'a Hawkesa i jego do zwilgotnienia elektryzującej burzy ciemnych włosów. Że już nigdy więcej nie wyobrazi sobie wkładania jego ukrytego członka do ust. Klęła się, że nigdy więcej nie odwiedzi składziku introligatorskiego, nawet jeśli jakaś książka wymagać będzie naprawy!

Jak było do przewidzenia, jej postanowienia szybko słabły. Mówiła sobie, że odwiedzi składzik jeszcze tylko jeden raz. Jeszcze tylko jeden raz pozwoli głowie napełnić się owymi poruszającymi i ohydnymi myślami. Jeszcze tylko jeden raz pogmera palcami w waginie oraz ustach, czując, jak się zaciskają nogi i rozpala twarz, a ciało jeszcze raz się rozluźnia w spazmie cudownego, strasznego, niczym nieskrępowanego zamętu. Jeszcze tylko raz.

A potem, być może, jeszcze raz, tylko jeden.

Wkrótce stało się oczywiste, że nie ma jak tego pokonać, i koniec końców Alma nie miała wyboru, musiała w milczeniu zaaprobować własne zachowanie i postępować dalej tak samo. Jak inaczej miała się pozbyć pożądań, które się w niej gromadziły każdej godziny w ciągu dnia? Co więcej, efekt takiego postępowania odciśnięty na zdrowiu oraz nastroju okazywał się tak znacząco różny od tego, przed jakim ostrzegano w medycznych pismach, że przez moment się zastanawiała, czy może robi to nieprawidłowo, tak że przypadkowo uzyskuje dobroczynne działanie, a nie, jak powinno być, szkodliwe? Jak inaczej można było bowiem wyjaśnić fakt, że jej skryte poczynania nie przynosiły żadnych zgubnych skutków, przed którymi ostrzegały medyczne pisma? Czyn przynosił Almie ulgę, nie chorobę. Zabarwiał jej policzki zdrowym kolorem, a nie pozbawiał oblicza witalności. Owszem, wewnętrzna potrzeba przynosiła poczucie wstydu, ale zawsze potem – kiedy akt się dokonał – czuła, jak ogarnia ją stan żywej i wyraźnej umysłowej jasności. Prosto ze składziku introligatorskiego biegła z powrotem do swoich badań, przy których pracowała z odnowionym poczuciem ich nadrzędności, wyniesiona w rejon studiowania energetyczną klarownością umysłu, cielesnym impulsem użytecznego, podniecającego ożywienia. Najbystrzejsza, najbardziej czujna była zawsze właśnie potem. Właśnie potem jej praca najbardziej rozkwitała.

Na dokładkę Alma miała teraz własne miejsce do pracy. Miała swój gabinet – czy przynajmniej miejsce, które nazywała gabinetem. Gdy posprzątała powozownię ze zbytecznie nagromadzonych książek, zajęła dla siebie jedną z większych siodlarni na parterze i przerobiła ją na miejsce naukowego azylu. Wspaniała sytuacja. Powozownia w White Acre była pięknym budynkiem z cegły, królewskim i spokojnym, z wysoko sklepionym stropem i szerokimi, szczodrymi oknami. Gabinet Almy stanowił najładniejszą część tej budowli, błogosławioną łagodnym północnym światłem, czystą terakotową podłogą oraz widokiem na nieskazitelny grecki ogród matki. Pomieszczenie pachniało sianem oraz kurzem i było wypełnione miłym nieładem książek, przetaków, tabliczek, szal wagowych, okazów, korespondencji, słoi, starych puszek na herbatniki. Na dziewiętnaste urodziny matka sprezentowała Almie urządzenie zwane *camera lucida*, które powiększało i odwzorowywało okazy botaniczne, co pozwalało sporządzać lepsze rysunki dokumentacyjne. Posiadała teraz również komplet pięknych włoskich pryzmatów, za których sprawą czuła się trochę jak Newton. Miała dobre, solidne biurko oraz szeroki, prosty stół laboratoryjny do przeprowadzania eksperymentów. Do siedzenia wolała używać starych beczek niż krzeseł, ponieważ łatwiej jej było na nich się obracać, spódnice wówczas tak nie przeszkadzały. Była też w posiadaniu pary cudownych niemieckich mikroskopów, które nauczyła się obsługiwać – co zauważył George Hawkes! – zręcznym ruchem palców mistrzyni hafciarstwa. Na początku zima w gabinecie była nieprzyjemna (tak mroźna, że z pióra nie ściekał atrament), lecz Alma zorganizowała sobie wkrótce mały, opalany drewnem piecyk, własnoręcznie też uszczelniła szpary w ścianach suchym mchem, aż ostatecznie gabinet stał się tak przytulnym i uroczym azylem, jaki tylko można było sobie wymarzyć, i to przez okrągły rok.

W powozowni Alma utworzyła także własne herbarium, do perfekcji opanowała taksonomię i przeprowadzała coraz bardziej wnikliwe eksperymenty. Tam też wielokrotnie czytała stary egzemplarz *Gardner's Dictionary* Phillipa Millera, tak że sama książka upodobniła się do starych, pożółkłych liści. Studiowała najnowsze medyczne artykuły o korzystnym wpływie digitalisu na pacjentów cierpiących na puchlinę oraz o zastosowaniu oleożywicy kopaiwy w leczeniu chorób wenerycznych. Udoskonalała rysunki botaniczne, które nigdy nie były, ściśle rzecz biorąc, ładne, ale zawsze były precyzyjne. Pracowała z niezmordowaną pilnością, szybko przesuwając palce po tabliczkach i poruszając wargami jak podczas modlitwy.

Podczas gdy reszta White Acre podążała utartym szlakiem walki w pogoni za rynkiem, konkurencją oraz zwycięstwem, owe dwa miejsca – składzik introligatorski oraz gabinet w powozowni –

stały się dla Almy dwojakim schronieniem: w prywatność oraz w naukę. Pierwsze pomieszczenie służyło ciału, drugie umysłowi. Jedno pomieszczenie było małe i ślepe, drugie przestronne i wesoło rozświetlone. Jedno pomieszczenie pachniało starym klejem, drugie świeżym sianem. Pierwsze wywoływało tajemne myśli, drugie powoływało do życia idee, które można było publikować i którymi można się było dzielić. Schronienia te znajdowały się w osobnych budynkach, oddzielonych trawnikami i ogrodami oraz szerokim żwirowym podjazdem. Nikt nie dostrzegłby między nimi wzajemnego powiązania.

Oba pomieszczenia należały wyłącznie do Almy i obydwa ją kształtowały.

# ROZDZIAŁ DZIEWIĄTY

Jednego z jesiennych dni 1819 roku Alma siedziała przy biurku w powozowni, czytając czwarty tom historii naturalnej bezkręgowców Jeana-Baptiste'a Lamarcka, kiedy spostrzegła przez okno, że w matczynym greckim ogrodzie coś się porusza.

Była przyzwyczajona do widoku zatrudnionych w posiadłości robotników, przechodzących przez ogród podczas wykonywania pracy. Często widziała tam również przepiórkę albo pawia, dziobiących coś na trawniku, ale ta istota nie była ani robotnikiem, ani ptakiem. Była to drobna, chuda, ciemnowłosa dziewczyna w wieku około osiemnastu lat, ubrana w najbardziej bladoróżowy kostium spacerowy. Przechadzając się po ogrodzie, niedbale wymachiwała parasolką, obrzeżoną zielonymi frędzlami. Trudno było mieć całkowitą pewność, ale wydawało się, że dziewczyna mówi sama do siebie. Alma odłożyła książkę i obserwowała. Obca najwyraźniej się nie spieszyła, bo gdy po chwili zauważyła ławkę, usiadła, a potem – jeszcze bardziej niespodziewanie – *położyła się* na niej na plecach. Alma patrzyła na dziewczynę, czekając na jej następny ruch, ale tamta najwidoczniej zasnęła.

Jej zachowanie było dziwne. Owego tygodnia w White Acre przyjmowano gości (eksperta od mięsożernych roślin z Yale, niemieckiego hodowcę koni, nudnego uczonego, który napisał ważną rozprawę dotyczącą wentylacji w szklarniach), ale żaden z nich nie przywiózł z sobą córki. Dziewczyna z pewnością nie należała do rodziny żadnego robotnika z posiadłości. Nikogo spośród ogrodników nie byłoby stać na kupno córce tak wytwornej parasolki i żadna córka żadnego ogrodnika nigdy nie spacerowałaby tak beztrosko po ulubionym greckim ogrodzie Beatrix Whittaker.

Zaintrygowana Alma odłożyła pracę i wyszła na zewnątrz. Podeszła do dziewczyny na palcach, nie chcąc brutalnie jej budzić, ale z bliska spostrzegła, że dziewczyna wcale nie drzemie – patrzy w niebo, ułożywszy głowę na masie lśniących, czarnych loków.

– Cześć – powiedziała Alma, spoglądając w dół.

– O, cześć! – odparła dziewczyna, ani trochę niespłoszona pojawieniem się Almy. – Właśnie dziękowałam Bogu za tę ławkę!

Po tych słowach podniosła się do pozycji siedzącej, uśmiechnęła się szeroko i klepnęła w ławkę obok siebie, zapraszając Almę, by zajęła miejsce. Alma posłusznie usiadła, przyglądając się sąsiadce. Dziewczyna bez wątpienia miała dziwny wygląd. Z daleka wydawała się trochę ładniejsza. Owszem, miała śliczną figurę, wspaniałe lśniące loki oraz atrakcyjne dołeczki do kompletu, z bliska jednak jej twarz była trochę za bardzo płaska i okrągła – coś jakby talerz obiadowy – a zielone oczy miała zarazem nazbyt duże oraz jak gdyby zbyt ostentacyjne. Bez przerwy nimi mrugała. Wszystko razem sprawiało, że wyglądała na osobę bardzo młodą, nie nazbyt rozumną i trochę roztrzepaną.

Dziewczyna zwróciła w stronę Almy drobną piegowatą twarzyczkę.

– Powiedz mi coś, czy słyszałaś, jak dzwony biły dzisiaj w nocy? – zapytała.

Alma się zamyśliła. Faktycznie, słyszała dzwonienie dzwonów ostatniej nocy. Pożar wybuchł w zachodniej Filadelfii i w całym mieście dzwoniono na alarm.

– Słyszałam je – odpowiedziała.

Pieguska skinęła głową z zadowoleniem i klasnąwszy w dłonie, rzekła:

– *Wiedziałam*!

– Wiedziałaś, że słyszałam w nocy dzwony?

– Wiedziałam, że *naprawdę* dzwonią!

– My się chyba wcześniej nie spotkałyśmy? – zapytała ostrożnie Alma.

– Zgadza się, dotychczas się nie spotkałyśmy! Nazywam się Retta Snow. Przeszłam całą tę drogę na piechotę!

– Naprawdę? A czy wolno mi spytać skąd?

Można się było niemal spodziewać, że dziewczyna odpowie: „Z baśni!", ale rzekła tylko: „Z tamtej strony" – i wskazała na południe. Alma, pstryknąwszy palcami, nagle zrozumiała. O dwie mile w dół rzeki od White Acre wybudowała się nowa posiadłość. Właścicielem był bogaty bławatnik z Marylandu. Ta dziewczyna musi być jego córką.

– Miałam nadzieję, że mieszka gdzieś w okolicy dziewczyna w moim wieku – powiedziała Retta. – Ile masz lat, jeśli wolno mi tak wprost zapytać?

– Dziewiętnaście – odpowiedziała Alma, chociaż czuła się o wiele starsza, szczególnie w porównaniu z tą kruszyną.

– To niezwykłe! – zawołała Retta. – Ja mam osiemnaście, co nie jest taką dużą różnicą, nieprawdaż? Musisz mi coś koniecznie powiedzieć i błagam o szczerość. Jak ci się podoba moja sukienka?

– No cóż…

Alma kompletnie się nie znała na sukienkach.

– Zgadzam się! – odrzekła Retta. – To nie najlepsza kreacja, prawda? Gdybyś zobaczyła moje pozostałe suknie, jeszcze energiczniej byś tak twierdziła o dzisiejszej, bo mam kilka fenomenalnych sukienek. Ale tak całkiem jej nie przekreślasz, prawda?

– No cóż… – znowu próbowała sklecić jakąś odpowiedź Alma. Retta oszczędziła jej tego.

– Jesteś zdecydowanie dla mnie za dobra! Nie chcesz mnie urazić! Odtąd uważam cię za swoją przyjaciółkę! Masz taką piękną i dodającą otuchy bródkę. Dzięki niej chce się człowiekowi obdarzyć cię zaufaniem.

Retta objęła Almę w talii i złożyła głowę na jej ramieniu, wtulając się serdecznie. Nie istniała na całym świecie przyczyna, dla której Alma mogłaby zachęcić ją do takiego gestu. Kimkolwiek Retta Snow miałaby być, przedstawiała obraz osoby absurdalnej, idealnego basenu pływowego głupoty, rozterki oraz dziwaczności. Na Almę czeka praca, a ta dziewczyna stanowi wyłącznie zakłócenie.

Jednak nikt dotychczas nie nazwał Almy przyjaciółką.

Nikt nigdy nie zapytał Almy, co myśli o sukience.

Nikt nigdy nie podziwiał jej brody.

Przez chwilę siedziały na ławce w serdecznym i zaskakującym

objęciu. Potem Retta odsunęła się, spojrzała na Almę i się uśmiechnęła… dziecinnie, łatwowiernie, ujmująco.

– Co teraz zrobimy? – zapytała. – I jak masz na imię?

Alma się roześmiała i przedstawiła się, po czym wyznała, że nie bardzo wie, co dalej mają zrobić.

– Czy są tutaj inne dziewczęta? – zapytała Retta.

– Jest moja siostra.

– Masz siostrę! Ale z ciebie szczęściara! Poszukajmy jej.

Poszły – Alma posłusznie postępując za Rettą – i szwendały się tu i tam, aż znalazły Prudence przy sztalugach w jednym z różanych ogrodów.

– Ty musisz być siostrą! – zawołała Retta, biegnąc w jej stronę, jak gdyby wygrała nagrodę i jakby tą nagrodą była właśnie Prudence.

Prudence – opanowana i poprawna jak zawsze – odstawiła sztalugi, zbliżyła się do dziewcząt i grzecznie podała Retcie rękę. Potrząsnąwszy ramieniem Prudence z raczej zbyt dużym entuzjazmem, Retta otwarcie wzięła ją na chwilę w ramiona, odchylając głowę na bok. Alma zesztywniała, czekając na komentarz Retty dotyczący urody Prudence albo żądający wyjaśnienia, czy to możliwe i czy to jest w ogóle w ludzkiej mocy, aby Alma i Prudence były siostrami. O to właśnie zwykli wszyscy pytać, widząc po raz pierwszy siostry razem. *Jak może jedna siostra być taka porcelanowa, a druga taka rumiana? Jak może jedna być tak filigranowa, a druga taka wielka?* Prudence również zesztywniała w oczekiwaniu na te same typowe i niewygodne pytania. Retta jednak nie wydawała się w żaden sposób urzeczona bądź onieśmielona jej urodą ani nie zastanowiło jej pytanie, czy siostry są rzeczywiście siostrami. Ogarnęła po prostu Prudence wzrokiem od stóp do głów i klasnęła w ręce z radości.

– Jesteśmy więc teraz we trzy! – powiedziała. – Co za szczęście! Zdajecie sobie sprawę, co musiałybyśmy w tej chwili zrobić, gdybyśmy były chłopcami? Musiałybyśmy wdać się w bijatykę ze sobą nawzajem, siłując się i kuksając, i puszczając sobie krew z nosów. Potem, przy końcu bitwy, odniósłszy straszliwe rany, podalibyśmy sobie ręce jako wierni przyjaciele. Naprawdę! Widziałam coś takiego! Przyznam, że z jednej strony to świetna zabawa, ale przykro byłoby mi zniszczyć nową sukienkę… chociaż to nie jest moja najlepsza sukienka, co Alma zauważyła... więc dziękuję dzisiaj niebiosom, że jednak nie jesteśmy chłopcami, a to oznacza, że możemy zostać wiernymi przyjaciółkami od razu, bez żadnej bijatyki. Zgadzacie się?

Nikt nie miał czasu wyrazić zgody, ponieważ Retta trajkotała dalej.

– A więc zadecydowane! Jesteśmy Trzema Wiernymi Przyjaciółkami. Ktoś powinien napisać o nas piosenkę. Czy którakolwiek z was potrafi pisać piosenki?

Prudence i Alma spojrzały po sobie osłupiałe.

– A więc ja to zrobię, jeśli muszę! – Retta parła do przodu. – Dajcie mi chwilę czasu.

Zamknęła oczy, zaczęła poruszać ustami i wystukiwać coś palcami na pasku w talii, jak gdyby liczyła sylaby.

Prudence rzuciła Almie pytające spojrzenie, na co Alma mogła tylko wzruszyć ramionami.

Po chwili milczenia, która wydałaby się niezręczna każdemu na świecie z wyjątkiem Retty Snow, dziewczyna otworzyła oczy.

– Chyba mam – oznajmiła. – Ktoś będzie musiał napisać muzykę, ja jestem beznadziejna z muzyki, ale przynajmniej ułożyłam pierwszą zwrotkę. Myślę, że doskonale oddaje naszą przyjaźń. Co o tym myślicie?

Odchrząknęła i wyrecytowała:

> *Jesteśmy skrzypce, łyżka i widelec,*
> *A z nami tańczy księżyc-zuchwalec,*
> *Jeśli całusa nam ukraść chcesz,*
> *Chodź tutaj do nas i szybko go bierz.*

Nim Alma zdołała rozszyfrować ów dziwny rym (to znaczy dojść, która jest skrzypcami, która widelcem, a która łyżką), Prudence parsknęła śmiechem. Rzecz niezwykła, ponieważ Prudence nigdy się nie śmiała. Rozległ się śmiech potężny, przesadny i głośny – całkowicie nie taki, jakiego można byłoby się spodziewać po istocie przypominającej lalkę.

– Kim ty *jesteś*? – zapytała, kiedy się wreszcie przestała śmiać.

– Jestem Retta Snow, o pani, wasza najnowsza i najbardziej niezłomna przyjaciółka.

– Cóż, Retto Snow – rzekła Prudence – przypuszczam, że możesz być najbardziej niezłomnie szalona.

– Wszyscy tak mówią! – odparła Retta i z gracją przesadnie się skłoniła. – Niemniej… otom ja, jestem tu!


Zaiste, była.

Retta Snow wkrótce okazała się stałym elementem posiadłości White Acre. Alma miała jako dziecko małą kotkę, która łaziła po całym terenie i zdobywała go w bardzo podobny sposób. Owa kotka – śliczne malutkie stworzonko w jasnożółte pręgi – po prostu pewnego słonecznego dnia wparadowała do kuchni, otarła się o nogi wszystkich obecnych, po czym usadowiwszy się za kominkiem, owinęła dookoła ciała ogonek i cicho zamruczała z półprzymkniętymi powiekami na znak zadowolenia. Kotek poczuł się najwyraźniej wygodnie i pewnie i nikt nie miał serca uzmysłowić mu, że prawda jest mianowicie taka, iż do tego miejsca nie ma prawa należeć kot. I w ten oto właśnie sposób, całkiem szybko, *zaczął* należeć.

Chwyt Retty był podobny. Zjawiła się w White Acre tamtego dnia, zaufała im i nagle wszyscy spostrzegli, że zawsze jest gdzieś w pobliżu. Nikt nigdy oficjalnie nie zaprosił Retty, ale to nie była dziewczyna, która potrzebowałaby zaproszenia do czegokolwiek. Przychodziła, kiedy chciała przyjść, zostawała tak długo, jak miała ochotę, i odchodziła, kiedy jej się podobało.

Retta Snow prowadziła najbardziej szokująco – wręcz do pozazdroszczenia – niekontrolowane życie. Jej matka namiętnie chadzała na bale. Długie poranne godziny poświęcała toalecie, popołudnia spędzała na składaniu towarzyskich wizyt innym paniom, a wieczorami bywała wielce zajęta na balach charytatywnych. Ojciec Retty, człowiek pobłażliwy i ciągle nieobecny, w końcu kupił córce statecznego konia pociągowego oraz dwukółkę, w której dziewczyna obijała się po Filadelfii, całkowicie wedle własnego uznania. Dnie spędzała, ganiając na dwukółce po okolicy jak szczęśliwa, rozbrykana pszczoła. Jeśli chciała pójść do teatru, robiła to. Jeśli chciała obejrzeć paradę, szukała parady. A jeśli chciała spędzić dzień w White Acre, czyniła to w dogodnej dla siebie chwili.

Przez cały następny rok Alma spotykała Rettę w najdziwniejszych miejscach White Acre: gdy stała na kadzi w spiżarni, rozśmieszając mleczarki odgrywaniem scen z *The School of Scandal*; albo gdy majtała nogami w oleistej wodzie rzeki Schuylkill, siedząc na pomoście dla barek i udając, że łowi ryby palcami u stóp; albo gdy rozcinała jeden ze swych pięknych szalów na dwie części, by podzielić się nim z pokojówką, która właśnie powiedziała na jego temat komplement. („Zobacz, teraz każda z nas ma kawałek tego szala, jesteśmy jak bliźniaczki!") Nikt nie wiedział, co o niej myśleć, ale nikt jej nie wyganiał. Chodziło nie tyle o to, że Retta oczarowywała ludzi; po prostu niemożliwością było się przed nią bronić. Nie było wyboru, trzeba się było poddać.

Retta zdołała podbić nawet Beatrix Whittaker, co stanowiło naprawdę duże osiągnięcie. Istniały powody, by się spodziewać, że Beatrix nie zniesie Retty. Wszak Retta uosabiała te właśnie cechy, które Beatrix krytykowała u dziewcząt. Była tym wszystkim, przed czym Beatrix, wychowując Almę i Prudence, chciała uchronić córki – upudrowanym, niezaradnym, głupiutkim i próżnym małym cukiereczkiem, który niszczył kosztowne balowe pantofelki w błocie, który z byle powodu wybuchał śmiechem albo płaczem, który nieobyczajnie pokazywał palcem w miejscach publicznych, którego nigdy nie widziano z książką i który nigdy nie miał na tyle zdrowego rozsądku, by osłaniać głowę przed deszczem. Jakże Beatrix Whittaker mogłaby kiedykolwiek przyjąć takie stworzenie?

Spodziewając się trudności, Alma próbowała nawet na początku ich przyjaźni ukrywać Rettę Snow przed matką, obawiała się bowiem najgorszego, gdyby na siebie wpadły. Ale nie było łatwo ukryć Rettę, a i Beatrix niełatwo było zwieść. Nie zdążył minąć tydzień, jak pewnego poranka przy śniadaniu zażądała od Almy wyjaśnienia.

– Co to za jakieś *dziecko* z tym jakimś *parasolem* ciągle się ostatnio szwenda po mojej posiadłości? I czemu widzę ją zawsze *z tobą*?

Alma, acz niechętnie, została tym sposobem zmuszona przedstawić Rettę Snow matce.

– Miło mi panią poznać, pani Whittaker – zaczęła całkiem poprawnie Retta. Miała nawet refleks, by dygnąć, może nieco zbyt teatralnie.

– Jak się masz, drogie dziecko – rzekła w odpowiedzi Beatrix.

Beatrix nie spodziewała się żadnej reakcji na te słowa, Retta jednak potraktowała je poważnie i zastanowiła się chwilę nad odpowiedzią.

– Cóż, muszę pani powiedzieć, pani Whittaker, że wcale nie mam się dobrze. Dzisiaj rano wydarzyła się koszmarna tragedia u mnie w domu.

Alma spojrzała na nią w panice i wiele by dała, żeby jej przerwać. Nie mogła sobie w żaden sposób wyobrazić, dokąd Retta zmierza tą wypowiedzią. Cały dzień jest w White Acre, radosna jak skowronek, i dopiero w tej chwili Alma po raz pierwszy słyszy o strasznej tragedii w domostwie Snowów. Modliła się, żeby Retta przestała mówić, ale dziewczyna brnęła, jak gdyby Beatrix zachęcała ją do kontynuowania.

– Dokładnie dzisiejszego poranka, pani Whittaker, przeżyłam najbardziej poruszający atak nerwowy. Jedna z naszych służących... ściśle mówiąc, moja mała angielska pokojówka... zalewała się łzami podczas śniadania, więc po skończonym posiłku poszłam za nią do służbówki, by zbadać przyczynę. Nigdy pani nie zgadnie, czego się dowiedziałam! Okazało się, że jej babka zmarła dokładnie trzy lata temu, *równo tego właśnie dnia*! Dowiedziawszy się o tej tragedii, i ja zaszlochałam, jak z pewnością może pani sobie przedstawić! Musiałam płakać z godzinę na łóżku tej biednej dziewczyny. Dzięki Bogu ona była ze mną i mogła mnie pocieszyć. Nie zbiera się pani na płacz, pani Whittaker? Na myśl o utracie babki, co do dnia równo trzy lata wstecz?

Wielkie zielone oczy Retty na samo wspomnienie wydarzenia napełniły się łzami, po czym uroniły kilka.

– Co za kolosalna bzdura – upomniała ją Beatrix w odpowiedzi, z naciskiem podkreślając po kolei wszystkie słowa, podczas gdy Alma wzdrygała się przy każdej sylabie. – Czy potrafisz sobie wyobrazić, ile w moim wieku widziałam umierających babek innych ludzi? Co by to było, gdybym płakała nad każdą z nich?

Śmierć babki nie stanowi tragedii, drogie dziecko… a śmierć babki kogoś obcego, która wydarzyła się przed trzema laty, z całą pewnością nie powinna nikogo przyprawiać o potoki łez. Babki *umierają*, drogie dziecko. Taki jest właściwy bieg rzeczy. Można byłoby niemal dowieść, iż powołaniem babki jest umrzeć, kiedy już udzieli paru lekcji przyzwoitości oraz rozsądku młodszemu pokoleniu. Ponadto uważam, że niewiele przyniosłaś pocieszenia swojej pokojówce, której bardziej byś się przysłużyła, dając przykład stoicyzmu oraz powściągliwości, zamiast padać w szlochach na jej łóżko.

Retta przyjęła pouczenie z prostoduszną i pełną otwartości miną, podczas gdy Alma natychmiast przewidziała tarapaty. Cóż, to będzie koniec Retty Snow, pomyślała. Ale wtedy, nieoczekiwanie, Retta się roześmiała.

– To cudowna nagana, pani Whittaker! Jakiż ma pani świeży sposób podchodzenia do rzeczy! Już nigdy nie uznam śmierci żadnej babki za tragedię!

Można było nieomal dostrzec, jak łzy pełzną z powrotem po policzkach Retty, cofając się i całkowicie znikając.

– Teraz muszę już iść – powiedziała Retta, świeżutka naraz jak jutrzenka. – Wybieram się dzisiaj wieczorem na spacer, muszę więc wrócić do domu i jak najstaranniej dobrać jakiś spacerowy kapelusik. Tak bardzo uwielbiam spacery, pani Whittaker, ale nie w niedobranym kapeluszu, jestem pewna, że pani rozumie.

Retta wyciągnęła rękę do Beatrix, która nie mogła odmówić uścisku.

– Pani Whittaker, jakież to jest pożyteczne spotkanie! Ledwie znajduję słowa, by dość podziękować za pani mądrość. Jest pani Salomonem wśród kobiet i nie ma się co dziwić, że pani dzieci tak panią podziwiają. Proszę sobie tylko wyobrazić, że jest pani moją matką, pani Whittaker… proszę sobie tylko wyobrazić, jakaż wtedy nie byłabym głupia! Mojej matce, przykro o tym mówić, nigdy w życiu nie przeszła przez głowę żadna rozsądna myśl. I co gorsza, ona oblepia sobie twarz tak grubo woskiem, pastą i pudrem, że w każdym calu przypomina krawieckiego manekina. Proszę sobie przedstawić w takim razie moje nieszczęście… być wychowywaną przez niewykształconego krawieckiego manekina zamiast przez kogoś podobnego do pani. Cóż, muszę już lecieć!

I się ulotniła, podczas gdy Beatrix została z otwartymi ustami.

– Co za idiotyczny przypadek człowieka – zamruczała, gdy Retta zniknęła i w domu zapanowała z powrotem cisza.

Odważając się na obronę jedynej przyjaciółki, Alma odrzekła:

– Bez wątpienia ona jest idiotyczna, matko. Ale wierzę, że ma dobre serce.

– Jej serce może być, może też nie być dobre, Almo. To potrafi tylko Bóg ocenić. Lecz jej twarz jest kompletnie niedorzeczna. Wydaje się zdolna przyjąć jakikolwiek wyraz z wyjątkiem inteligentnego.

Retta wróciła do White Acre już następnego dnia, pozdrawiając Beatrix Whittaker rozsłoneczniona pełnią dobrej woli, jak gdyby w ogóle nie została na początku surowo napomniana. Przyniosła nawet dla Beatrix malutki bukiecik kwiatów... zerwanych w ogrodach White Acre, co było dość odważne. Jakby za sprawą cudu Beatrix przyjęła bukiet bez słowa. Od tego dnia Retcie Snow oficjalnie wolno było przebywać na terenie posiadłości.

Rozbrojenie Beatrix Whittaker stanowiło według Almy osiągnięcie najwyższej próby. Było wręcz naznaczone czarodziejstwem. A jeszcze bardziej nadzwyczajne było, że nastąpiło to tak szybko. Jakimś sposobem, zaledwie jednym, krótkim i odważnym posunięciem, Retcie udało się zaskarbić sobie życzliwą przychylność głowy rodu (przynajmniej *wystarczająco* życzliwą), tak że od tego momentu została oficjalnie upoważniona, by zachodzić wszędzie tam, gdzie tylko miała ochotę. Jak ona tego dokonała? Alma miała na ten temat pewną teorię. Bez wątpienia trudno byłoby Rettę powstrzymać. Ponadto Beatrix, coraz starsza i coraz słabsza, nie paliła się już tak do walki na śmierć i życie w wyrażaniu własnego sprzeciwu. Być może matka Almy już nie nadawała się do tych wszystkich Rett Snow chodzących po świecie. Ale najbardziej liczyła się jedna rzecz: matka Almy nie lubiła głupoty i zdecydowanie trudno było jej schlebić, Retta Snow nie mogła jednak lepiej postąpić niż nazwać Beatrix Whittaker „Salomonem wśród kobiet".

Być może dziewczyna nie jest taka głupia, jak się wydaje.

I tak Retta została. Wraz z upływem jesieni 1819 roku coraz częściej się zdarzało, że gdy Alma przychodziła wczesnym rankiem do gabinetu, by kontynuować botaniczne badania, Retta już tam była – zwinięta w kłębek na starej otomanie w rogu, z lemoniadą w ręku oraz najnowszym numerem ilustrowanego pisma poświęconego modzie, „Joy's Lady's Book", na kolanach.

– Witaj, najdroższa! – świergotała, podnosząc promienny wzrok, zupełnie jakby były umówione na spotkanie.

Z biegiem czasu przestało to już nawet Almę zaskakiwać. Ostatecznie Retta nie sprawiała żadnego kłopotu. Nigdy nie dotykała przyrządów naukowych (z wyjątkiem pryzmatów, którym się nie potrafiła oprzeć), a gdy Alma mówiła: „Dobre nieba, kochana, ucisz się na chwilę i pozwól mi obliczyć", Retta potulnie milkła. Almie było nawet miło, mając takie głupiutkie, przyjacielskie towarzystwo. Tak jakby w rogu pokoju siedział w klatce piękny ptaszek i gruchał od czasu do czasu, kiedy pracowała.

Zdarzało się, że do gabinetu Almy zachodził George Hawkes, by przedyskutować ostatnie poprawki do tego czy innego artykułu, i za każdym razem wydawał się skonsternowany, zastawszy tam Rettę. George Hawkes nie bardzo wiedział, co począć z Rettą Snow. Był inteligentnym, poważnym mężczyzną i głupota Retty całkowicie wytrącała go z równowagi.

– I cóż to dzisiaj Alma omawia z panem George'em Hawkesem? – zapytała Retta pewnego listopadowego dnia, znudzona już żurnalami.

– Rogatki sztywne – odpowiedziała Alma.

– O, brzmi strasznie. Almo, czy to są zwierzęta?

– Nie, kochanie, to są rośliny – wyjaśniła dziewczyna.

– A można je jeść?

– Nie, jeśli się nie jest jeleniem – rzekła Alma ze śmiechem. – I to bardzo głodnym jeleniem.

– Jakże cudownie byłoby być jeleniem – rozważała Retta – jeśli tylko nie byłoby się jeleniem w deszczu, bo w deszczu byłoby niefortunnie i niewygodnie. Proszę opowiedzieć mi o tych rogatkach sztywnych, panie George Hawkes. Ale proszę opowiedzieć mi o nich w taki sposób, by pustogłowa osóbka jak ja podołała to zrozumieć.

To było nieuczciwe, ponieważ George Hawkes potrafił mówić tylko w jeden sposób, a był nim sposób akademicki, erudycyjny i w żadnym stopniu niedostosowany do pustogłowych osóbek.

– No więc, panno Snow – zaczął z zakłopotaniem – należą one do naszych najprymitywniejszych roślin…

– Nieuprzejmie jest tak mówić, sir!

– …i są autotroficzne.

– Ależ rodzice muszą być z nich dumni!

– No tt…aak – zająknął się George. I nie znalazł więcej słów.

Tutaj wkroczyła Alma, z litości dla George'a.

– Autotroficzne, Retto, znaczy, że są w stanie same produkować swoje pożywienie.

– W takim razie ja nigdy nie mogłabym być rogatkiem sztywnym, tak przypuszczam – odrzekła Retta, wzdychając.

– Nie bardzo! – odrzekła Alma. – Ale mogłabyś polubić rogatki sztywne, gdybyś bliżej je poznała. Są całkiem ładne pod mikroskopem.

Retta machnęła lekceważąco ręką.

– Och, ale ja i tak nigdy nie wiem, gdzie *patrzeć* w tym mikroskopie!

– Gdzie patrzeć? – Alma zaśmiała się z niedowierzaniem. – Retto… patrzy się przez wziernik!

– Ale ten wziernik jest taki ograniczający, a widok tych małych rzeczy taki niepokojący. Człowiekowi robi się niedobrze. Czy kiedykolwiek robi się panu niedobrze, panie George Hawkes, gdy spogląda pan przez mikroskop?

Dotknięty tym pytaniem i najwyraźniej niezdolny inteligentnie odpowiedzieć, George gapił się w podłogę.

– Bądź teraz cicho, Retto – powiedziała Alma. – Pan Hawkes i ja musimy się skupić.

– Jeśli będziesz mnie tak uciszać, Almo, będę musiała znaleźć Prudence i poprzeszkadzać jej w malowaniu kwiatków na filiżankach i przekonywaniu mnie, abym była szlachetniejszą osobą.

– Idź więc jej szukać! – powiedziała wesoło Alma.

– Szczerze, wy dwoje… – zaczęła Retta. – Po prostu nie rozumiem, czemu wy zawsze musicie tak ciężko pracować. Ale jeśli trzyma was to z dala od arkad oraz pijalni ginu, przypuszczam, że nie wyrządzi wam trwałej krzywdy...

– Idź już! – powiedziała Alma, obdarzając przyjaciółkę lekkim, czułym pchnięciem.

Retta popędziła tym swoim truchtem, pozostawiając roześmianą Almę i całkowicie zbitego z tropu George'a Hawkesa.

– Muszę wyznać, że nie rozumiem ani słowa z tego, co mówi – rzekł George, gdy Retta zniknęła.

– Jeśli to pana pocieszy, ona też pana nie rozumie, panie Hawkes.

– Ale zastanawiam się, dlaczego ona zawsze się kręci koło pani? – dziwił się George. – Czy próbuje się doskonalić w pani towarzystwie?

Almie policzki się rozpaliły z przyjemności, kiedy usłyszała komplement... szczęśliwa, że George może uważać, iż jej towarzystwo ma udoskonalającą moc... ale rzekła tylko:

– Nigdy nie należy być pewnym co do motywów Retty, panie Hawkes. Kto wie? Być może ona stara się udoskonalić *mnie*.

W okolicy Gwiazdki Retta Snow tak blisko się zdołała zaprzyjaźnić z Almą oraz Prudence, że zapraszała Whittakerówny do swej rodzinnej posiadłości na lunch – tym samym odciągając Almę od botanicznych badań, a Prudence od tego, czym akurat wypełniała sobie czas.

Lunch w domu Retty był zawsze niepoważnym przedsięwzięciem, stosownie do niepoważnej natury Retty. Pod nadzorem (jeśli w ogóle można to tak nazwać) uroczej, choć niekompetentnej angielskiej pokojówki podawano wszystkiego po trochu, lody i biszkopty z owocami i z bitą śmietaną razem z tostami. W owym domu nie prowadzono nigdy żadnej wartościowej ani istotnej rozmowy, ale za to Retta zawsze była gotowa do psot, zabawy albo uprawiania jakiegoś sportu. Zdołała nawet nakłonić Almę i Prudence do grania w nonsensowne salonowe gry – ułożone dla znacznie mniejszych dzieci, takie jak Głuchy Telefon, Polowanie przez Dziurkę od Klucza czy Niemy Orator. Wszystkie niemądre, ale bardzo zabawne. Prawda była taka, że Alma i Prudence nigdy przedtem nie *grały* – ani ze sobą, ani w pojedynkę, ani z innymi dziećmi. Jak dotąd Alma nie zdołała dokładnie zrozumieć, na czym w ogóle polega pojęcie grania.

Dla Retty Snow jednak granie było jedyną rzeczą, którą robiła od zawsze. Jej najulubieńszym sposobem spędzania czasu było teraz czytanie na głos Almie oraz Prudence kroniki wypadków w lokalnej gazecie. Niewybaczalne, ale zabawne. Retta stroiła się w szale, kapelusze oraz obcy akcent i odgrywała najbardziej przerażające sceny z owych wypadków: niemowlęta wpadające do kominków, robotnicy, którym spadające konary drzew ścinają głowy, matki pięciolatków, które wypadają z powozów prosto do rowów pełnych wody (i topią się do góry nogami, trzewiki w powietrzu, a dzieci patrzą bezradnie i krzyczą z przerażenia).

– To nie powinno służyć rozrywce! – zwykła protestować Prudence, ale Retta nie przerywała, dopóki nie zaczynały się krztusić ze śmiechu.

Bywały sytuacje, w których Rettę tak mocno ogarniał śmiech, że nie potrafiła przestać. Całkiem traciła panowanie nad wybuchem szampańskiego humoru, zupełnie opętana nieokiełznanym szaleństwem zabawy. Czasem nawet, niepokojąco, turlała się po podłodze. W takich chwilach Retta wyglądała na powodowaną, czy też *opanowaną*, jakąś zewnętrzną, demoniczną siłą. Zwykła się wtedy śmiać, aż dostawała spazmatycznego oddechu i twarz jej ciemniała od czegoś, co przypominało strach. Kiedy Alma i Prudence były właśnie tuż-tuż od paniki, Retta przychodziła do siebie. Podrywała się na nogi, ocierała wilgotne czoło i wydawała okrzyk:

– Dzięki niebiosom, że mamy ziemię! Bo na czym byśmy siadali?

Retta Snow była najdziwniejszą małą panienką w Filadelfii, ale w życiu Almy, a także Prudence, odegrała, jak się okazało, niebagatelną rolę. Kiedy się spotykały we trzy, razem, Alma niemal się czuła jak zwykła dziewczyna, a nigdy przedtem tak o sobie nie myślała. Śmiejąc się z przyjaciółką i siostrą, mogła udawać, że jest którąkolwiek tuzinkową filadelfijską dziewczyną, a nie Almą Whittaker z posiadłości White Acre – bogatą, wiecznie czymś pochłoniętą, wysoką i nieładną młodą kobietą przepełnioną wiedzą, władającą językami obcymi, z dorobkiem wielu dziesiątek akademickich publikacji pod własnym nazwiskiem oraz zaludniającymi jej głowę szokująco erotycznymi obrazami rzymskich orgii. Wszystko to bladło w towarzystwie Retty i Alma mogła być po prostu dziewczyną, przeciętną dziewczyną zajadającą lukrowany tort i chichoczącą z błazeńskiej piosenki.

Co więcej, Retta była jedyną osobą na świecie, która doprowadzała Prudence do śmiechu, a to rzeczywiście stanowiło nadprzyrodzony fenomen. Przemiana, jakiej śmiech dokonywał w Prudence, była niezwykła: zamieniał ją z lodowatego klejnotu w słodką uczennicę. W takich chwilach Alma niemal czuła, że i Prudence jest być może zwyczajną dziewczyną, i spontanicznie zdarzało jej się z radości objąć siostrę.

Niestety, bliskość między Almą i Prudence istniała wyłącznie wtedy, kiedy Retta była w pobliżu. Z chwilą, gdy siostry ruszały razem z posiadłości Snowów do domu, wracało milczenie. Alma zawsze miała nadzieję, że nauczą się utrzymywać serdeczne porozumienie po opuszczeniu Retty, ale nic z tego nie wychodziło. Podczas długiej drogi z powrotem do domu jakakolwiek próba nawiązania do któregoś z żartów lub śmiechów danego popołudnia przynosiła wyłącznie drętwą atmosferę, skrępowanie i zażenowanie.

Podczas jednego z takich spacerów do domu, w lutym 1820 roku, Alma – w dobrym humorze, pełna otuchy i rozweselona niedawnymi figlami – podjęła ryzyko. Odważyła się jeszcze raz wspomnieć o swych względach dla George'a Hawkesa. W szczególności zwierzyła się Prudence, że George nazwał ją mistrzynią mikroskopii i że to sprawiło jej ogromną przyjemność. Alma wyznała: „Chciałabym mieć kiedyś takiego męża jak George Hawkes... dobrego człowieka, który wspierałby mnie w moich przedsięwzięciach i którego bym podziwiała".

Prudence nie odpowiedziała. Po długiej ciszy Alma znowu podjęła wątek.

– Prawie ustawicznie myślę o panu Hawkesie, Prudence. Czasami nawet wyobrażam sobie... że się do niego przytulam.

To było odważne wyznanie, ale czyż normalnie siostry tak nie postępują? Czy jak Filadelfia długa i szeroka nie było w niej pełno zwyczajnych dziewcząt, opowiadających siostrom o wymarzonych konkurentach? Czy nie ujawniały nadziei swego serca? Czy nie snuły marzeń o przyszłym mężu?

Próba zbliżenia jednak się nie powiodła.

Prudence odpowiedziała zaledwie: „Ach tak" i nie dodała nic więcej. Resztę drogi do White Acre przeszły w typowej dla siebie niemocie. Alma wróciła do gabinetu, by dokończyć pracę, którą przerwała jej rano Retta, a Prudence po prostu zniknęła do nieznanych nikomu zajęć, jak miała w zwyczaju.

Alma nigdy więcej nie spróbowała zwierzyć się siostrze. Jakakolwiek by była tajemnicza szczelina, którą Retta rozwierała między Almą i Prudence, na powrót się hermetycznie zatrzaskiwała, kiedy tylko siostry zostawały same. Nie było jak temu zaradzić. Czasami jednak Alma nie mogła się powstrzymać przed wyobrażaniem sobie, jak wyglądałoby życie, gdyby Retta była ich młodszą siostrą – najmniejszą z dziewczynek, rozpieszczaną i głupiutką, która potrafi każdego rozbroić i błyskawicznie obudzić w nim ciepło oraz czułość. Gdyby tylko Retta była Whittakerówną, rozmyślała Alma, a nie panienką z domu Snow! Może wtedy wszystko byłoby inne. Może Alma i Prudence w tamtym scenariuszu umiałyby być powierniczkami, przyjaciółkami… siostrami!

Ta myśl napełniała Almę wielkim smutkiem, ale nic nie była w stanie z tym zrobić. Rzeczy mogą być tylko tym, czym są, jak wiele razy uczyła ją matka.

Dlatego te rzeczy, których się nie da zmienić, trzeba cierpliwie znosić.

# ROZDZIAŁ DZIESIĄTY

Był już późny lipiec 1820 roku.
Stany Zjednoczone Ameryki przeżywały recesję gospodarczą, pierwszy okres spadku w swej krótkiej historii. Henry Whittaker tym razem nie cieszył się błyskotliwymi sukcesami w interesach. Nie żeby upadł pod naporem kryzysu – pod żadnym względem tak nie było – ale odczuwał presję, do jakiej nie był przyzwyczajony. Rynek egzotycznych roślin tropikalnych nasycił się w Filadelfii, a Europejczykom się znudził botaniczny eksport z Ameryki. Co gorsza, ostatnio bodajże każdy kwakier w mieście otwierał punkt farmaceutyczny i produkował własne pigułki, maści i smarowidła. Nie znalazł się jeszcze rywal, który prześcignąłby popularność produktów firmy Garrick & Whittaker, ale całkiem niedługo może to nastąpić.

Henry potrzebował porad żony w prowadzeniu interesów, ale w ciągu ostatniego roku Beatrix nie czuła się dobrze. Cierpiała na okresowe zawroty głowy, a podczas upalnego i ciężkiego lata jej stan się tylko pogorszył. Wyraźnie spadła jej wydajność, a oddech stał się krótszy. Nie narzekała i starała się wypełniać obowiązki, ale chociaż było widać, że jest niezdrowa, odmawiała pójścia do lekarza. Nie wierzyła w lekarzy, farmaceutów ani w lekarstwa – które, na ironię, stanowiły podstawę ich rodzinnego handlu.

Zdrowie Henry'ego również szwankowało. Miał sześćdziesiąt lat. Ataki starej tropikalnej choroby trwały coraz dłużej. Planowanie spotkań towarzyskich przy obiedzie zaczęło sprawiać kłopoty, ponieważ nigdy nie było wiadomo, czy państwo Whittakerowie będą się czuli na tyle dobrze, aby podjąć gości. Henry'ego wprawiało to w złość i zniechęcenie, a to z kolei utrudniało wszystko w White Acre. Jego wybuchowe wystąpienia stawały się coraz bardziej zjadliwe. *Ktoś musi za to zapłacić! Syn tego sukinsyna jest skończony! Doprowadzę go do ruiny!* Pokojówki uskakiwały na boki i chowały się po kątach, kiedy widziały, że nadchodzi.

Z Europy też przybywały złe wieści. Agent Henry'ego i emisariusz Dick Yancey – wysoki mężczyzna z hrabstwa York, który tak bardzo przerażał Almę, kiedy była dzieckiem – przybył właśnie do White Acre z najbardziej niepokojącą wiadomością: niedawno w Paryżu para chemików zdołała wyizolować substancję występującą w korze drzewa chinowego. Nazwali ją „chininą". Ogłosili, że to właśnie ów składnik jest tajemniczym elementem kory jezuitów, który skutecznie zwalcza malarię. Zbrojni w tę wiedzę francuscy chemicy będą mogli wkrótce produkować z kory lepszy środek – drobniej sproszkowany, mocniejszy i skuteczniejszy. Zdołają na zawsze podkopać dominację Henry'ego w handlu lekami przeciwgorączkowymi.

Henry pluł sobie w brodę (i trochę również w brodę Dicka Yanceya), że nie przewidzieli rozwoju wypadków. „Sami powinniśmy zrobić takie odkrycie!", podsumował. Ale chemia to nie jego dziedzina. Był niezrównanym znawcą drzew, bezwzględnym kupcem i błyskotliwym wynalazcą, ale mimo usilnych prób nie potrafił nadążać za każdą nowiną z dziedziny postępu naukowego na świecie. Nauka szła naprzód za szybko dla niego. Inny Francuz opatentował ostatnio maszynę do matematycznych obliczeń, zwaną arytmometrem, która sama potrafiła wykonywać ogromne dzielenia. Z kolei duński fizyk właśnie ogłosił, że istnieje związek między elektrycznością a magnetyzmem, a Henry nawet nie miał pojęcia, co jedno i drugie oznacza.

Jednym słowem, za dużo było wynalazków ostatnio i zbyt wiele nowych idei, a wszystkie za bardzo złożone i zakrojone na zbyt szeroką skalę. Nie dawało się być specjalistą we wszystkim i spijać deserową śmietankę zysku w każdej dziedzinie. Już to tylko wystarczało, by Henry Whittaker czuł się staro.

Sprawy jednak nie miały się tak całkiem źle. Dick Yancey przywiózł także jedną niewiarygodnie dobrą wiadomość: sir Joseph Banks zmarł.

Onieśmielający człowiek, który niegdyś był najdorodniejszym

mężczyzną w Europie, ulubieńcem królów, który okrążył glob, spał z pogańskimi królowymi na plażach pod gołym niebem, który wprowadził tysiące nowych botanicznych gatunków w Anglii i wysłał w szeroki świat młodego Henry'ego, by mógł się stać *Henrym Whittakerem* – ten właśnie człowiek nie żył.

Martwy i gnijący w krypcie, gdzieś w Heston…

Alma, która przepisywała listy ojca w jego gabinecie w chwili, gdy Dick Yancey przyniósł tę wiadomość, aż się zachłysnęła i zakrzyknęła: „Niech Bóg da mu odpoczywanie!".

– Niech Bóg go przeklnie – poprawił ją Henry. – Próbował mnie zrujnować, ale zwyciężyłem.

Bez wątpienia Henry Whittaker zwyciężył sir Josepha Banksa. Pod sam koniec dorównał mu. Mimo że Banks dotkliwie poniżał go wiele lat wcześniej, Henry odniósł sukces przechodzący wszelkie wyobrażenie. Nie tylko zwyciężył na polu handlu korą chinowca, ale prowadził teraz interesy w każdym zakątku świata. Zdobył nazwisko. Prawie wszyscy sąsiedzi winni mu byli pieniądze. Senatorzy, właściciele okrętów oraz wszelkiej maści kupcy zabiegali o jego błogosławieństwo oraz marzyli o jego patronacie.

W ciągu minionych trzydziestu lat Henry postawił takie palmiarnie w zachodniej Filadelfii, z jakimi żadne ze stojących w Kew nie mogły konkurować. Takie gatunki orchidei nakłonił do kwitnienia w White Acre, z którymi Banks nigdy nie odniósł sukcesu nad Tamizą. Kiedy Henry usłyszał po raz pierwszy, że Banks nabył czterystufuntowego żółwia do menażerii w Kew, sam natychmiast zamówił do White Acre *parkę* żółwi, pozyskanych na Galapagos i osobiście dowiezionych przez niezmordowanego Dicka Yanceya. Zdołał nawet sprowadzić do White Acre wielkie nenufary z Amazonii – lilie wodne tak ogromne i mocne, że mogą utrzymać stojące na nich dziecko – gdy tymczasem Banks do samej śmierci nigdy nawet *nie widział* wielkich nenufarów.

Co więcej, Henry wiódł żywot tak dostatni, do jakiego Banks nigdy nie doszedł. Wyczarował sobie posiadłość w Ameryce znacznie większą od czegokolwiek, co zamieszkiwał w Anglii Banks. Jego rezydencja połyskiwała na wzgórzu jak kolosalny płomień sygnalizacyjny, rzucając imponujący blask na całą Filadelfię.

Henry od wielu lat nawet ubierał się jak sir Joseph Banks. Nie zapomniał olśnienia jego garderobą, kiedy był chłopcem, i dokładał starań – jako bogaty człowiek – aby naśladować, ale też przewyższać odzienie Banksa. W konsekwencji w roku 1820 Henry wciąż się nosił w stylu, który już zupełnie wyszedł z mody. Gdy każdy mężczyzna w Ameryce dawno temu przeszedł na proste spodnie, Henry ciągle wkładał jedwabne skarpety oraz bryczesy, wykwintne białe peruki z długimi warkoczami opadającymi na plecy, buty z połyskującymi srebrnymi sprzączkami, surduty o wysokich mankietach, koszule z szerokimi żabotami i brokatowe kamizelki w jaskrawych odcieniach lawendy oraz szmaragdu.

Odziany na modłę tak lordowską, acz staroświecką, w swym barwnym, wyszukanym georgiańskim stroju Henry wyglądał rzeczywiście cudacznie. Zarzucano mu, że przypomina eksponat wystawy figur woskowych w Arkadach Peale'a*, ale jemu to nie przeszkadzało. Wyglądał właśnie tak, jak chciał wyglądać – dokładnie tak, jak sir Joseph Banks, kiedy po raz *pierwszy* go ujrzał, w gabinecie w ogrodzie Kew, w 1776 roku, kiedy to Henry złodziej (chudy, głodny oraz ambitny) wezwany został przed oblicze Banksa odkrywcy (przystojnego, eleganckiego i okazałego).

A teraz Banks nie żyje. Nie należy zapominać, że to baronet, wszakże jednak martwy. Gdy tymczasem Henry Whittaker, ubogo narodzony, dobrze ubrany imperator amerykańskiej botaniki, żyje i znakomicie prosperuje. Tak, boli go noga, żona niedomaga, a Francuzi doganiają go w interesie malarycznym, amerykańskie banki zaś są wszędzie dookoła zawodne, a on ma wielką szafę pełną starzejących się peruk oraz nigdy nie spłodził syna – ale, dobry Boże, Henry Whittaker pokonał wreszcie sir Josepha Banksa.

Nakazał Almie, by zeszła do piwniczki i zaopatrzyła go w najlepszą, jaką znajdzie, butelkę rumu do uczczenia tej okazji.

– Weź dwie butelki – dodał po namyśle.

---

* Charles Willson Peale, przyrodnik, wynalazca i żołnierz, założyciel pierwszego muzeum sztuki w Stanach Zjednoczonych, przez większość życia mieszkający w Filadelfii.

– Chyba nie powinien ojciec zbyt dużo dzisiaj pić – ostrzegła go ostrożnie Alma.

Niedawno zaledwie podźwignął się z gorączki i nie podobał się jej wyraz jego twarzy. Była niepokojąco wykrzywiona.

– Wypijemy dzisiaj tyle, ile nasze dusze zapragną, stary przyjacielu – rzekł na to wylewnie do Dicka Yanceya, jak gdyby Alma nie wypowiedziała przed chwilą ani słowa.

– *Więcej*, niż zapragną – odparł Yancey, rzucając Almie ostrzegawcze spojrzenie, które ją zmroziło.

Boże, jakże ona nie lubiła tego człowieka, mimo iż ojciec szczerze go podziwiał. Dicka Yanceya, powiedział jej kiedyś głosem pełnym prawdziwej dumy, warto mieć przy sobie, kiedy się prowadzi spór, ponieważ rozstrzyga kwestię nie za pomocą mowy, lecz noża. Tych dwóch spotkało się w dokach na Celebesie w 1788 roku. Henry, ujrzawszy, jak Yancey rękoczynem, nie wyrzekłszy ani jednego słowa, zmusił parę brytyjskich oficerów do uprzejmości, natychmiast zatrudnił go jako agenta oraz egzekutora i obydwaj od tego czasu razem plądrowali świat.

Almę Dick Yancey zawsze przerażał. Zresztą każdego. Nawet Henry nazywał Dicka „tresowanym krokodylem" i jednego razu powiedział: „Trudno orzec, który jest bardziej niebezpieczny... krokodyl tresowany czy dziki. Tak czy owak, nie włożyłbym ręki do jego paszczy na zbyt długą chwilę, niech go Bóg ma w swej opiece".

Nawet jako dziecko Alma wewnętrznie pojmowała różnicę między dwoma typami milczących ludzi na świecie: jeden był potulny i odnosił się do wszystkiego z szacunkiem; drugi to Dick Yancey. Oczy miał jak para powoli zataczających koła rekinów i gdy spojrzał teraz na Almę, te oczy wyraźnie mówiły: „Przynieś rum".

Alma zeszła więc do piwnicy i posłusznie przyniosła rum – dwie pełne butelki, po jednej dla każdego. Potem wyszła do powozowni, by zanurzyć się w pracy i uciec od spodziewanego widoku pijaństwa. Dobrze po północy zasnęła na otomanie, którą, choć niewygodna, wolała od powrotu do domu. Obudziła się o świcie i przez grecki ogród ruszyła prosto do głównego budynku, by tam zjeść śniadanie. Jednak kiedy się zbliżyła, usłyszała, że ojciec i Dick

Yancey nadal nie śpią. Na całe gardło śpiewali szanty. Henry Whittaker może od trzydziestu lat nie był na morzu, ale wciąż pamiętał piosenki.

Alma stanęła w progu i oparłszy się o drzwi, słuchała. W szarym świetle wczesnego poranka głos ojca, rozbrzmiewający echem w rezydencji, był żałosny, nienaturalny i zużyty. Brzmiał jak natarczywy odgłos dalekiego oceanu.

Niespełna dwa tygodnie później, o poranku 10 sierpnia 1820 roku, Beatrix Whittaker spadła z głównych schodów w White Acre.

Wstała wcześnie tego dnia i musiała się czuć nieźle, postanowiła bowiem, że popracuje trochę w ogrodzie. Włożyła stare, skórzane, znoszone ogrodowe trzewiki, zebrała włosy pod sztywny holenderski czepek i zaczęła schodzić po schodach. Stopnie jednak poprzedniego dnia nawoskowano, a podeszwy skórzanych butów były zbyt śliskie. Beatrix stoczyła się na dół.

Alma była już w gabinecie w powozowni, pochłonięta pracą nad redakcją artykułu dla pisma „Botanica Americana", poświęconego mięsożernemu przedsionkowi pływacza, gdy spostrzegła, że przez grecki ogród biegnie w jej kierunku Hanneke de Groot. W pierwszej chwili uznała widok biegnącej starej zarządczyni za śmieszny – powiewające spódnice, machające ramiona, twarz czerwona i nadęta. Przypominała gigantyczną beczkę piwa ubraną w suknię, podskakującą i turlającą się po dziedzińcu. Prawie parsknęła śmiechem. W następnej jednak chwili Alma spoważniała. Hanneke była wyraźnie przerażona, choć nie należała do strachliwych kobiet. Musiało wydarzyć się coś potwornego.

Alma pomyślała: *Umarł ojciec*.

Przycisnęła dłoń do serca. Proszę, tylko nie to. Proszę, nie ojciec.

Hanneke była już u drzwi, dysząc, oczy miała szeroko otwarte i dzikie. Zarządczyni się zakrztusiła, przełknęła ślinę i wyrzuciła z siebie: *„Je moeder is dood"*.

Twoja matka nie żyje.

Służący zanieśli Beatrix z powrotem do jej sypialni i położyli na łóżku. Alma z lękiem weszła do środka; dotychczas niewiele razy pozwolono jej wchodzić do sypialni matki. Zauważyła, że twarz matki poszarzała. Na czole narastał siniak, wargi były rozcięte i krwawiły. Skóra była zimna. Służba otoczyła łóżko. Jedna z pokojówek trzymała lusterko pod nosem Beatrix, czekając na jakiś ślad oddechu.

– Gdzie jest mój ojciec? – zapytała Alma.

– Jeszcze śpi – odpowiedziała pokojówka.

– Nie budźcie go – zakomenderowała Alma. – Hanneke, poluzuj jej gorset.

Beatrix zawsze nosiła bardzo dopasowany stan – zasznurowany przyzwoicie, solidnie, aż do braku powietrza. Odwrócili ciało na bok i Hanneke poluzowała tasiemki. Beatrix wciąż nie oddychała.

Alma odwróciła się ku jednemu z młodszych służących – ku chłopcu, który wyglądał, jakby potrafił szybko biegać.

– Przynieś mi *sal volatile* – powiedziała.

Spojrzał na nią bezrozumnie.

Alma pojęła, że mówiąc do dziecka, ze zdenerwowania w pośpiechu użyła łacińskiej nazwy.

– Przynieś mi węglan amonu – poprawiła się.

I znowu tępe spojrzenie. Alma omiotła wzrokiem zgromadzonych w pokoju. Ujrzała jedynie skonsternowane twarze. Nikt nie wiedział, o czym ona mówi. Używała złych słów. Skupiła się. Spróbowała jeszcze raz.

– Przynieś mi sól z rogu jelenia – poleciła.

Zaraz, nie – to też nie jest popularna nazwa – przynajmniej nie wśród tych ludzi. Określenie „róg jeleni" to archaiczna praktyka językowa, coś, co znać może tylko naukowiec. Zacisnęła powieki i szukała możliwie najbardziej rozpoznawalnej nazwy dla tego, czego potrzebowała. Jak nazywają to zwykli ludzie? Pliniusz Starszy nazywał substancję *Hammoniacus sal*. Trzynastowieczni alchemicy cały czas używali takiej samej nazwy. Ale odniesienie do Pliniusza nie pomoże w tej sytuacji, tak samo odniesienie do trzynastowiecznych alchemików nikomu się w tym pokoju nie przyda. Alma przeklęła swój umysł, śmietnik pełen martwych języków oraz niepotrzebnych detali. Traci tylko cenny czas.

Wreszcie przypomniała sobie. Otworzyła oczy i rzuciła polecenie, które zadziałało.

– Śmierdzące sole! – krzyknęła. – Biegnij! Znajdź! Przynieś!

Sole pojawiły się szybko. Mniej czasu zajęło ich znalezienie niż Almie ich *nazwanie*.

Alma przystawiła matce kryształki do nosa. Z wielkim, krztuszącym się gwałtownie haustem powietrza Beatrix wzięła oddech. Krąg pokojówek i służących zatrajkotał i sapnął ze zdumienia, jakaś kobieta krzyknęła: „Dzięki Bogu!".

Beatrix nie była więc nieżywa, choć pozostała bez zmysłów cały następny tydzień. Alma siedziała na zmianę z Prudence przy matce, obserwując ją dniami i długimi nocami. Pierwszej nocy Beatrix zwymiotowała podczas snu i Alma ją umyła oraz wszystko sprzątnęła. Ścierała także mocz i obrzydliwe odchody.

Nigdy przedtem nie widziała ciała matki – to znaczy nic oprócz twarzy, szyi oraz rąk. Kiedy myła teraz nieruchomy kształt leżący na łóżku, zobaczyła, że każdą z piersi matki zniekształca wiele twardych grudek. Guzy. Duże. Jeden z guzów sączył ropę poprzez skórę i ciekła z niego ciemna ciecz. Na jego widok Alma poczuła, że zaraz sama upadnie. Nazwa tego, co ujrzała, przyszła jej na myśl najpierw po grecku: *Karkinos*. Krab. Rak. Beatrix musiała mieć te guzy od dawna. Musiała od miesięcy, jeśli nie od lat, żyć w męczarni. Nigdy nie narzekała. Najwyżej nie zasiadała do stołu w dni, w które cierpienie stawało się nie do zniesienia, zbywając wszystkich informacją, że to zwykły zawrót głowy.

Hanneke de Groot prawie nie spała owego tygodnia, cały czas przynosiła dla Beatrix kompresy oraz buliony. To Hanneke zakładała jej świeże lniane opatrunki na głowę, zajmowała się ropiejącą piersią, próbowała wlewać płyn do jej popękanych ust, przynosiła smarowane masłem kromki dla dziewcząt. Stropiona Alma czasami zauważała ledwo dostrzegalne sygnały zniecierpliwienia ze strony matki, ale Hanneke spokojnie wypełniała wszystkie pielęgnacyjne obowiązki. Beatrix i Hanneke całe życie spędziły ze sobą. Wychowały się razem w botanicznych ogrodach Amsterdamu. Przybyły z Holandii razem na jednym statku. Obie opuściły rodziny, by popłynąć do Filadelfii i nigdy więcej już nie zobaczyć rodziców ani rodzeństwa. Teraz co jakiś czas Hanneke szlochała nad swoją panią i modliła się za nią po niderlandzku. Alma nie płakała ani się nie modliła. Prudence też nie – przynajmniej nie na oczach wszystkich.

Henry wpadał i wypadał z sypialni o dowolnej porze, zagubiony i niespokojny. Nie mógł nic pomóc. Łatwiej było, kiedy wychodził. Bo kiedy przychodził, siadał przy żonie, ale po zaledwie kilku chwilach nie był w stanie powstrzymać okrzyku: „Och, nie mogę tego znieść!", i wybiegał, ciskając przekleństwa. Zaczął się nosić niechlujnie, ale Alma nie mogła poświęcić mu wiele czasu. Obserwowała, jak matka słabnie wśród wytwornej flamandzkiej pościeli. Nie była tą samą budzącą respekt Beatrix von Devender Whittaker; była żałosnym i nieprzytomnym czymś, pełnym odoru oraz smutku rozkładu. Po pięciu dniach Beatrix dotknęło całkowite zatrzymanie moczu. Brzuch spuchł, stał się twardy i gorący. Nie była w stanie dłużej żyć.

Przybył lekarz, przysłany przez farmaceutę Jamesa Garricka, ale Alma go odesłała. Nic by Beatrix teraz nie dało upuszczenie krwi albo bańki. Zamiast tego Alma wysłała gońca do pana Garricka, prosząc o przygotowanie tynktury z opium, by mogła podawać ją matce po kropli co godzinę.

Siódmej nocy Alma mocno spała we własnym łóżku, kiedy Prudence – dyżurująca przy matce – obudziła ją dotknięciem.

– Ona mówi – rzekła Prudence.

Alma potrząsnęła głową, próbując ustalić, gdzie się znajduje. Zamrugała, oślepiona świecą w ręku Prudence. Kto mówi? Śniła o skrzydlatych zwierzętach i końskich kopytach. Jeszcze raz potrząsnęła głową, zrozumiała, przypomniała sobie.

– Co mówi? – zapytała.

– Poprosiła, żebym wyszła z pokoju – odpowiedziała Prudence pozbawionym emocji głosem. – Poprosiła, żebyś ty przyszła.

Alma narzuciła szal na ramiona.

– Idź teraz spać – rzekła do Prudence i wzięła od niej świecę.

Beatrix miała otwarte oczy, jedno z nich całkiem czerwone od wylewu. To oko się nie ruszało. Drugie badawczo penetrowało twarz Almy, czegoś szukając, uważnie tropiąc.

– Matko – odezwała się Alma, patrząc, czy nie ma w pobliżu czegoś do picia, co mogłaby jej podać.

Na stoliku przy łóżku stała filiżanka z zimną herbatą, zostawiona przez Prudence. Beatrix z pewnością nie chciałaby przeklętej angielskiej herbaty, nawet na łożu śmierci. Ale w pokoju nic więcej do picia nie było. Alma przytknęła filiżankę do ust matki. Beatrix wzięła łyk, po czym oczywiście zmarszczyła brwi.

– Przyniosę ci kawę – przeprosiła Alma.

Beatrix potrząsnęła głową, bardzo słabo.

– Co mam ci przynieść? – zapytała Alma.

Brak odpowiedzi.

– Chcesz Hanneke?

Beatrix zdała się nie dosłyszeć pytania, więc Alma je powtórzyła, tym razem po niderlandzku.

– *Zal ik Hanneke roepen?*

Beatrix zamknęła oczy.

– *Zal ik Henry roepen?*

Brak odpowiedzi.

Alma wzięła rękę matki, zimną i drobną. Nigdy dotychczas nie trzymały się za ręce. Czekała. Beatrix nie otwierała oczu. Alma zapadała już w półsen, kiedy matka przemówiła, po angielsku.

– Almo.

– Tak, matko.

– Zawsze… bądź…

– Będę z tobą cały czas.

Ale Beatrix potrząsnęła głową. Nie to miała na myśli. Jeszcze raz zamknęła oczy. I znowu Alma czekała, pokonywana wyczerpaniem w ciemnym pokoju, dojrzałym do śmierci. Minęło dużo czasu, zanim Beatrix zebrała dosyć sił, by wypowiedzieć całe zdanie.

– Zawsze… bądź z twoim ojcem… – szepnęła.

Cóż mogła Alma odrzec? Co się powinno obiecać kobiecie, która jest na łożu śmierci? Szczególnie jeśli ta kobieta jest twoją matką? Powinno się obiecać wszystko.

– Zawsze z nim będę – powiedziała Alma.

Beatrix jeszcze raz przeszukała twarz Almy jedynym sprawnym okiem, jak gdyby ważyła szczerość przysięgi. Najwyraźniej usatysfakcjonowana znowu zamknęła powieki.

Alma podała matce kolejną kroplę opium. Oddech Beatrix stał się bardzo płytki i skóra jej wyziębła. Córka myślała, że matka wypowiedziała już ostatnie słowo, ale niespełna dwie godziny później, kiedy Alma w końcu zasnęła na krześle, rozbudził ją bulgoczący kaszel. Myślała, że Beatrix się krztusi, ale zobaczyła, że matka próbuje coś mówić. Jeszcze raz zwilżyła jej wargi herbatą.

– W głowie mi wiruje.

– Przyprowadzę Hanneke – rzekła Alma.

Zdumiewające, Beatrix się uśmiechnęła.

– Nie – zaprotestowała. – *Het is fijn*.

To jest przyjemne.

A potem Beatrix zamknęła oczy i – jak gdyby z własnej woli – umarła.


Następnego ranka Alma, Prudence i Hanneke pracowały razem przy myciu i ubieraniu ciała, owijały je w całun i przygotowywały do pochówku. Była to milcząca i smutna praca.

Nie wystawiły zwłok w salonie, pomimo lokalnego obyczaju. Zresztą Beatrix nie chciałaby być oglądana, a Henry nie życzył sobie widoku ciała zmarłej żony. Mówił, że takiego widoku nie może znieść. Ponadto przy upalnej pogodzie jak najszybszy pochówek był najrozsądniejszym i najzdrowszym rozwiązaniem. Ciało Beatrix zaczęło gnić, jeszcze zanim zmarła, i teraz wszyscy obawiali się natychmiastowego i gwałtownego rozkładu. Hanneke zleciła jednemu ze stolarzy, zatrudnionych w posiadłości, żeby pośpiesznie zbił prostą trumnę. Trzy kobiety poutykały saszetki z lawendą między płótnami całunu, by powstrzymać zapach, a gdy tylko przyniesiono gotową trumnę, włożono do niej ciało Beatrix, załadowano ją na furgon i przewieziono do kościoła, by przechować w zimnej krypcie do czasu pogrzebu. Alma, Prudence i Hanneke założyły na ramię opaski z czarnej krepy jako oznaki żałoby. Miały je nosić przez najbliższe sześć miesięcy. Z uciskiem dookoła ramienia Alma czuła się jak zaobrączkowane drzewo.

W dniu pogrzebu poszli popołudniem śladem furgonu, podążając za trumną na szwedzki cmentarz luterański. Pochówek trwał krótko, był prosty, sprawny i godny. Przyszło mniej niż tuzin osób. Był James Garrick, farmaceuta. Okropnie kaszlał podczas całej ceremonii. Mówiono, że ma zrujnowane płuca od długich lat pracy ze sproszkowaną jalapą, która pozwoliła im z Henrym tak się wzbogacić. Był Dick Yancey, jego łysa głowa lśniła w słońcu jak zbroja. Był George Hawkes i Alma pragnęła móc schować się w jego ramionach. Ku jej zdumieniu, przybył także dawny woskowożółty guwerner, Arthur Dixon. Nie mogła sobie wyobrazić, skąd się w ogóle dowiedział o śmierci Beatrix, ani nie zdawała sobie sprawy, że aż tak lubił dawną pryncypałkę, ale to, że przyszedł, poruszyło ją, o czym mu powiedziała. Oczywiście przyszła także Retta Snow. Stała pomiędzy Almą i Prudence, trzymając każdą za rękę i w nietypowy dla siebie sposób cały czas milczała. Prawdę powiedziawszy, Retta przejawiała owego dnia prawie tak stoicki spokój, jakby należała do rodziny Whittakerów, co było godne pochwały.

Nikt nie uronił łzy, ale przecież Beatrix żadnej by sobie nie życzyła. Od urodzenia aż do śmierci zawsze pokazywała, że należy okazywać wyłącznie wiarygodność, samokontrolę oraz powściągliwość. Szkoda by było, aby po zakończeniu życia w poważaniu jej sprawy potoczyły się w ostatniej chwili ckliwym torem. Nie było więc szlochów. Nie będzie też po pogrzebie żadnego spotkania przyjaciół w White Acre, żadnego picia lemoniady, wspólnego wspominania oraz pocieszania. Beatrix niczego takiego by nie chciała. Alma pamiętała, że matka zawsze podziwiała instrukcje, jakie Linneusz, ojciec taksonomii, zostawił rodzinie na wypadek własnej śmierci: „Nikogo nie gościć, nie przyjmować kondolencji". Poszła więc za jego przykładem, jak tylko potrafiła najlepiej.

Trumnę opuszczono do świeżo wykopanego w gliniastej ziemi grobu. Przemówił luterański pastor. Liturgia, litania, Skład Apostolski – wszystko sprawnie szło. Nie było laudacji, bo nie należy do luterańskiego obrządku, ale było kazanie, w dobrze znany sposób ponure. Alma starała się słuchać, ale pastor nudził tak długo, że wreszcie popadła w otępienie i jedynie urywki kazania dochodziły do jej uszu. Grzech jest wrodzony, usłyszała. Łaska jest owianym tajemnicą Bożym darem. Na łaskę nie można ani zasłużyć, ani jej zmarnować, nie można ani jej zwiększyć, ani zmniejszyć. Łaska jest rzadkością. Nikt nie odgadnie, komu jest dana. Chrzest zanurza nas w śmierć. Chwała Tobie.

Gorące słońce lata się zniżało, brutalnie paląc Almę w twarz. Każdy się męczył, mrużąc oczy. Henry Whittaker był oszołomiony i jakby odrętwiały. Miał tylko jedno życzenie: kiedy trumna będzie już w dole, mają zakryć ją od góry grubą warstwą słomy. Chciał mieć pewność, że coś wytłumi okropny dźwięk pierwszych szufli ziemi spadających na pokrywę trumny jego małżonki.

# ROZDZIAŁ JEDENASTY

Dwudziestoletnia Alma Whittaker była teraz w White Acre panią na włościach.

Wśliznęła się na miejsce matki natychmiast, jak gdyby całe życie się do tego przygotowywała – w pewnym sensie rzeczywiście tak było.

Następnego dnia po pogrzebie Alma wkroczyła do gabinetu ojca i zaczęła uważnie przeglądać stosy papierów oraz listów, gotowa natychmiast przejąć zadania, które zwykle wypełniała Beatrix. Z rosnącym strapieniem zaczęła zdawać sobie sprawę, że duża część ważnej pracy – księgowości, rachunków, korespondencji – leży nietknięta od miesięcy albo nawet roku, od kiedy stan zdrowia matki zaczął się pogarszać. Alma wyrzucała sobie, że nie zauważyła tego wcześniej. Biurko Henry'ego było oczywiście zawsze zawalone ważnymi papierami, przemieszanymi ze śmieciem, nie uświadamiała sobie jednak, jak poważny się zrobił bałagan, dopóki głębiej go nie zbadała.

Oto, co odkryła: ważne dokumenty spadały z biurka Henry'ego na podłogę, przez ostatnie kilka miesięcy tworząc coś na kształt warstw geologicznych. W szafach biura tkwiły przerażające pudła kolejnych nieposortowanych papierów. Już na początku Alma dokopała się do rachunków czekających na zapłacenie od maja poprzedniego roku, do list płac, które nigdy nie zostały zrealizowane, oraz do korespondencji – gigantyczna narośl listów! – od budowniczych czekających na polecenia, od partnerów handlowych z pilnymi zapytaniami, od zamorskich kolekcjonerów, od prawników, od Urzędu Patentowego, od ogrodów botanicznych z całego świata i od najróżniejszych dyrektorów muzeów. Gdyby tylko Alma wiedziała wcześniej, że taka sterta listów jest zaniedbana, mogła pomóc przy nich miesiące temu. Teraz rzecz osiągnęła punkt niemal krytyczny. To najlepiej obrazuje fakt, że w owej właśnie chwili statek pełen roślin dla Whittakera tkwił w filadelfijskim porcie, znanym z wysokiej dokowej taksy, ale nikt nie mógł go rozładować, ponieważ kapitanowi dotychczas nie wypłacono wynagrodzenia.

Co gorsza, między ważnymi i pilnymi sprawami znajdowały się też absurdalne błahostki, setki bzdur pożerających czas. Była tam ledwo czytelna kartka od kobiety z zachodniej Filadelfii, piszącej, że jej dziecko właśnie połknęło agrafkę i ona się boi, że może umrzeć – czy ktoś w White Acre mógłby jej powiedzieć, co ma zrobić? Wdowa po przyrodniku, który przez piętnaście lat pracował dla Henry'ego na wyspie Antigua, zgłaszała brak środków do życia i prosiła o rentę. Przeterminowana nota od naczelnego architekta zieleni w White Acre oznajmiała, że natychmiast należy zwolnić jednego z ogrodników, który po godzinach zabawia się, przy arbuzie i rumie, w swojej kwaterze z wieloma młodymi niewiastami.

Czy to były sprawy, którymi matka się zajmowała – oprócz wszystkiego innego? Połknięte agrafki...? Niepocieszone wdowy...? Arbuz i rum...?

Alma nie widziała innego wyjścia, jak wyczyścić tę stajnię Augiasza, kartka po kartce. Nakłoniła ojca, by usiadł obok niej i pomagał zrozumieć poszczególne sprawy, na przykład czy ten bądź inny pozew należy brać poważnie albo dlaczego cena salsaparyli tak wzrosła ostatniego roku. Żadne z nich nie było w stanie w pełni rozszyfrować kodowanej, zbliżonej do włoskiego trójzapisowego sposobu metody, według której Beatrix prowadziła rachunkowość. Z nich dwojga Alma była lepsza w matematyce, starała się więc jak najdokładniej rozgryźć księgi rachunkowe, a równolegle tworzyła prostszą metodę księgowania na przyszłość. Prudence przydzielono do pisania grzecznościowych listów – Henry, trzymając się za głowę i ustawicznie narzekając, dyktował jej najważniejsze informacje.

Czy Alma opłakiwała matkę? Trudno powiedzieć. Po prawdzie nie miała na to czasu. Tkwiła głęboko pogrążona w bagnie pracy rodzącej frustrację, a uczucie to trudno było odróżnić od żalu. Była zmęczona i przytłoczona. Zdarzało jej się podnosić wzrok znad pracy, by zadać matce pytanie... spoglądała w stronę krzesła, na którym zawsze siadywała Beatrix... i zaskakiwała ją nieobecność. Jakby patrzyła na ścianę, gdzie przez wiele lat wisiał zegar, a teraz widać jedynie puste po nim miejsce. Nie mogła się pozbyć tego odruchu; próżnia za każdym razem ją dziwiła.

Ale była też Alma zła na matkę. Kiedy kartkowała pogmatwane dokumenty, wymagające miesięcy porządkowania, zastanawiała się, dlaczego Beatrix – świadoma własnej ciężkiej choroby – nie wyznaczyła rok wcześniej kogoś do wyręki przy pracy papierkowej. Dlaczego wkładała dokumenty do pudeł i trzymała je w szafach, zamiast szukać pomocy? Dlaczego nie nauczyła nikogo swojego skomplikowanego systemu rachunkowego albo przynajmniej nie powiedziała, gdzie odłożyła dokumentację z poprzednich lat?

Przypomniała sobie, jak dawno temu Beatrix ostrzegła ją: „Kiedy słońce stoi jeszcze wysoko, Almo, nie odkładaj pracy na potem w nadziei, że jutro poświęcisz jej więcej godzin... ponieważ jutro nie znajdziesz więcej czasu, niźli masz go dzisiaj, a kiedy zaczniesz zalegać z obowiązkami, nigdy ich nie nadgonisz".

Dlaczego więc Beatrix pozwoliła narosnąć takim zaległościom?

Być może nie wierzyła, że umiera.

Być może głowę miała tak otumanioną bólem, że straciła kontrolę nad rzeczywistością.

A być może – myślała ponuro Alma – Beatrix chciała karać żyjących całą tą pracą jeszcze długo po swojej śmierci.

Jeśli chodzi o Hanneke de Groot, Alma szybko pojęła, że jest święta. Nigdy przedtem nie zdawała sobie sprawy, jak wiele jest prac, które Holenderka wykonuje w posiadłości. Hanneke selekcjonowała, zatrudniała, uczyła, utrzymywała i sztorcowała setki służących. Zaopatrywała piwnice w żywność i zajmowała się zbiorem warzyw tak, jakby prowadziła szarżę kawalerii przez pola i ogrody. Rzucała swoim oddziałom komendy, by czyszczono srebra, mieszano sos, trzepano dywany, bielono ściany, nastawiano wieprzowinę, sypano żwir na podjazd, wytapiano smalec oraz gotowano puddingi. Była zrównoważona i świetnie potrafiła utrzymywać dyscyplinę przez co jakimś cudem radziła sobie z zazdrością, lenistwem oraz głupotą wielu ludzi i zdecydowanie to dzięki niej posiadłość jakoś funkcjonowała po wypadku Beatrix.

Pewnego ranka, niedługo po śmierci matki, Alma złapała Hanneke na wymierzaniu kary trzem pomywaczkom, które cofały się w kierunku ściany, jak gdyby miała zamiar je zastrzelić.

– Jeden dobry pracownik mógłby zastąpić was trzy – warczała Hanneke – i możecie być pewne… kiedy *znajdę* dobrego pracownika, zwolnię was wszystkie! Tymczasem wracajcie do roboty i macie więcej nie przynosić sobie samym wstydu taką nieuwagą.

– Nie mam słów, żeby ci podziękować za twoją służbę – powiedziała Alma do Hanneke, kiedy dziewczyny poszły. – Mam nadzieję, że kiedyś będę ci mogła pomóc w zarządzaniu domem, ale teraz jeszcze muszę zaprowadzić porządek w interesach ojca.

– Zawsze się wszystkim zajmowałam – odpowiedziała Holenderka bez skargi w głosie.

– Rzeczywiście, Hanneke, wygląda na to, że wykonujesz pracę dziesięciu mężczyzn.

– Twoja matka wykonywała pracę dwudziestu mężczyzn, Almo… i musiała jeszcze opiekować się twoim ojcem. Więc jednak wolę swoje prace.

Gdy Hanneke odwróciła się do wyjścia, Alma złapała ją za ramię.

– Co się robi z dzieckiem, które właśnie połknęło agrafkę? – zapytała zmęczona, marszcząc brwi.

Bez chwili zawahania bądź dociekania, skąd nagle takie dziwne pytanie, zarządczyni odpowiedziała:

– Dziecku przepisz surowe białko jajka, a matce cierpliwość. Zapewnij matkę, że po kilku dniach agrafka najprawdopodobniej bez żadnych komplikacji wyśliźnie się kloaczną dziurką dziecka. Jeśli to jest starsze dziecko, można kazać mu skakać przez skakankę, by przyspieszyć proces.

– Czy dziecko może od tego umrzeć? – zapytała Alma.

Hanneke wzruszyła ramionami.

– Może. Ale jeśli dasz takie zalecenia i zrobisz to zdecydowanym tonem, matka się będzie czuła mniej bezradna.

– Dziękuję – odparła Alma.

Retta Snow odwiedzała White Acre wiele razy podczas pierwszych tygodni po śmierci Beatrix, ale Alma i Prudence – zajęte nadrabianiem zaległości w rodzinnych interesach – nie znajdywały dla niej czasu.

– Mogłabym wam pomóc! – zaproponowała Retta.

Ale każdemu było wiadomo, że by nie mogła.

– Będę więc czekać na ciebie codziennie w gabinecie w powozowni – zadeklarowała, odsyłana z kwitkiem kilka razy z rzędu. – Kiedy skończysz tutaj zajęcia, przyjdziesz, a ja już tam będę. Będę mówić do ciebie, kiedy będziesz badać te swoje dziwne rzeczy. Będę opowiadać niebywałe historie, a ty się będziesz śmiać zachwycona. Bo ja znam nowinki z najbardziej szokujących dziedzin!

Alma nie potrafiła sobie teraz wyobrazić, że kiedykolwiek znajdzie znowu czas na wspólny śmiech z Rettą oraz zachwyt, a jeszcze mniej na kontynuowanie własnych badań. Przez długi okres po śmierci matki w ogóle nie pamiętała, że kiedykolwiek miała własną pracę. Była teraz wyłącznie napędem dla pióra, skrybą, niewolnikiem biurka ojca i administratorem onieśmielająco ogromnego domu – w dodatku zmuszonym brnąć przez bagno zadawnionych spraw. Przez dwa miesiące prawie nie wychodziła z gabinetu. I ojcu też zabraniała wychodzić.

– Potrzebuję ojca pomocy – błagała Henry'ego – inaczej nigdy z tego nie wyjdziemy.

Wreszcie, pewnego październikowego wieczoru, w samym środku segregowania, obliczania oraz rozwiązywania problemów, Henry po prostu wstał i opuścił własny gabinet, zostawiając Almę i Prudence z naręczami dokumentów.

– Gdzie ojciec idzie? – zawołała za nim Alma.

– Wychodzę, żeby się upić na umór – odpowiedział gwałtownie, mrocznym głosem. – I, na Boga, lękam się tego.

– Ojcze… – zaprotestowała.

– Kończ sama – rozkazał.

Tak więc zrobiła.

Z pomocą Prudence oraz Hanneke, ale najbardziej napędzana własnym zapałem Alma doprowadziła biuro do stanu perfekcyjnego ładu. W każdym przedsięwzięciu ojca zaprowadziła porządek –

rozwiązując po kolei, pojedynczo wszystkie uciążliwe problemy – aż ustosunkowała się do każdego zarządzenia, nakazu sądowego, urzędowego polecenia oraz rozkazu, aż odpowiedziała na każdy list, uregulowała każdy kwitek, spłaciła wszystkich inwestorów, schlebiła wszystkim kupcom oraz spełniła wszystkie nakazy wendety.

Była już niemal połowa stycznia, kiedy zakończyła; znała teraz funkcjonowanie Whittaker Company na wylot. Trwała w żałobie przez pięć miesięcy oraz dwa tygodnie, całkowicie przegapiwszy jesień. Wstała od biurka ojca i odwinęła z ramienia czarną krepę opaski żałobnej, po czym rzuciła ów przedmiot na wierzch ostatniego kosza na śmieci, zapełnionego odpadami oraz odpowiedziami odmownymi, przeznaczonymi do spalenia.

Poszła następnie do składziku introligatorskiego tuż obok biblioteki, zamknęła się w środku i szybko zadowoliła. Od miesięcy nie dotykała waginy i rozluźnienie, jakie przyniosła owa pożądana ulga, kazało jej załkać. Nie płakała również od miesięcy. Nie, to nieprawda: od lat. Zdała sobie sprawę, że w poprzednim tygodniu minęły niepostrzeżenie jej dwudzieste pierwsze urodziny – nie zauważyła ich nawet Prudence, na której drobny i starannie dobrany prezent zwykle można było liczyć.

Lecz czego się miała spodziewać? Jest starsza. Jest panią najokazalszej posiadłości w Filadelfii oraz głównym nadzorcą przedsiębiorstwa zajmującego się importem botanicznym, jednego z większych na planecie. Czas dziecinady przeminął.

Po wyjściu ze składziku Alma się rozebrała i wzięła kąpiel – mimo iż to nie była sobota – po czym poszła spać o godzinie piątej po południu. Spała trzynaście godzin. Gdy się obudziła, w domu panowała cisza. Po raz pierwszy od wielu miesięcy dom niczego od niej nie potrzebował. Cisza rozchodziła się jak muzyka. Powoli się ubrała i z przyjemnością przygotowała herbatę oraz zjadła tost. Potem przeszła przez stary grecki ogród matki (teraz szklący się lodem) i ruszyła w kierunku powozowni. Czas było wrócić, choćby na kilka godzin, do własnej pracy, którą przerwała w połowie zdania, kiedy matka spadła ze schodów.

Alma ze zdumieniem dostrzegła cienki kosmyk dymu, rozwijający się z komina powozowni. Gdy weszła do gabinetu, zobaczyła, że – zgodnie z obietnicą – Retta Snow, zwinięta na otomanie w kłębek, głęboko śpi pod grubym wełnianym kocem, czekając na nią.

– Retto! – Alma potrząsnęła ramieniem przyjaciółki. – Co ty tu, na Boga, robisz?

Wielkie zielone oczy Retty się rozwarły. Najwidoczniej w pierwszej chwili po przebudzeniu dziewczyna nie miała pojęcia, ani gdzie jest, ani kto przed nią stoi. W owej chwili jej twarz przybrała straszny wyraz. Wyglądała całkowicie dziko, nawet groźnie, i Alma odruchowo odskoczyła ze strachu, jak przed osaczonym psem. Ale zaraz Retta się uśmiechnęła i wrażenie minęło, znowu była słodką dawną Rettą.

– Moja wierna przyjaciółka – powiedziała rozespanym głosem, wyciągając rękę do Almy. – Kto cię najbardziej kocha? Kto najmocniej kocha cię? Kto o tobie myśli, kiedy wszyscy pogrążeni są we śnie?

Alma się rozejrzała po pracowni i zauważyła tajny skład pustych puszek po herbatnikach oraz walające się po podłodze bezładnie rozrzucone ubrania.

– Dlaczego śpisz w moim gabinecie, Retto?

– Bo w moim własnym domu życie stało się niemożliwie nudne. Oczywiście, tutaj życie jest też raczej nudne, ale jeśli ma się cierpliwość, jest przynajmniej szansa zobaczyć co jakiś czas pogodną twarz. Wiesz, że masz myszy w herbarium? Czemu nie trzymasz tutaj kociaka, dałby sobie z nimi radę. Widziałaś kiedykolwiek wiedźmę? Muszę ci zdradzić, jestem przekonana, że w zeszłym tygodniu w powozowni była wiedźma. Słyszałam jej śmiech. Myślisz, że powinnyśmy powiedzieć o tym twojemu ojcu? Nie wyobrażam sobie, żeby trzymanie tutaj wiedźmy mogło być bezpieczne. Ale może on by pomyślał, że po prostu zwariowałam. Zresztą on i tak chyba tak o mnie myśli. Masz tu jeszcze jakąś herbatę? Czyż te lodowate poranki nie są po prostu okrutne? Tęsknisz do lata? Co się stało z twoją czarną opaską?

Alma usiadła i przycisnęła dłoń przyjaciółki do ust. Dobrze było znowu słyszeć to jej bezładne paplanie po tylu miesiącach powagi.

– Nigdy nie wiem, na które twoje pytanie mam najpierw odpowiedzieć, Retto.

– Zacznij od środka – zaproponowała Retta. – A potem idź w obie strony.

– Jak wyglądała wiedźma? – zapytała Alma.

– Ha! Teraz to ty zadajesz za dużo pytań! – Retta zeskoczyła z otomany i strząsnęła resztki snu. – Pracujemy dzisiaj?

Alma się uśmiechnęła.

– Tak, przypuszczam, że dzisiaj pracujemy… nareszcie.

– I cóż badamy, moja droga Almo?

– Badamy *Utricularia clandestina*, moja droga Retto.

– Roślinę?

– Jak najbardziej.

– Och, nazywa się pięknie!

– Bądź pewna, że taka nie jest – odrzekła Alma. – Ale jest interesująca. A co Retta dzisiaj zgłębia?

Alma podniosła kobiece pismo z podłogi obok otomany i przekartkowała.

– Zgłębiam suknie, w jakich mogłaby pójść do ślubu modna dziewczyna – odpowiedziała niefrasobliwie Retta.

– I wybierasz taką suknię? – zapytała równie niefrasobliwie Alma.

– Jak najbardziej!

– I cóż ty zrobisz z taką suknią, droga ptaszyno?

– Och, zamierzam ją włożyć do ślubu.

– Wyborny plan! – odrzekła Alma i podeszła do stołu laboratoryjnego, by siąść do notatek sprzed sześciu miesięcy.

– Ale rzecz w tym, że na tych wszystkich rysunkach są krótkie rękawy – nie przestawała szczebiotać Retta – i martwię się, że zmarznę. Oczywiście mogę narzucić szal, ale wtedy nikt nie będzie mógł podziwiać naszyjnika, który mama pozwoliła mi włożyć. Chciałabym także mieć stroik z róż, chociaż to nie jest ich pora, a do tego niektórzy mówią, że to w ogóle jest nieelegancko nieść stroik z kwiatów.

Alma odwróciła się jeszcze raz do przyjaciółki.

– Retto – powiedziała, tym razem poważniejszym tonem – chyba nie wychodzisz na serio za mąż, prawda?

– Mam nadzieję, że na serio! – roześmiała się Retta. – Mówiono mi, że za mąż *powinno* się wychodzić wyłącznie na serio!

– I za kogo zamierzasz wyjść?

– Za pana George'a Hawkesa – odparła Retta. – Za tego pociesznego, poważnego pana. Tak się cieszę, Almo, że mój przyszły mąż jest kimś, kogo bardzo lubisz, bo to znaczy, że będziemy się wciąż przyjaźnić. On ciebie ogromnie podziwia, a ty jego, co musi znaczyć, że to dobry człowiek. Naprawdę, tylko dlatego ufam George'owi, że ty darzysz go tak głębokim uczuciem. Poprosił mnie o rękę krótko po śmierci twojej matki, ale nie chciałam wcześniej o tym mówić, bo tak bardzo cierpiałaś, moje biedactwo. Nie miałam nawet pojęcia, że mu się podobam, ale mama mówi, że podobam się wszystkim, niech będą błogosławieni, i nikt nie może mi się oprzeć.

Alma usiadła na podłodze. W tej chwili była w stanie *wyłącznie* usiąść na podłodze.

Retta podbiegła do przyjaciółki i przysiadła obok.

– Popatrz sama! Ale cię wzięło z mojego powodu! Tak się mną przejmujesz!

Objęła Almę w talii, tak samo jak pierwszego dnia, kiedy się spotkały, i mocno przytuliła.

– Muszę ci wyznać, że sama też jestem troszkę pod wrażeniem. Czego taki mądry człowiek może chcieć od takiego głupiego strzępka jak ja? Najbardziej zaskoczony był mój ojciec. Powiedział: „Loretto Mario Snow, zawsze uważałem ciebie za jedną z tych dziewcząt, które poślubiają przystojnych, durnych mężczyzn noszących wysokie buty i polujących dla przyjemności na lisy!". Ale popatrz… zamiast tego poślubię naukowca. Wyobraź sobie tylko, może w końcu od tego zmądrzeję, Almo, zamężna z mężczyzną o tak wysokogatunkowym umyśle. Chociaż muszę przyznać, że George, kiedy odpowiada na moje pytania, nie jest ani trochę tak cierpliwy jak ty. Mówi, że problem wydawania publikacji o tematyce botanicznej jest zbyt złożony, by mógł mi go wyjaśnić, i faktycznie, nadal nie potrafię odróżnić litografii od ryciny. Tak to się nazywa, prawda… litografia? Więc mogę zostać tak samo głupia, jak byłam! Mniejsza z tym, będziemy mieszkać w Filadelfii, zaraz po drugiej stronie rzeki, najlepiej jak tylko można! Ojciec obiecał wybudować nam uroczy nowy dom, tuż obok drukarni George'a. Będziesz musiała codziennie do mnie zaglądać! Albo przynajmniej co tydzień i będziemy razem we trójkę chodzić na przedstawienia do Old Drury!

Alma, wciąż siedząc na podłodze, nie była zdolna nic wykrztusić. Jedyne, co czuła, to wdzięczność dla Retty, że wtuliła głowę w jej piersi, kiedy trajkotała, i nie może zobaczyć wyrazu jej twarzy.

George Hawkes ma się ożenić z Rettą Snow?

Ale przecież George miał być mężem Almy. Oglądała to wyraźnie oczami wyobraźni od prawie pięciu lat. Myślała o nim w składziku introligatorskim. Ale nie tylko tam! Myślała o nim także w powozowni. Wyobrażała sobie, jak razem pracują. Zawsze sobie wyobrażała, że odejdzie z White Acre, gdy przyjdzie czas ślubu z George'em. Będą razem mieszkać w małym pokoiku nad drukarnią, wypełnionym miłym zapachem tuszu oraz papieru. Wyobrażała sobie, jak razem podróżują do Bostonu albo nawet i dalej. Widziała ich razem tak daleko, jak Alpy, jak wspinają się na głazy, polując na sasanki i skalny jaśmin. On mówiłby do niej: „Co myślisz o tym gatunku?", a ona odpowiadałaby: „Jest szlachetny i rzadki".

Zawsze był dla niej taki miły. Raz ścisnął jej rękę między swoimi dłońmi. Patrzyli przez wziernik tego samego mikroskopu po *tylekroć* – ona po nim, a potem odwrotnie – wymieniając się własnymi zachwytami. „Nie, ty musisz popatrzeć pierwsza", zawsze mówił George. „Nalegam, proszę".

Co mogło w jakikolwiek sposób pociągnąć George'a Hawkesa w Retcie Snow jako w towarzyszce przyszłych dni? Alma pamiętała, że George ledwie mógł patrzeć na Rettę bez podszytego zażenowaniem skrępowania. Jak zawsze spoglądał na nią, na Almę, zmieszany, kiedy Retta się odzywała, jak gdyby szukał pomocy, pocieszenia albo wyjaśnienia. Te szybkie spojrzenia między George'em a Almą dotyczące Retty były ich najsłodszą zażyłością – albo przynajmniej Alma sobie roiła, że nią są.

Najwyraźniej roiła sobie wiele rzeczy.

W głębi duszy wciąż miała nadzieję, że to tylko kolejna dziwna zabawa Retty albo może złudnie puszczone wodze dziewczęcej wyobraźni. Przecież zaledwie chwilę wcześniej przyjaciółka utrzymywała, że w powozowni mieszkają wiedźmy, wszystko było więc możliwe. Ale nie. Alma zbyt dobrze ją znała. To nie była Retta dokazująca. To była Retta poważna. Retta paplająca o problemie z rękawami i szalach na ślub w lutym. To była Retta całkiem serio martwiąca się naszyjnikiem, który matka zamierzała jej pożyczyć i który był zdecydowanie kosztowny, ale niezupełnie jej odpowiadał: *A jeśli łańcuszek jest za długi? Jeśli się zaczepi o gorset?*

Alma podniosła się gwałtownie i pociągnęła Rettę z podłogi. Nie mogła już tego znieść. Nie była w stanie siedzieć nieruchomo i wysłuchiwać kolejnych słów na ten temat. Bez żadnego planu objęła Rettę. Znacznie łatwiej było ją objąć, niż na nią patrzeć. Rettę zamurowało. Alma złapała ją tak mocno, że usłyszała, jak dziewczyna bierze gwałtownie wdech z piskiem zdumienia. Kiedy tylko poczuła, że Retta może chcieć coś powiedzieć, nakazała jej: „Ciiiii…", i ścisnęła przyjaciółkę jeszcze mocniej.

Ramiona Almy były obdarzone niezwykłą siłą (miała ręce kowala, tak jak jej ojciec), a Retta była taka malutka, z klatką piersiową niczym króliczek. Niektóre węże zabijają w ten sposób, obejmując coraz ciaśniej i ciaśniej, aż całkowicie ustanie oddech. Alma ścisnęła mocniej. Retta wydała kolejny słaby pisk. Alma złapała jeszcze silniej – tak zdecydowanie, że uniosła Rettę nad podłogę.

Przypomniała sobie dzień, kiedy się spotkały: Alma, Prudence i Retta. Łyżka, skrzypce i widelec. Retta powiedziała: „Gdybyśmy były chłopcami, musiałybyśmy teraz walczyć". Ale Retta nie potrafiła walczyć. Przegrałaby w takiej bitwie. Przegrałaby tragicznie. Alma natężyła jeszcze bardziej uścisk ramion dookoła tej malutkiej, bezużytecznej, drogocennej osóbki. Zacisnęła powieki, ale łzy i tak wyciekły z kącików. Czuła, jak Retta wiotczeje w uścisku. Tak łatwo byłoby pozbawić ją oddechu. Głupia Retta. Ukochana Retta, która – nawet teraz! – daje radę przeciwstawić się wszelkim próbom, by jej nie kochać.

Upuściła przyjaciółkę na podłogę.

Retta opadła na nogi, łapiąc oddech i z trudnością zachowując równowagę.

Alma zmusiła gardło do mowy.

– Gratuluję ci szczęścia – wykrztusiła.

Retta raz zaszlochała i obciągnęła gorset drżącymi palcami. A potem bardzo niemądrze i bardzo ufnie się uśmiechnęła.

– Jesteś taką dobrą Almusią! – powiedziała. – I tak mocno mnie kochasz!

W dziwnym geście nieomal męskiej sztywnej formalności Alma Whittaker podała Retcie rękę i zdołała wykrztusić jeszcze tylko jedno zdanie: „Ze wszech miar zasłużyłaś".


– *Wiedziałaś* o tym?

Niespełna godzinę później Alma zażądała od Prudence wyjaśnienia, znalazłszy ją przy haftowaniu w salonie.

Prudence odłożyła na podołek robótkę, splotła dłonie i nic nie odpowiedziała. Miała zwyczaj nie wdawać się w konwersację na żaden temat, dopóki szczegółowo nie poznała okoliczności. Alma jednak mimo to czekała, pragnąc zmusić siostrę do mówienia, na czymś ją przyłapać. Jednak na czym? Twarz siostry nic nie ujawniała, a jeśli Alma sądziła, że Prudence Whittaker jest na tyle głupia, że w tak napiętej sytuacji zacznie mówić pierwsza, to w takim razie nie znała Prudence Whittaker.

W milczeniu, które nastąpiło, Alma czuła, jak jej wściekłość przemienia się z płonącego oburzenia w coś bardziej tragicznego i rozdrażnionego, coś przykrego i smutnego.

– Czy wiedziałaś – zmuszona była w końcu zapytać – że Retta Snow ma wyjść za George'a Hawkesa?

Wyraz twarzy Prudence nie uległ żadnej zmianie, ale Alma dostrzegła cieniutką białą kreskę, która pojawiła się na krótką chwilę dookoła ust siostry, jak gdyby od odrobinę mocniej zaciśniętych warg. Ale potem kreska zniknęła, równie szybko jak się pojawiła. Może nawet Alma tylko ją sobie wyobraziła.

– Nie – odpowiedziała Prudence.

– Jak to możliwe?

Prudence nic nie powiedziała, więc Alma kontynuowała.

– Retta mówi, że się zaręczyli zaraz po śmierci naszej matki.

– Acha – odrzekła Prudence po dłuższej przerwie.

– Czy Retta wiedziała, że ja… – Alma musiała powstrzymać szloch. – Czy Retta wiedziała, że darzę go uczuciem?

– A jakże ja mam ci udzielić na to odpowiedzi? – odparła Prudence.

– Czy dowiedziała się tego od *ciebie*? – Ton Almy był napastliwy i szorstki. – Czy kiedykolwiek jej o tym powiedziałaś? Jesteś jedyną osobą, która mogła jej powiedzieć, że kocham George'a.

Cienka biała kreska dookoła ust siostry pojawiła się teraz powtórnie, na dłuższą chwilę. To nie omyłka. To był gniew.

– Przypuszczałabym, Almo – odparła Prudence – że po tylu latach powinnaś lepiej znać mój charakter. Czy gdyby ktoś przyszedł kiedykolwiek do mnie po plotki, odszedłby zadowolony?

– Czy Retta kiedykolwiek przyszła do ciebie po plotki?

– To nie ma znaczenia, czy przyszła czy nie, Almo. Czy kiedykolwiek widziałaś, jak zdradzam czyjąś tajemnicę?

– Przestań odpowiadać mi pytaniami! – krzyknęła Alma. – Powiedziałaś czy nie powiedziałaś kiedykolwiek Retcie, że kocham George'a Hawkesa?!

Alma spostrzegła, że w otwartych drzwiach jakiś cień zawahał się, po czym zniknął. Dostrzegła jedynie mignięcie fartuszka. Widocznie pokojówka chciała wejść do salonu, ale najwyraźniej zmieniła zdanie i uskoczyła na bok. Dlaczego w tym domu nie można nigdy mieć ani krzty prywatności? Prudence także nie była zadowolona, spostrzegłszy cień. Wstała i podeszła, by ostentacyjnie stanąć naprzeciwko Almy – zaiste, całkiem groźnie stanąć. Siostry nie mogły patrzeć sobie w oczy z powodu zbyt dużej różnicy wzrostu, niemniej jednak Prudence, niższa o co najmniej trzydzieści centymetrów, zdołała spojrzeć na Almę z góry.

– Nie – powiedziała niskim i stanowczym głosem. – Nic nikomu nie powiedziałam i nigdy nie powiem. Co więcej, twoje podejrzenia obrażają mnie i są niesprawiedliwe dla nich obojga, dla Retty Snow oraz dla pana Hawkesa, których sprawy… czego im z całego serca życzę… są wyłącznie ich własne. A najgorsze z tego wszystkiego to to, że twoje przesłuchanie poniża ciebie samą. Przykro mi z powodu twojego rozczarowania, ale winne jesteśmy naszym przyjaciołom radość oraz najszczersze życzenia szczęścia.

Alma chciała coś dalej mówić, ale Prudence jej przerwała.

– Lepiej będzie, jak odzyskasz panowanie nad sobą, zanim cokolwiek powiesz, Almo – ostrzegła – inaczej będziesz żałować tego, co wyjawisz, cokolwiek by to było.

To akurat nie podlegało dyskusji. Alma *już* żałowała. Wolałaby nigdy nie zaczynać tej rozmowy. Ale było za późno. Najlepiej w tej chwili ją zakończyć. Cudowna okazja, by Alma wreszcie zamknęła usta. Tymczasem, to straszne, nie była w stanie się opanować.

– Chciałam tylko wiedzieć, czy Retta była wobec mnie nielojalna – wypaliła.

– Tego, powiadasz, chciałaś? – zapytała z niezmąconym spokojem Prudence. – A więc przypuszczasz, że twoja i moja przyjaciółka, panna Retta Snow... najbardziej niewinne stworzenie, jakie kiedykolwiek spotkałam... rozmyślnie ci ukradła George'a Hawkesa? W jakim celu, Almo? Dla własnej sportowej satysfakcji? I gdy prowadzisz to przesłuchanie, czy także przypuszczasz, że i ja byłam wobec ciebie nielojalna? Czy przypuszczasz, że zdradziłam Retcie twój sekret, by wystawić ciebie na pośmiewisko? Czy przypuszczasz, że zachęcałam Rettę, by uganiała się za panem Hawkesem, jak w jakiejś złośliwej zabawie? Czy przypuszczasz, że pragnę ujrzeć, jak dosięga cię kara?

Litości, ależ ta Prudence umiała być nieprzejednana. O to samo Henry miał zawsze pretensję do Beatrix – że do takiego stopnia przypominała prawnika. Alma nigdy nie czuła się tak ohydnie ani nigdy jeszcze nie wyszła na tak małostkową. Usiadła na najbliższym krześle i ukryła twarz w dłoniach. Ale Prudence stanęła nad nią i ciągnęła:

– Zresztą w tym czasie, Almo, i ja dorobiłam się nowiny do zakomunikowania. Miałam zamiar poczekać z tym, aż nasza rodzina zakończy żałobę, ale widzę, że zadecydowałaś, iż żałoba zakończona.

Prudence dotknęła prawego ramienia Almy – pozbawionego czarnej opaski z krepy – aż dziewczyna się wzdrygnęła.

– Ja także mam zamiar wziąć ślub – oznajmiła Prudence bez śladu tryumfu czy radości w głosie. – Pan Arthur Dixon poprosił mnie o rękę, a ja przyjęłam jego oświadczyny.

Głowę Almy na krótką chwilę wypełniła idealna pustka. Kimże, na Boga, jest Arthur Dixon? Na szczęście nie wypowiedziała pytania na głos, albowiem w następnym momencie oczywiście sobie przypomniała, kim on jest, i poczuła, jak niedorzeczne było w ogóle takie zdumienie. Arthur Dixon: ich dawny guwerner o woskowej skórze i dziobatej twarzy. Ten nieszczęśliwy przygarbiony mężczyzna, który jakoś zdołał wbić Prudence do głowy francuszczyznę i markotnie pomagał Almie doskonalić grekę. Owo smutne stworzenie wilgotnie wzdychające i smętnie kaszlące. Drobna, mała, nudna figura, której twarz ani razu nie zaprzątnęła pamięci Almy od tej chwili, w której ukazała się jej po raz ostatni, co nastąpiło... kiedy? Cztery lata temu? Gdy ostatecznie opuścił White Acre, by objąć posadę profesora języków starożytnych na Uniwersytecie Pensylwanii? Nie, Alma ze zdumieniem zdała sobie nagle sprawę, że widziała Arthura Dixona całkiem niedawno, na pogrzebie matki. Nawet do niego coś powiedziała. Wystąpił z uprzejmymi kondolencjami, a Alma się wówczas zastanawiała, co on, u diabła, tutaj robi.

No to teraz wiedziała, co robił. Najwyraźniej przyjechał, żeby się zalecać do dawnej uczennicy, która zrządzeniem losu jest najpiękniejszą młodą kobietą w Filadelfii oraz, trzeba dodać, potencjalnie najbogatszą.

– A kiedy odbyły się te zaręczyny? – zapytała Alma.

– Tuż przed śmiercią naszej matki.

– Jak?

– Zgodnie z przyjętym obyczajem – odparła chłodno Prudence.

– Czy to wszystko się wydarzyło w tym samym czasie? – żądała wyjaśnień Alma. Na samą myśl ją zemdliło. – Czy zaręczyłaś się z panem Dixonem w tym samym czasie co Retta Snow z George'em Hawkesem?

– Nie są mi znane sprawy innych ludzi – oświadczyła Prudence. Jednak zaraz potem lekko złagodniała i przyznała: – Ale na to wygląda... przynajmniej w przybliżeniu. Moje zaręczyny nastąpiły chyba kilka dni wcześniej. Chociaż to nie ma najmniejszego znaczenia.

– Czy ojciec wie?

– Dowie się wkrótce. Arthur czekał z oficjalnym wystąpieniem o rękę do zakończenia żałoby.

– Ale co, na Boga, Arthur Dixon zamierza powiedzieć naszemu ojcu, Prudence? Ojciec go przeraża. Nie mogę sobie tego wyobrazić. Jak Arthur poradzi sobie z tą rozmową, nie mdlejąc od progu? I co ty będziesz robić przez resztę życia, kiedy poślubisz *naukowca*? Prudence się wyprostowała i obciągnęła spódnicę.

– Zastanawiam się, Almo, czy zdajesz sobie sprawę, że bardziej tradycyjną reakcją na wiadomość o zaręczynach jest życzenie przyszłej pannie młodej wielu lat w zdrowiu oraz szczęściu… szczególnie jeśli przyszła panna młoda jest twoją siostrą.

– Och, Prudence, przepraszam… – zaczęła Alma, enty raz tego dnia zawstydzona sama sobą.

– Nie przejmuj się – odparła Prudence, ruszając w stronę drzwi. – Niczego innego się po tobie nie spodziewałam.


W życiu zdarzają się dni, które chciałoby się wykreślić z kalendarza. Być może pragniemy wykreślić taki dzień, ponieważ przyniósł nam druzgocący ból serca, o którym ponownej myśli nie możemy znieść. Ewentualnie możemy pragnąć na zawsze wymazać jakiś epizod z naszego życia, ponieważ kiepsko się spisaliśmy owego dnia. Może byliśmy żenująco samolubni albo zdumiewająco głupi. Albo zraniliśmy kogoś owego dnia i pragniemy zapomnieć o naszej winie. Czasami tragicznym splotem zdarzeń nadchodzi taki dzień, kiedy wszystkie owe trzy niefortunne okoliczności występują jednocześnie – gdy jesteśmy naraz załamani, poniżeni i niewybaczalnie kogoś krzywdzimy. Dla Almy Whittaker taki był właśnie dzień dziesiąty stycznia 1821 roku. Uczyniłaby wszystko, co w jej mocy, aby wykreślić ów dzień z księgi swego życia.

Nigdy sobie nie wybaczy, że jej pierwsza reakcja na radosne nowiny od obojga najbliższych przyjaciół oraz od biednej siostry stała się pokazem niskiej zazdrości, bezmyślności oraz (przynajmniej wobec Retty) fizycznej przemocy. Co wpajała im zawsze Beatrix? „Nie ma nic ważniejszego od poczucia godności, dziewczęta, i czas pokaże, która je ma, a która nie”. Dziesiątego stycznia 1821 roku Alma Whittaker pokazała, że jest młodą kobietą pozbawioną poczucia godności.

Męczyło ją to przez wiele następnych lat. Alma dręczyła siebie – ciągle, bez przerwy – wyobrażeniami wszelkich innych sposobów własnego zachowania tamtego dnia, gdyby tylko trzymała namiętności pod lepszą kontrolą. W poprawionej rozmowie z Rettą Alma objęłaby przyjaciółkę z najdoskonalszą czułością, zrodzoną na samo brzmienie nazwiska George'a Hawkesa, i rzekłaby opanowanym głosem: „Jaki z niego szczęściarz, że zdobył ciebie!". W skorygowanej rozmowie z Prudence nigdy nie oskarżyłaby siostry o wydanie jej tajemnicy Retcie i oczywiście nigdy nie oskarżyłaby Retty o kradzież George'a Hawkesa, a gdy siostra obwieściłaby jej nowinę o własnych zaręczynach z Arthurem Dixonem, Alma uśmiechnęłaby się serdecznie, ujęłaby czule dłoń siostry i powiedziała: „Nie wyobrażam sobie bardziej dla ciebie odpowiedniego dżentelmena".

Niestety, człowiek nie otrzymuje drugiej szansy, by nie popełnić tych gaf.

Trzeba jednak oddać jej sprawiedliwość: od jedenastego stycznia 1821 roku – zaledwie od następnego dnia! – Alma stała się znacznie lepszym człowiekiem. Pozbierała się tak szybko, jak tylko była w stanie. Zdecydowanie i z oddaniem okazywała wspaniałomyślność w sprawie obu zaręczyn. Postanowiła grać rolę osoby opanowanej, młodej kobiety autentycznie radującej się cudzym szczęściem. A gdy w następnym miesiącu odbyły się oba wesela, rozdzielone zaledwie tygodniem, dała radę być czarującym i serdecznym gościem na obu. Pomagała pannom młodym i była miła dla panów młodych. Nikt nie dostrzegł w niej pęknięcia.

Co rzekłszy, stwierdzamy, iż Alma Whittaker cierpiała.

Straciła George'a Hawkesa. Na dokładkę zostawiły ją i siostra, i jedyna przyjaciółka. Obie, Prudence i Retta, każda od razu po swoim ślubie, przeniosły się do centrum Filadelfii. Nastąpił koniec skrzypiec, łyżki oraz widelca. W White Acre pozostała wyłącznie Alma (która dawno temu zdecydowała, że jest widelcem). Jedyne pocieszenie znajdowała w tym, że nikt więcej oprócz Prudence nie wie, że dawniej kochała George'a Hawkesa. Nic nie była w stanie uczynić, aby wymazać porywcze wyznanie, którym się tak nieostrożnie podzieliła z siostrą (dobre nieba, jakże ona tego żałowała!), ale przynajmniej Prudence umiała milczeć jak grób, nie ujawni sekretu. Sam George nie sprawiał wrażenia, aby kiedykolwiek zdawał sobie sprawę, że Almie na nim zależy, ani też nie zdawał sobie sprawy, że kiedykolwiek mogła podejrzewać, iż jemu zależy na niej. Traktował Almę tak samo po swoim ślubie, jak przed nim. Wcześniej był przyjacielski oraz profesjonalny i potem też był przyjacielski oraz profesjonalny. Dla Almy niosło to zarówno pocieszenie, jak i rozczarowanie. Pocieszenie, ponieważ nie rodziło między nimi ciążącego poczucia porażki, nie powodowało żadnego widocznego znaku poniżenia. Rozczarowanie, albowiem w rzeczywistości nic się między nimi nie wydarzyło – nic oprócz tego, o czym Alma pozwoliła sobie marzyć.

Wszystko to przynosiło Almie wielki wstyd, kiedy patrzyła wstecz. Niestety, nieczęsto udawało się takie patrzenie za siebie powstrzymać.

Na dokładkę wyglądało na to, że Alma uwiązana zostanie do White Acre na zawsze. Ojciec jej potrzebował. Każdego dnia było to coraz bardziej widoczne. Prudence wydał bez żadnego sprzeciwu (a nawet pobłogosławił adoptowaną córkę całkiem szczodrym wianem, nie był też niemiły dla Arthura Dixona, nudziarza i prezbiterianina), ale Almie nigdy nie pozwoliłby odejść. Prudence nie przedstawiała dla Henry'ego żadnej wartości, Alma jednak była mu niezbędna, szczególnie teraz, kiedy zabrakło Beatrix.

W ten oto sposób Alma zastąpiła własną matkę. Była zmuszona przejąć jej rolę, nikt inny bowiem nie dałby sobie rady z Henrym Whittakerem. Alma pisała jego listy, płaciła jego rachunki, wysłuchiwała jego skarg, pilnowała, ile spożywa rumu, służyła komentarzem na temat podejmowanych planów i łagodziła jego gniew. Przywoływana do gabinetu o którejkolwiek porze dnia albo nocy nigdy dokładnie nie wiedziała, czego ojciec może tym razem od niej chcieć ani jak długo przyjdzie jej tam zabawić. Mógł siedzieć przy biurku i skrobać igłą do szycia jedną po drugiej złote monety z wielkiego stosu, próbując dociec, czy złoto jest podrabiane, i pragnąc usłyszeć jej opinię na ten temat. Mógł być po prostu znudzony i chcieć, aby Alma przyniosła mu filiżankę herbaty i zagrała z nim w karcianą grę *cribbage* albo by przypomniała mu słowa starej piosenki. W te dni, kiedy cierpiało jego ciało albo gdy wyrwano mu właśnie ząb lub do piersi przyklejono rozgrzewające plastry, wzywał Almę do gabinetu wyłącznie po to, by mieć przed kim się poskarżyć na ból. Mógł też, bez konkretnego powodu, zwyczajnie mieć ochotę kapryśnie ponarzekać. („Dlaczego jagnię musi smakować jak baran w tym domu?", mógł zrzędzić. Albo: „Dlaczego pokojówki muszą ustawicznie przesuwać dywany? Człowiek nie wie, gdzie ma oprzeć stopy. Jak długo jeszcze mam znosić upadki?").

W dni bardziej pracowite, kiedy miał lepsze samopoczucie, Henry znajdował dla Almy prawdziwą pracę do wykonania. Mógł jej potrzebować do napisania listu z pogróżkami do dłużnika, który zalegał ze spłatą. („Napisz mu, że musi zacząć spłacać w ciągu dwóch tygodni, inaczej zajmę się przyszłością jego dzieci tak, że resztę życia spędzą w przytułku". Henry dyktował, a Alma pisała swoje: „Szanowny Panie, z całym szacunkiem zwracam uwagę, iż nadszedł czas, by łaskawie zakrzątnął się Pan wkoło owego długu..."). Albo też otrzymywał zbiór suszonych okazów botanicznych zza morza, które natychmiast kazał Almie rekonstytuować wodą i szkicować oraz opisywać, zanim zgniją. Lub potrzebował jej do napisania listu do kolekcjonera roślin z Tasmanii, który zapracowywał się na śmierć gdzieś na krańcach planety, zbierając egzotyczne okazy dla Whittaker Company.

– Niechże ta leniwa klucha zrozumie – mówił Henry, rzucając córce przez biurko blok papieru listowego – że nic to mi nie daje, jak pisze do mnie, że taki to a taki gatunek został znaleziony u brzegów jakiegoś strumyka o nazwie, wedle mego przypuszczenia, pochodzącej z własnej inwencji tego durnia, bo nie znajdę jej na żadnej istniejącej mapie. Pisz mu, że potrzebne mi są *przydatne* informacje. Pisz mu, że mniej niż zeszłoroczny śnieg obchodzi mnie jego podupadające zdrowie. Moje zdrowie też podupada, ale czy naprzykrzam mu się narzekaniem? Pisz mu, że zapewniam dziesięć dolarów od każdej setki próbek, ale wymagam, żeby był *precyzyjny*, a próbki *identyfikowalne*. Pisz mu, że musi przestać przyklejać wysuszone okazy do papieru, bo niszczy je w ten sposób, co dotychczas powinien był już sobie cholernie dobrze wbić do głowy. Pisz mu, że ma stosować dwa termometry w każdym wiwarium… jeden przymocowany do szkła, a jeden ułożony na glebie. Pisz mu, że zanim wyśle jakiekolwiek następne okazy, musi przekonać załogę okrętu, aby zabierali skrzynie z jego ładunkiem z pokładu, jeśli się spodziewają w nocy przymrozków, ponieważ nie zapłacę mu złamanego szeląga za kolejny transport skrzyni z czarną pleśnią udającą roślinę. I napisz mu, że nie, nie wyślę mu znowu zaliczki. Napisz, że i tak ma szczęście, że w ogóle zachowuje posadę, mimo że ze wszelkich sił się stara, abym zbankrutował. Pisz, że zapłacę mu, kiedy na to zapracuje. („Szanowny Panie", zaczynała Alma pismo, „niniejszym informujemy, iż Whittaker Company wyraża swą największą wdzięczność za Pana dotychczasowe starania oraz ubolewa nad wszelkimi niewygodami, jakich mógł Pan doświadczyć…").

Nikt inny tego nie potrafił. Nadawała się tylko Alma. Było tak, jak Beatrix zapowiedziała na łożu śmierci: Alma nie mogła zostawić ojca.

Czy Beatrix przewidziała również, że Alma nigdy nie wyjdzie za mąż? Prawdopodobnie tak. Zresztą kto wziąłby Almę? Kto wziąłby tę wielką kobiecą istotę, blisko na sążeń wysoką, nad miarę napakowaną wiedzą i której włosy przypominały koguci grzebień? Najlepszym kandydatem był George Hawkes – zaiste jedynym kandydatem – ale to już nie wchodziło w grę. Alma zdawała sobie sprawę, że szukanie męża to beznadziejne zadanie, jak wyraziła się kiedyś do Hanneke de Groot, gdy obie przycinały pewnego dnia bukszpan w starym greckim ogrodzie matki.

– Nigdy nie przyjdzie na mnie kolej, Hanneke – powiedziała ni stąd, ni zowąd Alma.

Wyrzekła to bez żalu, jedynie ze szczerą otwartością. Jest coś takiego w języku niderlandzkim (a Alma zawsze mówiła do Hanneke po niderlandzku), co wywołuje w człowieku szczerą otwartość.

– Daj sobie trochę czasu – odparła Hanneke, dokładnie rozumiejąc, o czym Alma mówi. – Jeszcze może się pojawić mąż, który cię szuka.

– Wierna Hanneke – powiedziała czule Alma – bądźmy szczere… Kto zechciałby włożyć obrączkę na tę moją rękę, co wygląda, jakby należała do żony rybaka? Kto zechciałby kiedykolwiek ucałować tę głowę-encyklopedię?

– Ja ją ucałuję – rzekła Hanneke i przyciągnęła Almę, by złożyć pocałunek na jej skroni. – A więc to mamy załatwione. Przestań narzekać. Zawsze się tak zachowujesz, jakbyś wszystko wiedziała, ale nie znasz wszystkiego. Twoja matka robiła ten sam błąd. Widziałam więcej w życiu niż ty i ci powiem, że nie jesteś jeszcze za stara na małżeństwo… i jeszcze ciągle możesz założyć rodzinę. Nie ma pośpiechu. Pomyśl o pani Kingston z ulicy Locust. Musi mieć chyba z pięćdziesiąt lat, a obdarzyła męża bliźniętami! Prawdziwa z niej żona Abrahama. Ktoś powinien zbadać jej łono.

– Przyznam, Hanneke, że nie wierzę, aby pani Kingston rzeczywiście miała pięćdziesiąt lat. I nie wierzę, by zechciała poddawać badaniu swoją macicę.

– Powiadam tylko, że dokładnie w takim samym stopniu nie znasz wyroków przyszłości, Almo Whittaker, w jakim sądzisz, że je znasz. Muszę ci powiedzieć jeszcze coś… – Hanneke przerwała pracę i spoważniała. – Każdego spotyka w życiu zawód, drogie dziecko.

Alma kochała niderlandzkie brzmienie słowa „dziecko". *Kindje*. Tak właśnie zawsze Hanneke ją nazywała, kiedy była mała i przestraszona w środku nocy gramoliła się na łóżko zarządczyni. *Kindje*. Brzmiało jak czysta serdeczność.

– Wiem o tym, Hanneke.

– Nie jestem pewna, czy masz taką świadomość. Jesteś wciąż młoda, więc myślisz wyłącznie o sobie. Nie zauważasz rzeczy, które zdarzają się innym ludziom dookoła ciebie. Nie protestuj, tak jest. Nie potępiam cię. Byłam tak samo egocentryczna, kiedy byłam w twoim wieku. Samolubność jest prawem młodości. Teraz jestem mądrzejsza. Szkoda, że nie możemy doczepić starej głowy do młodych ramion, bo wtedy i ty także mogłabyś być mądra. Ale kiedyś zrozumiesz, że nie ma ludzi, którzy przemijają na tym świecie, nie zaznawszy cierpienia… nieważne, co się myśli o nich oraz o ich rzekomo szczęśliwym losie.

– Co w takim razie ma człowiek robić ze swoim cierpieniem? – zapytała Alma.

Takiego pytania nigdy nie zadałaby pastorowi ani filozofowi, ani poecie, ale pragnęła – wręcz rozpaczliwie – usłyszeć odpowiedź z ust Hanneke de Groot.

– Cóż, drogie dziecko, ze *swoim* cierpieniem możesz zrobić, co tylko chcesz – odparła łagodnie Hanneke. – Należy do ciebie. Ale opowiem ci, co ja robię ze swoim. Chwytam je za małe włoski, rzucam na ziemię i rozgniatam obcasem. Proponuję, żebyś nauczyła się robić to samo.

Tak też Alma postąpiła. Uczyła się, jak rozgniatać cierpienie pod obcasem buta. W posiadaniu miała solidne, ciężkie obuwie, była więc dobrze wyposażona do tego zadania. Wkładała wiele wysiłku, by zamieniać żale w prawdziwy pył, który można było strząsnąć do kanału. Czyniła to każdego dnia, czasami po kilka razy, i tym sposobem jakoś ciągnęła.

Mijały miesiące. Alma pomagała ojcu, pomagała Hanneke, pracowała w cieplarniach i czasami organizowała obiady w White Acre, by dostarczyć Henry'emu rozrywki. Bardzo rzadko się spotykała z dawną przyjaciółką Rettą. Jeszcze rzadziej z Prudence. Z czystego przyzwyczajenia uczestniczyła we mszy w niedziele, chociaż często, i raczej haniebnie, wizytom w kościele towarzyszyła później wizyta w składziku introligatorskim, w którym opróżniała umysł, dotykając ciała. Przestała być radosna, owa czynność w składziku, ale przynajmniej Alma czuła się dzięki niej jakby trochę uwolniona.

Wynajdywała sobie prace, ale nie znajdowała ich *wystarczająco* dużo. Po roku wyczuła zakradający się do jej życia letarg, który mocno ją przeraził. Marzyła o jakimś zajęciu albo rozrywce, które przyniosłyby ujście dla jej niemałej intelektualnej energii. Na początku pomocne w tym były handlowe problemy ojca. Odstraszające sterty spraw wypełniały jej dni, lecz wkrótce biegłość Almy stała się jej wrogiem. Dawała sobie radę z zadaniami dotyczącymi Whittaker Company zbyt dobrze i zbyt szybko. Wkrótce wiedziała wszystko na temat botanicznego eksportu oraz importu i praca, którą wykonywała za Henry'ego i dla niego, zajmowała jej cztery do pięciu godzin w ciągu dnia. Było to po prostu za mało. Pozostawiało za dużo czasu bez zajęcia, a wolne godziny są niebezpieczne. Wolne godziny stwarzają za dużo sposobności do analizy rozczarowania, które miało być miażdżone pod obcasem ciężkiego buta.

To właśnie wtedy – rok po tym, jak wszyscy się pobrali – Alma Whittaker doszła do ważnego, a nawet szokującego przeświadczenia: wbrew wrażeniom z dzieciństwa, White Acre wcale nie okazywała się wielkim terenem. Prawdę powiedziawszy, była miejscem *małym*. Owszem, posiadłość rozrosła się do ponad tysiąca akrów, z milą własnego nabrzeża rzecznego, z pokaźnym spłachciem dziewiczego lasu, z gigantycznym domem, okazałą biblioteką, rozległą siecią stajni, szklarni, stawów oraz potoków – lecz jeśli stanowi to czyjś cały świat (jak w wypadku Almy), to nie było tego wcale dużo. Żadne miejsce, do którego jest się uwiązanym, nie jest wielkie – zwłaszcza jeśli się jest przyrodnikiem!

Problem w tym, że Alma całe życie spędziła na badaniu przyrody w White Acre i znała ten teren aż za dobrze. Znała tam każde drzewo i kamień, i ptaka, i każdego rosnącego obuwika. Znała każdego pająka, każdego trzmiela, każdą mrówkę. Nic tu nie było nowego do zgłębiania. Tak, mogła badać nowe rośliny tropikalne, które co tydzień przybywały do imponujących cieplarni ojca – ale to nie jest odkrywanie! Ktoś już wcześniej odkrył te rośliny! A zadaniem przyrodnika jest, przynajmniej w pojęciu Almy, odkrywać. Takiej szansy jednak nie miała, albowiem doszła już do granic swych botanicznych możliwości. Bała się tej świadomości, owa świadomość zakłócała jej sen w nocy, co z kolei powodowało jeszcze większy lęk. Bała się rozdrażnienia, które ukradkiem ją ogarniało. Niemal słyszała, jak jej mózg pulsuje w czaszce, uwięziony i niespokojny, i ciężar lat, które ma jeszcze przed sobą, odczuwała jako duże zagrożenie.

Urodzony systematyk niemający nic do klasyfikowania, Alma utrzymywała swój niepokój w ryzach, zaprowadzając porządek wszędzie tam, gdzie mogła. Sprzątnęła i uporządkowała alfabetycznie gabinet ojca. Odświeżyła bibliotekę, wyrzucając książki bez wartości. Na półkach w swoim gabinecie ustawiła szklane pojemniki według wielkości oraz zaczęła wdrażać jeszcze doskonalszy system archiwizowania zalegających materiałów, co sprawiło, że – pewnego poranka w czerwcu 1822 roku – Alma Whittaker siedziała sama w powozowni, ślęcząc nad wszystkimi artykułami naukowymi, jakie kiedykolwiek napisała dla George'a Hawkesa.

Zastanawiała się, czy uporządkować dawne numery pisma „Botanica Americana" według tematyki czy według chronologii. Zajęcie było zbyteczne, ale mogła poświęcić mu kolejną godzinę.

Na dnie owej sterty znalazła swój najwcześniejszy artykuł – ten, który napisała w wieku zaledwie szesnastu lat, poświęcony roślinie *Monotropa hypopitys*. Przeczytała go. Tekst był bez wątpienia młodzieńczy, ale naukowe podejście poważne, a rozpoznanie tej cieniolubnej rośliny jako sprytnego, bezlitosnego pasożyta wydawało się nadal zasadne i dobitne. Kiedy jednakże przyjrzała się bliżej swoim ilustracjom *Monotropy*, prawie się roześmiała nad ich elementarną pokracznością. Schematy wyglądały jak naszkicowane ręką dziecka, czym w istocie były. Nie chodzi o to, że stała się wybitnym artystą w ciągu ostatnich siedmiu lat, ale owe wczesne ilustracje były naprawdę prymitywne. Wielce to uprzejme ze strony George'a, że w ogóle przyjął je do druku. Jej *Monotropa* miała być przedstawiona, jak wyrasta z posłania gęstego mchu, lecz w ujęciu Almy wyglądała, jakby rosła na nierównym starym materacu. Nikt na pewno w ogóle nie rozpoznał mchu w owych fatalnych grudach na dole ryciny. Powinna była przedstawić więcej szczegółów. Jako fachowy naturalista powinna była zrobić ilustrację przedstawiającą precyzyjnie, na jakim rodzaju mchu rośnie *Monotropa hypopitys*.

Jednakże po chwili zastanowienia Alma stwierdziła, że dotychczas nie wie, na jakim rodzaju mchu rośnie *Monotropa*. Po głębszym zastanowieniu zdała sobie sprawę, że wcale nie jest pewna, czy potrafi rozróżnić rodzaje mchu. Tak w ogóle, ile ich istnieje? Kilka? Tuzin? Kilkaset? Zdumiewające, ale nie wiedziała. Dalej się zastanawiając, zadała sobie pytanie: a skąd miałaby się o nich nauczyć? Kto pisał cokolwiek o mchach? Albo w ogóle o gromadzie roślin określanych jako *Bryophyta*? Nie znała żadnej wiarygodnej publikacji na ten temat. Nikt nie zrobił jeszcze na mchu kariery. Któż zresztą by chciał? Wszak mchy to nie orchidee. To nie cedry libańskie. Nie są ani wielkie, ani piękne, ani efektowne. Mech nie jest także niczym lukratywnym ani leczniczym, niczym, na czym ludzie typu Henry'ego Whittakera mogliby zbić majątek. (Aczkolwiek Alma pamiętała opowieści ojca o tym, jak pakował swe cenne nasiona chinowca w suchy mech, by przetrwały podróż na Jawę). Może Gronovius coś pisał o mchach? Może. Lecz prace starego Holendra miały teraz ponad siedemdziesiąt lat – musiały być nieaktualne oraz niekompletne. Nikt nie zwracał uwagi na mech. Alma wtykała mech w dziury w nieszczelnych, starych murach powozowni, jakby to była zwyczajna wata.

Najwyraźniej przeoczyła mech.

Pospiesznie wstała, owinęła się szalem i wybiegła na zewnątrz. Do kieszeni wsadziła duże szkło powiększające. Panował rześki poranek wiosenny, zimny i trochę zachmurzony. Światło było doskonałe. Nie musiała iść daleko. Wiedziała, że w miejscu położonym wysoko nad rzeką wypiętrzają się murszejące wapienne głazy narzutowe, ocienione koronami pobliskich drzew. Tam znajdzie mech, pamiętała, że tam właśnie zbierała materiał do uszczelnienia ścian gabinetu.

Pamięć jej nie myliła. Na granicy skał oraz lasu Alma natknęła się na wypiętrzenie pierwszego głazu. Kamień był większy od śpiącego byka. Jak się spodziewała i co do czego żywiła nadzieję, okrywał go mech. Uklękła w wysokiej trawie i przysunąwszy bliziutko twarz do kamienia, ujrzała wyrastającą na cal ponad powierzchnię głazu ogromną malusieńką puszczę. Nic się nie ruszało w owym mchowym świecie. Zaglądała weń z takiego bliska, że czuła zapach – butwiejący, bogaty i stary. Alma przycisnęła dłoń do zwartego małego leśnego obszaru. Sprasował się pod jej ręką, a następnie z powrotem rozprostował sprężyście i bez sprzeciwu. Było coś poruszającego w tej reakcji. Mech wydawał się ciepły i gąbczasty, kilka stopni cieplejszy od temperatury powietrza dookoła i znacznie bardziej wilgotny, niż się spodziewała. Jak gdyby panowała w nim jego własna pogoda.

Alma przyłożyła do oka szkło powiększające i popatrzyła jeszcze raz. Teraz miniaturowy las ubrał się pod jej spojrzeniem w majestatyczne detale. Zatkało ją. Królestwo było oszałamiające. Amazońska dżungla oglądana z grzbietu orła-harpii. Toczyła wzrokiem po zaskakującym krajobrazie, podążając jego ścieżkami we wszystkich kierunkach. Były tu bogate, obfite doliny pełne malutkich drzew z plecionych włosów rusałek i pełne rozrzuconych minuskuł z poplątanej winorośli. Były ledwo dostrzegalne biegnące przez dżunglę dopływy rzeczne i był też miniaturowy ocean w obniżeniu pośrodku głazu, w którym gromadziła się spływająca woda.

Po przeciwległej stronie oceanu – wielkości połowy jej szala – Alma odkryła drugi kontynent mchu. Tam wszystko było inne. Ten fragment głazu zapewne bardziej zalewało światło słoneczne, domniemywała. Albo padało nań odrobinę mniej deszczu? W każdym razie panował tam całkowicie inny klimat. Mech porastał wzgórza wysokie na długość ramienia Almy. Tworzył eleganckie kępy o ciemniejszej, bardziej mrocznej zieleni, przypominające skupiska sosen. Na innej ćwiartce tego samego głazu dostrzegła spłachetki nieskończenie małych pustyń, zamieszkanych przez krzepki, suchy, łuszczący się mech, który wyglądał jak kaktus. Wszędzie znajdywała maleńkie fiordy resztek zimowego lodu, ale widziała też ciepłe zatoczki, miniaturowe katedry oraz groty wapienne wielkości kciuka.

Wreszcie Alma podniosła głowę. Ujrzała przed sobą dziesiątki takich głazów, więcej, niż była w stanie zliczyć, każdy podobnie okryty, każdy nieznacznie inny. Poczuła, że kręci się jej w głowie. *To jest cały świat.* Było to więcej niż świat. To był cały firmament wszechświata, jak oglądany przez jeden z ogromnych teleskopów Williama Herschela. Planetarny bezmiar. Starożytne, niezbadane galaktyki wirujące tuż przed nią – było tu wspaniale! Widziała stąd dom. Widziała znajome łodzie na rzece Schuylkill. Słyszała z oddali głosy robotników ojca, pracujących w brzoskwiniowym sadzie. Gdyby Hanneke potrząsnęła w tej chwili dzwonkiem, wzywając na posiłek, usłyszałaby go.

Świat Almy oraz świat mchu tkwiły wzajemnie splecione, przemieszane, zahaczające o siebie. Jeden z tych światów był wielki i szybki, drugi natomiast cichy, maleńki i powolny – i tylko jeden z nich wydawał się niezmierzony.

Zanurzyła palce w krótkim zielonym futrze i odczuła wielką, radosną falę niecierpliwości. To mogłoby należeć do niej! Żaden przed nią botanik nie poświęcił się wyłącznie studiowaniu owej niedocenianej gromady, ale Alma mogłaby nim zostać. Miała na to czas i cierpliwość. Miała dobre przygotowanie. Miała oczywiście mikroskopy. Miała nawet wydawcę – cokolwiek się bowiem między nimi wydarzyło (czy też nie wydarzyło), George Hawkes chętnie publikował odkrycia Almy Whittaker, co tylko by przyniosła.

Alma zrozumiała to wszystko i poczuła, jak jej życie staje się nagle większe i jednocześnie znacznie, znacznie mniejsze – ale w przyjemny sposób mniejsze. Świat zredukował się do cala nieskończonych możliwości. Mogła odtąd wieść życie w bujnej miniaturze. A co najlepsze, zdała sobie sprawę, że nigdy nie dowie się *wszystkiego* na temat mchu – bo już teraz mogła stwierdzić, że jest go po prostu za dużo na świecie, jest wszędzie i głęboko zróżnicowany. Umierając jako sędziwa staruszka, nie zdołałaby prawdopodobnie pochwalić się znajomością nawet połowy tego, co występuje na takiej jednej łące głazów. Hip, hip, hurra! To oznaczało, że przed Almą Whittaker rozciąga się zadanie na całe życie. Na życie, które mimo wszystko nie musi być jałowe. Nie musi być nieszczęśliwe. A może nie musi być nawet samotne.

Ma zadanie.

Pozna mech.

Gdyby Alma była rzymską katoliczką, może przeżegnałaby się wdzięczna Bogu za to odkrycie – spotkanie z mchem miało bowiem lekkość i czar niczym uduchowiona rozmowa. Alma nie była jednak religijną kobietą. Lecz i tak jej serce urosło pełne nadziei; lecz i tak słowa, które wypowiedziała teraz na głos, brzmiały jak modlitwa:

– Pochwalona niech będzie praca, która spoczywa przede mną – rzekła. – Zaczynajmy.

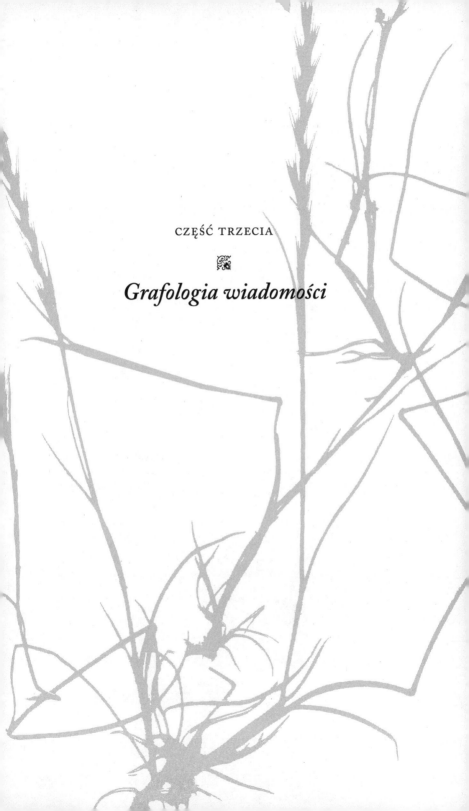

CZĘŚĆ TRZECIA

*Grafologia wiadomości*

# ROZDZIAŁ DWUNASTY

By ł 1848 rok. Alma Whittaker właśnie zaczynała pracę nad nową książką, *The Complete Mosses of North America*. W ciągu minionych dwudziestu sześciu lat wydała dwie inne: *The Complete Mosses of Pennsylvania* oraz *The Complete Mosses of Northeastern United States*. Obie książki były grube i wyczerpujące i zostały pięknie wydane przez drogiego starego przyjaciela George'a Hawkesa.

Pierwsze dwie książki Almy przyjęto ciepło w botanicznych kręgach. Otrzymały pochlebne recenzje w kilku z najbardziej szanowanych pism, a autorkę uznano za geniusza systematyki gatunku *Bryophytic*. Przedmiot opanowała, nie tylko badając mchy w White Acre oraz okolicy, ale także kupując, wymieniając się albo wyłudzając od innych kolekcjonerów próbki mchów z całego kraju oraz świata. Nie było to trudne. W końcu Alma potrafiła importować okazy roślinne, a mech nie sprawiał żadnych problemów w transporcie. Trzeba było go jedynie ususzyć, zapakować w pudełko i umieścić na statku, a podróż nie powodowała najmniejszych komplikacji. Zajmował mało miejsca i ważył praktycznie prawie nic, więc kapitanowie statków nie sprzeciwiali się takiemu dodatkowemu ładunkowi. Nigdy nie gnił. Suchy mech był tak doskonale przystosowany do transportu, że ludzie od wieków stosowali go jako materiał do pakowania. Na początku badań Alma rzeczywiście znalazła w magazynach ojca zlokalizowanych w pobliżu doków kilkaset rodzajów mchów z całej planety. Tkwiły poupychane w kątach, leżały w porzuconych pudłach, zapomniane i niezbadane – przynajmniej do czasu, gdy Alma wzięła je pod mikroskop.

Dzięki takim znaleziskom, a także za sprawą importu przez ostatnie dwadzieścia sześć lat Alma zdołała zebrać prawie osiem tysięcy gatunków mchów, które umieściła w specjalnym herbarium, założonym w najbardziej suchej części stryszku na siano w powozowni. Nagromadzona przez nią wiedza z dziedziny briologii była nadzwyczaj gruntowna, pomimo iż nigdy nie podróżowała poza Pensylwanię. Utrzymywała korespondencję z botanikami od Tierra del Fuego po Szwajcarię oraz bacznie obserwowała złożone debaty taksonomiczne, zażarcie toczone na łamach mniej znanych naukowych periodyków, na przykład nad tym, czy gałązka rośliny *Neckera* albo *Pogonatum* przedstawia rzeczywiście nowy gatunek czy jedynie zmodyfikowaną odmianę gatunku już opisanego. Czasami zabierała głos, przedstawiając własne zdanie w drobiazgowo udokumentowanych artykułach.

Publikowała teraz pod własnym nazwiskiem. Pod własnym pełnym imieniem oraz nazwiskiem. Nie była już „A. Whittaker", lecz po prostu „Almą Whittaker". Do nazwiska nie dodawała skrótów – żadnego tytułu, stopnia naukowego, oznaczenia przynależności do słynnych w świecie dżentelmenów organizacji naukowych. Nie była nawet „Mrs.", z całym dostojeństwem, jaki tytuł ów przynosił damie. Była po prostu „Almą Whittaker". Teraz już, co zrozumiałe, i tak każdy wiedział, że jest kobietą. Miało to małe znaczenie. W dziedzinie mchu nie było konkurencji i pewnie dzięki temu mogła bez napotykania specjalnych oporów wkroczyć na to pole. Dzięki temu oraz dzięki własnej zawziętej wytrwałości.

Poznając mech coraz lepiej w ciągu wielu lat zaczynała rozumieć, czemu nikt wcześniej porządnie go nie zbadał: dla niewprawnego oka wydawać się mogło, że tak niewiele jest tam do badania. Mchy zwykle opisywano poprzez to, czego im brakuje, nie poprzez to, czym rzeczywiście są, a istotnie brakuje im wiele. Mchy nie rodzą owoców. Nie mają korzeni i nie mogą wyrosnąć na więcej niż pół cala wysokości, ponieważ nie zawierają wewnętrznej konstrukcji szkieletowej, która by je podtrzymywała. Mchy nie są w stanie transportować wody do wnętrza swego organizmu. Mchów nawet nie pociąga seks. Albo przynajmniej nie pociąga ich seks w żaden rozpoznawalny sposób (nie tak jak lilie czy kwiaty jabłoni – czy po prostu jakiekolwiek inne kwiaty – z ich jawnym wystawianiem męskich i żeńskich organów). W przeciwieństwie do roślin wyższego rzędu mchy skrywały swoje rozmnażanie przed nagim ludzkim okiem. Z tego powodu zwano je także *cryptogamia* – „skrytopłciowe".

Mech z każdej strony wydawał się prosty, nudny, skromny i nawet prymitywny. Najbanalniejszy chwast wyrastający przy chodniku najbardziej bezpretensjonalnego miasta okazywał się w porównaniu z mchem nieskończenie bardziej wyrafinowany. Jest jednak coś, co niewielu zrozumiało, a czego dowiedziała się Alma: mech jest niewiarygodnie wytrzymały. Mech pożera kamienie, a prawie nic nie zjada mchu. Mech zajada skały, powoli oraz niszczycielsko, na obiad, który trwać może całe wieki. Mając czas, kolonia mchów potrafi zamienić klif w żwir, a żwir w górną warstwę gleby. Pod nawisami odkrytych wapieni kolonie mchów tworzą mokre, żywe gąbki, mocno przywarte, które piją wapienną wodę prosto z kamienia. Z biegiem czasu konglomerat mchu oraz minerału przemienia się w trawertyn zwany też wapiennym tufem albo alabastrem egipskim. W twardej, kremowobiałej strukturze trawertynu widać niebieskie, zielone i szare żyłki – ślady po osadzie mchów. Bazylikę św. Piotra zbudowano właśnie z tego materiału, stworzonego i naznaczonego przez organizmy pradawnych kolonii mchów.

Mech rośnie tam, gdzie nic innego nie może rosnąć. Na cegłach. Na korze oraz na dachówce. Rośnie na kole podbiegunowym oraz w łagodnych tropikach, ale także na futerku pręgowców i burunduków oraz na muszlach ślimaków. Mech pojawia się jako pierwsza oznaka życia botanicznego, powracającego na gołe połacie przypadkowo wypalonej gleby albo gleby celowo i dla zysku odartej z lasu. Mech uparcie przywraca las z powrotem do życia. Jest machiną zmartwychwstania. Pojedyncza kępka mchu może tkwić uśpiona i zeschła przez czterdzieści lat z rzędu, a potem wynurzyć się nagle do życia po zmoczeniu wodą.

Jedyne, czego mech potrzebuje, to czas i Alma zaczęła właśnie zdawać sobie sprawę, że świat ma mnóstwo czasu do zaoferowania. Zauważyła, że inni uczeni również mają podobne obserwacje. W 1830 roku miała już za sobą lekturę *Principles of Geology* Charlesa Lyella, w której sugerowano, że Ziemia jest znacznie starsza, niżby ktokolwiek przypuszczał – być może nawet liczy sobie miliony lat. Jej fascynację wywołała także bardziej aktualna praca Johna Phillipsa, który w 1841 roku przedstawił nową geologiczną linię czasu, sięgającą jeszcze dawniej niż szacowanie Lyella. Phillips twierdził, że Ziemia ma już za sobą trzy epoki historii naturalnej (paleozoik, mezozoik oraz kenozoik), i zidentyfikował zamienioną w skamielinę florę oraz faunę z każdej z nich, między innymi także mchy.

Koncepcja planety tak prastarej nie zaszokowała Almy, chociaż wywołała zdumienie ogromnej liczby ludzi, gdyż bezpośrednio przeciwstawiała się naukom chrześcijańskim. Alma miała jednak swoją szczególną teorię czasu, a skamieniałości w skałach osadowych po pierwotnym oceanie, na które wskazywali Lyell oraz Phillips i do których nawiązywali w swych badaniach, jedynie ją potwierdzały. Alma nabrała mianowicie przekonania, że istnieje kilka odmiennych rodzajów czasu, symultanicznie rozwijających się w kosmosie; jako skrupulatny taksonomista przydzieliła im nawet nazwy. Uznała, że, po pierwsze, istnieje coś takiego, jak Ludzki Czas, który stanowi narracja ograniczonej, śmiertelnej pamięci, opartej na niedoskonałych wspomnieniach przeżytych dziejów. Czas Ludzki jest krótkotrwale oraz horyzontalnie działającym mechanizmem. Zmierza prostą, wąską drogą od stosunkowo bliskiej przeszłości do ledwie wyobrażalnej przyszłości. Najbardziej zdumiewającą cechą Ludzkiego Czasu jest to, że się porusza z oszałamiającą szybkością. Jest kosmicznym pstryknięciem palców. Wielce niefortunnie się dla Almy Whittaker składało, że dni jej żywota – tak jak dni żywota każdego innego człowieka – mieszczą się w zakresie Ludzkiego Czasu. To znaczy, że nie będzie tutaj długo, czego była jak najboleśniej świadoma. I ona też jest ledwie kosmicznym pstryknięciem palców, mgnieniem istnienia tak samo jak wszyscy inni.

Na drugim końcu skali postawiła Alma coś, co nazwała Boskim Czasem – niepojętą wieczność, w której rozrastały się galaktyki oraz w której mieszkał Bóg (jeśli Bóg w ogóle gdziekolwiek mieszkał). Nic nie wiedziała na temat Czasu Boskiego. Nikt nic nie wiedział. Prawdę powiedziawszy, do irytacji doprowadzali ją ludzie, którzy twierdzili, że pojmują cokolwiek z Boskiego Czasu. Ona nie zamierzała go zgłębiać, ponieważ niemożliwością jest go zrozumieć. To czas poza czasem. Zostawiła go więc. Niemniej czuła, że Boski Czas istnieje, jak podejrzewała, w postaci jakiegoś potężnego, bezdennego zastoju.

Wracając na ziemię, bliżej domu, Alma dostrzegała coś, co nazwała Czasem Geologicznym – to ten, o którym tak przekonująco pisali Charles Lyell oraz John Phillips. Należała do niego historia naturalna. Czas Geologiczny porusza się z prędkością, którą odczuwa się *nieomal* jak wieczność, nieomal boską. Porusza się z prędkością skał oraz gór. Czas Geologiczny się nie spieszy i tyka, podejrzewała, prawdopodobnie dłużej, niżby ktokolwiek przypuszczał.

Alma uznała, że gdzieś pomiędzy Czasem Geologicznym a Czasem Ludzkim istnieje jeszcze coś – określiła to mianem Czasu Mchu. W porównaniu z Czasem Geologicznym jest on oszałamiająco prędki, ponieważ mchy są w stanie zrobić taki postęp w ciągu tysiąca lat, o jakim kamień nie mógłby marzyć i po ich milionie. Lecz według kategorii Czasu Ludzkiego, Czas Mchu jest okropnie powolny. Dla niewyrobionego oka mech w ogóle się nie porusza. A jednak się rusza, i to z zadziwiającym skutkiem. Na oko nic się nie dzieje, ale potem nagle, po dziesięciu czy więcej latach, wszystko jest zmienione. Po prostu mech tak wolno się porusza, że ludzkość nie jest w stanie tego dostrzec.

Alma jednak to zauważyła. Ona to *dostrzegała*. Jeszcze na długo przed 1848 rokiem zaczęła się ćwiczyć w patrzeniu na świat przez pryzmat rozciągniętego wymiaru Czasu Mchu. Mocowała maleńkie kolorowe chorągiewki do głazów przy krawędziach wypiętrzeń wapienia, by oznaczać postęp każdej pojedynczej kolonii mchu, i obserwowała ów rozciągnięty w czasie dramat od dwudziestu sześciu lat. Który gatunek mchu posunie się naprzód poprzez głaz, a który się cofnie? I ile czasu im to zajmie? Obserwowała owe wspaniałe, niesłyszalne, przesuwające się powoli dominia zieloności, jak się rozprzestrzeniają oraz kurczą. Mierzyła ich postęp w odległościach równych grubości włosa oraz w okresach pięcioletnich.

Badając Czas Mchu, Alma starała się nie martwić własnym śmiertelnym życiem. Sama schwytana była w ramy Czasu Ludzkiego, ale nic nie mogła uczynić w tej sprawie. Po prostu musi najlepiej wykorzystać ową krótką egzystencję jętki, jaką jej dano. Miała już czterdzieści osiem lat. Czterdzieści osiem lat jest niczym dla kolonii mchu, stanowi jednak znaczną liczbę nagromadzonych lat dla człowieka płci żeńskiej. Zdążyła jej ustać menstruacja. Włosy zaczynały siwieć. Jeśli będzie miała szczęście, myślała, może dane jej będzie kolejne dwadzieścia, trzydzieści lat życia oraz badań – kolejne czterdzieści lat w najlepszym razie. To było najwięcej, czego mogła pragnąć, a pragnęła tego każdego dnia. Tak dużo było jeszcze do poznania, a tak mało czasu.

Często myślała, że gdyby mchy wiedziały, jak niedługo już Almy nie będzie, współczułyby jej.

Tymczasem życie w White Acre płynęło utartym nurtem. Botaniczne interesy Whittakerów od lat się nie rozwijały, ale też nie podupadały; można było powiedzieć, że się ustabilizowały na poziomie nieprzerwanie korzystnej stopy zwrotu. Cieplarnie nadal były najlepsze w Ameryce, a na terenie posiadłości rosło teraz ponad sześć tysięcy gatunków roślin. W owym czasie panowała w Ameryce szalona moda na paprocie oraz palmy („pterydomania", jak nazwał to arogancki dziennikarz) i Henry pomnażał dochody na owym kaprysie, hodując i sprzedając wszelkie egzotyczne rośliny strzępiaste. Dużo pieniędzy przynosiły także znajdujące się w jego posiadaniu młyny i farmy, a w ciągu ostatnich kilku lat niezły dodatkowy dochód stanowiła sprzedaż kawałka ziemi spółce kolei żelaznej. Henry wciąż miał dość werwy, by się zainteresować szybko rosnącym handlem kauczukiem, ostatnio użył nawet swych kontaktów w Brazylii oraz Boliwii i zaczął inwestować w tę niepewną nową branżę.

Tak więc Henry Whittaker wciąż był pełen życia – być może za sprawą cudu. Miał osiemdziesiąt osiem lat, ale jego zdrowie wcale się nie pogarszało, co było imponujące, biorąc pod uwagę, jak intensywnie żył oraz jak energicznie narzekał. Oczy sprawiały mu kłopot, ale używając szkła powiększającego i dobrej lampy, cały czas dawał sobie radę z papierami. Wsparty na solidnej lasce codziennie obchodził swoją posiadłość. I wciąż się ubierał jak osiemnastowieczny pan na włościach.

Dick Yancey – oswojony krokodyl – nadal sprawnie zarządzał międzynarodowymi interesami Whittaker Company, importując nowe dochodowe rośliny lecznicze, takie jak biegunecznik i kurara kalebasowa. James Garrick, niegdysiejszy kwakierski wspólnik w interesach, zmarł, ale jego syn John przejął sieć aptek i farmaceutyczne produkty marki Garrick & Whittaker nadal dobrze się sprzedawały w całej Filadelfii i dalej. Międzynarodową dominację Henry'ego w handlu chininą zdmuchnęła francuska konkurencja, ale wciąż dobrze się trzymał na rynkach bliższych domu. Ostatnio wprowadził do sprzedaży nowy produkt o nazwie „Tabletki na wigor Garricka & Whittakera" – mieszankę kory jezuitów, żywicy mirry, olejku sasafrasowego oraz wody destylowanej – która miała leczyć ludzi z wszelkich dolegliwości, od trzeciaczki przez piekącą wysypkę po kobiecą słabość i inne niedomagania. Produkt odniósł niebywały sukces. Tabletki były tanie w produkcji i przynosiły stały dochód, szczególnie latem, kiedy szerzyły się choroby i gorączka w całej Filadelfii i każda rodzina, bogata i biedna, żyła w strachu przed zarazą. Matki podawały owe tabletki na wszystko.

Dookoła White Acre wyrosło miasto. Tam, gdzie kiedyś stały spokojne farmy, teraz rozciągało się gwarne sąsiedztwo. Jeździły omnibusy, płynęły kanały, ciągnęły się linie kolejowe, wybrukowane drogi, ruchliwe rogatki, pływały parostatki pocztowe. Populacja kraju podwoiła się, odkąd Henry przyjechał tutaj w 1792 roku. Pociągi gnające we wszystkich kierunkach pluły popiołem i gorącym żarem. Klechy i moraliści martwili się, że wibracje oraz tłok, towarzyszące takim podróżom, pchną kobiety słabego charakteru ku upadkowi i namiętnym szaleństwom. Poeci pisali ody do natury, nawet gdy natura marniała na ich oczach. Tam, gdzie kiedyś był tylko Henry Whittaker, teraz mieszkał już tuzin milionerów. To wszystko było nowe. Ale wciąż istniała cholera i żółta febra, i dyfteryt, i zapalenie płuc, i śmierć. To wszystko było stare. Branża farmaceutyczna trzymała się w związku z tym dobrze.

Po śmierci Beatrix Henry już się nie ożenił i nie przejawiał najmniejszego zainteresowania tym tematem. Nie potrzebował żony; miał Almę. Alma dobrze traktowała Henry'ego i czasami, mniej więcej raz na rok, nawet ją za to chwalił. Do tego czasu zdążyła się nauczyć, jak najlepiej zorganizować własne życie dookoła kaprysów i żądań ojca. Najczęściej cieszyła się z jego towarzystwa (nigdy nie potrafiła się wyzbyć tkliwości w stosunku do niego), chociaż świetnie zdawała sobie sprawę, że każda godzina spędzona z ojcem jest godziną zabraną badaniom mchu. Henry'emu poświęcała popołudnia i wieczory, poranki rezerwowała na swoją pracę. On zaś wraz z wiekiem coraz później wstawał, taki rozkład dnia więc wydawał się najlepszy. Wciąż pragnął zapraszać gości do White Acre, by zabawiali go podczas obiadów, ale teraz już znacznie rzadziej. Teraz miewali gości cztery razy do roku zamiast czterech razy na tydzień.

Oczywiście Henry nadal był kapryśny i trudny. Wciąż mogła się spodziewać, że w środku nocy obudzi ją najwyraźniej niestarzejąca się Hanneke ze słowami: „Drogie dziecko, ojciec cię potrzebuje". A wtedy ona wstanie, owinie się ciepłym szlafrokiem i pójdzie do gabinetu ojca – gdzie znajdzie Henry'ego zirytowanego i niemogącego spać, grzebiącego w zaspie papierów, żądającego szklaneczki ginu oraz serdecznej partyjki tryktraka o trzeciej w nocy. Alma wyświadczała mu tę przysługę bez skargi, wiedząc, że Henry będzie bardziej zmęczony następnego dnia, dzięki czemu ona zyska więcej godzin dla siebie i swojej pracy.

– Czy opowiadałem ci kiedykolwiek o Cejlonie? – pytał na przykład, a ona pozwalała mu mówić, aż sam siebie usypiał opowieścią.

Czasami ją także usypiał dawnymi i znanymi historiami. Świt rozlewał się nad starym mężczyzną i jego siwowłosą córką, bezwładnie opadłymi na krzesłach, z planszą niedokończonego tryktraka pomiędzy nimi. Alma wstawała i próbowała uprzątnąć pokój. Wołała Hanneke i lokaja, by zanieśli ojca z powrotem do łóżka. Potem połykała śniadanie i szła albo do gabinetu w powozowni, albo w kierunku stanowisk mchów na głazach narzutowych.

Tak to wyglądało już z górą ćwierć wieku. Tak sobie wyobrażała, że będzie zawsze. To nie było nieszczęśliwe życie dla Almy Whittaker. Ani trochę.

Inni jednakże nie mieli takiego szczęścia.

Na przykład stary przyjaciel Almy, George Hawkes, botaniczny wydawca, nie znalazł szczęścia w małżeństwie z Rettą Snow. Retta też nie była ani trochę szczęśliwa. Almy w żaden sposób to nie podnosiło na duchu i nie cieszyło. Inna kobieta mogłaby odczuwać radość na taką wiadomość, rodzaj mrocznej zemsty za własne złamane serce, ale w charakterze Almy nie leżało odczuwanie satysfakcji z cudzego cierpienia. Co więcej, nie kochała już George'a Hawkesa (ten ogień przygasł przed wielu laty), ale współczuła mu. To dobry człowiek i zawsze był jej bliskim przyjacielem, musiała jednak przyznać, że jeszcze żaden mężczyzna nie wybrał sobie aż tak źle żony.

Na początku George Hawkes wydawał się jedynie speszony swą kapryśną i nieprzewidywalną małżonką, ale z biegiem czasu Retta coraz bardziej i jednoznacznie zaczęła go irytować. Podczas pierwszych lat pożycia George i Retta od czasu do czasu przychodzili do White Acre, by wziąć udział w obiedzie. Alma wkrótce spostrzegła, że George staje się pochmurny i spięty, gdy tylko Retta zabierała głos, jak gdyby na zapas ogarniał go strach przed tym, co może paść z jej ust. Doszło do tego, że sam w ogóle przestał się odzywać przy stole – jak gdyby w nadziei, że żona jego śladem także zamilknie. Jeśli takie były jego zamiary, skutek przynosiły odwrotny. Milczenie męża coraz bardziej denerwowało Rettę i kazało jej jeszcze bardziej gorączkowo się wypowiadać, co z kolei wywoływało jeszcze bardziej zdeterminowane milczenie u męża.

W ciągu kilku lat Retta wyrobiła sobie na dokładkę najdziwniejszy zwyczaj mówienia, bolesny wręcz dla Almy, kiedy go obserwowała. Mianowicie mówiąc, trzepotała bezradnie palcami przy ustach, jak gdyby pragnęła pochwycić wysypujące się z niej słowa – jakby próbowała *powstrzymać* słowa albo wręcz wrzucić je z powrotem do gardła. Czasami udawało się Retcie przerwać zdanie pośrodku takiej czy innej szalonej myśli, przykładała wtedy palce mocno do warg, powstrzymując dalszą mowę. Ale takie zwycięstwo było jeszcze trudniejsze dla obecnych, ponieważ owo ostatnie, dziwne, niedokończone zdanie zawisało niewygodnie w powietrzu, podczas gdy Retta, dotknięta nieszczęściem, patrzyła na milczącego męża oczami rozszerzonymi błaganiem o wybaczenie.

Mając dość owych wytrącających z równowagi wyczynów, pan i pani Hawkes po prostu przestali przychodzić na obiady. Alma spotykała się z nimi wyłącznie u nich w domu, kiedy się udawała do Filadelfii, by przedyskutować z George'em redakcyjne szczegóły.

Bycie żoną nie odpowiadało pani Retcie Snow Hawkes. Po prostu nie była do tego stworzona. W istocie nie odpowiadała jej dorosłość. Zbyt wiele było zakazów do przestrzegania i oczekiwano od niej zdecydowanie zbyt wiele powagi. Retta nie mogła już być głupiutką dziewczyną, jeżdżącą do woli po mieście w swej małej dwukółce. Była teraz żoną jednego z bardziej poważanych filadelfijskich wydawców i musiała się odpowiednio prowadzić. Też samotne bywanie w teatrze po ślubie urągało godności Retty. (To znaczy zawsze urągało godności, ale przynajmniej dawniej nikt jej tego nie zabraniał). George Hawkes nie znajdował przyjemności w chodzeniu do teatru, tak więc i dla Retty nie było już powodu, żeby tam iść. George wymagał za to od żony, by uczęszczała na msze – nawet kilka razy w tygodniu – gdzie Retta jak dziecko wierciła się z nudów. Po ślubie nie mogła się tak wesoło ubierać ani śpiewać pełną piersią, kiedy naszła ją ochota. Czy może powiedzmy, że mogła śpiewać pełną piersią i czasami to robiła, ale nie wyglądało to normalnie i wprawiało we wściekłość jej męża.

Jeśli zaś chodzi o macierzyństwo, i temu Retta nie sprostała. Ciąża w domu Hawkesów pojawiła się natychmiast, w 1822 roku, i natychmiast zakończyła się poronieniem. Następnego roku było następne stracone dziecko i kolejnego roku kolejne. Od tamtego czasu co kilka lat pojawiało się następne. Kiedy straciła piąte czy szóste dziecko, Retta uciekła do swojego pokoju w ataku najgwałtowniejszej rozpaczy. Jej szlochy słyszeli sąsiedzi mieszkający kilka domów dalej. Biedny George Hawkes nie miał pojęcia, co robić z tak rozpaczającą kobietą, i przez wiele dni z rzędu był niezdolny do pracy z powodu obłędu żony. Na koniec posłał wiadomość do

White Acre, błagając Almę o przybycie na Arch Street i dotrzymanie towarzystwa dawnej przyjaciółce, której nikt nie potrafił pocieszyć.

Gdy Alma nadjechała, Retta zdążyła już zasnąć, z kciukiem w ustach i pięknymi włosami rozrzuconymi na poduszce jak nagie czarne konary na bladym zimowym niebie. George wyjaśnił, że z apteki przysłano odrobinę laudanum, które chyba poskutkowało.

– Proszę, George, staraj się tego nie nadużywać – ostrzegła go Alma. – Retta ma wyjątkowo wrażliwą konstrukcję i za dużo laudanum może jej zaszkodzić. Wiem, że zachowuje się czasami niedorzecznie, nawet tragicznie. Znając jednak Rettę, wiem też, że potrzebuje jedynie cierpliwości i miłości, by mogła znaleźć swoją ścieżkę do szczęścia. Może gdybyś poświęcał jej więcej czasu...

– Wybacz, proszę, że cię trudziłem – odparł George.

– Ależ skąd – powiedziała Alma. – Jestem zawsze do twojej dyspozycji, twojej i Retty.

Alma pragnęła powiedzieć coś więcej – ale co? Czuła, że i tak chyba zbyt swobodnie się wypowiedziała, nawet może skrytykowała go jako męża. On tymczasem najwyraźniej był wyczerpany.

– Łączą nas więzi przyjaźni, George – powiedziała, kładąc mu rękę na ramieniu. – Korzystaj z nich. Możesz mnie wzywać o każdej porze.

A więc korzystał. Wezwał Almę w 1826 roku, kiedy Retta ścięła sobie włosy. Wezwał Almę w roku 1835, kiedy Retta zniknęła na trzy dni i znaleziono ją w Fish Town*, śpiącą pośród gromady ulicznych dzieciaków. Wezwał ją w 1842 roku, kiedy Retta goniła służącą z nożycami krawieckimi w dłoni, twierdząc, iż kobieta jest zjawą. Służącej nic poważnego się nie stało, ale od owego momentu nikt nie chciał zanosić Retcie do pokoju jedzenia. Wezwał ją także w roku 1846, gdy Retta zaczęła całymi dniami pisywać długie niezrozumiałe listy, znaczone bardziej łzami niźli atramentem.

George nie wiedział, jak dawać sobie z czymś takim radę. Wprowadzało to zakłócenie do jego umysłu oraz interesów. Wydawał teraz ponad sto książek w ciągu roku, oprócz szeregu pism na-

---

* Fishtown – współcześnie dzielnica Filadelfii.

ukowych oraz nowego, kosztownego, dystrybuowanego wyłącznie za prenumeratą pisma „Octavo of Exotic Flora" (wychodzącego jako kwartalnik i ilustrowanego ogromnymi, ręcznie kolorowanymi litografiami najwyższej jakości). Wszystkie te przedsięwzięcia wymagały jego niepodzielnej uwagi. Nie miał czasu na załamanie żony.

Alma też nie miała na to czasu, ale jednak przybywała. Czasami – podczas szczególnie ciężkich epizodów – spędzała nawet noc u Retty, śpiąc w małżeńskim łożu Hawkesów z drżącą przyjaciółką w ramionach, George zaś szedł spać na kozetkę, do drukarni za ścianą. Odnosiła wrażenie, że ostatnio w ogóle zwykł właśnie tam sypiać.

– Czy będziesz mnie ciągle kochać i ciągle będziesz dla mnie miła – zadawała Almie pytanie w środku nocy Retta – kiedy zrobi się ze mnie prawdziwy diabeł?

– Zawsze będę cię kochać – zapewniała Alma jedyną przyjaciółkę, jaką miała w życiu. – I nigdy nie staniesz się diabłem, Retto. Powinnaś tylko trochę odpocząć i nie zadręczać siebie i innych tego typu zmartwieniami.

Każdorazowo po takich epizodach następnego dnia rano jadali wspólnie śniadanie. Nie było to komfortowe. George nigdy nie był rozmowny, nawet w sprzyjających okolicznościach, a Retta – zależnie od tego, jaką dawkę laudanum dostała poprzedniego wieczoru – bywała albo nazbyt pobudzona, albo zbyt otępiała. Czasami gryzła chusteczkę i nie pozwalała jej sobie odebrać. Alma szukała tematu do rozmowy, który odpowiadałby całej trójce, ale taki temat nie istniał. Taki temat *nigdy* nie istniał. Mogła albo rozmawiać z Rettą od rzeczy, albo z George'em o botanice, ale nigdy nie odgadła, jak prowadzić rozmowę z obojgiem.


Aż kiedyś, w kwietniu 1848 roku, George Hawkes znowu wezwał Almę. Siedziała przy biurku – intensywnie się głowiąc nad źle zachowanym okazem *Dicranum consorbrinum*, przysłanym niedawno przez kolekcjonera amatora z Minnesoty – gdy na koniu nadjechał wychudzony chłopak i przekazał jej wiadomość: Panna

Whittaker jest uprzejmie proszona o przybycie do domu Hawkesów przy Arch Street. Zdarzył się wypadek.

– Jaki wypadek? – zapytała Alma, podrywając się od pracy.

– Pożar! – odpowiedział chłopak.

Z trudnością hamował radosne podniecenie. Chłopcy kochają
ogień.

– Dobre nieba! Czy ktoś jest ranny?

– Nie, psze pani – odrzekł chłopak, wyraźnie zawiedzionym
głosem.

Wkrótce Alma się dowiedziała, że Retta Hawkes rozpaliła ogień
w swojej sypialni. Z jakiegoś powodu uznała, że musi spalić pościel oraz zasłony. Na szczęście panowała wilgotna pogoda i tkaniny nie zajęły się ogniem, zaczęły się tylko tlić. Powstało znacznie
więcej dymu niż płomieni, niemniej sypialnia nosiła wyraźne ślady
uszkodzenia, morale domowników zaś – jeszcze wyraźniejsze. Kolejne dwie pokojówki zrezygnowały z pracy. Nikt nie był w stanie
żyć w takim domu. Nikt nie mógł znieść obłąkanej pani.

Kiedy Alma nadjechała, George Hawkes był blady i przygnę-
biony. Retta, po środkach uspokajających, ciężko spała na sofie.
W domu czuło się swąd.

– Almo! – zawołał George, podbiegając do niej.

Wziął jej dłonie w swoje ręce. Już kiedyś, jeden jedyny raz, tak
zrobił, ponad trzydzieści lat temu. Teraz było inaczej. Alma za-
wstydziła się, że w ogóle przyszła jej na myśl tamta sytuacja. Teraz
oczy miał rozszerzone ze strachu.

– Ona nie może dłużej tutaj zostać.

– George, ona jest twoją żoną.

– Wiem, kim ona jest! Wiem, kim jest. Ale nie może tutaj zostać, Almo. Nie jest tutaj bezpieczna i nikt z jej otoczenia nie jest
bezpieczny. Mogła nas wszystkich zabić, do tego mogła puścić drukarnię z ogniem. Musisz znaleźć dla niej gdzieś miejsce.

– W szpitalu? – zapytała Alma.

Ale Retta wiele razy była w szpitalu, lecz, jak się zawsze okazywało, nikt nie potrafił tam nic dla niej zrobić. Zawsze wracała
ze szpitala do domu jeszcze bardziej pobudzona, niż kiedy tam
jechała.

– Nie, Almo. Ona potrzebuje miejsca na stałe. Inny rodzaj domu. Wiesz, o czym mówię! Wiesz, że nie mogę jej tutaj zatrzymać na kolejną noc. Musi mieszkać gdzie indziej. A ty musisz mi to wybaczyć. Wiesz więcej od innych, ale nawet ty nie wiesz, co się z niej zrobiło. Ani jednej nocy nie przespałem w ostatnim tygodniu. Nikt nie śpi w tym domu ze strachu przed tym, co ona może zrobić. Dla pewności, że nie wyrządzi ani sobie, ani nikomu krzywdy, musi być z nią cały czas dwoje ludzi. Nie zmuszaj mnie, żebym mówił więcej! Wiem, że rozumiesz, o co cię proszę. Musisz się zająć tym dla mnie.

Ani przez chwilę nie podając w wątpliwość, że to *ona* musi się tym zająć, Alma się tym po prostu zajęła. Dzięki kilku dobrze zaadresowanym listom była po niedługim czasie w stanie zapewnić przyjaciółce przyjęcie w Zakładzie dla Umysłowo Chorych Griffona w Trenton w stanie New Jersey. Budynek został postawiony zaledwie rok wcześniej, a projekt, zapewniający jak największy spokój skołatanym umysłom, pochodził od samego dr. Victora Griffona – szanowanego filadelfijczyka, który swego czasu gościł u nich na obiedzie. Był czołowym w Ameryce obrońcą koncepcji moralnej opieki nad ludźmi z zaburzeniami umysłowymi; mówiono, że jego metody są całkiem humanitarne. Jego pacjentów nigdy nie przykuwano łańcuchami do ściany, jak na przykład przykuto Rettę w szpitalu filadelfijskim. O Zakładzie mówiono, że to spokojne i piękne miejsce, otoczone zadbanymi ogrodami oraz, oczywiście, wysokim murem. Nie jest nieprzyjemne, mówili ludzie. Nie było też niedrogie, o czym Alma się przekonała, płacąc z własnej kieszeni za pierwszy rok pobytu Retty z góry. Nie chciała fatygować George'a, a rodzice Retty odeszli dawno temu, zostawiając po sobie wyłącznie długi.

Smutno było Almie to organizować, ale wszyscy mówili, że tak będzie najlepiej. Retta będzie miała u Griffona własny pokój, nie wyrządzi więc krzywdy innym pacjentom, będzie także miała koło siebie przez cały czas pielęgniarkę. Było to dla Almy jakąś pociechą. Co więcej, terapia w Zakładzie była nowoczesna i naukowa. Szaleństwo Retty będą leczyć hydroterapią, regulacją krążenia oraz łagodnym wpływem moralnym. Nie będzie miała dostępu ani do nożyc, ani do ognia. O tym ostatnim zapewnił Almę sam dr Griffon, który zdążył już postawić diagnozę: Retta cierpi na „wyczerpanie rezerwuaru nerwowego".

Tak więc Alma wszystko załatwiła. George musiał jedynie podpisać orzeczenie o obłędzie oraz odwieźć żonę, razem z Almą, do Trenton. Pojechali we trójkę prywatnym powozem, ponieważ podróż z Rettą pociągiem była zbyt ryzykowna. Zabrali ze sobą pasy, na wypadek gdyby trzeba było ją poskromić, ale Retta zachowywała się beztrosko, mrucząc pod nosem piosenki.

Gdy przybyli do Zakładu, George ruszył energicznie przez wielki trawnik w kierunku drzwi wejściowych. Alma z Rettą podążyły za nim, ramię w ramię, jak gdyby zażywały spaceru.

– Jakiż to piękny budynek! – powiedziała Retta, podziwiając elegancką budowlę.

– Zgadzam się – odrzekła Alma w przypływie wielkiej ulgi. – Wspaniale, że ci się podoba Retto, bo od teraz będziesz tutaj mieszkać.

Nie było jasne, ile Retta pojmowała z tego, co się działo, ale nie wyglądała na zaniepokojoną.

– Piękne są te ogrody – ciągnęła.

– Zgadzam się – odparła Alma.

– Bo nie mogę znieść widoku ściętych kwiatów.

– Ależ Retto, nie pleć głupstw, nikt nie uwielbia bukietów świeżo ściętych kwiatów bardziej od ciebie!

– Jestem karana za niewyobrażalne przewinienia – odrzekła Retta, całkiem spokojnie.

– Nie jesteś karana, ptaszyno.

– Strasznie się boję Boga, bardziej od innych.

– Bóg nie ma ci nic do zarzucenia, Retto.

– Dotknięta zostałam najbardziej tajemniczym bólem w piersiach. Czasami czuję, jakby coś miało mi zdławić serce. Nie w tej chwili, rozumiesz, ale to potrafi nadejść tak szybko…

– Poznasz tutaj przyjaciół, którzy ci pomogą.

– Kiedy byłam młodą dziewczyną – mówiła dalej tym samym swobodnym tonem Retta – kompromitująco prowadzałam się z mężczyznami. Wiedziałaś to o mnie, Almo?

– Sza, Retto.

– Nie trzeba mnie uciszać. George wie. Wiele razy mu o tym mówiłam. Zezwalałam tym mężczyznom robić ze mną, co tylko chcieli, a nawet pozwalałam sobie brać od nich pieniądze... choć ty i wszyscy inni wiedzieli, że nigdy nie potrzebowałam pieniędzy.

– Sza, Retto. Mówisz bez sensu.

– Czy kiedykolwiek miałaś ochotę kompromitująco prowadzać się z mężczyznami? To znaczy, jak byłaś młoda?

– Retto, proszę...

– Te panie w spiżarni w White Acre też to robiły. Pokazały mi, co i jak robić z mężczyzną, i pouczyły, ile brać pieniędzy za usługę. Kupowałam sobie rękawiczki i wstążki za te pieniądze. Raz nawet kupiłam wstążkę dla ciebie!

Alma zwolniła, by George nie mógł ich słyszeć. Ale wiedziała, że i tak wszystko słyszy.

– Retto, jesteś osłabiona, zachowaj głos na potem...

– Almo, naprawdę nigdy? *Nigdy* nie miałaś ochoty na takie kompromitujące rzeczy? Nigdy nie poznałaś tego plugawego głodu w środku ciała?

Retta złapała ją za ramię i spojrzała na przyjaciółkę wręcz rozpaczliwie, uważnie badając jej twarz. Potem znowu się przygarbiła zrezygnowana.

– Nie, oczywiście, że nie, ty nie. Bo ty jesteś dobra. Obie z Prudence jesteście dobre. Ja tymczasem jestem wcielonym złem.

Teraz Alma poczuła, że serce jej zaraz pęknie. Spojrzała na szerokie, pochylone plecy George'a Hawkesa, idącego przed nimi. Zalał ją wstyd. Czy nigdy nie miała ochoty na kompromitujące rzeczy z mężczyznami? Och, gdyby tylko Retta wiedziała! Gdyby ktokolwiek wiedział! Alma Whittaker była czterdziestoośmioletnią starą panną o wyschłym łonie, a jednak *wciąż* znajdowała drogę do składziku introligatorskiego kilkakrotnie w ciągu miesiąca. Nawet wielokrotnie! Co więcej, wszystkie zakazane teksty z młodości – *Cum grano salis* oraz cała reszta – nadal pulsowały jej w głowie. Czasami wyciągała te książki z ukrytej w stercie siana w powozowni skrzyni i czytała od nowa. Raczej zapytać trzeba, czego Alma *nie* poznała z owego plugawego głodu...

Byłoby niemoralne, pomyślała Alma, nie mieć teraz dla tej małej załamanej istotki żadnych słów otuchy oraz przyjacielskiej lojalności. Ale jak ma pocieszyć Rettę, że nie była jedyną nieprzyzwoitą dziewczynką na świecie? Obok, zaledwie w odległości kilku stóp, idzie przed nimi George Hawkes i z pewnością wszystko słyszy. Alma więc nie pocieszyła przyjaciółki i nie okazała jej współczucia. Powiedziała jedynie: „Kiedy ułożysz sobie życie tutaj, w nowym domu, moja kochana Rettuniu, będziesz mogła codziennie spacerować po tutejszych ogrodach. A wtedy osiągniesz spokój".

W drodze powrotnej powozem z Trenton Alma i George niewiele się odzywali.

– Doktor Griffon zapewniał mnie – powiedziała Alma, gdy wyjeżdżali z Zakładu – że dobrze się tam nią zaopiekują.

– Wszyscyśmy powołani do zgryzoty – odparł George. – To smutny los, po co w ogóle przychodzić na ten świat.

– Może tak jest – rzekła Alma ostrożnie, zaskoczona desperacją w jego głosie. – Musimy jednak znaleźć w sobie cierpliwość i pokorę, by stawić czoło wyzwaniom, jakie wychodzą nam naprzeciw.

– Tak. Tak się nas uczy – zgodził się George. – Wiesz, Almo, bywały chwile, kiedy myślałem, że lepiej by było, gdyby śmierć przyniosła Retcie ulgę, jeśli ma dalej cierpieć od tej nieustannej męki i powodować cierpienie moje oraz innych.

Nic nie przyszło Almie do głowy w odpowiedzi. Spojrzała na jego zwróconą ku sobie twarz, zniekształconą mrokiem oraz dotkliwym bólem. Po długiej chwili, zacinając się, rzekła:

– Tam, gdzie jest życie, George, jest też nadzieja. Śmierć jest potwornie ostateczna. I tak przyjdzie po nas wszystkich wystarczająco rychło. Zawahałabym się, nim życzyłabym komukolwiek, żeby się pospieszyła.

George zamknął oczy i nie odpowiadał. To, co usłyszał, nie brzmiało jak pocieszenie.

– Zaprowadzę zwyczaj jeżdżenia co miesiąc do Trenton, by odwiedzić Rettę – powiedziała łagodniejszym tonem Alma. – Jeśli masz ochotę, możesz się do mnie przyłączać. Będę przywoziła jej numery „Joy's Lady's Book". Ucieszy się.

Dwie następne godziny George się nie odzywał. Sprawiał wrażenie wyczerpanego. Przez pewien czas na przemian to zapadał w drzemkę, to się budził. Gdy jednak powoli dojeżdżali do Filadelfii, otworzył oczy i patrzył przed siebie w milczeniu. Alma nie widziała jeszcze nikogo, kto byłby tak nieszczęśliwy. Serce się jej rwało do tego człowieka, jak zawsze, postanowiła więc zmienić temat. Kilka tygodni wcześniej George pożyczył jej książkę, która niedawno wyszła w Londynie, poświęconą salamandrom. Może przywołanie jej zdoła poprawić mu trochę humor. Podziękowała więc za udostępnienie książki i przez chwilę analizowała drobiazgowo jej treść. Powóz powoli zbliżał się do miasta.

– Ogólnie rzecz biorąc, uważam, że tom zawiera interesujące myśli i trafne analizy, ale napisany jest okropnie i jest źle skonstruowany... nie rozumiem, George, czy ci ludzie w Anglii nie mają redaktorów? – podsumowała.

George ją zaskoczył, podniósł bowiem spuszczony na stopy wzrok i brutalnie zmienił temat.

– Mąż twojej siostry ściągnął sobie ostatnio kłopoty na głowę – powiedział.

Taka zmiana tematu zdumiała Almę. George nie miał zwyczaju plotkować, dziwne też było w ogóle nawiązanie do męża Prudence. Być może, uznała, tak jest poruszony wydarzeniami dnia, że niezupełnie jest sobą. Nie chciała, żeby się poczuł niezręcznie, więc podjęła temat, jak gdyby od zawsze zwykli prowadzić takie rozmowy.

– Co takiego zrobił? – zapytała.

– Arthur Dixon opublikował nierozważną broszurę – wyjaśnił ze znużeniem w głosie – i był na tyle niemądry, że podpisał ją własnym nazwiskiem. Wyraża w niej opinię, iż rząd Stanów Zjednoczonych cechuje cokolwiek obrzydliwe moralne matactwo, widoczne w ciągle utrzymywanych powiązaniach z niewolnictwem.

Alma nie znajdowała w tym nic szokującego. Prudence i Arthur Dixon od lat byli zaangażowanymi abolicjonistami. W całej Filadelfii znano ich z dosyć radykalnych poglądów, propagujących zniesienie niewolnictwa. Prudence w wolnym czasie uczyła czytania wyzwolonych Murzynów w lokalnej szkole kwakierskiej. Opiekowała się także dziećmi w Sierocińcu dla Kolorowych i nieraz

214

przemawiała na zebraniach Kobiecego Towarzystwa Abolicyjnego. Arthur Dixon często wydawał broszury – właściwie bezustannie – i pełnił funkcję członka rady wydawniczej pisma „The Liberator". Mówiąc szczerze, wielu ludzi w Filadelfii raczej znużyło się już Dixonami z ich broszurami, artykułami oraz wystąpieniami. („Jak na człowieka, który mieni się agitatorem", ciągle powtarzał Henry o swoim zięciu, „Arthur Dixon jest strasznym nudziarzem").

– Cóż z tego? – zapytała Alma. – Wszyscy wiemy, że moja siostra i jej mąż aktywnie propagują tego typu idee.

– Ale tym razem profesor Dixon posunął się dalej, Almo. Życzy sobie nie tylko, żeby niewolnictwo zostało natychmiast zniesione, ale również uważa, że nie powinniśmy płacić podatków ani przestrzegać amerykańskiego prawa, dopóki to nie nastąpi. Zachęca wszystkich, by wyszli na ulice z płonącymi pochodniami i zażądali natychmiastowej wolności dla wszystkich czarnych, i tak dalej.

– Arthur Dixon? – Alma nie mogła się powstrzymać od przytoczenia pełnego nazwiska swego dawnego nudnego nauczyciela. – Płonące pochodnie? To niepodobne do niego.

– Przeczytaj sama i zobacz. Wszyscy o tym mówią. Mówią też, że ma szczęście, że nie wyrzucili go jeszcze z uniwersytetu. Zdaje się, że twoja siostra występuje razem z nim.

– To niepokojące – zgodziła się Alma po chwili namysłu.

– Wszyscyśmy powołani do zgryzoty – powtórzył George, pocierając policzek ze zmęczenia.

– Musimy jednak znaleźć cierpliwość i pokorę… – zaczęła Alma bez przekonania, ale George jej przerwał.

– Biedna twoja siostra – powiedział. – A na dodatek ma małe dzieci w domu. Proszę, Almo, daj znać, gdybym mógł coś zrobić dla twojej rodziny. Zawsze byłaś dla nas taka dobra.

# ROZDZIAŁ TRZYNASTY

J ej biedna siostra?

Być może, ale... Alma nie była tego pewna.

Trudno współczuć kobiecie takiej jak Prudence Whittaker Dixon. Co więcej, trudno nawet ją zrozumieć. Następnego dnia Alma roztrząsała wszystkie fakty podczas obserwacji kolonii mchów w White Acre.

Dom Dixonów stanowił nie lada zagadkę! Oto kolejne małżeństwo, które nie sprawia wrażenia szczęśliwego, przynajmniej w oczach Almy. Prudence i jej dawny guwerner byli już małżeństwem od ponad dwudziestu pięciu lat, powołali na świat sześcioro dzieci, a jednak Alma nigdy nie dostrzegła oznaki czułości bądź porozumienia między małżonkami. Nigdy nie słyszała, by którekolwiek się śmiało. Prawie nigdy nie widziała nawet drobnego uśmiechu na ich ustach. Nie widziała też żadnego z nich w przystępie gniewu względem drugiego. W istocie nigdy nie zobaczyła oznak żadnego uczucia pomiędzy nimi. Co to za małżeństwo, w którym ludzie maszerują przez lata w apatii wypełnionej wyłącznie pracowitością?

Życie małżeńskie jej siostry od początku wywoływało pytania i ciekawość – począwszy od tajemniczej zagadki, która nurtowała wszystkich filadelfijskich plotkarzy przed wielu laty, kiedy Arthur i Prudence wzięli ślub: Co się stało z posagiem? Henry Whittaker pobłogosławił adoptowaną córkę na okazję małżeństwa olbrzymią kwotą, ale od samego początku nie poszły za tym żadne wydatki. Arthur i Prudence Dixonowie cały czas żyli wyłącznie z jego niskiej pensji uniwersyteckiej, niczym nędzarze. Nie byli nawet właścicielami swojego domu. Cóż mówić, rzadko kiedy ogrzewali dom! Arthur Dixon nie uznawał zbytku i dom jego był zimny i bezkrwisty jak i on sam. Rodzinie narzucił model oparty na abstynencji, skromności, uczoności oraz modlitwie i Prudence się od razu do tego dostosowała. Od pierwszego dnia swej małżeńskiej kariery Prudence wyrzekła się wszelkiej wystawności i zaczęła ubierać się nieomal jak kwakierka: flanela, wełna i ciemne kolory, a do tego czepki najskromniejsze z możliwych. Nie przyozdabiała się niczym, żadnymi świecidełkami czy choćby łańcuszkiem od zegarka oraz nie nosiła najmniejszego rąbka koronki na stanie.

Ograniczenia Prudence nie dotyczyły wyłącznie garderoby. Po ślubie jej dieta stała się równie prosta i skromna jak strój – wyglądało na to, że był nią jedynie chleb kukurydziany i melasa. Nigdy nie widziano jej ze szklanką wina czy choćby herbaty albo lemoniady. A kiedy pojawiło się potomstwo, wychowywała je w takich samych skromnych warunkach. Gruszka zerwana z pobliskiego drzewa stanowiła ucztę dla jej dziewcząt i chłopców, nauczonych odwracać wzrok od bardziej pociągających smakołyków. Ubierała dzieci tak samo: skromna odzież, starannie połatana. Tak jak gdyby chciała, żeby dzieci wyglądały na ubogie. Albo może oni rzeczywiście byli biedni, chociaż nie mieli po temu powodów.

– Gdzież, u licha, ona je wyniosła i co zrobiła ze wszystkimi swoimi kosztownymi sukniami? – parskał Henry z irytacji, gdy Prudence odwiedzała ich w White Acre odziana w łachmany. – Materace nimi wypchała?

Lecz Alma widziała materace Prudence, wypełnione były słomą.

Cała Filadelfia plotkowała i spekulowała przez długie lata, co Prudence z mężem zrobili z posagiem Whittakerówny. Czy Arthur Dixon był hazardzistą, który od razu strwonił owe bogactwa na zakładach wyścigów konnych oraz na walkach psów? Może utrzymywał drugą rodzinę w innym mieście i tamta żyła w luksusie? Czy może para siedzi na schowanym głęboko skarbie niewysłowionego majątku, ukrywając go za pozorem nędzy?

Z biegiem czasu prawda wyszła na jaw: wszystkie pieniądze poszły na abolicjonistów. Zaraz po ślubie Prudence po cichu przekazała większą część posagu Filadelfijskiemu Towarzystwu Abolicyjnemu. Dixonowie wydawali także pieniądze na wykupywanie niewolników, co wynosiło do 1300 dolarów za człowieka. Pokrywali koszty podróży do bezpiecznej Kanady wielu zbiegłych niewolników. Płacili za publikacje niezliczonych propagandowych broszur oraz rozpraw. Przeznaczyli nawet pewne środki na powołanie towarzystw dyskusyjnych dla czarnoskórych, które pomagały im wyrabiać umiejętność argumentowania w swojej sprawie.

Owe szczegóły wypłynęły w 1838 roku w wywiadzie, którego Prudence udzieliła pismu „Inquirer" na temat dziwnych zwyczajów panujących w jej rodzinie. Bodźcem było spalenie przez tłum żądny linczu lokalnej sali zebrań abolicjonistów, po którym gazeta szukała nowego, innego spojrzenia na ruch przeciwników niewolnictwa. Dziennikarza zainteresowała Prudence Dixon, gdy prominentny abolicjonista wspomniał o cichej hojności Whittakerówny. Temat natychmiast go zaintrygował; w okolicach Filadelfii nazwiska Whittakerów nie wiązano dotychczas z hojnością. Co więcej, Prudence była, oczywiście, zjawiskowo piękna – a to zawsze przyciąga uwagę – i kontrast między jej wyjątkową urodą a prostym stylem życia czynił temat jeszcze bardziej frapującym. Rzec bowiem trzeba, że jeśli Prudence zamierzała uczynić samą siebie pospolitą za pomocą nijakich burych sukien, całkiem beznadziejnie poniosła klęskę. Prudence mogła się wystroić jak węglarka, jeśli miała na to ochotę, ale nie mogła udawać, że nie ma wąskiej talii i owej alabastrowomlecznej cery oraz nie mogła ukryć olśniewającej korony złocistych włosów. A wraz z dojrzewaniem stawała się tylko piękniejsza. Kiedy twarz jej zeszczuplała, owe słynne błękitne oczy wydawały się jeszcze większe, głębsze i bardziej poruszające. Eleganckie białe nadgarstki oraz delikatna szyja wyłaniająca się z posępnego, ciemnego odzienia przywodziły na myśl królową w niewoli – Afrodytę uwięzioną w habicie.

Dziennikarz nie mógł się jej oprzeć. Wywiad był długi. Historia pojawiła się na pierwszej stronie gazety razem z udanym szkicem, przedstawiającym panią Dixon. Artykuł w przeważającej części prezentował znany abolicjonistyczny materiał, ale uwagę filadelfijczyków najbardziej przykuło oświadczenie Prudence Dixon, wychowanki pałacowego dworu White Acre, że przez wiele lat odmawiała sobie oraz swojej rodzinie jakiegokolwiek luksusu, który pochodziłby z pracy niewolniczych rąk.

„Noszenie bawełny z Karoliny Południowej wydaje się niewinne", cytowano w artykule jej słowa, „ale niewinne nie jest, ponieważ właśnie w taki sposób przenika do naszych domów zło. Zwyczajną przyjemnością wydaje się rozpieszczanie naszych dzieci odrobiną cukru, ale ta przyjemność staje się grzechem, jeśli ów cukier uprawiają ludzkie istoty trzymane w niewypowiedzianej niedoli. Z takiego samego powodu nie używamy u nas w domu kawy ani herbaty. Zachęcam wszystkich filadelfijczyków o wrażliwym katolickim sumieniu, by postępowali tak samo. Jeśli jesteśmy przeciwni niewolnictwu, ale nadal korzystamy z jego zdobyczy, nie ma w nas nic prócz hipokryzji, a czyż możemy sądzić, że Pana cieszy nasza hipokryzja?"

Następnie, w tym samym artykule, Prudence poszła jeszcze dalej: „W naszym sąsiedztwie mieszka rodzina wyzwolonych Murzynów, składająca się z uczciwego człowieka o imieniu John Harrington, jego żony Sadie oraz trójki ich dzieci. Są ubodzy i jest im ciężko. Mój mąż i ja staramy się żyć nie wystawniej od nich. Dbamy o to, aby nasz dom nie był lepszy od ich domu. Często Harringtonowie pracują razem z nami u nas, a my pracujemy u nich. Sprzątam swoją kuchnię z Sadie Harrington. Mój mąż rąbie drzewo z Johnem Harringtonem. Moje dzieci uczą się liter oraz cyfr razem z dziećmi Harringtonów. Często spożywają z nami obiad przy naszym stole. Jemy taką samą strawę jak oni i nosimy taką samą, jak oni, odzież. Jeśli Harringtonowie nie mają ogrzewania w okresie zimowym, i my dajemy sobie radę bez ogrzewania. Grzeje nas nasz brak hańby oraz przeświadczenie, że Chrystus też tak by robił. W niedziele uczestniczymy w tej samej co Harringtonowie mszy, w ich skromnym murzyńskim kościele metodystycznym. W ich kościele nie ma wygód – dlaczego miałyby być w naszym? Ich dzieci czasami nie mają butów – dlaczego nasze mają je mieć?".

Ale tutaj Prudence posunęła się chyba za daleko.

W ciągu następnych dni wszystkie gazety zostały zalane falą listów pełnych złości w odpowiedzi na jej słowa. Niektóre nadeszły od przerażonych matek („Córka Henry'ego Whittakera każe dzieciom chodzić bez butów!"), większość jednak przyszła od rozwścieczonych mężczyzn („Jeśli pani Dixon kocha Czarnych Afrykańczyków tak bardzo, jak utrzymuje, to niech ożeni swoją najśliczniejszą białą córeczkę z synem jej sąsiadów, o skórze czarnej jak tusz... nie mogę się doczekać, żeby to zobaczyć!").

Almę artykuł irytował, nic na to nie mogła poradzić. Było coś w stylu życia Prudence, co w jej oczach podejrzanie przypominało dumę albo nawet próżność. Oczywiście, w Prudence nie było próżności typowej dla zwykłych śmiertelników – Alma nigdy nie zauważyła, żeby siostra zerkała w lusterko, ale wyczuwała, że siostra jest próżna w inny sposób, bardziej subtelnie, poprzez ów przesadny pokaz prostoty oraz poświęcenia.

Popatrz, jak mało potrzebuję, zdawała się mówić Prudence. Popatrz, jaka jestem doskonała.

Almę drażniła tak ostentacyjna demonstracja ubóstwa, tak jak Platona drażnił Diogenes. Nawet więcej, nie mogła powstrzymać się od myśli, iż czarni sąsiedzi Prudence, ci Harringtonowie, być może któregoś wieczoru z chęcią zjedliby coś więcej oprócz kukurydzianego chleba z melasą – i dlaczego Dixonowie nie mogą im po prostu tego kupić, zamiast głodować razem z nimi w pustym geście solidarności?

Prasowe wyznanie ściągnęło kłopoty. Najpierw groźby i ataki spadły na Harringtonów, którzy tak byli nękani, że musieli wyprowadzić się gdzie indziej. Potem mąż Prudence, Arthur Dixon, w drodze na Uniwersytet Pensylwański, do pracy, obrzucony został końskim łajnem. Matki dzieci mieszkających przy tej samej ulicy co Dixonowie zabroniły im bawić się z dziećmi Prudence. Ktoś ustawicznie wieszał strzępki bawełny z Karoliny Południowej na bramie wjazdowej Dixonów oraz zostawiał małe paczuszki cukru na ich progu – rzeczywiście dziwne i pomysłowe ostrzeżenia. Aż pewnego dnia w połowie roku 1838 Henry Whittaker otrzymał niepodpisany list, w którym przeczytał: „Lepiej niech pan zamknie usta córce, panie Whittaker, bo inaczej ujrzy pan wkrótce swoje magazyny puszczone z ogniem".

Tego Henry już nie mógł tolerować. Wystarczającą było zniewagą, że własna córka roztrwoniła hojny posag, ale teraz to jego zakumulowanym dobrom groziło niebezpieczeństwo. Wezwał Prudence do White Acre z zamiarem wlania jej trochę rozumu do głowy.

– Niech ojciec będzie z nią delikatny – ostrzegła go zawczasu Alma. – Prudence jest prawdopodobnie wstrząśnięta i zaniepokojona. Borykała się ciężko z wydarzeniami ostatnich tygodni i jest najprawdopodobniej bardziej przejęta bezpieczeństwem własnych dzieci niż ojciec bezpieczeństwem magazynów.

– Wątpię w to – mruknął Henry.

Prudence jednakże nie wyglądała na strwożoną albo zmieszaną. Wkroczyła do gabinetu Henry'ego jak Joanna d'Arc i stanęła przed ojcem nieustraszona. Alma spróbowała uprzejmie ją przywitać, ale siostra nie okazała żadnego zainteresowania uprzejmościami. Henry też nie. Rozmowę rozpoczął bezzwłocznym oskarżeniem.

– Zobacz, co narobiłaś! – huknął. – Najpierw okryłaś hańbą naszą rodzinę, a teraz przyprowadzasz motłoch żądny linczu do drzwi twojego ojca? Tym mi odpłacasz za wszystko, co ode mnie dostałaś?

– Nie widzę motłochu żądnego linczu – odparła pewnym głosem Prudence.

– No to niedługo możesz go zobaczyć!

Henry rzucił jej list z pogróżką przez biurko. Przeczytała go bez żadnej reakcji.

– Coś ci powiem, Prudence, nie będę szczęśliwy, zarządzając interesem ze zwęglonych szczątków. Za kogo ty się uważasz, że tak postępujesz? Dlaczego w taki sposób eksponujesz się w gazetach? Nie ma w tym godności. Beatrix by tego nie pochwaliła.

– Jestem dumna, że moje słowa zostały zapisane – odparła Prudence. – Z dumą powtórzyłabym je wszystkie, przed każdym człowiekiem z którejkolwiek gazety na świecie.

Prudence nie ratowała sytuacji.

– Przychodzisz tutaj ubrana w łachmany – ciągnął Henry w narastającym gniewie. – Przychodzisz tutaj bez grosza przy duszy, pomimo mojej szczodrości. Przychodzisz tu z czeluści piekła swego niewypłacalnego męża, umyślnie prezentując się nam jako nędzarka i pragnąc wszystkich nas dookoła zamienić w nędzarzy. Mieszasz się w sprawy, w które nie twój interes się mieszać, i podburzasz ludzi w sprawie, która podzieli nasze miasto… i zniszczy mój handel z nim! I na dokładkę nie masz żadnego powodu! W stanie Pensylwania nie ma niewolnictwa, Prudence! Czemu więc ciągniesz ten temat? To Południe musi się borykać ze swoimi grzechami.

– Żałuję, że ojciec nie podziela moich przekonań… – odparła Prudence.

– Twoje przekonania warte są dla mnie tyle co pierdnięcie kowala. Ale przysięgam, że jeśli stanie się cokolwiek moim magazynom…

– Jest ojciec człowiekiem wpływowym – przerwała mu Prudence. – Ojca głos mógłby poprzeć naszą sprawę, a ojca pieniądze mogłyby zdziałać wiele dobrego na tym padole grzechu. Odwołuję się do świadectwa ojca własnego serca…

– A ja pierdolę świadectwo mojego własnego serca! Buntujesz się jedynie po to, żeby życie każdego ciężko harującego kupca w tym mieście stało się jeszcze bardziej pożałowania godne!

– Co więc ojciec chce, abym uczyniła?

– Chcę, żebyś zamknęła usta, dziewczyno, i zajęła się własną rodziną.

– Wszyscy cierpiący są moją rodziną.

– Och, dość już tych mrzonek i oszczędź mi kazania… *nie są.* Ludzie w tym pokoju są twoją rodziną.

– Nie bardziej od innych – odpowiedziała Prudence.

To zastopowało Henry'ego. Prawie pozbawiło go oddechu. Nawet Alma poczuła się jak ogłuszona. Po tej odpowiedzi oczy ją nagle zapiekły, jakby otrzymała cios prosto między brwi.

– Nie uważasz nas za swoją rodzinę? – zapytał Henry, kiedy ochłonął. – Bardzo dobrze w takim razie. Wykluczam cię z naszej rodziny.

– Och, ojcze, nie trzeba… – zaprotestowała poważnie przerażona Alma.

Ale Prudence uciszyła siostrę, szykując się do odpowiedzi, która tak była klarowna i spokojna, że mógłby ktoś powiedzieć, iż ćwiczyła ją przez wiele lat. Być może rzeczywiście ją ćwiczyła.

– Jak ojciec sobie życzy – powiedziała. – Ale niech ojciec wie, że wyklucza ze swojego domu córkę, która była zawsze wobec ojca lojalna i która ma prawo szukać czułości oraz zrozumienia u jedynego człowieka, którego wedle jej pamięci kiedykolwiek nazywała ojcem. Jest to nie tylko okrutne, ale wierzę, że ściągnie udrękę na ojca świadomość. Będę się modlić za ojca, za Henry'ego Whittakera. A gdy się będę modlić, zapytam Pana w niebiosach, co też się stało z etyką mojego ojca... czy może on jej nigdy nie miał?

Henry stanął na równe nogi i walnął z wściekłością obiema pięściami w biurko.

– Ty mała idiotko! – ryknął. – Nigdy jej nie miałem!


To wszystko wydarzyło się dziesięć lat wcześniej i od tamtego czasu Henry Whittaker nie widział swej córki Prudence ani też Prudence się nie starała go spotkać. Alma widziała się z siostrą w owym okresie ledwie parę razy, zachodząc do domu Dixonów i demonstrując sztuczną nonszalancję oraz wysiloną dobrą wolę. Udawała zwykle, że i tak przechodziła nieopodal, i wpadała z drobnymi podarkami dla siostrzenic oraz siostrzeńców albo zostawiała koszyk smakołyków w okolicy świąt Bożego Narodzenia. Alma zdawała sobie oczywiście sprawę, że siostra przekaże owe prezenty oraz smakołyki bardziej potrzebującej rodzinie, niemniej czyniła takie gesty. Na początku rozłamu w rodzinie Alma próbowała nawet dawać siostrze jakieś pieniądze, ale, jak można się było spodziewać, Prudence odmawiała ich przyjęcia.

Podczas takich odwiedzin nigdy nie było ciepłej, przyjemnej atmosfery i Alma zawsze z ulgą przyjmowała ich koniec. Zawsze czuła się zawstydzona, widząc Prudence. Surowość oraz moralność siostry jak zwykle ją irytowały, ale nie mogła pozbyć się przeświadczenia, że ojciec kiepsko się zachował podczas tamtego ostatniego starcia – czy może raczej, że Henry i Alma, obydwoje zachowali się kiepsko. Nie ukazało ich to w dobrym świetle: Prudence stała mocno po stronie Dobra i Sprawiedliwości, podczas gdy Henry zaledwie bronił swego kupieckiego majątku i wyparł się adoptowanej córki. A Alma? Cóż, całkiem jednoznacznie trzymała stronę Henry'ego Whittakera – tak to przynajmniej wyglądało – nie przemawiając żarliwiej w obronie siostry i zostając w White Acre po tym, jak Prudence odeszła.

Ale ojciec jej potrzebował! Henry może nie był hojnym człowiekiem, może nie był miłym człowiekiem, ale był człowiekiem ważnym i potrzebował jej. Nie byłby w stanie bez niej żyć. Nikt inny nie potrafiłby poprowadzić jego spraw, a jego sprawy były rozległe i istotne.

Do tego abolicjonizm nie był bliski sercu Almy. Niewolnictwo zawsze uważała za rzecz obrzydliwą, co naturalne, ale zajmowało ją wiele innych zagadnień, tak że ów problem nie trawił jej świadomości na co dzień. W końcu Alma żyła w Czasie Mchu i po prostu nie mogłaby się skoncentrować na pracy – i przy tym zajmować się ojcem – gdyby dostrajała się do zmiennych kaprysów codziennego ludzkiego dramatu politycznego. Niewolnictwo jest starożytną niesprawiedliwością, to pewne. Ale jest tak wiele innych niesprawiedliwości. Ubóstwo na przykład, tyrania i złodziejstwo, i morderstwo. Człowiek nie może przykładać ręki do likwidowania wszelkiej znanej niesprawiedliwości, pisząc zarazem fundamentalne książki na temat amerykańskich mchów i zarządzając skomplikowanymi sprawami międzynarodowego rodzinnego interesu.

Czyż nie jest to prawdą?

Więc dlaczego Prudence musi tak daleko się posuwać, że każdy dookoła niej wydaje się małego serca i pazerny w porównaniu z jej ogromnym poświęceniem?

– Dziękuję za twą dobroć – mówiła Prudence, kiedykolwiek Alma zachodziła z podarkami lub koszykiem, ale zawsze na tym się kończyło jej wyrażanie wdzięczności. Prudence bez wątpienia była precyzyjna, grzeczna oraz poprawna, ale nie była *ciepła*. Za jej sprawą Alma zawsze czuła się jakby gorsza. Po odwiedzinach w ubogim domu Prudence wracała do luksusów w White Acre, jak gdyby była zgubiona i na wskroś przebadana – jak gdyby dopiero co stała przed surowym sędzią, który uznał, że jest w porządku. Być może nie będzie więc zaskoczeniem, że w miarę upływu lat Alma coraz rzadziej składała Prudence wizyty i siostry bardziej niż kiedykolwiek przedtem się od siebie odsunęły.

Teraz jednakże George Hawkes przekazał Almie wiadomość, że Dixonowie mogą być w poważnym kłopocie z powodu prowokacyjnej broszury Arthura Dixona. Stojąc wiosną 1848 roku nieopodal pola głazów narzutowych i sporządzając notatki dotyczące postępu mchów, Alma rozważała, czy nie powinna znowu odwiedzić Prudence. Jeśli rzeczywiście zagrożona jest posada jej szwagra na uniwersytecie, sprawa jest faktycznie poważna. Tylko co miałaby Alma powiedzieć? Co mogłaby zrobić? Jaką pomoc ofiarować Prudence, żeby ta jej nie odrzuciła z wyniosłej dumy i uporu?

Ponadto, czy nie z własnej woli popadli Dixonowie w takie tarapaty? Czy to nie naturalna konsekwencja życia w sposób tak krańcowo radykalny? Jaki interes mają Arthur i Prudence jako rodzice, narażając życie sześciorga własnych dzieci? Ich sprawa jest niebezpieczna. Abolicjonistów często wyciągają na ulice i biją – nawet w miastach na północy! Sierociniec dla Kolorowych, w którym Prudence często pracuje, już wiele razy został zaatakowany przez motłoch. A Elijah Lovejoy, abolicjonista? Zamordowany w Illinois, a jego maszyny drukarskie, udostępniane abolicjonistom, zniszczone i wrzucone do rzeki. Coś takiego mogłoby z łatwością wydarzyć się w Filadelfii. Prudence z mężem powinni być bardziej ostrożni.

Alma wróciła myślami do omszałych głazów. Praca czeka. Miała zaległości z ostatniego tygodnia, kiedy kierowała internowaniem w Zakładzie Griffona biednej Retty, i nie zamierzała ich zwiększać z powodu lekkomyślności siostry. Ma zaległe pomiary i musi się nimi zająć.

Na największym z kamieni rosły trzy oddzielne kolonie *Dicranum*. Obserwowała je od dwudziestu sześciu lat. Ostatnio bezdyskusyjnie stwierdziła, że jedna z odmian *Dicranum* idzie naprzód, podczas gdy dwie pozostałe się cofają. Alma usiadła obok głazu i porównywała notatki oraz rysunki z ponad dwudziestu lat. Nie mogła tego zrozumieć.

*Dicranum* był obsesją obsesji Almy – najskrytszą pasją w ramach fascynacji mchem. Setki odmian mchu *Dicranum* okryły świat, a każda odmiana minimalnie różni się od innej. Alma wiedziała więcej o *Dicranum* niźli ktokolwiek na świecie, a jednak ten gatunek nurtował ją i budził ze snu w środku nocy. Całe życie dociekała istoty wszelkich mechanizmów oraz ich pochodzenia i teraz od kilku lat zżerał ją szereg zawziętych pytań na temat owej skomplikowanej drobnej odmiany mchu. Skąd pojawił się mech *Dicranum*?

Czemu jest tak wyraźnie zróżnicowany? Dlaczego Natura zadała sobie tyle trudu, by uczynić każdą odmianę tak nieznacznie różną od innych? Dlaczego niektóre odmiany *Dicranum* są znacznie bardziej wytrzymałe od sąsiadujących z nimi krewnych? Czy zawsze panowała na Ziemi taka oszałamiająca mieszanina *Dicranum*, czy może one jakoś się przeobraziły – uległy metamorfozie, jeden w drugi – pochodząc wciąż od wspólnego przodka?

W świecie naukowym wiele się ostatnio mówiło o przemianie gatunków. Alma z dużym zainteresowaniem śledziła debatę. Temat nie był całkiem nowy. Czterdzieści lat wcześniej podjął go Jean-Baptiste de Lamarck, we Francji. Dowodził, że każdy gatunek na Ziemi zmienił swą formę od czasu stworzenia za sprawą „wewnętrznej potrzeby" samego organizmu, dążącego do doskonalenia. W niedalekiej przeszłości Alma przeczytała także książkę zatytułowaną *Vestiges of the Natural History of Creation*, wydaną anonimowo przez jakiegoś brytyjskiego autora, który też przekonywał, że gatunki są w stanie się rozwijać, zmieniać. Autor nie wyłożył przekonującego wyjaśnienia mechanizmu, w jaki sposób gatunki mogą się zmieniać – ale przynajmniej dowodził istnienia transmutacji.

To były najbardziej kontrowersyjne poglądy. Rozwijać koncepcję, że określony byt na Ziemi może się sam zmieniać w czasie, znaczyło podawać w wątpliwość nie co innego, jak powszechną nadrzędną władzę Boga. Według chrześcijańskiego punktu widzenia Pan stworzył wszystkie gatunki jednego dnia i żadne z Jego stworzeń nie uległo zmianie od zarania dziejów. Dla Almy jednak stawało się coraz bardziej jasne, że rzeczy *zmieniły* się od początku świata. Ona sama badała próbki skamielin mchu, które nie odpowiadały dokładnie mchom współczesnym. A to przecież jest natura w zaledwie najmniejszej skali! Jakże należałoby traktować kości wielkiej jaszczurki, którą niedawno Richard Owen nazwał *dinozaurem?* To, że owe zwierzęta chodziły kiedyś po Ziemi, a teraz po niej nie chodzą, jest poza wszelką dyskusją. Dinozaury zastąpiło coś innego albo się w coś innego zmieniły, albo po prostu zniknęły. Ale w jaki sposób uzasadnić tak masową zagładę lub przemianę?

Wielki Linneusz powiedział: *Natura non facit saltum.*

Natura nie czyni skoków.

Alma uważała, że natura jednak być może *czyni* skoki. Być może maciupeńkie – ale czyni. Z pewnością zmiany oraz modyfikacje są naturalne. Widać to w hodowli psów oraz owiec, w zmiennym rozkładzie sił oraz dominacji pomiędzy różnymi koloniami mchu na jednym wspólnym głazie narzutowym na skraju lasu w White Acre. Była przeświadczona, że niektóre gatunki *Dicranum* musiały powstać z innych, starszych gatunków. Była pewna, że jeden organizm mógł się przemienić w inny albo że jedna kolonia mogła spowodować wymarcie innej. Nie mogła pojąć, *jak* to się dzieje, ale wierzyła, że tak jest.

W piersi czuła znany z dawnych lat ucisk natarczywego podniecenia. Tego dnia zostały jej jeszcze tylko dwie godziny na pracę na polu głazów narzutowych, nim będzie musiała znowu zająć się żądaniami ojca. Potrzebowała wielu więcej godzin, jeśli miała badać owe zagadnienia jak należy. Nigdy jej nie starczy godzin. Każdy uważał, że godziny Almy należą się jemu. Kiedy ma znaleźć czas na poświęcenie się prawdziwej nauce?

Alma obserwowała słońce chylące się ku zachodowi. Zadecydowała, że nie pojedzie do Prudence. Po prostu nie ma na to czasu. Nie ma także ochoty czytać ostatniej prowokacyjnej broszury Arthura Dixona na temat abolicji. Zresztą, co mogłaby dla nich zrobić? Siostra nie życzyła sobie wysłuchiwania opinii Almy ani korzystania z jej pomocy. Alma współczuła Prudence, ale to uczyni wizytę jeszcze bardziej niezręczną niż zwykle.

Odwróciła się z powrotem ku głazom. Wyjęła centymetr i jeszcze raz zmierzyła kolonie. Szybko zapisała wyniki.

Zostały tylko dwie godziny.

A tyle przed nią pracy.

Arthur i Prudence Dixonowie będą musieli nauczyć się sami bardziej dbać o własne życie.

# ROZDZIAŁ CZTERNASTY

P od koniec tego samego miesiąca Alma otrzymała kartkę od George'a Hawkesa – przyjaciel prosił, by przyjechała na Arch Street i odwiedziła jego drukarnię, ma jej bowiem coś niezwykłego do pokazania.

„Nic więcej teraz nie wyjawię i musisz pozostać w niepewności", pisał, „ale jestem przekonany, że bardzo się ucieszysz, mogąc zobaczyć to osobiście w dogodnym dla Ciebie wolnym czasie".

Otóż Alma nie dysponowała wolnym czasem. Ale przecież George także nie – dlatego właśnie ta kartka była zdecydowanie bezprecedensowa. Dawniej George kontaktował się z Almą tylko wtedy, gdy mieli sprawy wydawnicze do rozstrzygnięcia albo nastąpił kryzys związany z Rettą. Teraz nie było już sytuacji krytycznych, odkąd umieścili ją w Zakładzie Griffona, ostatnio nie pracowali też wspólnie nad żadną książką. Co mogło być aż tak pilne?

Zaintrygowana wsiadła do powozu i kazała się wieźć na Arch Street.

Znalazła George'a na zapleczu. Stał pochylony nad olbrzymim stołem, zasłanym kartkami pokrytymi oszałamiającymi kształtami oraz kolorami. Gdy podeszła bliżej, zobaczyła wyraźniej, że jest to ogromna kolekcja namalowanych orchidei, ułożona w stertach. Nie tylko namalowanych, ale także przedstawionych na litografiach, szkicach oraz sztychach.

– To jest najpiękniejsza rzecz, jaką kiedykolwiek widziałem – powiedział George na przywitanie. – Nadeszło wczoraj z Bostonu. Wielce osobliwa historia. Spójrz, co za mistrzostwo!

George wetknął Almie w ręce litografię nakrapianej *Catasetum*. Orchidea była oddana wspaniale, wyglądała, jakby się miała zaraz podnieść ze strony. Jej wargi, czerwono kropkowane na żółtym tle, wydawały się wilgotne niczym żywe ciało. Liście miała dorodne i grube, a cebulasty korzeń wyglądał, jakby można było otrząsnąć z niego prawdziwą ziemię. Nim Alma zdążyła dokładnie ją obejrzeć, George podał jej inną zdumiewającą odbitkę – okaz *Peristeria barkeri* z opadającymi złotymi kwiatami tak świeżymi, iż czuło się prawie ich drżenie. Ten, kto podmalował ową litografię, był nie tylko mistrzem koloru, ale i faktury; płatki wyglądały jak dziewiczy aksamit, a drobne pociągnięcie albuminą ich czubków wywoływało wrażenie, jakby każdy kwiat skąpany był w rosie.

Potem George wręczył jej jeszcze jedną odbitkę i Alma aż się zachłysnęła. Takiej orchidei jeszcze nie widziała. Jej małe różowe płatki wyglądały niczym coś, co tylko wróżka mogła wkładać na bal. Jeszcze nigdy nie widziała takiej złożoności, takiej delikatności. Alma dobrze się znała na litografiach. Urodziła się zaledwie dwa lata po tym, jak wynaleziono tę technikę, ale zgromadziła dla biblioteki w White Acre niektóre z lepszych litografii, jakie wyprodukował świat. George Hawkes także się na tym znał. Nikt w Filadelfii nie był większym od niego specjalistą w tym zakresie. A jednak ręka mu drżała, kiedy podawał Almie kolejny arkusz, kolejną orchideę. Chciał, żeby obejrzała wszystkie, najlepiej naraz. Alma oglądała je zachłannie, ale czuła, że musi najpierw zrozumieć, o co tutaj chodzi.

– Poczekaj, George, zatrzymajmy się na chwilę. Musisz mi powiedzieć... kto je zrobił? – zapytała.

Znała wszystkich wielkich botanicznych ilustratorów, ale tego artysty nie znała. Nawet Walter Hood Finch nie byłby w stanie stworzyć takich dzieł. Gdyby kiedykolwiek widziała coś podobnego, z pewnością by to zapamiętała.

– Najdziwniejszy gość – odpowiedział George. – Nazywa się Ambrose Pike.

Alma nigdy nie słyszała tego nazwiska.

– Kto go wydaje? – zapytała.

– Nikt!

– W takim razie kto zamówił te prace?

– Nie jest pewne, czy ktokolwiek je zamawiał – odparł George. –

Pan Pike wykonał sam te litografie, w zaprzyjaźnionej drukarni w Bostonie. Znajdował orchideę, wykonywał szkic, robił odbitkę i nawet koloryzację wykonywał sam. Wszystkie te prace przesłał do mnie, wiele więcej nie wyjaśniając. Przybyły wczoraj w najbardziej niewinnym pudle, jakie kiedykolwiek widziałaś. Niemal zemdlałem, kiedy je otworzyłem, możesz to sobie wyobrazić. Pan Pike spędził ostatnie osiemnaście lat w Gwatemali i Meksyku, jak twierdzi, i dopiero niedawno wrócił do domu w Massachusetts. Zbiór udokumentowanych orchidei to wynik jego pobytu w dżungli. Nikt nie zna tego człowieka. Almo, musimy ściągnąć go do Filadelfii. Może mogłabyś zaprosić go do White Acre? List, który przysłał, jest bardzo skromny. Całe życie poświęcił temu przedsięwzięciu. Pyta, czy mógłbym to wydać.

– Oczywiście wydasz, prawda? – zapytała Alma.

Nie mieściło jej się w głowie, że te odbitki mogłyby nie skończyć w przepysznie i perfekcyjnie dopracowanym tomie.

– Naturalnie, że wydam! Ale najpierw muszę pozbierać myśli. Niektóre z tych orchidei, Almo, widzę po raz pierwszy. A takiej pracy jak ta z pewnością nigdy jeszcze nie widziałem.

– Ja również – odparła Alma, pochylając się nad stołem i przerzucając kolejne karty.

Aż bała się ich dotykać, były takie piękne. Powinny znajdować się pod szkłem – każda z nich. Najskromniejsze szkice były arcydziełami. Odruchowo zerknęła na sufit, aby się upewnić, że dach jest w dobrym stanie i nic nie nakapie na prace, powodując zniszczenie. Nagle przestraszyła się możliwości pożaru lub włamania. George powinien zamontować dodatkowy zamek w drzwiach do tego pomieszczenia. Żałowała, że nie ma rękawiczek.

– Czy kiedykolwiek… – zaczął George, ale emocje były silniejsze i nie zdołał dokończyć zdania.

Jeszcze nie widziała wyrazu takiego poruszenia na jego twarzy.

– Nigdy – mruknęła. – Nigdy dotąd.

Kilka dni później Alma napisała list do pana Ambrose'a Pike'a z Massachusetts.

Tysiące razy w życiu pisała listy – i wiele z nich zawierało pochwały oraz zaproszenia – ale teraz nie wiedziała, jak zacząć. Jak się zwracać do takiego geniusza? Na koniec zadecydowała, że możliwa jest wyłącznie szczerość.

> *Szanowny Panie Pike,*
> *obawiam się, że wyrządził mi Pan wielką krzywdę. Całkowicie i na zawsze zrujnował Pan moje oglądanie czyichkolwiek rysunków botanicznych. Świat szkiców, obrazów i litografii wyda mi się smutnie bezbarwny i nijaki po tym, jak ujrzałam Pana orchidee. Mniemam, iż odwiedzi Pan niedługo Filadelfię, by przystąpić razem z moim przyjacielem, Panem George'em Hawkesem, do pracy nad publikacją książki. Przyszło mi na myśl, iż tymczasem może dałby się Pan namówić na dłuższą wizytę w White Acre, mej posiadłości rodzinnej? Posiadamy szklarnie zasobne w wielką mnogość orchidei – niektóre z nich są w rzeczywistości prawie tak piękne jak Pańskie przedstawienia. Sądzę, iż sprawiłoby Panu przyjemność ujrzenie ich. Być może zechciałby Pan nawet niektóre naszkicować. (Byłby to wielki honor dla któregokolwiek z naszych kwiatów posiadać portret namalowany przez Pana!) Bez wątpienia mnie oraz memu ojcu sprawiłoby radość poznanie Pana. Możemy posłać po Pana powóz do Bostonu w najbliższym, stosownym dla Pana momencie. Gdy znajdzie się już Pan pod naszą opieką, zapewnimy Panu wszystko, co tylko potrzebne. Proszę nie wyrządzać mi kolejnej krzywdy odmową!*
> *Z wyrazami największego szacunku*
> *Alma Whittaker*

Przybył w połowie maja 1848 roku.

Alma pracowała w gabinecie przy mikroskopie, kiedy spostrzegła powóz zajeżdżający przed dom. Wysiadł z niego wysoki, szczupły, płowowłosy mężczyzna w brązowym sztruksowym garniturze. Z daleka wyglądał na najwyżej dwadzieścia lat, choć Alma wiedziała, że nie może być tak młody. Nie przywiózł ze sobą nic prócz małej skórzanej walizki, która musiała niemało podróżować po świecie i robiła wrażenie, jakby się miała rozpaść, zanim dopełni się dzień.

Alma najpierw obserwowała go przez chwilę, dopiero potem wyszła się przywitać. Od lat była świadkiem niezliczonej liczby wizyt składanych w White Acre i zawsze doświadczała jednego: wszyscy, którzy przyjeżdżali do nich po raz pierwszy, zachowywali się tak samo – stawali jak wryci, gapiąc się na dom, który wyrastał przed nimi, albowiem rezydencja White Acre rzeczywiście była wspaniała i onieśmielająca, szczególnie oglądana po raz pierwszy. W końcu taki był umyślny zamiar przy projektowaniu, przestraszyć gości, i niewielu było w stanie ukryć pełen szacunku podziw mieszany z lękiem oraz zazdrością – szczególnie jeśli nie zdawali sobie sprawy, że są obserwowani.

Pan Pike jednak w ogóle nie spojrzał na dom. A nawet natychmiast odwrócił się tyłem do rezydencji, gdyż zamiast domu jego wzrok przykuł ogród w stylu greckim – który Alma i Hanneke utrzymywały w nienaruszonym stanie przez dziesięciolecia, jako hołd dla Beatrix Whittaker. Cofnął się nawet trochę, aby lepiej go ogarnąć wzrokiem, po czym zrobił najdziwniejszą rzecz: postawił walizkę, zdjął marynarkę i ruszył w kierunku północno-zachodniego skraju ogrodu, a następnie zamaszystymi krokami przemierzył całą jego długość po przekątnej i zatrzymał się w południowo-wschodnim rogu. Chwilę tam postał, rozejrzał się naokoło i niczym geodeta obliczający granice gruntu energicznymi krokami odmierzył dwa przyległe boki ogrodu, długi oraz krótki. Gdy powrócił do północno-zachodniego rogu, zdjął kapelusz, podrapał się po głowie, na moment zamyślił, po czym parsknął śmiechem. Alma nie słyszała go, ale widziała wszystko doskonale.

Tego było już za wiele, nie mogła się dłużej powstrzymywać. Wstała gwałtownie od stołu i wybiegła z powozowni.

– Pan Pike? – powiedziała, podchodząc i wyciągając na powitanie rękę.

– Pani musi być panną Whittaker! – odrzekł, uśmiechając się szeroko, i ujął jej dłoń. – Oczom nie wierzę! Musi mi pani powiedzieć, panno Whittaker... cóż za szalony geniusz podjął trud utworzenia ogrodu ściśle wedle zasad geometrii euklidesowej?

– To był pomysł mojej matki, sir. I gdyby nie odeszła wiele lat temu, byłaby zachwycona, że tak bezbłędnie rozpoznał pan jej zamysł.

– Któż by go nie rozpoznał? To złoty środek! Mamy tu dwa kwadraty, zawierające siatkę kwadratów… a z aleją rozdzielającą całe założenie mamy dwa trójkąty o bokach trzy-cztery-pięć, które zawierają mniejsze trójkąty. Jakież to urocze! To niezwykłe, że komuś się chciało tak rozplanować, i to w takiej wspaniałej skali. Bukszpany też są idealne. Tak jakby pełniły rolę znaku równości. Musiała być doskonale rozkoszna, pani matka.

– Rozkoszna… – Alma rozważyła takie podejście. – Cóż, z pewnością obdarowana była umysłem, który pracował z rozkoszną precyzją, co do tego nie ma wątpliwości.

– To nadzwyczajne – orzekł.

Wyglądało na to, że wciąż nie dostrzega domu.

– To prawdziwa przyjemność poznać pana, panie Pike – powiedziała Alma.

– I panią, panno Whittaker. Pani list był nad wyraz łaskawy. Przyznam, że wielką przyjemność sprawiła mi także jazda prywatnym powozem… pierwsza taka w całym moim długim życiu. Przywykłem podróżować w dusznych pomieszczeniach razem z rozwrzeszczanymi dziećmi, nieszczęsnymi zwierzętami i głośnymi mężczyznami, palącymi grube cygara. Ledwo wiedziałem, co z sobą począć przez tyle godzin samotności i spokoju.

– I cóż więc pan z sobą począł? – zapytała Alma, uśmiechając się w odpowiedzi na jego rozentuzjazmowanie.

– Zaprzyjaźniłem się z milczącym widokiem drogi.

Nim zdążyła zareagować na uroczą odpowiedź, spostrzegła wyraz niepokoju na twarzy Ambrose'a Pike'a. Odwróciła się, by spojrzeć w tym samym kierunku: służący podniósł mały bagaż pana Pike'a i ruszył z nim ku wielkim drzwiom frontowym White Acre.

– Moja walizka… – rzucił stroskanym głosem gość, wyciągając po nią rękę.

– Zanosimy ją jedynie do pana pokoju, panie Pike. Będzie tam, obok łóżka, czekać na pana.

– Ależ oczywiście. – Potrząsnął głową zmieszany. – Jakże niemądrze z mojej strony. Przepraszam. Nie jestem przyzwyczajony do służby i tego typu rzeczy.

– Czy wolałby pan, aby walizka została przy panu, panie Pike?

– Nie, skądże. Proszę wybaczyć moją dziwaczną reakcję, panno Whittaker. Ale jeśli człowiek posiada w życiu tylko jedną cenną rzecz, tak jak ja, to trochę niepokoi go widok kogoś, kto właśnie z nią odchodzi.

– Ma pan znacznie więcej cennych rzeczy w życiu, panie Pike. Ma pan wielki talent artystyczny... podobnego ani pan Hawkes, ani ja nigdyśmy wcześniej nie widzieli.

– Och! – Zaśmiał się. – To uprzejme z pani strony, panno Whittaker. Ale wszystko, co oprócz niego posiadam, znajduje się w tej walizce, a być może owe ulubione drobiazgi cenię sobie bardziej!

Teraz i Alma się roześmiała. Dystans, który zwykle istnieje między dwiema obcymi osobami, zdążył już zniknąć. Może w ogóle nigdy go między nimi nie było.

– Proszę mi powiedzieć, panno Whittaker – zagaił pogodnie – jakie jeszcze cuda ma pani w White Acre? I co to znaczy, że, jak słyszałem, studiuje pani mech?

Oto w jaki sposób, jeszcze przed upływem godziny, stanęli razem nad głazami narzutowymi, omawiając *Dicranum*. Zamierzała pokazać mu najpierw orchidee. Czy raczej nie zamierzała w ogóle pokazywać mu stanowisk mchu – dotychczas jeszcze w nikim nie wzbudziły zainteresowania – ale kiedy zaczęła opowiadać o swojej pracy, nalegał, że chce zobaczyć wszystko na własne oczy.

– Powinnam pana ostrzec, panie Pike – powiedziała, kiedy przechodzili razem przez pole – że większość ludzi uważa mchy za nudne.

– To mnie nie przeraża – rzekł. – Zawsze fascynowały mnie rzeczy, które inni ludzie uważają za nudne.

– W tym się zgadzamy – stwierdziła Alma.

– Proszę mi jednak powiedzieć, panno Whittaker, co pani podziwia w mchach?

– Ich godność – odparła bez wahania Alma. – A także ich milczenie i inteligencję. Podoba mi się, że... jako przedmiot studiów... są takie *świeże*. Inaczej niż większe i ważniejsze rośliny, które studiowały hordy botaników. Chyba lubię także ich skromność. Mchy poskramiają swą urodę. W porównaniu z mchem wszystko inne w przyrodzie wydaje się obcesowe, oczywiste. Rozumie pan, co mam na myśli? Czy pan zna te wielkie, ostentacyjne kwiaty, które potrafią niekiedy wyglądać jak wielkie, tępe, oślinione głupki? Kiedy tak się wystawiają dookoła, z rozdziawionymi gębami, i wyglądają na oniemiałe i bezradne...?

– Gratuluję, panno Whittaker. Właśnie doskonale opisała pani rodzinę storczykowatych.

Z trudem złapała powietrze i odruchowo zasłoniła dłońmi usta.

– Obraziłam pana!

Ale pan Pike się uśmiechał.

– W najmniejszym stopniu. Przekomarzam się z panią. Nigdy nie występowałem w obronie inteligencji orchidei i nigdy tego nie uczynię. Kocham je, ale przyznam, że nie wydają się zbyt mądre... przynajmniej według kryteriów pani opisu. Bardzo zajmujące jest słuchanie, jak ktoś broni inteligencji mchów! Ma się wrażenie, jak gdyby sporządzała pani referencje dla bohatera, pragnąc go bronić.

– Ktoś musi to robić, panie Pike! Za bardzo są przeoczane, a one mają przecież tak szlachetny charakter.

Ambrose Pike nie wyglądał na znudzonego. Gdy dotarli do głazów, miał dziesiątki pytań i z tak bliska przyglądał się mchom, iż można było przypuszczać, że jego własna broda wyrasta prosto z kamienia. Słuchał uważnie, gdy opowiadała o każdym gatunku oraz przedstawiała swą rozwiniętą teorię transmutacji. Być może mówiła za długo. Jej matka z pewnością by tak uznała. Nawet sama Alma, opowiadając, miała obawy, że zanudzi tego biednego człowieka. Ale z drugiej strony, on tak wyraźnie ją zachęcał. Mówiąc, czuła, jak uwalnia idee z przepełnionego skarbca prywatnych myśli. Jak długo człowiek może chować zapał zamknięty w sercu, nim zapragnie podzielić się nim z bratnią duszą? Alma miała za sobą dziesięciolecia przetrzymywanych myśli.

Po chwili pan Pike wyciągnął się na ziemi, by móc zajrzeć pod brzeg większego głazu i obejrzeć stanowiska mchu ukrytego w owych tajnych zaułkach. Wierzgał nogami spod skały, entuzjazmując się tym, co znajdował. Alma uznała, że to najprzyjemniejsza chwila w jej życiu. Zawsze pragnęła pokazać komuś mchy.

– Mam pytanie, panno Whittaker – zawołał spod występu skalnego. – Jaka jest prawdziwa natura pani kolonii mchu? Opanowały, jak pani twierdzi, umiejętność życia skromnie i łagodnie. Jednak, zgodnie z tym, co pani mówi, posiadają one istotne przymioty. Czy są to przyjaźni pionierzy, te pani mchy? Czy są wrogimi rabusiami?

– Ma pan na myśli, farmerzy czy piraci? – zapytała Alma.

– Tak właśnie.

– Nie mogę rzec z całą pewnością – odparła. – Być może są jednymi i drugimi po trochu. Sama się nad tym zastanawiam cały czas. Niewykluczone, że minie kolejne dwadzieścia pięć lat, nim się tego dowiem.

– Podziwiam pani cierpliwość – powiedział pan Pike, wygrzebując się spod skały i układając wygodnie na trawie.

Gdy z biegiem czasu Alma pozna go lepiej, dowie się, że Ambrose Pike uwielbiał wyciągać się na ziemi, gdy pragnął odpocząć. Z radością położy się na dywanie nawet w salonie, jeśli nastrój skłoni go do tego – szczególnie wtedy, gdy przyjemność sprawią mu własne myśli oraz toczona rozmowa. Świat to jego dywan. Była w tym ogromna wolność. Alma nie wyobrażała sobie, by mogła czuć się tak swobodnie. Owego dnia, gdy wczołgał się pod głaz, ona usiadła ostrożnie na brzeżku pobliskiej skały.

Pan Pike był trochę starszy, niż wydawał jej się pierwotnie, teraz mogła wyraźnie to zobaczyć. Oczywiście, że był starszy – nie zdążyłby stworzyć tylu prac, gdyby był tak młody, na jakiego wyglądał. To jego entuzjastyczna postawa oraz energiczny krok sprawiały, że z daleka przypominał studenta. To oraz skromne brązowe ubranie, które wyglądało jak mundurek młodego uczonego bez grosza przy duszy. Z bliska widać było jego wiek – szczególnie w słońcu, gdy leżał wygodnie na trawie bez kapelusza na głowie. Na opalonej i pokrytej piegami od wystawiania na zmienną pogodę twarzy delikatnie rysowały się zmarszczki, a płowe włosy przy skroniach zaczynały siwieć. Alma, zgadując, dawała mu trzydzieści pięć, może trzydzieści sześć lat. Ponad dziesięć lat od niej młodszy, ale już nie dziecko.

– Świat musi panią dobrze nagradzać za studiowanie go z taką dokładnością – ciągnął gość. – Zauważam, że zbyt wielu ludzi zbyt szybko odwraca się od drobnych fenomenów. O wiele większa potęga tkwi w szczególe niż w ogólniku, ale sporo duszyczek nie potrafi spokojnie przy nim wysiedzieć.

– Czasami jednak martwię się, że mój świat staje się nazbyt szczegółowy – odparła Alma. – Pisanie książek o mchach zabiera mi dziesięciolecia i są one nieznośnie zawiłe, jak wycyzelowane perskie miniatury, które można analizować wyłącznie przez szkło powiększające. Praca nie przynosi mi sławy. Nie przynosi mi także dochodu... tak więc sam pan może ocenić, czy mądrze wykorzystuję czas!

– Pan Hawkes jednakże pisał, że książki pani mają świetne recenzje.

– Ależ z pewnością mają dobre recenzje... napisane przez ów tuzin dżentelmenów na świecie, którzy zgłębiają temat briologii.

– Tuzin! – powtórzył Ambrose Pike. – Aż tylu? Proszę pamiętać, że mówi pani do człowieka, który nic nie opublikował w swoim długim życiu i którego biedni rodzice się obawiają, że wyrósł z niego przynoszący wstyd próżniak.

– Ale pana prace są znakomite, panie Pike.

Machnął ręką z lekceważeniem.

– Czy znajduje pani godność w swojej pracy? – zapytał.

– Tak – odpowiedziała Alma po chwili namysłu. – Aczkolwiek czasami się zastanawiam dlaczego. Znakomita większość świata... szczególnie znoszący biedę... byliby szczęśliwi, jak sądzę, nie musząc pracować. Dlaczego więc pracuję tak ciężko nad tematem, który obchodzi niewiele osób? Dlaczego nie wystarcza mi zwykły podziw dla mchu, może nawet rysowanie go, jeśli jego kształt tak bardzo mi się podoba? Czemu muszę dobierać się do jego sekretów i błagać je o odpowiedź na temat istoty życia? Mam dużo szczęścia, że pochodzę z zasobnej rodziny, jak sam pan widzi, więc nie muszę w ogóle pracować. Dlaczego więc nie znajduję szczęścia w próżnowaniu, w bujaniu myśli tak swobodnie i bezcelowo jak te trawy na wietrze?

– Ponieważ interesuje panią stworzenie – odpowiedział prosto Ambrose Pike – i wszystkie jego cudowne mechanizmy.

Alma się zarumieniła.

– W pana ustach to brzmi bardzo podniośle.

– Bo to jest podniosłe – skwitował.

Siedzieli chwilę w milczeniu. Gdzieś niedaleko śpiewał drozd.

– Cóż za wspaniały prywatny recital! – rzekł pan Pike po długiej chwili słuchania. – Aż by się chciało zgotować mu owację!

– To najwspanialszy czas w White Acre na słuchanie ptaków – odrzekła Alma. – Są takie poranki, że się siedzi pod czereśniowym drzewem na tamtej łące i słyszy każdego ptaka w orkiestrze grającej specjalnie dla słuchacza.

– Chciałbym tego posłuchać któregoś rana. Bardzo mi brakowało amerykańskich ptasich śpiewów, kiedy byłem w dżungli.

– Musiał pan tam spotykać bardzo ozdobne ptaki, panie Pike!

– Tak... ozdobne i egzotyczne. Ale to nie to samo. Człowiek tęskni, na pewno pani rozumie, za znanymi odgłosami z dzieciństwa. Zdarzało się, że słyszałem lamenty gołębi w snach. Tak bardzo przypominały żywe, że rozdzierały mi serce. Pragnąłem wtedy nigdy się nie obudzić.

– Pan Hawkes powiedział mi, że spędził pan w dżungli wiele lat.

– Osiemnaście – odrzekł prawie ze wstydem.

– Głównie w Meksyku i Gwatemali?

– Wyłącznie w Meksyku i Gwatemali. Zamierzałem więcej świata zobaczyć, ale nie mogłem się wyrwać z tamtego regionu, ciągle odkrywałem nowe rzeczy. Sama pani wie, jak to jest... człowiek znajduje interesujące miejsce i się rozgląda, a wtedy zaczynają odkrywać się przed nim sekrety, jeden po drugim, aż nagle nie można się oderwać. W Gwatemali znalazłem pewne orchidee... najbardziej nieśmiałe i samotnicze epifity... które po prostu nie były na tyle uprzejme, żeby zakwitnąć. Uparłem się. Ale one też były uparte. Niektóre z nich kazały mi czekać pięć albo sześć lat, zanim uchyliły rąbka.

– Co w takim razie kazało panu wrócić w końcu do domu?

– Samotność.

Była w nim nadzwyczajna, zachwycająca szczerość. Alma nie wyobrażała sobie, że sama mogłaby kiedykolwiek przyznać się do takiej słabości jak poczucie samotności.

– Do tego – kontynuował – zbyt chorowałem, by ciągnąć takie prymitywne życie. Cierpiałem na powracającą gorączkę. Aczkolwiek, muszę powiedzieć, ona nie była taka całkiem nieprzyjemna. Doznawałem niezwykłych wizji podczas gorączki, a także słyszałem głosy. Czasami aż kusiło, żeby pójść za nimi.

– Za wizjami czy głosami?

– Za obydwoma! Ale nie mogłem tego zrobić matce. Zbyt wielki byłby to dla niej ból, stracić syna w dżungli. Do końca życia rozmyślałaby, co się ze mną stało. Chociaż zakładam się, że i tak się zastanawia, co ze mnie wyrosło! Ale przynajmniej wie, że żyję.

– Pana rodzina musiała tęsknić za panem przez te wszystkie lata.

– Och, moja biedna rodzina. Tak bardzo ich zawiodłem, panno Whittaker. To taka szanowana rodzina, a ja żyłem zawsze w taki dziwaczny sposób. Współczuję im wszystkim, a szczególnie matce. Uważa, być może słusznie, że bezczelnie deptałem perły rzucane mi pod nogi. Zostawiłem Uniwersytet Harvarda zaledwie po dwóch latach, sama pani widzi. Mówiono, że jestem obiecujący… cokolwiek by to słowo miało oznaczać… ale życie studenckie mi nie odpowiadało. Za sprawą jakiejś specyfiki mego układu nerwowego nie byłem w stanie wysiedzieć w sali wykładowej. Nigdy też nie pociągała mnie rozbawiona kompania klubów towarzyskich oraz band młodych mężczyzn. Pani może tego nie wiedzieć, panno Whittaker, ale większość życia uniwersyteckiego obraca się dookoła klubów towarzyskich oraz band młodych mężczyzn. Jak określiła to kiedyś moja matka, zawsze chciałem jedynie siedzieć w kącie i rysować obrazki roślin.

– I dzięki Bogu za to! – stwierdziła Alma.

– Być może. Choć nie sądzę, żeby moja matka się z tym zgodziła, a ojciec poszedł do grobu zły na mnie za wybór kariery… jeśli w ogóle można to nazwać karierą. Na szczęście dla mojej anielsko cierpliwej matki mój młodszy brat Jacob przewyższył mnie i stał się przykładem najbardziej posłusznego syna. Poszedł moim śladem na uniwersytet, ale w przeciwieństwie do mnie wytrwał tam do końca. Studiował dzielnie, zdobywając wszelkie nagrody i laury, a teraz wygłasza kazania zza tego samego pulpitu we Framingham, za którym mój ojciec i dziadek stali przed swoimi wiernymi. Dobry człowiek jest z mego brata i dobrze mu się powodzi. Przynosi zaszczyt nazwisku Pike. Lokalna społeczność go uwielbia. Jestem ogromnie z niego dumny. Ale nie zazdroszczę mu życia.

– Czy to znaczy, że pochodzi pan z rodziny pastorskiej?

– W rzeczy samej… i ja sam miałem być jednym z nich.

– Co się stało? – zapytała Alma i dodała odważnie: – Czy oddalił się pan od Boga?

– Nie – odparł pan Pike. – Wprost przeciwnie. Zbliżyłem się do Boga.

Alma pragnęła zapytać go, co oznacza takie osobliwe oświadczenie, ale czuła, że i tak posunęła się za daleko, a rozmówca nie pospieszył z dalszym wyjaśnieniem. Odpoczywali w milczeniu przez długą chwilę, słuchając drozda, który znowu zaśpiewał. Wreszcie Alma spostrzegła, że gość chyba zasnął. Jakże nagle stał się nieobecny! W jednej chwili przytomny, a zaraz w następnej pogrążony we śnie! Uzmysłowiła sobie, że musi być wyczerpany po długiej drodze powozem – a tymczasem ona zasypuje go pytaniami i męczy teoriami na temat mchów oraz transmutacji.

Cicho się podniosła i przeszła do innej części pola głazów narzutowych, by się zająć własną pracą przy sprawdzaniu kolonii mchów. Czuła się szczęśliwa i zrelaksowana. Jakiż miły ten pan Pike. Zastanawiała się, ja długo zostanie w White Acre. Może zdoła go namówić, żeby został do końca lata. Byłoby cudownie mieć tutaj na miejscu tę przyjazną, dociekliwą istotę. Jakby miała młodszego brata. Nigdy dotychczas nie wyobrażała sobie, jak to jest mieć młodszego brata, ale teraz rozpaczliwie go zapragnęła, i żeby był nim ciekaw świata, przyjazny Ambrose Pike. Będzie musiała porozmawiać na ten temat z ojcem. Z pewnością mogliby urządzić mu pracownię malarską w jednym ze starych budynków mleczarni, gdyby tylko zechciał zostać.

Minęło dobre pół godziny, kiedy dostrzegła, że pan Pike porusza się w trawie. Wróciła do niego, uśmiechając się.

– Zasnął pan – powiedziała.

– Nie, to nie ja, to sen mnie naszedł – poprawił ją.

Wciąż rozłożony na trawie przeciągnął się jak kot albo dziecko. W najmniejszym stopniu nie wydawał się skrępowany tym, że zdrzemnął się przed Almą, ona więc także nie poczuła się skrępowana.

– Musi pan być zmęczony, panie Pike.

– Jestem zmęczony od lat. – Usiadł, ziewnął i nasadził na powrót kapelusz na głowę. – Pani jest taka wspaniałomyślna, że podarowała mi trochę czasu na odpoczynek. Dziękuję.

– Ależ to pan był wspaniałomyślny, wysłuchując przez dwie godziny mojego gadania o mchach.

– Cała przyjemność po mojej stronie. Mam nadzieję usłyszeć więcej. Właśnie myślałem sobie, zasypiając, że wielce godne pozazdroszczenia życie pani wiedzie, panno Whittaker. Proszę tylko pomyśleć, mieć możność spędzenia całego życia na tropieniu czegoś tak szczegółowego i znakomitego jak te mchy... i to w otoczeniu kochającej rodziny oraz wygód.

– Przypuszczałabym raczej, że moje życie wyda się nudne komuś, kto dopiero co spędził osiemnaście lat w dżunglach Ameryki Południowej.

– Ależ w najmniejszym stopniu. Jeśli czegoś mi brakowało, to właśnie życia nieco bardziej nudnego od tego, które wówczas wiodłem.

– Proszę uważać, czego pan pragnie, panie Pike! Nudne życie nie jest aż tak interesujące, jak może pan sądzić.

Ambrose Pike się roześmiał. Alma podeszła bliżej i usiadła obok niego, prosto na trawie, podwijając spódnicę pod nogi.

– Coś panu wyznam, panie Pike – powiedziała. – Czasami się boję, że moja praca przy tych stanowiskach mchu nie ma żadnej wartości ani pożytku. Czasami chciałabym mieć coś bardziej efektownego do zaoferowania światu, coś wspanialszego... jak pana orchidee na przykład. Jestem pilna i zdyscyplinowana, to pewne, ale nie posiadam wyróżniającego się geniuszu.

– Pracowita, ale nie oryginalna?

– Tak! – odrzekła Alma. – Właśnie tak! Dokładnie tak.

– Phi...! – prychnął. – Nie przekonuje mnie pani. Zastanawiam się, czemu w ogóle próbuje pani samą siebie przekonać o czymś tak niemądrym.

– Jest pan miły, panie Pike. Dzięki panu starsza pani poczuła

241

się zajmująca dzisiejszego popołudnia. Ale mam świadomość tego, co stanowi prawdę mojego życia. Moja praca na tych tutaj polach mchów nikogo nie ekscytuje oprócz krów i kruków, które całymi dniami obserwują mnie przy niej.

– Krowy i kruki to wyborni sędziowie geniusza, panno Whittaker. Proszę mi wierzyć... przez wiele lat godzinami malowałem wyłącznie dla ich przyjemności.

Tego wieczoru z centrum Filadelfii nadjechał George Hawkes, by wziąć udział w obiedzie w White Acre. Pierwszy raz miał osobiście spotkać się z Ambrose'em Pikiem i bardzo był tym podekscytowany – przynajmniej jak na takiego poważnego, podstarzałego osobnika.

– To zaszczyt pana poznać, sir – rzekł George z uśmiechem. – Pana prace były dla mnie źródłem najczystszej przyjemności.

Almę wzruszyła jego szczerość. Wiedziała, czego przyjaciel nie będzie w stanie wyznać – że ostatni rok przyniósł wiele cierpienia w domu Hawkesa i że orchidee Ambrose'a Pike'a, przynajmniej na chwilę, wyrwały go z sideł mroku.

– A ja chciałbym wyrazić autentyczne podziękowanie za zachętę – odpowiedział pan Pike. – Niestety, moje podziękowanie jest jedyną rekompensatą, na jaką stać mnie w tej chwili, ale jest ono szczere.

Henry Whittaker był w podłym humorze owego wieczoru. Alma widziała to już z daleka i żywo pragnęła, aby ojciec nie towarzyszył im podczas obiadu. Zaniedbała ostrzec Ambrose'a Pike'a o obcesowym sposobie bycia ojca, a teraz tego żałowała. Biedny pan Pike zostanie rzucony wilkowi na pożarcie bez najmniejszego ostrzeżenia, a wilk był, całkiem wyraźnie, głodny i rozwścieczony. Żałowała także, że ani ona, ani George nie pomyśleli, aby przynieść jedną z rycin orchidei Ambrose'a Pike'a do pokazania ojcu, co znaczyło, że Henry nie będzie miał pojęcia, kim jest ten pan Pike, prócz tego, że jest łowcą orchidei oraz artystą – a żadnej z tych kategorii nie miał w zwyczaju poświęcać uwagi.

Nic więc dziwnego, że obiad rozpoczął się kiepsko.

– Jeszcze raz, co to za osoba? – zapytał ojciec, stojąc tuż przed nowym gościem.

– To pan Ambrose Pike – odpowiedziała Alma. – Mówiłam ojcu wcześniej, pan jest przyrodnikiem oraz malarzem, którego ostatnio odkrył George. Spod jego pędzla wychodzą najbardziej niezwykłe odwzorowania orchidei, jakie kiedykolwiek widziałam, ojcze.

– Pan rysujesz orchidee? – stanowczo zapytał Henry gościa, a zrobił to takim tonem, jakim ktoś inny mógłby powiedzieć: „Pan okradasz wdowy?".

– Próbuję, sir.

– Każdy próbuje rysować orchidee – odrzekł Henry. – Nic nowego pod słońcem.

– Uczciwie postawił pan sprawę, sir.

– W takim razie co jest takiego szczególnego w pana orchideach?

Ambrose Pike myślał chwilę nad odpowiedzią.

– Nie wiem – przyznał. – Nie wiem, czy powiedziałbym, że jest w nich coś szczególnego, sir… oprócz tego, że malowanie orchidei jest tym, czym się wyłącznie zajmuję. Wyłącznie tym zajmowałem się przez ostatnie niemal dwadzieścia lat.

– Ależ to jest absurdalne zatrudnienie!

– Nie zgadzam się z panem, panie Whittaker – odrzekł pan Pike, niezbity z tropu. – Choć wyłącznie z tego powodu, że w ogóle nie nazwałbym tego zatrudnieniem.

– W jaki więc sposób zarabia pan na życie?

– I znowu uczciwie pan stawia sprawę – powiedział gość. – Ale jak może pan zapewne stwierdzić po stylu mego ubrania, jest kwestią dyskusyjną, czy ja w ogóle zarabiam.

– Nie obnosiłbym się z tym faktem, młody człowieku.

– Proszę mi wierzyć, sir… nie obnoszę się.

Henry popatrzył na niego, lustrując zniszczony, brązowy sztruksowy garnitur oraz zaniedbaną brodę.

– W takim razie co się stało? – dopytywał się. – Dlaczego jest pan taki biedny? Czy przetrwonił pan fortunę jak pierwszy z brzegu hulaka?

243

– Ojcze… – próbowała wtrącić się Alma, ale Ambrose Pike nic sobie z tego nie robił.

– Niestety, nie – odpowiedział. – Moja rodzina nigdy nie miała fortuny do roztrwonienia.

– W takim razie w jaki sposób zarabia pański ojciec?

– Teraz rezyduje za bramą śmierci. Ale przedtem był pastorem we Framingham w Massachusetts.

– Dlaczego więc pan nie jesteś pastorem?

– Moja matka tak samo się zastanawia, panie Whittaker. Obawiam się, że posiadam zbyt dużo pytań oraz pomysłów dotyczących Naszego Pana, abym mógł być dobrym pastorem.

– Na temat Pana? – Henry zmarszczył brwi. – A co, u licha, ma Pan do bycia dobrym pastorem? Zawód jak każdy inny, młody człowieku. Wypełniasz obowiązki, a poglądy zachowujesz dla siebie. Tak robią wszyscy dobrzy pastorzy… albo powinni robić.

Ambrose Pike się roześmiał.

– Gdyby tylko ktoś powiedział mi o tym dwadzieścia lat temu, sir!

– W naszym kraju nie ma usprawiedliwienia dla młodego człowieka o dobrym zdrowiu oraz dowcipie, jeśli nie prosperuje. Nawet syn pastora powinien był znaleźć jakieś pracowite zajęcie.

– Wiele osób zgodziłoby się z panem – rzekł gość. – Łącznie z moim świętej pamięci ojcem. Niemniej od lat żyję poniżej swego stanu.

– A ja żyję powyżej mego… od zawsze! Do Ameryki przyjechałem po raz pierwszy, kiedy byłem młodym człowiekiem mniej więcej w pańskim wieku. Zobaczyłem, że wszędzie leżą pieniądze, w całym kraju. Należało do mnie jedynie zbierać je na ostry czubek mojej laski. Jakie masz więc pan usprawiedliwienie dla swego ubóstwa?

Pan Pike spojrzał Henry'emu prosto w oczy bez najmniejszego śladu złośliwości.

– Brak dobrej laski, jak sądzę.

Alma zakrztusiła się i wbiła wzrok w talerz. George Hawkes uczynił to samo. Henry jednak niedosłyszał. Zdarzały się chwile, kiedy Alma dziękowała niebiosom za pogorszenie słuchu ojca. Jego uwagę przyciągnął teraz kamerdyner.

– Coś ci powiem, Becker – odezwał się do niego. – Jeśli jeszcze raz każesz mi jeść baraninę w tym tygodniu, każę kogoś zastrzelić.

– W rzeczywistości ojciec nie każe nigdy do nikogo strzelać – Alma cicho zapewniła pana Pike'a, wstrzymując oddech.

– Domyślam się – odpowiedział jej szeptem. – Inaczej byłbym już martwy.

Przez resztę posiłku George, Alma oraz Ambrose Pike miło konwersowali – raczej między sobą – a Henry sapał i kaszlał, i narzekał na wszelkie możliwe aspekty obiadu, kilkakrotnie nawet głowa mu się kiwnęła, a broda opadła na piersi. Miał przecież osiemdziesiąt osiem lat. Na szczęście to nie przeszkadzało gościowi, a ponieważ George od dawna był już przyzwyczajony do takiego zachowania, Alma wreszcie się nieco rozluźniła.

– Proszę wybaczyć ojcu – rzekła do pana Pike'a stłumionym głosem podczas jednej z krótkich drzemek Henry'ego. – George dobrze zna jego humory, ale zdaję sobie sprawę, że takie wybuchy mogą poważnie niepokoić tych, którzy nie przeszli jeszcze nic z Henrym Whittakerem.

– Przypomina niedźwiedzia przy obiadowym stole – odrzekł tonem, w którym więcej było podziwu niż wzburzenia.

– Rzeczywiście – stwierdziła Alma. – Na szczęście jednak daje nam czasami wytchnienie, zapadając, jak to niedźwiedź, w sen zimowy.

Po tych słowach uśmiech pojawił się nawet na ustach George'a, Ambrose Pike jednak ciągle przyglądał się śpiącej postaci Henry'ego Whittakera i nad czymś rozmyślał.

– Mój ojciec był bardzo poważny – rzekł. – Bałem się zawsze jego milczenia bardziej niż czegokolwiek. Myślę, że wspaniale byłoby mieć ojca, który przemawia i działa z taką swobodą. Zawsze byłoby wiadomo, na czym się stoi.

– To prawda, to wiadomo zawsze – zgodziła się Alma.

– Panie Pike – włączył się George, zmieniając temat – czy mogę zapytać, gdzie pan mieszka? Listy wysyłałem na adres w Bostonie, ale wspomniał pan przed chwilą, że pana rodzina rezyduje we Framingham.

– W tej chwili, sir, jestem bez domu – odrzekł gość. – Adres w Bostonie, o którym pan wspomniał, należy do mojego dawnego przyjaciela Daniela Tuppera, który od czasu studiów na Uniwersytecie Harvarda utrzymuje ze mną serdeczne stosunki. Jego rodzina posiada małą drukarnię w Bostonie… bez porównania z pana wspaniałym przedsiębiorstwem, ale prowadzona jest rzetelnie i uczciwie. Znani są głównie z druku broszurek oraz lokalnych ogłoszeń. Kiedy rzuciłem Harvard, pracowałem przez kilka lat dla rodziny Tupperów jako zecer i przekonałem się, że mam do tego smykałkę. Wtedy również po raz pierwszy zetknąłem się ze sztuką grafiki. Mówiono, że jest trudna, ale dla mnie nigdy taka nie była. To jest właściwie to samo co rysowanie… tyle że trzeba rysować na kamieniu, oczywiście.

– A co pchnęło pana do Meksyku i Gwatemali, panie Pike?

– I tym razem zawdzięczam to przyjacielowi Tupperowi. Zawsze fascynowały mnie orchidee i Tupper obmyślił plan, że pojadę do tropików na kilka lat i poczynię trochę szkiców i temu podobnych i razem wyprodukujemy piękną książkę o tropikalnych orchideach. Obawiam się, iż sądził, że zrobimy na tym spory majątek. Rozumieją państwo, byliśmy młodzi, a on mocno we mnie wierzył. Tak więc zebraliśmy środki i Tupper wsadził mnie na statek, a na pożegnanie poinstruował, abym wyruszał w świat i wszędzie robił wkoło siebie wiele hałasu. Niestety, nie jest ze mnie ktoś, kto potrafi czynić hałas. Co gorsza, kilka lat w dżungli zamieniło się w lat osiemnaście, jak opowiadałem już pannie Whittaker. Dzięki zapobiegliwości i wytrwałości zdołałem pozostać przy życiu niemal dwadzieścia lat i z dumą mogę oznajmić, iż nigdy nie wziąłem ani grosza od Tuppera ani od nikogo innego, z wyjątkiem jego początkowej inwestycji. Niemniej sądzę, iż Tupper uważa, że podstępnie wykorzystałem jego wiarę we mnie. Kiedy ostatecznie w ubiegłym roku wróciłem do domu, był na tyle uprzejmy, że pozwolił mi użyć prasy należącej do jego rodziny, abym mógł wykonać parę litografii, które państwo widzieli, aczkolwiek już dawno temu… co jest całkowicie wybaczalne… stracił serce do wspólnego projektu. Poruszam się dla niego za wolno. On ma teraz rodzinę i nie może dla kaprysu marnować czasu na takie kosztowne przedsięwzięcia.

Ale jest dla mnie niezmiennie przyjacielem heroicznie wiernym. Pozwala mi spać na kanapce u siebie w warsztacie i od powrotu z Ameryki znowu pomagam mu trochę w drukarni i sklepie.

– Jakie ma pan teraz plany? – zapytała Alma.

Ambrose Pike podniósł obie ręce, jakby w błagalnym geście.

– Widzi pani, od bardzo dawna już nie robię żadnych planów.

– Ale czym *chciałby* się pan zajmować? – indagowała.

– Nikt dotychczas nie zadał mi takiego pytania.

– Ale ja je panu zadałam, panie Pike. I chciałabym usłyszeć szczerą odpowiedź.

Odwrócił ku niej jasnobrązowe oczy. Wyglądał na bardzo zmęczonego.

– A więc powiem pani, panno Whittaker – rzekł. – Chciałbym nigdy więcej nie podróżować. Chciałbym spędzić resztę moich dni w miejscu cichym... i pracować w tempie tak powolnym, żebym był w stanie usłyszeć, że żyję.

George i Alma wymienili spojrzenia. Henry Whittaker, jak gdyby czując, że coś go ominęło, obudził się nagle i z powrotem przyciągnął ku sobie całą uwagę.

– Almo! – powiedział. – Ten list od Dicka Yanceya z ubiegłego tygodnia... Czytałaś go?

– Tak, ojcze, czytałam – odpowiedziała zmienionym, energicznym tonem.

– Co o nim sądzisz?

– Uważam, że to złe wieści.

– Oczywiście, że złe. Wprawił mnie w upiorny humor. Ale co o tym sądzą twoi przyjaciele? – zapytał Henry, skinąwszy w stronę George'a i pana Pike'a kieliszkiem wina w ręku.

– Nie sądzę, aby znali sprawę – odparła Alma.

– No to im ją przedstaw, córko. Potrzeba mi opinii.

Alma potrząsnęła głową, coś najwyraźniej musiała w niej rozjaśnić. Wielce dziwne. Henry zwykle nie zbierał opinii – zwłaszcza od obcych. Ale ponaglił ją znowu ruchem dłoni z kieliszkiem, zaczęła więc mówić, zwracając się do obu, George'a i pana Pike'a.

– Otóż chodzi o wanilię – zaczęła. – Około piętnastu lat temu pewien Francuz przekonał mego ojca, by zainwestował w plantację wanilii na Tahiti. Teraz dowiedzieliśmy się, że ostatecznie plantacja upadła. A Francuz zniknął.

– Razem z moim kapitałem – dodał Henry.

– Razem z ojca kapitałem – potwierdziła Alma.

– Dużym kapitałem – wyjaśnił Henry.

– Bardzo dużym kapitałem – zgodziła się Alma.

Dobrze znała sprawę, sama bowiem organizowała przekazanie płatności.

– Wszystko powinno było działać – rzekł Henry. – Klimat doskonały. I liany rosły! Dick Yancey sam je widział. Wyrastały na wysokość sześćdziesięciu pięciu stóp. Ten przeklęty Francuz mówił, że wanilia będzie tam szczęśliwie sobie rosnąć, i w tym miał rację. Liany produkowały kwiaty wielkie jak pana pięść. Dokładnie tak, jak opowiadał. Co to powiedział mały Francuzik, Almo? Uprawa wanilii na Tahiti będzie prostsza niż pierdzenie w czasie snu.

Alma zbladła, zerkając na gości. George taktownie zaczął składać serwetkę, Ambrose Pike się jednak uśmiechnął, szczerze rozbawiony.

– Co w takim razie poszło nie tak, sir? – zapytał. – Jeśli wolno mi się wtrącić?

Henry rzucił mu piorunujące spojrzenie.

– Liany nie rodziły owoców. Kwiaty kwitły i obumierały i nigdy nie wyprodukowały pojedynczej cholernej laski wanilii.

– Czy mogę zapytać, skąd pochodziły pierwsze sadzonki wanilii?

– Z Meksyku – mruknął Henry, spoglądając nań wyzywająco. – I w związku z tym to pan mi powiesz, młody człowieku… co tu poszło nie tak?

Alma powoli zaczynała kojarzyć. Dlaczego ciągle nie docenia ojca? Czy starzec cokolwiek kiedykolwiek przeoczył? Nawet w podłym humorze, nawet z niedosłyszeniem, nawet podczas *snu*, dokładnie rozpoznał, kto siedzi przy jego stole: znawca orchidei, który poświęcił ostatnie blisko dwadzieścia lat na studia w Meksyku oraz okolicy. A wanilia, jak przypomniała sobie Alma, należy do rodziny storczykowatych. Ambrose'a Pike'a poddano testowi.

– *Vanilla planifolia* – powiedział pan Pike.

– W rzeczy samej – potwierdził Henry i zdecydowanym ruchem odstawił kieliszek na stół. – To właśnie posadziliśmy na Tahiti. Proszę kontynuować.

– Widziałem ją wszędzie w Meksyku, sir. Głównie naokoło miejscowości Oaxaca. Pana człowiek w Polinezji, pana Francuz, miał słuszność... roślina doskonale się pnie i przypuszczam, że z radością przyjęłaby klimat południowego Pacyfiku.

– Dlaczego więc te przeklęte rośliny nie owocują? – zżymał się Henry.

– Nie mogę powiedzieć z całą pewnością – odparł gość – nie obejrzawszy ich na własne oczy.

– W takim razie nie jest pan nikim więcej niż bezużytecznym zwykłym rysownikiem orchidei, hę? – Henry stracił panowanie nad sobą.

– Ojcze... – sprzeciwiła się Alma, lecz Ambrose Pike, który chyba nie mógłby być mniej wytrącony z równowagi, kontynuował:

– Mogę jednak, sir, wysunąć pewną teorię. Kiedy pana Francuz przygotowywał sadzonki w Meksyku, mógł przez pomyłkę nabyć odmianę gatunku *Vanilla planifolia*, którą tubylcy nazywają *Oreja de Burro*... ucho osła... i która nigdy nie rodzi owoców.

– Był więc kretynem – odrzekł Henry.

– Niekoniecznie, panie Whittaker. Trzeba mieć nie lada oko, by dostrzec różnicę pomiędzy odmianą owocującą i nieowocującą *planifolii*. To częsta pomyłka. Nawet tubylcy często mylą te odmiany. Niewielu botaników potrafi rozpoznać różnicę.

– A czy *pan* potrafiłby zauważyć różnicę?

Ambrose Pike się zawahał. Było jasne, że nie chce zdyskredytować człowieka, którego nie zna.

– Zadałem pytanie, chłopcze. Czy potrafiłby pan zobaczyć różnicę między dwiema odmianami *planifolii*? Czyby pan nie potrafił?

– Ogólnie rzecz biorąc, sir? Tak. Potrafię dostrzec różnicę.

– W takim razie Francuz był idiotą – podsumował Henry. – A ja byłem idiotą jeszcze większym, że w niego zainwestowałem, bo teraz mam zmarnowane trzydzieści pięć akrów dobrej gleby na Tahiti, porastające od piętnastu lat niepłodną odmianą wanilii. Almo, napiszesz dziś wieczorem list do Dicka Yanceya i każesz mu powyrywać te wszystkie liany i dać je świniom. Każesz mu zastąpić je podrzynem. I napiszesz Dickowi, że jeśli kiedykolwiek znajdzie tego bęcwała Francuza, nim także może nakarmić świnie!

Henry wstał i pokuśtykał w stronę drzwi, zbyt wściekły, aby kończyć posiłek. George i Ambrose Pike patrzyli w milczeniu za oddalającą się postacią – wielce oryginalną w peruce i starych sztruksowych bryczesach, i do tego tak porywczą.

Almę natomiast ogarnęła zaskakująca fala poczucia zwycięstwa. Francuz przegrał, Henry Whittaker przegrał i plantacja wanilii na Tahiti z całą pewnością przegrała. Ale Ambrose Pike coś wygrał owego wieczoru, podczas pierwszego wystąpienia przy obiadowym stole w White Acre.

Było to zapewne małe zwycięstwo, ostatecznie jednak może przysłużyć się czemuś większemu.


Alma zbudziła się kilka godzin później, w środku nocy.

Pogrążona w głębokim śnie bez snów poczuła, jak gdyby nagle ktoś ją uderzył, i gwałtownie się poderwała. Wytężyła wzrok w ciemności. Czy ktoś jest w pokoju? Czy to Hanneke? Nie. Nikogo nie było. Opadła z powrotem na poduszkę. Noc panowała chłodna i spokojna. Co przerwało jej sen? Głosy. Po raz pierwszy od wielu lat powróciła w pamięci noc, w której do White Acre przyprowadzono Prudence, jeszcze dziecko, otoczoną przez mężczyzn i poplamioną krwią. Biedna Prudence. Alma powinna jednak ją odwiedzić. Musi zdobyć się na większy wysiłek w stosunkach z siostrą. Tylko że po prostu brakuje czasu. Panowała cisza. Alma zaczęła z powrotem układać się do snu.

Ale co to był za dźwięk? Znowu go usłyszała. Jeszcze raz otworzyła oczy. Rzeczywiście głosy. Kto mógłby o tej godzinie nie spać?

Wstała, owinęła się szalem i wprawnie zapaliła lampkę. Podeszła do szczytu schodów i spojrzała ponad balustradą w dół. W szparze pod drzwiami salonu zauważyła sączące się światło. Usłyszała śmiech ojca. Z kim tam jest? Mówi do siebie? Czemu nikt jej nie zbudził, jeśli była mu potrzebna?

Zeszła po schodach i ujrzała ojca siedzącego na otomanie obok

Ambrose'a Pike'a. Przyglądali się jakimś rysunkom. Ojciec, w długiej białej koszuli nocnej i szlafmycy, zaróżowiony był od alkoholu. Pan Pike zaś nadal miał na sobie brązowy sztruksowy garnitur, tylko włosy były w jeszcze większym nieładzie niż za dnia.

– Obudziliśmy panią – odezwał się gość, podnosząc na nią wzrok. – Najmocniej przepraszam.

– Czy mogę w czymś pomóc? – zapytała Alma.

– Śliweczko! – zawołał Henry. – Ten twój chłopiec popisał się niezłą porcją geniuszu! Pokaż jej to, synu!

Alma pojęła, że Henry nic nie pił; był po prostu rozentuzjazmowany.

– Nie czułem senności, panno Whittaker – wyjaśnił Pike – ponieważ rozmyślałem o pnączach wanilii na Tahiti. Zdałem sobie sprawę, że mogła zaistnieć jeszcze inna okoliczność, dla której rośliny nie owocują. Powinienem był poczekać do rana, aby nikogo nie budzić, ale chciałem zanotować pomysł, żeby go nie zapomnieć. Zszedłem więc tutaj w poszukiwaniu jakiejś kartki. Niestety, zbudziłem tym pani ojca.

– Patrz, co on zrobił! – powiedział Henry, rzucając Almie kawałek papieru.

Widniał na nim śliczny szkic kwiatu orchidei pełen najdrobniejszych szczegółów, a narysowa'ne dookoła strzałki wskazywały na poszczególne części jego budowy. Henry patrzył na Almę wyczekująco, ona zaś przyglądała się rysunkowi, który nic jej nie mówił.

– Przepraszam – rzekła wreszcie. – Przed momentem jeszcze spałam, chyba nie myślę dość jasno…

– Zapylanie, Śliweczko! – krzyknął Henry i klasnął w ręce, po czym wskazał na Ambrose'a Pike'a, by ten wyjaśnił.

– Myślę, że oto, co się mogło wydarzyć, panno Whittaker… jak właśnie wyjaśniłem pani ojcu… Otóż wasz Francuz mógł mimo wszystko rzeczywiście kupić dobrą odmianę wanilii w Meksyku. Ale być może nie owocuje ona dlatego, że nie zostaje zapylona.

Mógł sobie być środek nocy i Alma mogła zaledwie kilka chwil wcześniej spać głębokim snem, niemniej jednak umysł jej był bardzo dobrze wyszkoloną maszyną do rozumowania, szczególnie na polu botaniki, i dlatego natychmiast posłyszała w głowie kulki liczydła pukające w stronę logicznego podsumowania.

– Jak się odbywa zapylanie orchidei? – spytała.

– Nie jestem pewien – odparł Ambrose Pike. – Nikt nie jest pewien. To może być mrówka, może być pszczoła, a może jakiś rodzaj ćmy. To może nawet być koliber. Cokolwiek by to miało być, raczej wydaje się pewne, że wasz Francuz nie zabrał tego na Tahiti razem z roślinami. A lokalne owady oraz ptaki Polinezji Francuskiej najwyraźniej nie potrafią zapylić waszej kwitnącej wanilii, która ma kwiaty o niecodziennym kształcie. I stąd… brak owoców. Brak strączków.

Henry jeszcze raz klasnął.

– Brak profitów! – dodał.

– A więc co mamy zrobić? – zapytała Alma. – Łapać każdego owada i każdego ptaka w meksykańskiej dżungli i próbować wysłać je, żywe, na południowy Pacyfik w nadziei, że znajdzie się wśród nich zapylacz?

– Chyba nie potrzeba – odrzekł Pike. – Właśnie dlatego nie mogłem zasnąć, ponieważ stawiałem sobie to samo pytanie, ale sądzę, że znalazłem odpowiedź. Myślę, że można je zapylić samemu, ręką. Proszę popatrzeć, zrobiłem kilka rysunków. Trudno zapylić orchideę wanilii, ponieważ zamiast słupka i pręcików ma wyjątkowo długi prętosłup, zawierający zarówno męskie, jak i żeńskie organy. Rostellum… tutaj widać… oddziela je od siebie, by chronić roślinę przed samozapyleniem. Trzeba po prostu unieść rostellum, wsunąć małą gałązkę do pylnika, zebrać na czubek gałązki pyłek, a potem przyłożyć ją do pręcika innego kwiatu. Zasadniczo trzeba spełnić rolę pszczoły, mrówki czy kogokolwiek, kto czyniłby to w naturze. Ale można być znacznie efektywniejszym, ponieważ ręką można zapylić każdy pojedynczy kwiat na pnączu.

– Kto mógłby to robić? – zapytała Alma.

– Mogliby to robić wasi robotnicy – stwierdził. – Roślina kwitnie tylko raz do roku i zadanie zajęłoby nie więcej niż tydzień czasu.

– Czy robotnicy nie poniszczyliby kwiatów?

– Nie, jeśli byliby dobrze wyszkoleni.

– Ale gdzie znaleźć takich, co byliby wystarczająco delikatni?

Pike się uśmiechnął.

– Potrzebujecie po prostu małych chłopców z małymi paluszkami i małymi pałeczkami. Mogą być tylko zachwyceni zadaniem. Sam, gdybym był dzieckiem, cieszyłbym się na takie zajęcie. Musi być przecież mnóstwo małych chłopców i patyczków na Tahiti, czyż nie?

– Aha! – odezwał się Henry. – I co ty na to, Almo?

– Myślę, że to genialne, panie Pike.

Pomyślała też, że jako pierwszą rzecz jutro z samego rana musi mu pokazać egzemplarz szesnastowiecznego florenckiego kodeksu z wczesnofranciszkańskimi hiszpańskimi ilustracjami waniliowych pnączy, którego egzemplarz stoi w bibliotece w White Acre. Na pewno bardzo mu się spodoba. Nie mogła się już tego doczekać. W ogóle nie pokazała mu jeszcze biblioteki. Właściwie prawie nic mu nie pokazała w White Acre. Mają jeszcze wiele do eksplorowania.

– To tylko pomysł – rzekł. – Prawdopodobnie mógł poczekać na dzienne światło.

Alma posłyszała hałas i się odwróciła. W drzwiach stała Hanneke de Groot, w nocnym stroju, pulchna i zaspana oraz zirytowana.

– A teraz obudziłem już wszystkich domowników – stwierdził gość. – Usilnie proszę o wybaczenie.

– *Ist er een probleem?* – spytała Almę Hanneke.

– Nie ma żadnego problemu, Hanneke – odrzekła Alma. – Jedynie dyskutowaliśmy, ten pan i ja.

– O trzeciej w nocy? – żądała wyjaśnienia Hanneke. – *Is dit een bordeel?*

– Co ona mówi? – dopytywał się Henry.

Słuch mu szwankował, do tego nigdy dobrze nie opanował niderlandzkiego, pomimo trwającego dziesięciolecia małżeństwa z Holenderką oraz pracy z rdzennymi Holendrami przez większą część życia.

– Pyta, czy nie zrobić komuś kawy albo herbaty – odpowiedziała Alma. – Panie Pike? Ojcze?

– Dla mnie herbatę – rzekł Henry.

– Są państwo bardzo mili, ale już pójdę – odparł gość. – Wracam do pokoju i obiecuję nikomu więcej nie przeszkadzać. Do tego uzmysłowiłem sobie, że jutro jest dzień Pański. Być może wszyscy wstajecie wcześnie, by się udać do kościoła?

– Nie! – skwitował Henry.

– Przekona się pan, panie Pike – dodała Alma – że niektórzy z nas przestrzegają dnia Pańskiego, niektórzy nie, a jeszcze inni przestrzegają połowicznie.

– Rozumiem – rzekł Pike. – W Gwatemali często traciłem rachubę dni i obawiam się, że przeleciało mi wiele dni Pańskich.

– Czy w Gwatemali ludzie świętują niedzielę, panie Pike?

– Jedynie pod postacią picia, burd oraz walki kogutów, niestety.

– W drogę więc, do Gwatemali! – zakrzyknął Henry.

Alma od lat nie widziała go w tak dobrym humorze.

– Może pan bez obaw jechać do Gwatemali, sir – powiedział Pike ze śmiechem. – Przypuszczam, że przyjęliby tam pana z otwartymi ramionami. Ale ja skończyłem już z dżunglami. Najlepsze, co mogę zrobić, przynajmniej teraz, to wrócić po prostu do swojego pokoju. Głupotą byłoby zmarnować okazję przespania się w prawdziwym łóżku. Życzę obojgu państwu dobrej nocy i jeszcze raz dziękuję za gościnę oraz najgoręcej przepraszam państwa gospodynię.

Ambrose Pike wyszedł. Alma i jej ojciec siedzieli przez chwilę w milczeniu. Henry przeglądał szkice orchidei wanilii. Alma słyszała, jak mu pracuje mózg. Znała ojca zbyt dobrze. Czekała, aż to powie – co wiedziała, że padnie – i próbowała obmyślić, jak będzie z tym walczyć.

Tymczasem nadeszła Hanneke, z dzbankiem herbaty oraz trzema filiżankami. Postawiła tacę z westchnieniem głębokiego niezadowolenia, po czym opadła na fotel naprzeciwko Henry'ego. Nalała sobie filiżankę herbaty i oparła podagryczną starą kostkę na kunsztownie haftowanym francuskim podnóżku. Henry i Alma musieli się obsłużyć sami. Protokół w White Acre rozluźnił się ostatnimi laty. Być może zanadto.

– Powinniśmy go wysłać na Tahiti – powiedział wreszcie Henry po dobrych pięciu minutach milczenia. – Będzie zarządzać plantacją wanilii.

Otóż to. Właśnie tak, jak się Alma obawiała.

– To interesujący pomysł – odparła.

Ale nie mogła pozwolić ojcu wysłać Ambrose'a Pike'a na południowy Pacyfik. Była tego tak pewna, jak dotychczas niczego w życiu. Z pewnością pan Pike nie ucieszyłby się z propozycji. Sam to powiedział. Koniec z dżunglami. Nie chce więcej podróżować. Jest znużony i tęskni za domem. A jednak nie ma domu. Ten mężczyzna potrzebuje domu. Potrzebuje odpoczynku. Potrzebuje miejsca do pracy, do malowania i rytownictwa, dla których się urodził, i miejsca do tego, aby mógł usłyszeć, że żyje.

Co więcej – Alma potrzebowała Ambrose'a Pike'a. Poczuła dziką potrzebę, by zatrzymać owego człowieka w White Acre. Taka decyzja po zaledwie jednym dniu znajomości! Ale po owym dniu czuła się o dziesięć lat młodsza niż dnia poprzedniego. Był to najbardziej radosny dzień, jaki Alma Whittaker spędziła od kilkudziesięciu lat – albo nawet od dzieciństwa – a źródłem tej radości był Ambrose Pike.

Czuła się teraz tak jak wtedy, gdy jako młodziutka dziewczyna znalazła w lesie lisie kocię, malutkie i porzucone. Przyniosła je do domu i błagała rodziców, by mogła je zatrzymać. Zdarzyło się to jeszcze w błogich latach przed przybyciem Prudence, wtedy, kiedy pozwolono Almie biegać po całym wszechświecie. Henry'ego także kusił lisek, ale Beatrix się nie zgodziła. *Dzikie stworzenia należą do dzikich miejsc.* Liska zabrano z rąk Almy i nigdy więcej go nie zobaczyła.

Otóż nie zamierza stracić także tego liska. Nie ma już Beatrix, która mogłaby temu przeszkodzić.

– Myślę, że to byłby błąd – powiedziała. – Zmarnowałby ojciec Ambrose'a Pike'a, wysyłając go do Polinezji. Każdy może zarządzać plantacją wanilii. Sam ojciec słyszał, jak o tym mówił. To jest proste. Nawet wykonał od razu dla ojca rysunki. Niech ojciec wyśle te szkice do Dicka Yanceya i każe mu zatrudnić kogoś do wdrożenia zapylania. Myślę, że większy pożytek mógłby ojciec zrobić z pana Pike'a, zatrzymując go w White Acre.

– Co na przykład mu zlecając? – zapytał Henry.

– Jeszcze ojciec nie widział jego prac. George Hawkes uważa pana Pike'a za najlepszego litografa naszych czasów.

– A jakież ja mam zapotrzebowanie na litografa?

– Być może nadszedł czas, aby opublikować książkę o botanicznych skarbach w White Acre. Ma ojciec w cieplarniach takie gatunki, których nie widział cywilizowany świat. Powinny być opisane.

– Czemu miałbym podejmować się takiego kosztownego zadania, Almo?

– Pozwól, ojcze, że opowiem coś, o czym ostatnio słyszałam – zaczęła Alma w odpowiedzi. – Kew zamierza wydać katalog kunsztownych grafik oraz ilustracji swych najrzadszych roślin. Słyszał ojciec o tym?

– W jakim celu? – zapytał Henry.

– By móc się poszczycić, ojcze – odparła. – Słyszałam o tym od jednego z młodych litografów, którzy pracują dla George'a Hawkesa przy Arch Street. Brytyjczycy zaproponowali temu chłopcu niezłą fortunę, by ściągnąć go do Kew, do pomocy w przygotowywaniu grafik. Jest uzdolniony, choć to nie Ambrose Pike. Rozważa przyjęcie propozycji. Mówi, że to będzie najpiękniejsza publikacja przedstawiająca botaniczną kolekcję, jaką kiedykolwiek wydano. Inwestuje w nią osobiście królowa Wiktoria. Pięciobarwne litografie, a do wykańczania najlepsi akwareliści z Europy. Tego typu poziom. Będzie to wielka księga. Chłopak mówi, że duża prawie na dwie stopy i gruba jak Biblia. Każdy kolekcjoner botaniczny będzie chciał ją mieć. Publikacja ma za zadanie ogłosić renesans Kew.

– Renesans Kew – szydercze powtórzył Henry. – Kew już nigdy nie będzie tym, czym był, od kiedy zabrakło Banksa.

– Dochodzą mnie słuchy o czymś przeciwnym, ojcze. Odkąd wybudowali palmiarnię, każdy twierdzi, że ogrody są znowu wspaniałe.

Czy to jest bezwstydne? Może wręcz grzeszne? Tak podjudzać Henry'ego do starej rywalizacji z ogrodami Kew? To, co powiedziała, było jednak prawdą. Całą prawdą. Niech w Henrym zakipi stary antagonizm, zadecydowała. Nie ma nic złego w pobudzeniu dawnej siły. Przez ostatnie lata White Acre za bardzo tkwiła jakby w zimowym śnie. Odrobina rywalizacji nikomu nie zaszkodzi. W ten sposób rozpala jedynie krew w starych kościach Henry'ego Whittakera – oraz swoich. Niech ich dom znowu zatętni życiem. Czuła się wpływowa. Jak gdyby zapylała ręką kwiat. Podnosiła płatki wyobraźni ojca, wsadzała patyczek, mieszała nim, powodując owocowanie pnącza.

– Nikt jeszcze nie wie, kto to jest Ambrose Pike, ojcze – kontynuowała. – Ale gdy George Hawkes wyda kolekcję zrobionych przez Pike'a rysunków orchidei, wszyscy będą znali jego nazwisko. Kiedy Kew wyda *swoją* książkę, wszystkie botaniczne ogrody oraz cieplarnie na świecie będą chciały także zamówić *florilegium*... i wszyscy będą chcieli, żeby to Ambrose Pike robił dla nich ryciny. Nie czekajmy, aż nam go zabierze konkurencyjny ogród. Zatrzymajmy go tutaj i zaoferujmy mu dach nad głową oraz patronat. Niechże ojciec w niego zainwestuje. Sam się ojciec przekonał, jaki jest mądry, jaki utalentowany. Proszę dać mu szansę. Wyprodukujmy folio o zbiorach posiadanych przez White Acre, które przerośnie wszystko, co kiedykolwiek widział świat wydawniczy.

Henry nic nie mówił. Teraz słyszała, jak puka *jego* liczydło. Czekała. Myślenie zajęło mu dużo czasu. Zbyt dużo. Hanneke siorbała z filiżanki w demonstracyjnie beztroski sposób. Odgłos zdawał się rozpraszać Henry'ego. Alma miała ochotę wytrącić starej kobiecie filiżankę z rąk.

– Przekonanie pana Pike'a, by tutaj został, nie powinno być trudne, ojcze – podnosząc głos, spróbowała ostatni raz. – Ten człowiek potrzebuje domu, ale wystarczy mu bardzo niewiele, więc utrzymanie go prawie nic nie będzie kosztowało. Wszystko, co posiada, już tutaj jest, w walizce, która zmieściłaby się na ojca kolanach. Jak zobaczył ojciec dzisiaj wieczorem, jego towarzystwo jest miłe. Myślę, że ojciec nawet polubiłby jego obecność. Cokolwiek jednak ojciec zadecyduje, usilnie proszę i domagam się od ojca, aby nie wysyłał tego człowieka na Tahiti. Każdy głupi może hodować wanilię. Niech ojciec weźmie następnego Francuza albo wynajmie misjonarza, który się już znudził ratowaniem dusz. Nie każdy jednak, wręcz nikt nie potrafi sporządzać takich botanicznych ilustracji jak Ambrose Pike. Niech ojciec nie zmarnuje szansy zatrzymania go tutaj, przy nas. Rzadko ojcu mówię, co ojciec powinien robić, ale teraz to właśnie ojcu mówię... niech ojciec go nie straci. Inaczej będzie ojciec żałował.

Zapanowała długa cisza. Hanneke znowu siorbnęła.

– Potrzebna mu będzie pracownia – mruknął wreszcie Henry. – Prasy drukarskie, tego typu rzeczy.

– Może dzielić ze mną powozownię – odparła Alma. – Starczy tam miejsca dla niego.

A więc decyzja zapadła.

Henry pokuśtykał do łóżka. Zostały same, Alma i Hanneke, i popatrzyły na siebie. Hanneke nic nie mówiła, Almie nie podobała się jednak jej mina.

– *Wat?* – wreszcie zapytała.

– *Wat is je spel?* – odpowiedziała pytaniem Hanneke.

– Nie wiem, o czym mówisz – odparła Alma. – Nie gram w żadną grę.

Stara zarządczyni wzruszyła ramionami.

– Jeśli tak chcesz – powiedziała, specjalnie mocno akcentując angielszczyznę, na jaką przeszła. – Ty jesteś panią tego domu.

Wstała, wysączyła ostatnie krople z filiżanki i poszła do swojej kwatery w suterenie – zostawiając sprzątnięcie bałaganu w salonie komuś innemu.

# ROZDZIAŁ PIĘTNASTY

S tali się nierozłączni, Alma i Ambrose Pike. Wkrótce spędzali niemal każdą chwilę dnia razem. Alma poleciła Hanneke przenieść go z gościnnego skrzydła do dawnej sypialni Prudence na drugim piętrze, na wprost swego pokoju, po przeciwnej stronie hallu. Hanneke sprzeciwiała się takiemu wtargnięciu obcego człowieka w sam środek prywatnej mieszkalnej części rezydencji (to niestosowne, powiedziała, i niebezpieczne, zwłaszcza *że nic o nim nie wiemy*), lecz Alma nie zważała na nią i przeprowadzkę zorganizowano. Alma samodzielnie posprzątała dla Ambrose'a nieużywane pomieszczenie w powozowni, obok jej gabinetu. Po dwóch tygodniach przybyła pierwsza prasa drukarska. Wkrótce potem Alma nabyła z myślą o nim gabinetowe biurko z przegródkami oraz szyfonierę do przechowywania... rycin.

– Nigdy dotychczas nie miałem biurka – powiedział Pike. – Czuję się idiotycznie ważny. Czuję się, jakbym był *aide-de-camp*.

– Jeśli pan jest adiutantem, to kim ja jestem?

– Głową państwa? – zasugerował. – Generałem?

Ich dwa gabinety rozdzielały jedynie pojedyncze drzwi – i drzwi te coraz częściej były otwarte. Przez cały dzień Alma i Ambrose wchodzili przez nie i wychodzili do swoich gabinetów, patrząc, jak posuwa się praca drugiego, pokazując sobie to lub tamto, na przykład jakiś okaz w słoju lub pod mikroskopem. Zjadali razem każdego ranka posmarowane masłem tosty, potem w terenie zajadali prosty lunch na zimno i razem, po kolacji, siedzieli do późna, pomagając Henry'emu w korespondencji lub przeglądając różne tomy w bibliotece. W niedziele Ambrose przyłączał się do niej, gdy szła do kościoła, do nudnych i monotonnych szwedzkich luteranów, sumiennie recytując razem z nią modlitwy.

Rozmawiali lub milczeli – nie miało dużego znaczenia, czy jedno, czy drugie – ale nigdy się nie rozdzielali.

Kiedy Alma pracowała przy mchach, Ambrose rozkładał się na trawie w pobliżu i czytał. Gdy Ambrose szkicował w szklarni orchidee, Alma przyciągała krzesło i obok pisała w ciszy korespondencję. Wcześniej nigdy nie spędzała wiele czasu wśród orchidei, ale odkąd przybył Ambrose, ich pawilon zamieniony został w najwspanialsze miejsce w posiadłości. Prawie dwa tygodnie spędził, czyszcząc każdą z setek szyb, aby światło słoneczne mogło wpadać do środka jasne, o nieosłabionym natężeniu. Wyszorował i nawoskował podłogi, aż zaczęły błyszczeć. Co więcej – i co zdumiewające – kolejny tydzień spędził, skórkami banana polerując każdy liść każdej poszczególnej orchidei, aż zaczęły lśnić jak zastawa do herbaty wypucowana przez oddanego kamerdynera. Pawilon orchidei wyglądał, jakby gotowy był na koronację.

– Co dalej, panie Pike? Czy teraz wyszczotkujemy każdy włosek na paprociach w posiadłości? – żartowała sobie Alma.

– Nie sądzę, aby paprocie miały cokolwiek przeciwko – odrzekł.

Faktycznie, coś dziwnego przydarzyło się White Acre, gdy Ambrose Pike wniósł blask do pawilonu orchidei: reszta posiadłości w porównaniu z nim nagle wydała się nijaka. Było tak, jakby ktoś wypolerował tylko jedno miejsce na starym brudnym lustrze, a w rezultacie reszta lustra zaczęła naprawdę wyglądać na zarośniętą brudem. Kiedyś można było nie dostrzegać tego, co teraz się stało oczywiste. Tak jakby Ambrose Pike otworzył drzwi dla czegoś uprzednio niewidocznego i Alma mogła wreszcie ujrzeć całą prawdę, na którą w innych okolicznościach byłaby na zawsze ślepa: White Acre, choć wciąż elegancka, systematycznie od ponad ćwierci wieku popadała w stan zaniedbania.

W taki właśnie sposób Alma wpadła na pomysł, aby przywrócić reszcie posiadłości ten sam skrzący się poziom, jaki zapanował w pawilonie orchidei. Bądź co bądź, kiedy ostatnio myto każdą szybę w pozostałych szklarniach? Nie była w stanie sobie przypomnieć. Wszystko pokrywała pleśń albo kurz, gdzie tylko spojrzała. Płoty wymagały bielenia i naprawy, na żwirowym podjeździe rosły chwasty, a w bibliotece sufit zasnuwały pajęczyny. Każdy dywan wymagał trzepania, każdy piec – remontu. Palmy w wielkiej szklarni przebijały się prawie przez dach, nie przycinano ich od wielu lat. W kątach stajni schły kości zwierzęce z czasów, kiedy grasowały tutaj koty. Powozom pozwolono zmatowieć, a uniformy pokojówek wyglądały, jakby od dziesięcioleci wyszły z mody.

Alma najęła szwaczki, by uszyły nowe uniformy dla całej służby, i nawet zamówiła dla siebie dwie nowe lniane sukienki na lato. Zaproponowała nowy garnitur Ambrose'owi Pike'owi, ale on w zamian poprosił o cztery nowe pędzle. (Dokładnie cztery. Zaproponowała pięć. Powiedział, że nie potrzebuje pięciu. Cztery będą wystarczającym zbytkiem). Zatrudniła szwadron młodzieży z sąsiedztwa do pomocy w przywracaniu rezydencji blasku. Zdała sobie sprawę, że nigdy nie znaleziono zastępstwa dla starych pracowników w White Acre, którzy albo zmarli, albo zostali wyrzuceni... Teraz pracowała w posiadłości jedynie jedna trzecia robotników zatrudnionych ćwierć wieku temu, i po prostu nie wystarczało ich do utrzymania jej funkcjonowania bez zarzutu.

Hanneke na początku sprzeciwiała się nowym zatrudnieniom.

– Nie mam już siły ani w ciele, ani w głowie, żeby złych robotników zamieniać w dobrych – narzekała.

– Ale Hanneke, zobacz, jak pan Pike zręcznie wyporządził pawilon orchidei! Czy nie chciałybyśmy, żeby wszystko w White Acre wyglądało tak samo lśniąco? – protestowała Alma.

– W tym całym świecie i tak jest już o wiele za dużo zręczności – odpowiedziała Hanneke – i za mało zdrowego rozsądku. Ten pan Pike tylko przysparza pracy innym. Twoja matka przewróciłaby się w grobie, gdyby się dowiedziała, że ludzie glancują tutaj ręcznie kwiaty.

– Nie kwiaty – odparła Alma. – Liście.

Ale wkrótce Hanneke się poddała i nie minęło wiele czasu, jak posyłała nowych służących, by wyciągnęli stare beczki na mąkę, oczyścili je od zewnątrz i wystawili na słońce, aby wyschły – praca niewykonywana, jeśli dobrze pamiętała, odkąd Andrew Jackson był prezydentem.

– Proszę się nie posuwać zbyt daleko z tym sprzątaniem – ostrzegał Ambrose Pike. – Drobne zaniedbanie może być dobre.

Czy kiedykolwiek pani zauważyła, że na przykład najwspanialsze bzy to zawsze te, które rosną wzdłuż walących się stodół i opuszczonych chałup? Czasami piękno potrzebuje trochę niedbalstwa, by mogło właściwie zaistnieć.

– I to mówi człowiek, który polerował orchidee skórkami banana – odrzekła Alma ze śmiechem.

– Ale to są *orchidee* – odpowiedział. – To co innego. Orchidee są świętymi reliktami, Almo, i należy je traktować z czcią.

– Ale Ambrose – rzekła Alma – cała posiadłość zaczynała już wyglądać jak święty relikt… po świętej wojnie!

Zaczęli zwracać się do siebie po imieniu.

Minął maj. Minął czerwiec. Nadszedł lipiec.

Czy kiedykolwiek była tak szczęśliwa?

Nigdy nie była tak szczęśliwa.

Życie Almy przed przybyciem Ambrose'a Pike'a było zupełnie zadowalające. Tak, jej świat mógł się wydawać mały, a dni – monotonne, ale dla niej nie było to nie do wytrzymania. Swój los przemieniła w znośne życie. Praca nad mchem zajmowała jej umysł i towarzyszyła temu świadomość, że jej badania są prowadzone nienagannie oraz uczciwie. Miała swoje pamiętniki, swoje herbarium, mikroskopy, swoje botaniczne teorie, listy od zamorskich kolekcjonerów, swój czas spędzany z ojcem. Miała przyzwyczajenia i nawyki. A nade wszystko – swoją godność. Była niczym książka, która otwierała się na tej samej stronie niemal trzydzieści lat z rzędu – ale to nie była taka zła strona. Była optymistyczną osobą. Nawet zadowoloną. Wiodła ze wszech miar dobre życie.

Już nigdy nie będzie potrafiła powrócić do tego życia.


W środku lipca 1848 roku Alma pojechała w odwiedziny do Retty Snow, do Zakładu Griffona. Był to pierwszy raz, odkąd jej przyjaciółka została tam internowana. Alma nie dotrzymała słowa, że będzie odwiedzać Rettę każdego miesiąca, jak obiecała George'owi Hawkesowi, ale było tyle pilnych i miłych spraw w White Acre, odkąd przybył Ambrose, że sprawa Retty odeszła w zapomnienie. Z nadejściem lipca sumienie zaczęło Almę lekko swędzić, postanowiła więc nazajutrz wziąć powóz do Trenton. Napisała do George'a z zapytaniem, czy zechce się przyłączyć, ale odmówił. Nie podał powodu, Alma jednak wiedziała, że po prostu nie może znieść obecnego widoku Retty. Towarzystwo w podróży zaoferował jednakże Ambrose.

– Ale masz tutaj tyle pracy – zaprotestowała Alma. – Poza tym nie zanosi się na przyjemną wizytę.

– Praca może poczekać. Chciałbym poznać twoją przyjaciółkę. I muszę wyznać, interesują mnie choroby wyobraźni. Ciekaw jestem tego zakładu.

Znaleźli Rettę w schludnym własnym pokoju z gustownym łóżkiem, stołem i krzesłem oraz wąskim dywanem na podłodze. Na ścianie widniało puste miejsce po lustrze, które zostało zabrane – jak wyjaśniła pielęgniarka – ponieważ niepokoiło pacjentkę.

– Próbowaliśmy umieścić ją na chwilę z inną panią – mówiła dalej – ale nic z tego nie wyszło. Robiła się gwałtowna. Ataki niepokoju i panicznego strachu. Są powody do lęku dla każdego, kto zostaje z nią sam w pomieszczeniu. Lepiej, jak mieszka osobno.

– Co pani z nią robi, kiedy ma te ataki? – zapytała Alma.

– Lodowate kąpiele – odpowiedziała pielęgniarka. – Zasłaniamy jej oczy i zatykamy uszy. Chyba ją to uspokaja.

Pokój nie był nieprzyjemny. Roztaczał się z niego widok na ogrody na tyłach Zakładu, wpadało dużo światła, ale jednak, pomyślała Alma, przyjaciółka musi się czuć tutaj samotna. Retta ubrana była schludnie, włosy miała starannie związane, ale wyglądała niczym widmo. Blada jak popiół. Wciąż była ładnym stworzeniem, ale teraz bardziej *stworzeniem*. Nie okazała ani zadowolenia, ani przestrachu na widok Almy, ani nie okazała żadnego zainteresowania Ambrose'em. Alma usiadła obok przyjaciółki i wzięła ją za rękę. Retta nie zaprotestowała. Alma zauważyła, że kilka palców miało zabandażowane koniuszki.

– Co jej się stało? – zapytała.

– Gryzie się w nocy – wyjaśniła pielęgniarka. – Nie możemy jej tego oduczyć.

Alma przywiozła przyjaciółce małą torebkę cytrynowych cukierków oraz zawinięty w papier bukiet fiołków, ale Retta tylko rzuciła okiem na prezenty, jak gdyby nie wiedziała, co powinna zjeść, a co podziwiać. Alma czuła, że zarówno cukierki, jak i kwiaty wylądują u pielęgniarki.

– Przyjechaliśmy do ciebie w odwiedziny – odezwała się Alma do Retty, raczej mało przekonująco.

– Dlaczego więc was tutaj nie ma? – zapytała Retta głosem przytępionym laudanum.

– Jesteśmy, kochanie. Tuż przed tobą.

Retta przez chwilę popatrzyła na Almę niewidzącym wzrokiem, potem chyba dała za wygraną. Odwróciła się, by z powrotem patrzeć przez okno.

– Miałam zamiar przywieźć jej pryzmat – powiedziała Alma do Ambrose'a ściszonym głosem – ale wyjechaliśmy, a ja zapomniałam go wziąć. Zawsze uwielbiała pryzmaty.

– Powinnaś zaśpiewać jej piosenkę – poradził Ambrose.

– Nie umiem śpiewać – odparła Alma.

– Nie sądzę, żeby mogło się jej nie spodobać.

Alma nie potrafiła nawet pomyśleć o piosence. Nachyliła się do ucha Retty i wyszeptała rymowankę: „Kto cię najbardziej kocha? Kto najwięcej kocha cię? Kto o tobie myśli, gdy wszyscy pogrążeni są we śnie?".

Retta nie zareagowała.

Alma odwróciła się do Ambrose'a i zapytała, niemal w panice:

– Znasz jakąś piosenkę?

– Znam ich wiele, Almo. Ale nie znam *jej* piosenki.


W drodze powrotnej siedzieli w powozie zamyśleni i milczący. Wreszcie Ambrose zapytał:

– Czy ona zawsze taka była?

– Otępiała? Nigdy. Może była trochę szalona, ale to zawsze była rozkoszna dziewczyna. Miała nieokiełznane poczucie humoru i wiele uroku. Wszyscy, którzy ją znali, kochali ją. Wniosła wesołość i śmiech nawet między mnie i siostrę... a, jak ci opowiadałam, nigdy się razem z Prudence niczym nie cieszyłyśmy. Ale w miarę upływu czasu narastały jej zaburzenia. A teraz, sam widzisz...

– Tak. Sam widzę. Biedne stworzenie. Mam dużo współczucia dla osób niepoczytalnych. Kiedy tylko jestem w ich towarzystwie, od razu czuję to samo w środku własnej duszy. Myślę, że jeśli ktokolwiek twierdzi, że nigdy się nie czuł obłąkany, ten kłamie.

– Przyznam szczerze, że chyba nigdy nie czułam się obłąkana – powiedziała po chwili namysłu Alma. – Zastanawiam się, czy kłamię, kiedy to mówię. Chyba jednak nie.

Ambrose się uśmiechnął.

– Oczywiście, że nie. Powinienem był zrobić z ciebie wyjątek, Almo. Ty jesteś inna niż my wszyscy. Twój umysł się składa ze stałości oraz sedna. Co więcej, twoje uczucia są trwałe niczym kasa pancerna. Dlatego ludzie czerpią tyle otuchy z twojej obecności.

– Czerpią otuchę? – zapytała Alma, naprawdę zaskoczona.

– W rzeczy samej, czerpią.

– Dziwne spostrzeżenie. Nigdy nie słyszałam, by ktoś wyraził taką opinię.

Alma patrzyła przez okno powozu i rozmyślała. Naraz coś sobie przypomniała.

– Albo może słyszałam. Wiesz, kiedyś Retta mówiła, że mam dodającą otuchy bródkę.

– Całą swoją istotą dodajesz otuchy, Almo Whittaker. Nawet twój głos dodaje otuchy. Dla tych, którzy czasami się tak czują, jakby sypali własne życie jak plewy na młyńskie koła, twoja obecność jest z największą wdzięcznością przyjmowana jako pocieszenie.

Alma nie wiedziała, jak odpowiedzieć na owo całkowicie zaskakujące stwierdzenie, spróbowała więc je zbagatelizować.

– Daj spokój, Ambrose – powiedziała. – Jesteś takim opanowanym człowiekiem... przecież na pewno nie czułeś się nigdy obłąkany?

Myślał przez chwilę i zdawał się dobierać słowa.

– Człowiek czasami nie może nie czuć, jak blisko się znajduje stanu twojej przyjaciółki Retty Snow.

– Nie, Ambrose, na pewno nie!

Gdy od razu nie odpowiedział, zaniepokoiła się i przestraszyła.

– Ambrose – powiedziała łagodniejszym tonem. – Na pewno nie, prawda?

Znowu uważnie i długo formułował odpowiedź.

– Odnoszę się do poczucia nieobecności w tym świecie… połączonego z poczuciem przynależenia do innego świata.

– Do jakiego innego świata? – zapytała Alma.

Gdy nie odpowiadał, spróbowała swobodniejszego tonu.

– Przepraszam, Ambrose. Mam okropny zwyczaj niepoprzestawania na pytaniach, dopóki nie usłyszę satysfakcjonującej odpowiedzi. Taka moja natura, niestety. Mam nadzieję, że nie uważasz mnie za grubiańską.

– Nie jesteś grubiańska – odparł Ambrose. – Lubię twoją ciekawość. Tylko nie wiem, w jaki sposób podać satysfakcjonującą odpowiedź. A do tego człowiek nie chce tracić sympatii ludzi, których podziwia, wyjawiając im zbyt wiele na swój temat.

Alma porzuciła więc wypytywanie, być może z nadzieją, że ten wątek nigdy nie powróci. By zneutralizować chwilę i przywrócić jej normalność, wyjęła książkę i spróbowała czytać. Powóz podskakiwał na wybojach, a jej umysł zajęty był tym, co właśnie usłyszała, ale mimo to udawała, że jest zaabsorbowana lekturą.

Po długiej chwili Ambrose się odezwał.

– Nie powiedziałem ci jeszcze, dlaczego rzuciłem Harvard tyle lat temu.

Odłożyła książkę na bok, spojrzała na niego i zaczęła słuchać.

– Miałem epizod, Almo – rzekł.

– Szaleństwa? – zapytała w swój typowy, bezpośredni sposób, chociaż żołądek się jej ścisnął na samą myśl.

– Może tak. Nie jestem pewien, jak należy to nazwać. Moja matka uważała, że to obłąkanie. Moi przyjaciele uważali, że to obłąkanie. Również lekarze przypuszczali, że to obłąkanie. Ja sam czułem, że to coś innego.

– Na przykład…? – zapytała i tym razem normalnym głosem, choć jej trwoga osiągnęła szczyt.

– Może opętanie przez duchy? Spotkanie magii? Przekroczenie granic materii? Natchnienie uskrzydlone płomieniem?

Na jego twarzy nie było uśmiechu. Nie stroił sobie żartów.

To skromne objawienie tak bardzo przyspieszyło Almie puls, że nie była w stanie odpowiedzieć. Jej myślenie nigdy nawet się nie otarło o przekraczanie granic materii. Nic nie było w życiu Almy Whittaker większym źródłem dobra oraz pewności siebie niż niosące otuchę przeświadczenie o istnieniu materialnych granic.

Ambrose uważnie na nią popatrzył, zanim zaczął mówić dalej. Patrzył na nią tak, jakby była termometrem albo kompasem – jakby ją szacował. Jak gdyby wyłącznie za sprawą jej reakcji wybierał kierunek, w który ma skręcić. Ona usilnie się starała nie pokazać po sobie najmniejszych oznak przerażenia. Musiał z zadowoleniem przyjąć to, co zobaczył, zaczął bowiem mówić dalej.

– Kiedy miałem dziewiętnaście lat, odkryłem w bibliotece Uniwersytetu Harvarda kilka książek napisanych przez Jakuba Böhmego. Znasz go?

Oczywiście, że go znała. Miała własne egzemplarze w bibliotece w White Acre. Czytała Böhmego, choć nigdy nie wzbudził w niej podziwu. Jakub Böhme był szesnastowiecznym szewcem z Niemiec, który miał mistyczne wizje związane z roślinami. Wielu ludzi uważało go za wczesnego botanika. Z kolei dla matki Almy był szambem wypełnionym resztkami średniowiecznych zabobonów. Tak więc na temat Jakuba Böhmego panowały sprzeczne opinie.

Niegdysiejszy szewc wierzył w coś, czemu dał nazwę *signatura rerum*, podpis na wszystkim – to znaczy wierzył, że Bóg posiada klucz do naprawy ludzkości i ukrył go w kształcie każdego na ziemi kwiatu, liścia, owocu oraz drzewa. Cały świat naturalny jest boskim szyfrem, twierdził Böhme, świadczącym o miłości naszego Stwórcy. Dlatego tak wiele roślin leczniczych kształtem przypomina schorzenia, które mają leczyć, czy też organy, którym mają służyć. Bazylia o liściach w kształcie wątroby jest oczywistą ulgą w dolegliwościach wątroby. Glistnik jaskółcze ziele, który wydziela żółty sok, używany bywa do zwalczania żółtego kolorytu powodowanego przez żółtaczkę. Orzechy włoskie o kształcie mózgu pomagają w bólach głowy. Podbiał, który rośnie nad zimnymi strumieniami, leczy kaszel i przeziębienie spowodowane przemoknięciem. *Polygonum* o kropkowanych na czerwono liściach, jakby pochlapanych krwią, kuruje krwawiące rany na ciele. I tak dalej, *ad infinitum*. Beatrix Whittaker odnosiła się z pogardą do tej teorii („Większość roślin ma liście w kształcie wątroby – czy to znaczy, że mamy je wszystkie jeść?") i Alma Whittaker odziedziczyła po matce sceptycyzm.

Jednak nie był teraz czas na sceptycyzm, albowiem Ambrose powtórnie czytał z jej oblicza. Z desperacją próbował, jak się wydawało, wyczytać zachętę do kontynuacji. Alma zachowała kamienny wyraz twarzy, chociaż czuła się nieswojo.

– Wiem, że dzisiejsza nauka nie zgadza się z koncepcjami Böhmego – mówił dalej Ambrose. – Rozumiem sprzeciw. W końcu Jakub Böhme argumentował w kierunku odwrotnym niż poprawna metodologia naukowa. Brakowało mu dyscypliny uporządkowanego myślenia. W jego pracach roiło się od roztrzaskanych, odłamkowych fragmentów zwierciadła odbijającego zrozumienie. Był irracjonalny. Był łatwowierny. Widział tylko to, co chciał zobaczyć. Pomijał wszystko, co negowało jego pewniki. Za punkt wyjścia brał swoje przekonania, a dopiero potem szukał dookoła pasujących faktów. Nikt nie może nazwać tego nauką.

Beatrix Whittaker nie powiedziałaby lepiej, pomyślała Alma – ale kolejny raz tylko przytaknęła.

– A jednak… – powiedział Ambrose i głos mu zamarł.

Alma pozwoliła przyjacielowi pozbierać myśli. Milczał przez długi czas, aż uznała, że być może zadecydował postawić tutaj kropkę. Widocznie postanowił zakończyć na „A jednak".

On wszakże po długiej chwili podjął temat.

– A jednak Böhme powiedział, że Bóg *odcisnął* Siebie na materii świata i pozostawił ślady do odnalezienia.

Celna analogia, pomyślała Alma i nie mogła się powstrzymać, by nie skomentować:

– Jak prasa drukarska.

Na te słowa Ambrose rzucił jej spojrzenie przepełnione ulgą i wdzięcznością.

– Tak! – rzekł. – Właśnie tak. Czyli rozumiesz mnie. Pojmujesz, co taka idea mogła dla mnie znaczyć, kiedy byłem młodym człowiekiem? Böhme powiedział, że owo boskie imprimatur jest czymś w rodzaju świętej magii, a ta magia jedyną teologią, jakiej nam potrzeba. Wierzył, że możemy nauczyć się czytać ów druk Boga, musimy jednak rzucić się najpierw w ogień, by go odnaleźć.

– Rzucić się w ogień – powtórzyła Alma, starając się, by zabrzmiało to neutralnie.

– Tak. Wyrzekając się materialnego świata. Wyrzekając się Kościoła, z jego liturgiami w kamiennych murach. Wyrzekając się ambicji. Wyrzekając się cielesnego pożądania. Wyrzekając się posiadania i samolubności. Nawet wyrzekając się mowy. Tylko wtedy można zobaczyć, co widział Bóg w chwili stworzenia. Tylko wtedy można odczytać przesłanie, które dla nas zostawił Pan. Rozumiesz, Almo, że nie mogłem zostać pastorem po przeczytaniu czegoś takiego. Ani studentem. Ani synem. Ani... jak się wtedy zdawało... żyjącym człowiekiem.

– Więc czym zostałeś zamiast tego? – zapytała Alma.

– Próbowałem stać się ogniem. Zaprzestałem wszelkich czynności normalnej egzystencji. Przestałem mówić. Nawet przestałem jeść. Wierzyłem, że utrzyma mnie przy życiu jedynie światło słońca oraz deszcz. Przez całkiem długi czas... choć to niepojęte... powiem ci, że *zdołałem* żyć wyłącznie o słońcu i deszczu. Nie byłem zaskoczony. Miałem wiarę. Wiesz, zawsze byłem najpobożniejszy z wszystkich dzieci mojej matki. Gdy bracia przyswajali logikę oraz rozumowanie, ja czułem Stwórcę bardziej wewnętrznie. Jako dziecko tak głęboko oddawałem się modlitwie, że matka potrząsała mną za ramię w kościele i karciła za spanie podczas mszy, ale ja nie spałem. Ja się... łączyłem. Potem, po przeczytaniu Jakuba Böhmego, chciałem stanąć jeszcze bliżej boskości. Dlatego wszystko odrzuciłem, nawet pożywienie.

– I co się stało? – zapytała Alma. Głos miała spokojny, choć lękała się odpowiedzi.

– Poznałem boskość – odrzekł i zalśniły mu oczy. – Przynajmniej sądziłem, że poznałem. Miałem najwspanialsze myśli. Potrafiłem odczytać ukryty w drzewach język. Widziałem anioły żyjące wewnątrz orchidei. Widziałem nową religię, posługującą się nowym językiem botanicznym. Słyszałem hymny. Nie zapamiętałem melodii, ale była przejmująca. Nastąpiły i takie dwa tygodnie, podczas których słyszałem myśli innych ludzi. Pragnąłem, aby i oni słyszeli moje, ale wyglądali tak, jakby ich nie słyszeli. Byłem radosny. Czułem, jakby już nic nigdy nie było w stanie mnie zranić ani dotknąć. Nie czyniłem nikomu krzywdy, ale też straciłem pożądanie tego świata. Byłem... zolbrzymiany. Och, to nie wszystko. Spłynęła na mnie taka wiedza! Na przykład dałem nowe nazwy barwom. I ujrzałem nowe barwy, ukryte. Czy wiesz, że istnieje kolor nazwany *swissen*, który jest rodzajem przejrzystego turkusu? Tylko ćmy go widzą. To kolor najczystszego gniewu Boga. Nigdy by się nie przypuszczało, że gniew Boga będzie blady oraz niebieski, ale jest.

– Nie wiedziałam o tym – przyznała ostrożnie Alma.

– A ja to widziałem – powiedział Ambrose. – Widziałem obłoki *swissen* otaczające niektóre drzewa i niektórych ludzi. W innych miejscach widziałem korony dobroczynnego światła tam, gdzie żadnego światła nie powinno być. To światło nie miało nazwy, ale miało dźwięk. Wszędzie, gdzie je widziałem... czy raczej gdzie je słyszałem... podążałem za nim. Wkrótce potem jednakże omal nie umarłem. Mój przyjaciel Daniel Tupper znalazł mnie w zaspie śniegu. Czasami myślę, że gdyby nie nadeszła zima, może mógłbym dalej tak żyć.

– Bez jedzenia, Ambrose? – zapytała Alma. – Z pewnością nie mógłbyś.

– Czasami myślę, że bym mógł. Nie twierdzę, że myślę racjonalnie, ale sądzę, że bym mógł. Pragnąłem zostać rośliną. Czasami myślę, że... na bardzo krótko i za sprawą wiary... stawałem się rośliną. Jak inaczej mógłbym przeżyć o niczym innym prócz deszczu oraz słońca? Pamiętam werset Izajasza: „Wszelkie ciało to jakby trawa... Prawdziwie, trawą jest naród".

Po raz pierwszy od wielu lat Alma przypomniała sobie, że jako dziecko także pragnęła być rośliną. Oczywiście była tylko dzieckiem i po prostu chciała skupić na sobie więcej ojcowskiej uwagi oraz uczucia. Ale nawet wtedy – w rzeczywistości nigdy nie uwierzyła, że *jest* rośliną.

Ambrose kontynuował.

– Kiedy przyjaciele znaleźli mnie w śniegu, zabrali mnie do szpitala dla umysłowo chorych.

– Do takiego jak ten, z którego właśnie wracamy? – zapytała Alma.

Ambrose się uśmiechnął z bezgranicznym smutkiem.

– Och, nie, Almo. Ani trochę nie przypominał tego, w którym właśnie byliśmy.

– Tak mi przykro… – powiedziała i ogarnęło ją oburzenie.

Widziała kilka szpitali dla umysłowo chorych w Filadelfii, kiedy próbowali z George'em umieścić Rettę na krótki okres w jednym z takich tchnących rozpaczą domów. Nie była w stanie wyobrazić sobie Ambrose'a, swojego łagodnego przyjaciela, w takim nędznym, smutnym miejscu pełnym cierpienia.

– Nie ma co mnie żałować – stwierdził Ambrose. – Minęło. Szczęśliwie dla mojego umysłu większość z tego, co się tam wydarzyło, zapomniałem. Ale po doświadczeniu szpitala jestem, już na zawsze, nieco bardziej przestraszony, niż byłem przedtem. Zbyt przestraszony, by jeszcze kiedykolwiek doświadczyć pełnej ufności. Kiedy mnie wypuszczono, Daniel Tupper z rodziną się mną zajęli. Byli mili. Zapewnili mi dach nad głową i pracę w drukarni. Miałem nadzieję, że być może uda mi się jeszcze raz dotrzeć do aniołów, tym razem w bardziej materialny sposób. W bezpieczniejszy sposób, jak byś zapewne powiedziała. Straciłem odwagę, by jeszcze raz rzucić się w ogień. Więc nauczyłem się sztuki druku… naśladowałem Pana, choć wiem, że takie wyznanie brzmi grzesznie i pysznie. Pragnąłem odcisnąć na świecie własne postrzeganie, choć dotychczas nie wykonałem jeszcze pracy tak dobrej, jak bym chciał. Ale daje mi to zajęcie. I kontemplowałem orchidee. W orchideach była otucha.

Alma zawahała się przez chwilę, nim zadała pytanie.

– Czy zdołałeś powtórnie dotrzeć do aniołów?

– Nie. – Ambrose się uśmiechnął. – Niestety nie. Ale praca przyniosła przynależne jej przyjemności czy choćby rozterki. Dzięki matce Tuppera zacząłem znowu jeść. Ale byłem już innym człowiekiem. Unikałem wszelkich drzew i ludzi, których Bóg zabarwił pełnym gniewu *swissen*, co sam widziałem podczas epizodu. Brakowało mi hymnów nowej religii, których doświadczyłem, ale nie umiałem przypomnieć sobie ich słów. Niedługo potem wyruszyłem do dżungli. Rodzina uważała, że to błąd… że znowu spotka mnie tam obłęd i że samotność zaszkodzi stanowi mego umysłu.

– Czy tak się stało?

– Możliwe. Trudno powiedzieć. Opowiadałem ci, gdy spotkaliśmy się po raz pierwszy, że miewałem gorączki. Gorączki osłabiały mnie, to pewne, ale witałem je z radością. Zdarzały się podczas nich chwile, kiedy miałem wrażenie, że znowu prawie widzę imprimatur Boga, ale tylko prawie. Widziałem edykty i poświadczenia prawdy wypisane na liściach i pnączach. Widziałem konary drzew dookoła mnie powyginane w gęste rękopisy wiadomości. Wszędzie były znaki, klucze do wszystkiego, linie między punktami zbieżności, ale nie potrafiłem ich odczytać. Słyszałem dźwięki dawnej znanej mi muzyki, ale nie mogłem ich pochwycić. Nic nie było mi objawiane. Kiedy bardzo chorowałem, czasami znowu dostrzegałem mignięcia aniołów ukrytych we wnętrzach orchidei… zaledwie skraj ich szat, rozumiesz… Światło musiało być bardzo czyste i wszystko musiało trwać w wielkiej ciszy, by ukazało się choćby to. Ale to mi nie wystarczało. To nie było to samo, co widziałem przedtem. Jeśli ktoś zobaczy anioły, Almo, nie satysfakcjonuje go potem rąbek ich szat. Po osiemnastu latach zrozumiałem, że już nigdy więcej nie zobaczę tego, co przedtem… nawet w największej samotności w dżungli, nawet w stanie mamiącej gorączki… więc wróciłem do domu. Ale przypuszczam, że zawsze będę tęsknić do czegoś innego.

– Do czego tęsknisz? – zapytała Alma.

– Do czystości – odpowiedział – oraz duchowej jedności.

Almę ogarnął smutek (a także nieokreślony lęk, że coś pięknego jest jej właśnie odbierane), kiedy pojęła to wszystko. Nie wiedziała, jak pocieszyć Ambrose'a, chociaż on chyba tego nie oczekiwał. Czy był obłąkany? Nie sprawiał takiego wrażenia. Powinna, powtarzała sobie, czuć się na swój sposób zaszczycona, że powierzył jej takie sekrety. Ale były tak przerażające! Co z nimi zrobić? Ona sama nigdy nie widziała aniołów ani nie oglądała ukrytych barw prawdziwego gniewu Boga, ani nie rzuciła się w ogień. Nawet nie była pewna, czy rozumie, co to oznacza – rzucić się w ogień. Jak to się robi? *Dlaczego* to się robi?

– Jakie masz teraz plany? – zapytała.

Mówiąc to, przeklinała swój ślamazarny i materialny umysł,

który potrafił myśleć wyłącznie w kategoriach ziemskiej strategii. Człowiek właśnie opowiadał o aniołach, a ty go pytasz o plany.

Ambrose się jednak uśmiechnął.

– Chciałbym wieść niemęczące życie w zaciszu, chociaż nie mam pewności, że na nie zasłużyłem. Jestem wdzięczny, że dałaś mi miejsce do mieszkania. Ogromnie lubię White Acre. To dla mnie rodzaj raju... czy czegoś najbardziej podobnego do raju, co można osiągnąć na ziemi. Mam przesyt światem i pragnę spokoju. Lubię twojego ojca, który, zdaje się, mnie nie potępia i pozwala mi zostać. Jestem wdzięczny, że mam do wykonania pracę, która daje mi zajęcie oraz przynosi satysfakcję. Jestem najbardziej wdzięczny za twoje towarzystwo. Muszę przyznać, że od 1828 roku czułem się samotny... od kiedy przyjaciele wyciągnęli mnie ze śniegu i przynieśli z powrotem do świata. Po tym, co widziałem, oraz ponieważ nie dane mi już więcej tego oglądać, czuję się samotny. Ale przekonałem się, że w twoim towarzystwie jestem samotny najmniej.

Po tych słowach Almę ścisnęło coś w gardle. Zastanawiała się, jak odpowiedzieć. Ambrose zawsze tak łatwo czynił zwierzenia, a ona jeszcze nigdy nie podzieliła się swymi. Był odważny w wyznaniach. Choć lękała się ich, powinna się zrewanżować odwagą.

– Ty również dajesz mi wytchnienie od samotności – powiedziała.

Wyznanie przyszło z trudnością. Nie umiała znieść jego wzroku, kiedy to mówiła, ale przynajmniej wypowiedziała to, a głos jej nie zadrżał ani nie uwiązł.

– Nie przypuszczałbym, droga Almo – powiedział życzliwie Ambrose. – Zawsze wydajesz się taka silna.

– Żadne z nas nie jest silne – odpowiedziała Alma.


Powrócili do White Acre i do normalnej przyjemnej rutyny, jednak w Almie pozostał niepokój po tym, co usłyszała. Czasami, kiedy Ambrose był zajęty pracą – szkicowaniem orchidei albo przygotowaniem płyty kamiennej do litograficznej odbitki – obserwowała go, szukając oznak chorego lub występnego umysłu. Ale nie była w stanie dostrzec żadnych poszlak wskazujących na rozstrojenie.

Jeśli Ambrose podniósł wzrok i pochwycił jej spojrzenie, zwyczajnie się uśmiechał. Był łagodny, pozbawiony poczucia winy oraz podejrzliwości. Obserwowanie go najwyraźniej nie wzbudzało w nim nieufności. Nie było w nim zdenerwowania, towarzyszącego ukrywaniu czegoś. Sprawiał wrażenie, jakby nie żałował tego, że się zwierzył Almie. Jego zachowanie w stosunku do niej stało się najwyżej jeszcze bardziej serdeczne. Był najwyżej jeszcze bardziej pełen dla niej uznania, jeszcze bardziej ją wspierał i jeszcze więcej pomagał niż przedtem. Jego pozytywne usposobienie było stałe. Miał cierpliwość dla Henry'ego, dla Hanneke, dla wszystkich. Trzeba przyznać, że czasem wyglądał na zmęczonego, ale też pracował ciężko. Tak ciężko jak Alma. Naturalnie, że musiał być czasami znużony. Ale poza tym był taki jak przedtem: jej drogi, nierozważny przyjaciel. Nie pochłaniała go też nadmierna religijność, przynajmniej nie na tyle, aby rzucało się to Almie w oczy. Poza obowiązkowym pojawianiem się z Almą w kościele każdej niedzieli nie widziała, żeby się modlił. W każdym calu zdawał się dobrym człowiekiem, żyjącym w pokoju.

Za to wyobraźnię Almy całkowicie opanowała i rozpaliła dyskusja podczas powrotu do domu z Trenton. Nie była w stanie nic z niej ułożyć w jakikolwiek sens i brakowało jej przekonującej odpowiedzi na następującą zagadkę: Czy Ambrose Pike jest szaleńcem? A jeśli nie jest szaleńcem, to kim w takim razie jest? Miała problem z przełknięciem cudów i dziwów, ale taki sam problem miała również z uznaniem przyjaciela za wariata. W takim razie co on takiego rzeczywiście widział podczas tych swoich epizodów? Sama nigdy nie spotkała się twarzą w twarz z boskim, ani też nigdy nie pragnęła się spotkać. Życie poświęcała na zrozumienie realnego, materialnego. Kiedyś, uśpiona eterem przed wyrwaniem zęba, zobaczyła w głowie tańczące gwiazdy – ale to, wiedziała dobrze nawet wtedy, było normalnym działaniem lekarstwa na umysł i nie oznaczało, że wciągnęły ją niebiańskie tryby. Ambrose jednak nie znajdował się pod wpływem eteru podczas swych wizji. Jego szaleństwo było... szaleństwem trzeźwego umysłu.

Po rozmowie z Ambrose'em Almie całkiem często zdarzało się wstawać w środku nocy i przemykać do biblioteki, by czytać Jakuba Böhmego, którego nie studiowała od czasów młodości. Trwało to kilka tygodni. Teraz próbowała podejść do tekstu z szacunkiem i otwartością. Wiedziała, że Milton czytał Böhmego, Newton również go podziwiał. Jeśli tacy luminarze znaleźli w jego słowach mądrość – i jeśli Böhme poruszył kogoś tak niezwykłego jak Ambrose – czemu nie mógłby i Almy?

Nie potrafiła jednak znaleźć w starych tekstach nic, co wprawiałoby ją w stan jakiegokolwiek misterium lub zadziwienia. Dla Almy pisma Böhmego pełne były martwych zasad, mętnych i ezoterycznych. Był dawnym typem umysłowości, średniowiecznej umysłowości, rozpraszanej alchemią i bezoarami. Wierzył, że kamienie szlachetne oraz metale przepełnione są mocą i boskością. Widział krzyż Boga ukryty w liściu kapusty. Wszystko na świecie było dla niego ucieleśnionym objawieniem wiecznej potęgi oraz boskiej miłości. Każda cząstka natury to *verbum fiat* – wypowiedziane Boże słowo, wyrażenie ożywione, cud obleczony w ciało. Wierzył, że róże nie symbolizują miłości, lecz w rzeczywistości *są* miłością: miłością dosłowną. Był zarówno apokaliptyczny, jak i utopijny. Ten świat musi się wkrótce skończyć, powiedział, a wtedy ludzkość osiągnie edeniczny stan, w którym wszyscy mężczyźni staną się męskimi dziewicami i życie będzie radością oraz zabawą. Ale boska mądrość, jak utrzymywał, jest żeńska.

Böhme pisał: „Mądrość Boga jest wieczną dziewicą – nie żoną, lecz niewinnością i czystością bez skazy, która przedstawia obraz Boga… Jest ona mądrością cudów bez liku. W niej Duch Święty ogląda obraz aniołów… Chociaż daje ciało wszelkim owocom, nie jest cielesnością owoców, ale raczej wdziękiem i pięknością w nich".

Alma nie widziała w tym żadnego sensu, część z tego odbierała wręcz z irytacją. Z całą pewnością nie zaczynała pragnąć przestawać jeść albo przestać studiować, albo przestać mówić, albo porzucić przyjemności cielesne i żyć o słońcu i wodzie. Wprost przeciwnie, za sprawą pism Böhmego tęskniła do mikroskopu, do swoich mchów, do pocieszenia, jakie niosło namacalne i konkretne. Czemu świat materialny nie wystarcza ludziom takim jak Jakub Böhme? Dlaczego nie jest wystarczająco cudowne to, co można zobaczyć i dotknąć i czego można być pewnym?

„Prawdziwe życie stoi w ogniu", pisał Böhme, „a jedna tajemnica pozwala sobą zawładnąć drugiej".

Alma niewątpliwie pozwalała sobą zawładnąć, ale ogień nie rozniecał jej umysłu. Ani też nie uspokajał go. Lektura Böhmego zaprowadziła ją natomiast do innych tekstów w bibliotece White Acre. Zanurzała się w zakurzone, dziwaczne księgi na temat wzajemnego przenikania się boskiego z botanicznym i odczuwała zarówno sceptycyzm, jak i prowokację, zaciekawienie i wątpliwość. Kartkowała starych teologów i dziwacznych cudotwórców. Kartkowała Alberta Wielkiego. Posłusznie studiowała, co twierdzili mnisi, kolejne czterysta lat wcześniej, na temat mandragory oraz rogu jednorożca. Ich nauki były takie niedoskonałe. W ich logice widziała dziury tak duże, że aż czuło się podmuchy wiatru wiejące wskroś wywodów. Wierzyli w takie dziwne wyobrażenia. Wierzyli, że nietoperze to ptaki. Że bociany zapadają w sen zimowy pod wodą, a muszki wyskakują z rosy na liściach. Wierzyli, że gęsi wykluwają się z bernikli, te zaś rosną na drzewach. Z czysto historycznego punktu widzenia to wszystko było oczywiście bardzo interesujące. Czemu jednak to uznawać? Dlaczego Ambrose'a pociągała średniowieczna nauka? Był to fascynujący trop, owszem, ale też rojący się od omyłek.

Pośrodku pewnej gorącej nocy pod koniec lipca Alma siedziała w bibliotece, przed nią stała lampa, okulary tkwiły na nosie. Przeglądała siedemnastowieczny egzemplarz *Arboretum sacrum* – którego autor starał się odczytać święte przesłania we wszystkich roślinach, wymienionych w Biblii – kiedy niespodzianie do biblioteki wszedł Ambrose. Podskoczyła na jego widok, on jednak był nieporuszony. Jedynie może zmartwiony. Podszedł i usiadł obok, przy długim stole pośrodku biblioteki. Miał na sobie dzienne ubranie. Albo zmienił piżamę ze względu na Almę, albo w ogóle nie kładł się jeszcze spać.

– Nie powinnaś spędzać tak wielu nocy z rzędu bez snu, droga Almo – powiedział.

– Wykorzystuję ciche godziny na prowadzenie badań – odpowiedziała. – Mam nadzieję, że ci nie przeszkadzam.

Spojrzał na tytuły otwartych wielkich ksiąg leżących przed nimi na stole.

– Ale nie o mchu czytasz – odparł cicho. – Czego szukasz?

Trudno jej było kłamać Ambrose'owi. W ogóle nie była zręczna w nieprawdzie, a on, szczególnie on, nie był człowiekiem, którego chciałaby oszukać. Tak oto nie miała wyboru, musiała powiedzieć, co robi.

– Twoja historia nie ma dla mnie sensu – rzekła. – Szukam wyjaśnienia w tych książkach.

Pokiwał głową, lecz nic nie powiedział.

– Zaczęłam od Böhmego – kontynuowała Alma – który okazał się dla mnie po prostu niezrozumiały, a teraz przeszłam do… tych wszystkich innych.

– Sprawiłem ci kłopot – zauważył Ambrose – opowiadając o sobie. Obawiałem się tego. Być może nie powinienem był nic mówić.

– Nie, Ambrose. Jesteś moim najlepszym przyjacielem. Możesz zawsze mi się zwierzać. Możesz nawet raz na jakiś czas sprawiać mi kłopot. Czułam się zaszczycona twoim zaufaniem. Ale kiedy zapragnęłam lepiej cię zrozumieć, muszę przyznać, że całkiem straciłam grunt pod nogami.

– I co te księgi powiedziały ci o mnie?

– Nic – odpowiedziała Alma.

Nie zdołała powstrzymać śmiechu i Ambrose roześmiał się razem z nią. Była wyczerpana. On także wyglądał na zmęczonego.

– Dlaczego w takim razie nie zapytałaś mnie?

– Bo nie chcę cię nękać.

– Ty nigdy mnie nie nękasz.

– Irytują mnie, Ambrose… wszystkie te błędy w książkach. I zastanawiam się, dlaczego ciebie nie drażnią. U Böhmego jest tyle przeskoków, sprzeczności, pomylenia pojęć. To tak, jak gdyby chciał wskoczyć prosto do nieba za sprawą siły swojej logiki, ale jego logika jest taka ułomna. Na przykład tutaj jest rozdział, w którym szuka klucza do tajemnic Boga ukrytych wewnątrz biblijnych roślin… ale jak mamy z tego skorzystać, kiedy jego informacje są po prostu błędne? Poświęca cały rozdział na interpretację „lilii na polu", wspomnianych w Ewangelii Mateusza, rozkładając na czynniki pierwsze każdą literę słowa „lilie", szukając objawienia

wewnątrz sylab... tylko że, Ambrose, same w sobie „lilie na polu"
są błędem przekładu. To nie powinny być lilie, te kwiaty, o których
Chrystus mówił podczas Kazania na Górze. Istnieją tylko dwie odmiany lilii, występujące naturalnie na terenie Palestyny, i obie są wyjątkowo rzadkie. Nie kwitłyby w takiej obfitości, żeby mogły
wypełnić dolinę. Nie byłyby powszechnie znane wśród prostych
ludzi. Chrystus, przemawiający do zwykłej gawiedzi, odwołałby
się raczej do popularnego kwiatu, aby słuchacze łatwiej zrozumieli
metaforę. Z tego powodu jest nader prawdopodobne, że mówił raczej o zawilcach na polu... prawdopodobnie *Anemone coronaria*...
chociaż nie możemy być tego całkowicie pewni...

Alma przerwała. Brzmiało to zbyt dydaktycznie i przez to nie-
poważnie.

Ambrose znowu się roześmiał.

– Ależ z ciebie byłby poeta, droga Almo! Chciałbym zobaczyć twoje tłumaczenie Pisma Świętego: „Przypatrzcie się liliom
na polu, jak rosną: nie pracują ani przędą – choć najprawdopodobniej nie były to lilie, już raczej *Anemone coronaria*, aczkolwiek
i tego pewni być nie możemy, wszakże zgodzimy się wszyscy, że nie
pracowały one ani przędły". Jakiż byłby z tego hymn, do śpiewania
pod krokwiami wszelkiego kościoła! Aż chciałoby się usłyszeć, jak
śpiewają go wierni. Ale powiedz mi, Almo, skoro już o tym mówimy, czym są według ciebie wierzby Babilonu, na których Izraelici
zawiesili swoje lutnie i płakali?

– Teraz mi dokuczasz – odparła Alma, której duma została zarówno dotknięta, jak i podbechtana. – Ale myślę, że prawdopodobnie były to topole.

– A jabłoń Adama i Ewy? – badał.

Czuła się idiotycznie, ale nie mogła przestać.

– Była to morela albo pigwa – powiedziała. – Bardziej praw-
dopodobna jest morela, ponieważ pigwa nie jest aż tak słodka, by
przyciągnąć uwagę młodej niewiasty. Tak czy inaczej, nie mogła to
być jabłoń. Nie było jabłoni w Ziemi Świętej, Ambrose, a drzewo
w raju opisywane jest często jako cieniste i zapraszające, o srebrzy-
stych liściach, co dobrze opisuje większość odmian moreli... tak
więc kiedy Jakub Böhme mówi o jabłoniach i Bogu, i raju...

Teraz Ambrose śmiał się już tak mocno, że musiał ocierać łzy.

– Droga Almo Whittaker – powiedział tkliwie. – Wielkim cudem jest twój mózg. Taki rodzaj niebezpiecznego rozumowania jest, nawiasem mówiąc, dokładnie tym, czego się obawiał Bóg, gdyby pozwolić kobiecie zjeść z drzewa wiedzy. Jesteś przestrogą dla kobiecej części ludzkości! Musisz natychmiast powstrzymać tę inteligencję i natychmiast zająć ręce mandoliną albo robótką, albo jakąkolwiek inną zbędną czynnością!

– Uważasz, że jestem absurdalna – odrzekła.

– Nie, Almo, nie uważam tak. Myślę, że jesteś nadzwyczajna. Jestem poruszony tym, że starasz się mnie zrozumieć. Przyjaciel nie byłby czulszy. Jeszcze bardziej jestem poruszony tym, że starasz się zrozumieć… poprzez racjonalne myślenie… to, czego się nie da zrozumieć. Tutaj nie znajdzie się żadnej precyzyjnej zasady. Boskie, jak powiedział Böhme, jest *nieuzasadnialne*… niezgłębione, spoza ziemskiego świata takiego, jakiego doświadczamy. Ale to jest jedynie różnica naszych umysłów, moja droga. Ja pragnę dotrzeć do objawienia na skrzydłach, ty natomiast równo się posuwasz na nogach, ze szkłem powiększającym w ręku. Ja jestem powierzchownym wędrowcem, pragnącym znaleźć Boga w zewnętrznych kształtach, szukającym nowej metody poznawczej. Ty stoisz na ziemi i rozważasz rzeczy cal po calu. Twój sposób jest bardziej rozumowy i metodyczny, ale ja nie potrafię zmienić swojego sposobu.

– Mam potworne uwielbienie dla rozumienia – przyznała Alma.

– Faktycznie masz, chociaż nie jest ono potworne – odrzekł Ambrose. – To jest naturalna konsekwencja przyjścia na świat z tak wyśmienicie ukształtowanym umysłem. Dla mnie jednak doświadczanie świata wyłącznie poprzez rozum jest jak obmacywanie w ciemności oblicza Boga w grubych rękawiczkach na dłoniach. Nie wystarczy studiować i przedstawiać, i opisywać. Czasami trzeba… *przeskoczyć*.

– A jednak ja po prostu nie rozumiem Boga, ku któremu ty przeskakujesz – powiedziała Alma.

– A czy musisz?

– Tak, ponieważ chciałabym lepiej poznać ciebie.

– Więc zadawaj mi pytania wprost, Almo. Nie szukaj mnie

w tych księgach. Siedzę tutaj przed tobą i opowiem ci wszystko o sobie, co tylko zechcesz.

Alma stanowczo zamknęła ciężki tom leżący przed nią na stole. Może zamknęła go odrobinę zbyt stanowczo, bo zatrzasnął się z głośnym hukiem. Odwróciła się w krześle, by siedzieć twarzą w twarz z Ambrose'em, i zaplotła dłonie na kolanach.

– Nie rozumiem twojej interpretacji natury, a to z kolei pozostawia we mnie poczucie strachu o stan twojego umysłu. Nie rozumiem, jak możesz przeoczać punkty sprzeczne albo czyste bzdury w owych skompromitowanych dawnych teoriach. Zakładasz, że nasz Pan jest wielkim dobroczynnym botanikiem, ukrywającym wskazówki służące nam ku naszej poprawie w każdym gatunku roślin na Ziemi, a jednak nie widzę spójnych na to dowodów. Na świecie jest tyleż roślin trujących, co leczących. Dlaczego twoja botaniczna boskość daje nam pierisy i ligustry, na przykład, od których giną nasze konie i krowy? Jakie tutaj ukryte jest objawienie?

– Ale czemu nasz Pan nie mógłby być botanikiem? – zapytał Ambrose. – Wolałabyś, żeby jaki zawód miał twój bóg?

Alma poważnie podeszła do pytania.

– Prawdopodobnie zawód matematyka – zadecydowała. – Gryzmolącego na rzeczach i wymazującego, rozumiesz. Dodającego i odejmującego. Mnożącego i dzielącego. Rozważającego teorie i nowe obliczenia. Odrzucającego dawne błędy. To mi się wydaje sensowniejsze.

– Ale żaden z matematyków, jakich kiedykolwiek poznałem, Almo, nie był szczególnie współczującą osobą i nie dbał o życie.

– No właśnie – powiedziała Alma. – To by pasowało do wyjaśnienia cierpienia ludzkości i przypadkowości naszych losów… Bóg, który dodaje nas i odejmuje, dzieli nas i wymazuje.

– Cóż za ponury obraz! Chciałbym, abyś nie widziała życia tak posępnie. Patrząc na całość wszystkiego, Almo, nadal dostrzegam więcej cudu na świecie niźli cierpienia.

– Wiem o tym – odrzekła Alma – i dlatego się o ciebie martwię. Jesteś idealistą, co oznacza, że przeznaczone ci jest rozczarowanie, a być może nawet ból. Szukasz ewangelii daru i cudu, a to nie pozostawia miejsca na smutek egzystencji. Jesteś jak William Paley dowodzący, że doskonałość budowy każdej rzeczy we wszechświecie jest dowodem na miłość Boga wobec nas. Pamiętasz, Paley zwykł utrzymywać, że mechanika ludzkiego nadgarstka… tak wyśmienicie pasująca do zbierania pożywienia i tworzenia przedmiotów o artystycznym pięknie… jest samym znakiem uczucia, jakim Pan darzy człowieka. Ale ludzki nadgarstek doskonale pasuje również do wymachiwania śmiercionośną siekierą w kierunku sąsiada. Cóż to za dowód na miłość? Co więcej, przez ciebie czuję się jak wstrętny mały intruz, ponieważ siedzę tutaj, przytaczam nudne argumenty i nie jestem w stanie żyć w tym samym lśniącym mieście na wysokości, które ty zamieszkujesz.

Siedzieli przez chwilę w milczeniu. Wreszcie Ambrose zadał pytanie.

– Czy my się kłócimy?

Alma zastanowiła się nad odpowiedzią.

– Być może tak.

– A dlaczego musimy się kłócić?

– Wybacz mi Ambrose, jestem zmęczona.

– Jesteś zmęczona, ponieważ siedzisz w tej bibliotece co noc, zadając pytania mężczyźnie, który od czterystu lat nie żyje.

– Większość swego życia spędziłam na rozmowie z takimi mężczyznami, Ambrose. Ze starszymi także.

– Ale ponieważ oni odpowiadają nie tak, jak byś chciała, teraz zaatakowałaś mnie. W jaki sposób mam przedłożyć satysfakcjonujące cię odpowiedzi, Almo, jeśli znacznie większe od mego umysły zdążyły cię rozczarować?

Alma schowała twarz w dłoniach. Czuła się przemęczona.

Ambrose mówił dalej, teraz nieco łagodniejszym tonem.

– Pomyśl tylko, Almo, czego moglibyśmy się nauczyć, gdybyśmy się wyswobodzili z rozumowania.

Spojrzała na niego.

– Nie mogę wyswobodzić siebie z rozumowania, Ambrose. Pamiętaj, że jestem córką Henry'ego Whittakera. Zostałam urodzona do rozumowania. Rozumowanie było moją pierwszą niańką. Rozumowanie jest moim towarzyszem łoża na całe życie. Co więcej, wierzę w rozumowanie i nawet je kocham. Rozumowanie jest naszą najpewniejszą ścieżką ku prawdzie, stanowi bowiem jedyną dowiedzioną broń przeciwko zabobonnemu myśleniu oraz powierzchownym aksjomatom.

– Ale jeśli w rezultacie wyłącznie tonie się w słowach, a nigdy nie *słyszy*... – Ambrose zamilkł.

– Nie słyszy *czego*?

– Być może siebie nawzajem. Nie swoich słów, ale swoich myśli. Swoich dusz. Jeśli zapytałabyś mnie, w co wierzę, powiedziałbym ci tak: cały bezmiar powietrza, który nas otacza, Almo, żyje niewidzialnym przyciąganiem... elektrycznym i magnetycznym, ognistym i pełnym myśli. Wszędzie dookoła nas panuje uniwersalne rozumienie. Ukryte środki porozumienia. Jestem tego pewien, bo sam tego doświadczyłem. Kiedy rzuciłem się w ogień jako młody człowiek, zobaczyłem, że magazyny ludzkiego umysłu rzadko kiedy stają na oścież otwarte. Kiedy je otwieramy, nic nie pozostaje zakryte. Jeśli zaprzestaniemy debaty i wszelkiego rozumowania... zarówno wewnętrznie, jak i zewnętrznie... nasze prawdziwe pytania staną się słyszalne i otrzymają odpowiedź. To jest wielka siła napędowa. To jest księga natury, zapisana ani po grecku, ani po łacinie. To jest spotkanie magii, i jest to spotkanie, zawsze w to wierzyłem i zawsze tego pragnąłem, które może być wspólne.

– Mówisz zagadkami – odparła Alma.

– A ty mówisz zbyt wiele – odparował.

Nie miała na to odpowiedzi. Zawsze byłoby to jeszcze więcej mowy. Obrażona, zmieszana, czuła, jak zapiekły ją łzy.

– Zabierz mnie tam, gdzie moglibyśmy razem milczeć, Almo – powiedział Ambrose, pochylając się ku niej. – Ufam ci całkowicie i wierzę, że ty ufasz mnie. Nie chcę się dłużej z tobą kłócić. Chcę mówić z tobą bez słów. Pozwól mi pokazać, co mam na myśli.

Była to najdziwniejsza prośba.

– Możemy razem milczeć choćby tutaj, Ambrose.

Rozejrzał się po olbrzymiej, eleganckiej bibliotece.

– Nie – odparł. – Nie możemy. Za wielka tu przestrzeń i zbyt głośna, z tymi wszystkimi pomarłymi ludźmi kłócącymi się dookoła nas. Zabierz mnie do ukrytego i spokojnego miejsca i pozwól nam wsłuchać się w siebie. Wiem, to brzmi nienormalnie, ale to nie jest nienormalne. To jedno wiem, że jest prawdziwe... do duchowej łączności potrzeba jedynie przyzwolenia. Przekonałem się, że nie potrafię sam osiągnąć duchowej łączności, ponieważ jestem zbyt słaby. Odkąd ciebie poznałem, Almo, czuję się silniejszy. Nie każ mi żałować tego, co ci dotychczas o sobie powiedziałem. Proszę cię o niewiele, Almo, ale muszę cię o to błagać, gdyż nie mam innego sposobu, aby wytłumaczyć siebie, a jeśli nie pokażę ci tego, w co wierzę, że istnieje, to już zawsze będziesz uważała mnie za obłąkanego albo głupca.

– Nie, Ambrose, nigdy bym nie myślała tak o tobie... – zaprotestowała.

– *Ale już tak myślałaś* – przerwał jej w rozpaczliwym pośpiechu. – Albo w końcu pomyślisz. Zaczniesz wtedy mnie żałować albo mnie odrzucisz, a ja stracę towarzyszkę najdroższą mi na świecie i spadnie na mnie udręka i smutek. Zanim stanie się to nieszczęście... jeśli jeszcze się nie wydarzyło... pozwól, że spróbuję ci pokazać, co mam na myśli, kiedy mówię, że dla natury, w jej nieskończoności, nie ma takich granic, jak dla naszej śmiertelnej wyobraźni. Pozwól sobie pokazać, że możemy rozmawiać ze sobą bez słów i bez rozumowania. Wierzę, iż przepływa między nami tyle miłości oraz uczuć, że, moja najdroższa przyjaciółko, zdołamy to osiągnąć. Zawsze miałem nadzieję, że kiedyś spotkam kogoś, z kim będę mógł porozumiewać się bez słów. Odkąd ciebie spotkałem, moja nadzieja urosła... ponieważ wspólne jest nam naturalne i współodczuwające wzajemne rozumienie, które wykracza znacznie poza prymitywne i pospolite uczucia... czyż nie? Czy i ty nie czujesz większej w sobie mocy, kiedy jestem obok?

Nie dało się temu zaprzeczyć. Ani też, ze względu na poczucie honoru, nie można było tego potwierdzić.

– Co więc chcesz, abym uczyniła? – zapytała Alma.

– Chcę, abyś słuchała mojego umysłu oraz duszy. I chcę słuchać twojej.

– Mówisz o czytaniu w myślach, Ambrose. To jest gra towarzyska.

– Nazwij to, jak chcesz. Ale wierzę, że bez bariery języka wszystko się wyjawi.

– Ja jednak nie wierzę w takie rzeczy – odparła Alma.

– Almo, jesteś naukowcem… dlaczego by nie spróbować? Nie
ma nic do stracenia, a być może jest wiele do poznania. By jednak
się udało, potrzebujemy najgłębszej ciszy. Potrzebujemy wolności od wszelkich zakłóceń. Proszę, Almo, tylko jeden raz. Zabierz
mnie do najbardziej spokojnego i ukrytego miejsca, jakie znasz,
i pozwól, abyśmy spróbowali się porozumieć. Pozwól mi pokazać
to, czego nie potrafię opowiedzieć.

Jaki miała wybór?

Zabrała go do składziku introligatorskiego.

Jasne, że Alma już wcześniej słyszała o czytaniu w myślach. Panowała nawet na nie jak gdyby moda w owym okresie. Czasami
odnosiła wrażenie, że co druga kobieta w Filadelfii jest boskim medium. Wszędzie kręcili się wysłannicy ducha, można ich było wy-
najmować na godziny. Czasami ich eksperymenty przedostawały
się do bardziej szacownych medycznych oraz naukowych pism, co
bulwersowało Almę. Irytowało ją, cokolwiek na ten temat czytała.
W ostatnich dniach widziała artykuł na temat *mesmeryzmu* – koncepcji, według której można sprowokować los za pomocą sugestii –
co przypominało jej zwykłą jarmarczną grę. Niektórzy nazywali to
nauką („sen magnetyczny"), lecz Alma widziała w tym rozrywkę,
prawdę powiedziawszy, raczej niebezpieczną formę rozrywki.

Ambrose na swój sposób przypominał jej tych wszystkich spi-
rytualistów – tęsknych i wrażliwych – ale zarazem ani trochę nie
był taki jak oni. Po pierwsze, wedle wszelkich oznak, *nigdy o nich
nie słyszał*. Żył w zbyt dużej izolacji, by zaobserwować jakikolwiek
modny, mistyczny społeczny trend. Nie prenumerował frenolo-
gicznych pism, obfitujących w dyskusje na temat trzydziestu siedmiu zdolności, skłonności oraz uczuć wyobrażonych przez wzgórki
i doliny ludzkiej czaszki. Ani nie odwiedzał żadnego medium. Nie
czytywał „The Dial"*. Nigdy w rozmowie z Almą nie wymienił nazwiska Alcotta ani Waldo Emersona – najwidoczniej dlatego że ni-

* „The Dial" – amerykańskie pismo, wychodzące z przerwami od 1840 do
1929, platforma wypowiedzi dla filozoficznego ugrupowania transcendenta-
listów.

gdy się nie natknął ani na nazwisko Bronsona Alcotta, ani Ralpha Waldo Emersona. Ukojenie i towarzystwo znajdował u średniowiecznych autorów, nie współczesnych.

Poza tym aktywnie poszukiwał zarówno Boga Biblii, jak i duszy natury. Kiedy towarzyszył Almie w każdą niedzielę do kościoła szwedzkich luteranów, klęczał i modlił się razem z innymi, w pokornej zgodzie. Siedział wyprostowany w twardej dębowej ławce i chłonął mszę bez uczucia niewygody. Gdy się nie modlił, w samotnym milczeniu pracował przy prasie drukarskiej albo pracowicie robił portrety orchideom, albo pomagał Almie przy mchu lub siedział z Henrym Whittakerem przy długich partiach tryktraka i nigdy nie narzekał. Doprawdy, odnosiło się wrażenie, że Ambrose Pike nie ma pojęcia, co się dzieje na świecie. Co najwyżej starał się uciec od świata – a to znaczy, że do owych dziwnych pomysłów doszedł sam. Nie wiedział, że połowa Ameryki i prawie cała Europa próbują czytać w myślach. On chciał wyłącznie czytać myśli Almy i chciał, żeby ona czytała jego.

Nie mogła mu odmówić.

Kiedy więc ów młody mężczyzna poprosił ją, by zabrała go do miejsca spokojnego i ukrytego, zaprowadziła go do składziku introligatorskiego. Był środek nocy. Nie miała pomysłu, gdzie indziej mogliby pójść. Nie chciała wszystkich budzić, maszerując przez cały dom do jakiegoś odleglejszego kąta. Nie chciała, żeby na przykład przyłapano go z nią w jej pokoju. Co więcej, nie znała spokojniejszego i bardziej prywatnego miejsca niż to. Powtarzała sobie, że to z takich powodów go tam zabiera. I mogło nawet tak być.

Nie wiedział o istnieniu drzwiczek. Nikt o nich nie wiedział – tak przemyślnie zostały ukryte pomiędzy starymi, kunsztownymi stiukami. Alma przypuszczała, że po śmierci Beatrix już nikt w domostwie nie pamięta o składziku introligatorskim. Hanneke mogła o nim wiedzieć, ale stara zarządczyni rzadko udawała się do odległego skrzydła domu, do dalekiej biblioteki. Henry prawdopodobnie o nim wiedział – w końcu sam go zaprojektował – ale on również zaprzestał częstych wizyt w bibliotece.

Alma nie wzięła ze sobą lampki. Zbyt dobrze znała wnętrze składziku. Stał tam stołek, na którym zawsze siadała, kiedy przychodziła po bezwstydną i przyjemną samotność, oraz niewielki stół do pracy, na którym mógł usiąść Ambrose, naprzeciwko niej. Wskazała mu miejsce. Kiedy zamknęła i zaryglowała drzwi, znaleźli się w całkowitej ciemności. Razem w malutkim, ukrytym, dusznym pomieszczeniu. Wydawało się, że nie jest przestraszony ciemnością ani ciasnotą. W końcu to było to, o co prosił.

– Czy mogę wziąć cię za ręce? – zapytał.

Wyciągnęła w ciemności ostrożnie ramiona, aż czubkami palców dotknęła jego barków. Wspólnym staraniem odnaleźli swoje dłonie. Jego były szczupłe i lekkie. Swoje czuła jako ciężkie i wilgotne. Ambrose położył ręce na własnych kolanach, skierowane dłońmi do góry, a ona pozwoliła swym dłoniom spocząć na jego. Nie spodziewała się tego, co odczuła za owym pierwszym dotykiem: gwałtownego, niewiarygodnego porywu miłości. Chwycił ją niczym szloch.

Ale czegóż się spodziewała? Czemuż miałaby czuć mniej niż uniesienie, wyolbrzymienie, wniebowzięcie? Nigdy przedtem nie dotknął jej mężczyzna. Czy może, ściślej, zaledwie dwa razy – raz, na wiosnę 1818 roku, gdy George Hawkes ścisnął jej dłoń między swoimi i nazwał ją mistrzynią mikroskopu; i jeszcze raz, w 1848 roku, znowu George, zaniepokojony z powodu Retty – w obu wypadkach była to wszakże zaledwie *jedna* ręka wchodząca w kontakt, nieomal przypadkowy, z męskim ciałem. Nigdy nie dotknięto jej w sposób, który mogłaby nazwać intymnym. W ciągu dziesięcioleci niezliczoną ilość razy siadała na tym samym co teraz stołku, rozchylała nogi, podwijała do pasa spódnice, zamykała tak jak teraz na klucz te same drzwi, odchylała się w objęcia tej samej ściany z tyłu, zaspokajając swój głód najlepiej jak umiała niezmordowanymi własnymi palcami. Jeśli znajdowały się tutaj cząsteczki inne od pozostałych cząsteczek obecnych w White Acre – albo od wszelkich cząsteczek na świecie – to były one naznaczone dziesiątkami i setkami, i tysiącami odciśniętych znaków cielesnych zmagań Almy, utrzymywanych w tajemnicy. Teraz jednak przebywa w owym składziku, w tej samej znanej sobie dobrze ciemności, otoczona przez owe cząsteczki, sama z mężczyzną o dziesięć lat od niej młodszym, mężczyzną, którego kocha jak młodszego brata, którego od pierwszej chwili, gdy go ujrzała, pragnie bronić i strzec.

I co ona ma zrobić z tym spazmem miłości?

– Wysłuchaj mojego pytania – powiedział Ambrose, trzymając lekko jej dłonie. – A potem zadaj mi swoje. Nie trzeba już będzie nic mówić. Poznamy, kiedy się usłyszymy.

Delikatnie zacisnął palce wokół jej rąk. Wrażenie, jakie poczuła, popłynęło wzdłuż ramion i było piękne.

Co zrobić, żeby to przedłużyć?

Zastanawiała się, czy nie udawać, że czyta w jego myślach, choćby tylko po to, żeby przeciągnąć to doświadczenie. Zastanawiała się, czy jest jakiś sposób, aby powtórzyć to doświadczenie w przyszłości. Lecz jeśliby ich kiedykolwiek tutaj nakryto? Gdyby Hanneke znalazła ich razem w składziku? Co powiedzieliby ludzie? Co ludzie pomyśleliby o Ambrosie, którego intencje zawsze wydają się takie dalekie od czegokolwiek plugawego? Wygnaliby go. Ona byłaby oczerniona. Znowu zostałaby sama.

Nie, Alma w głębi duszy pojmowała, że oprócz tej nocy najprawdopodobniej nigdy więcej już tego nie zrobią. To będzie więc jedyny moment w jej życiu, kiedy dłonie mężczyzny obejmują jej dłonie.

Zamknęła oczy i odchyliła się nieco do tyłu, by wesprzeć cały swój ciężar o ścianę. Nie poluzował ani trochę uścisku palców. Jej kolana niemal dotykały jego kolan. Minęło sporo czasu. Spijała rozkosz jego dotyku. Pragnęła zapamiętać go na zawsze. Minęło jeszcze więcej czasu. Dziesięć minut? Pół godziny?

Miłe wrażenie, które zaczęło się od dłoni i powędrowało wzdłuż ramion, teraz rozprzestrzeniło się na jej tors i w końcu rozlało wilgocią między nogami. Ale czegóż innego się spodziewała? Ciało miała zestrojone z tym pokoikiem, wytrenowane do tego pokoiku – teraz doszedł tylko nowy bodziec. Przez chwilę walczyła z odruchem. Wdzięczna ciemności cieszyła się, że nie widać jej twarzy, bo w najbledszym świetle ukazałoby się bardzo wykrzywione i spłonione oblicze. Chociaż walczyła z tym, co się działo, nie mogła też do końca w to uwierzyć: Oto tutaj siedzi mężczyzna, tuż przed nią w ciemności składziku, tu, w samym środku najgłębszego zakątka jej świata.

Alma usiłowała oddychać spokojnie i cicho. Sprzeciwiała się temu, co czuła, lecz ten sprzeciw tylko wzmagał narastające pomiędzy nogami uczucie przyjemności. Holendrzy mają słowo *uitwaaien*, które znaczy „iść pod wiatr dla przyjemności". Tak właśnie się czuła. Ani trochę się nie poruszając, Alma napierała na narastający wiatr z całych swoich sił, wiatr jednak jedynie ją odpychał z równą siłą, i takim sposobem rozkosz się wzmagała.

Upłynęło jeszcze więcej czasu. Kolejne dziesięć minut? Kolejne pół godziny? Ambrose się nie ruszał. Alma również się nie poruszała. Jego dłonie najwyżej lekko drżały i pulsowały, nic więcej. A jednak Alma czuła, że ją posiadł. Czuła go wszędzie w sobie, w środku oraz dookoła siebie. Czuła, jak liczy jej włoski na karku u nasady szyi oraz jak bada wiązkę nerwów u podstawy jej kręgosłupa.

„Imaginacja jest subtelna", napisał Jakub Böhme, „i przypomina wodę. Ale chuć jest surowa i wysuszona niczym głód".

Alma czuła i wodę, i głód. Czuła ożywione imaginację i pożądanie. A potem, przerażona i zarazem oszalała z radości, zrozumiała, że ma zaraz osiągnąć swój stary, dobrze znany szczyt przyjemności. Uczucie w waginie narastało szybko i kwestia powstrzymywania się już nie istniała. Niedotknięta przez Ambrose'a (z wyjątkiem dłoni), nie dotykając siebie własnoręcznie, bez jej bądź jego ruchu większego niż na cal, bez podwijania spódnic do pasa i rąk zajętych przy ciele, nawet bez zmiany w rytmie oddechu – Alma Whittaker runęła w szczytowanie. Przez chwilę ujrzała biały blask, jakby poświatę od niewidocznej błyskawicy na bezgwiezdnym letnim niebie. Pod zamkniętymi powiekami rozlał się mlecznie cały świat. Była oślepiona, pełna uniesienia – a zaraz potem, natychmiast, zawstydzona.

Strasznie zawstydzona.

Co uczyniła? Jak on się musi teraz czuć? Co usłyszał? Dobry Boże, jaki *zapach* poczuł? Ale zanim zdążyła się przeciwstawić i odsunąć, zarejestrowała jeszcze coś innego. Chociaż Ambrose się nie poruszył ani nie zareagował, poczuła nagle, jak gdyby muskał podeszwy jej stóp nieustającym gestem. Wkrótce pojęła, że owo wrażenie muskania, które odczuwa, jest w rzeczywistości pytaniem – *wypowiedzią*, która się wynurza do istnienia prosto z podłogi. Czuła, jak pytanie wnika przez podeszwy jej stóp i wznosi się po piszczelach. Potem czuła, jak pytanie wślizguje się do macicy, przepływa po mokrej ścieżce waginy. To było nieomal wypowiedziane, co szybowało ku niej, nieomal wyartykułowane. Ambrose o coś ją prosił, ale prosił ją z samego jej własnego środka. Teraz słyszała. Oto padło, jego pytanie, doskonale wyrażone:

*Czy zechcesz żyć tak ze mną?*

Zapulsowała w milczeniu odpowiedzią: *TAK.*

A potem poczuła, że dzieje się coś jeszcze. Pytanie, które Ambrose umieścił w jej ciele, przemieniało się w coś innego. Stawało się *jej* pytaniem. Nie wiedziała, że ma pytanie dla Ambrose'a, ale teraz je miała – bardzo pilne. Pozwoliła, by jej pytanie powstało w piersiach oraz ramionach. Po czym przekazała je jego oczekującym dłoniom.

*Czy tego właśnie ze mną pragniesz?*

Usłyszała, jak bierze ostro krótki wdech. Ścisnął jej dłonie niemal do bólu. A potem zburzył ciszę jednym wypowiedzianym na głos słowem:

– Tak.

# ROZDZIAŁ SZESNASTY

Zaledwie po miesiącu byli małżeństwem. Wiele lat później Alma będzie rozważać w tę i z powrotem mechanizm owej decyzji – ten najbardziej niezrozumiały krok w małżeński stan – jednak bezpośrednio po nocy w składziku introligatorskim czuli, iż związek małżeński jest nieuniknioną konsekwencją. Jeśli zaś chodzi o to, co się faktycznie wydarzyło w małym pokoiku (od orgazmu z zachowaniem cnoty po milczącą wymianę myśli), to wszystko przypominało cud lub przynajmniej fenomen. Alma nie potrafiła znaleźć logicznego wytłumaczenia tego, co zaszło między nią a Ambrose'em. Ludzie nie są w stanie słyszeć nawzajem swoich myśli. Znała tę prawdę. Ludzie nie są w stanie przekazywać takiego rodzaju elektryczności, takiej tęsknoty oraz takiego bezpośredniego erotycznego wstrząsu jedynie poprzez dotyk rąk. A jednak – to się wydarzyło. Bez wątpienia, to się wydarzyło.

Gdy wyszli ze składziku owej nocy, odwrócił się ku niej i spojrzał prosto w jej rozpaloną i ekstatyczną twarz.

– Chciałbym spać u twego boku każdej nocy do końca mego życia i wiecznie słuchać twoich myśli.

Oto co powiedział! Nie telepatycznie, ale na głos. Oszołomiona, nie znalazła słów w odpowiedzi. Ledwie kiwnęła głową na znak zgody czy też potwierdzenia, czy zdumienia. Rozeszli się do własnych sypialni po obu stronach jednego hallu – choć ona oczywiście nie zasnęła owej nocy. Jakżeby mogła?

Gdy następnego poranka szli razem w milczeniu ku mszystym ogrodom, Ambrose zaczął naraz mówić, swobodnie, jak gdyby kontynuował wcześniej rozpoczętą rozmowę. Ni stąd, ni zowąd rzekł:

– Być może różnica naszych życiowych sytuacji jest tak olbrzymia, że przestaje mieć znaczenie. Ja nie posiadam nic na tym świecie, czego ktokolwiek mógłby pożądać, a ty posiadasz wszystko. Być może właściwe nam są tak krańcowo różne stany, że różnice między nami się równoważą?

Nie była pewna, w jakim kierunku zmierza jego wypowiedź, ale nie przerywała mu.

– Zastanawiałem się także – dodał łagodnie – czy dwie tak różne indywidualności mogłyby stworzyć harmonię w związku małżeńskim.

Jej serce i żołądek podskoczyły na dźwięk słowa: *małżeński*. Czy rozważa filozoficznie, czy dosłownie? Czekała.

On kontynuował, choć wciąż daleki od dosłowności:

– Przypuszczam, że znajdą się ludzie, którzy oskarżą mnie o wyciąganie ręki po twój majątek. Ale nie mogliby być dalej od prawdy. Żyję jak najoszczędniej, Almo, nie tylko z przyzwyczajenia, ale także z wyboru. Nie mam bogactwa do zaoferowania ci w małżeństwie, ale i od ciebie żadnego nie wezmę. Nie staniesz się majętniejsza, poślubiając mnie, ale i nie zubożejesz. Taki stan rzeczy może nie zadowolić twego ojca, ale może zadowoli ciebie. W każdym razie nasza miłość, można być pewnym, nie jest typową miłością, zwykle łączącą kobiety i mężczyzn. Między nami jest coś innego… coś bardziej bezpośredniego, cenniejszego. To było dla mnie jasne od samego początku i wierzę, że dla ciebie też takie było. Moim pragnieniem jest, abyśmy żyli razem jako jedno, obydwoje zadowoleni i uniesieni, wiecznie poszukujący.

– Czy sama porozmawiasz ze swoim ojcem, czy ja mam to zrobić? – zapytał ją po południu tego samego dnia.

Dopiero wtedy Alma ostatecznie złożyła wszystko w całość: to rzeczywiście były oświadczyny. Czy może raczej *asumpt* do małżeństwa. Ambrose w sensie formalnym nie poprosił o rękę Almy, albowiem w jego przeświadczeniu najwyraźniej została mu już oddana. Nie mogła zaprzeczyć, tak było. Dałaby mu wszystko, czego by pragnął. Kochała go mocno do bólu. Utracenie go byłoby teraz jak amputacja. W tej miłości nie było najmniejszego sensu. Ona miała prawie pięćdziesiąt lat, a on był młodym mężczyzną. Ona wyglądała pospolicie, on był piękny. Znali się zaledwie od kilku tygodni. Wierzyli w inne wszechświaty (Ambrose w boski, Alma w rzeczywisty). A jednak, nie da się zaprzeczyć, była to miłość. Nie była to przyjaźń, ale miłość. Niezaprzeczalnie, Alma Whittaker miała zostać żoną.

– Sama porozmawiam z ojcem – odrzekła Alma, oszołomiona i ostrożnie uradowana.

Znalazła go zakopanego w papierach.

– Posłuchaj tego listu, Śliweczko – powiedział na przywitanie Henry. – Ten człowiek pisze, że nie może obsługiwać już młyna. Jego syn... jego durny spłukany synuś hazardzista... zrujnował rodzinę. Pisze, że podjął decyzję, by spłacić długi nicponia i odejść z tego świata bez obciążeń. Człowiek, który w ciągu dwudziestu lat nie podjął żadnego rozsądnego kroku. Cóż, ma teraz świetną sposobność po temu!

Alma nie wiedziała, ani o kogo chodzi, ani kim jest syn, ani który konkretnie młyn jest zagrożony. Każdy mówił dzisiaj do niej tak, jakby kontynuował rozpoczętą wcześniej rozmowę.

– Ojcze – powiedziała. – Chciałabym coś z ojcem omówić. Ambrose Pike poprosił o mą rękę.

– Bardzo dobrze – odrzekł Henry. – Ale posłuchaj tylko, Almo... ten głupiec chce mi też sprzedać swoje poletko kukurydzy i próbuje mnie przekonać, żebym kupił ten stary spichlerz, który wystawił kiedyś na nabrzeżu i który wpadnie zaraz do wody, tak się już chwieje. Pamiętasz go. Nie rozumiem, co on sobie wyobraża, że jaką niby ma ten budynek wartość albo czemuż to miałbym życzyć sobie brać go na własną głowę.

– Ojcze, ojciec mnie nie słucha.

Henry nawet nie podniósł wzroku znad biurka.

– Słucham ciebie – odparł, odwracając kartkę na drugą stronę i przebiegając ją wzrokiem. – Cały jestem zamieniony w słuch.

– Ambrose i ja pragniemy się niedługo pobrać – powiedziała Alma. – Nie potrzeba żadnego widowiska ani świętowania, ale chcemy, żeby się to odbyło niezwłocznie. Idealnie byłoby, gdybyśmy wzięli ślub przed końcem miesiąca. Chcę ojca zapewnić, że pozostaniemy w White Acre. Żadnego z nas ojciec nie straci.

Na te słowa Henry podniósł na Almę wzrok, po raz pierwszy od chwili, gdy weszła do gabinetu.

– Oczywiście, że nie stracę żadnego z was – odrzekł Henry. – Czemu którekolwiek z was miałoby odchodzić? Chyba ten gość nie da rady cię utrzymać na poziomie, do jakiego przywykłaś, ze swojej pensji... jaka jest ta jego profesja?... orchideologa?

Henry odchylił się na oparcie, skrzyżował ramiona na piersi i przyglądał się córce znad krawędzi staromodnych mosiężnych okularów. Nie dało się odczytać jego nastawienia. Alma nie była pewna, co powinna teraz rzec.

– Ambrose to dobry człowiek – w końcu się odezwała. – Nie pożąda fortuny.

– Podejrzewam, że tutaj możesz mieć rację – odpowiedział Henry. – Chociaż to nie świadczy najlepiej o jego charakterze, że woli ubóstwo od majątku. Niemniej już wiele lat temu przewidziałem taką sytuację. Wiele lat przedtem, zanim w ogóle poznaliśmy Ambrose'a Pike'a.

Henry wstał, trochę chwiejnie, i zatrzymał wzrok na biblioteczce za sobą. Wyjął książkę traktującą o angielskich jednostkach żaglowych – książkę, którą Alma zawsze widziała na półce, ale nigdy jej nie tknęła, albowiem nie przejawiała najmniejszego zainteresowania angielskimi jednostkami żaglowymi. Zaczął kartkować gruby tom, aż znalazł wetknięty między strony złożony arkusz, zalakowany woskową pieczęcią. Nad odciskiem pieczęci widniał napis: „Alma". Podał jej.

– Jeszcze z pomocą twojej matki przygotowałem dwa takie dokumenty, około 1817 roku. Drugi dałem twojej siostrze Prudence, kiedy wyszła za tego swojego spaniela z przyciętymi uszami. To jest oświadczenie do podpisu dla twego męża, zapewniające, że White Acre nigdy nie będzie jego własnością.

Henry zachowywał się z nonszalancją. Alma bez słowa wzięła oświadczenie. Rozpoznała pismo matki w prostym „A" ze swego imienia.

– Ambrose nie potrzebuje White Acre ani jej nie pożąda – odpowiedziała w jego obronie.

– Świetnie. Więc bez problemu podpisze. Rzecz jasna, posag to co innego, ale moja fortuna, moja posiadłość... nigdy nie będzie jego. Czy się rozumiemy?

– Tak – odrzekła.

– Bardzo dobrze. Co do przydatności tego mężczyzny na męża, to już twoja sprawa. Jesteś dorosłą kobietą. Jeśli uważasz, że taki mężczyzna może ci dać satysfakcję w małżeńskim stanie, to oczywiście masz moje błogosławieństwo.

– Satysfakcję w małżeńskim stanie? – nastroszyła się Alma. – Czy ja kiedykolwiek sprawiałam wrażenie osoby trudnej do usatysfakcjonowania, ojcze? O co ja kiedykolwiek prosiłam? Czego kiedykolwiek żądałam? Jaki mogłabym sprawić komukolwiek kłopot jako żona?

Henry wzruszył ramionami.

– Nie umiem powiedzieć. Dowiesz się tego sama.

– Mamy dla siebie naturalną sympatię z Ambrose'em, ojcze. Wiem, że możemy się wydawać niekonwencjonalną parą, ale czuję...

Henry jej przerwał.

– Nigdy się nie tłumacz, Śliweczko. Człowiek wydaje się wtedy słaby. Jeśli o mnie chodzi, to nie jest tak, że nie lubię tego gościa.

Henry wrócił do piętrzących się na biurku papierów.

Czy stanowiło to błogosławieństwo? Alma nie była pewna. Czekała, aż jeszcze coś powie. Nie powiedział. Jednakże wyglądało na to, że pozwolenie na małżeństwo zostało wydane. A przynajmniej nie odmówiono jej pozwolenia.

– Dziękuję, ojcze.

Ruszyła w kierunku drzwi.

– Jeszcze jedna sprawa – powiedział Henry, znowu podnosząc na nią wzrok. – Jest zwyczaj, że przed nocą poślubną panna młoda otrzymuje porady co do pewnych spraw małżeńskiego łoża... oczywiście zakładając, że zachowałaś niewinność w tych rzeczach, a podejrzewam, że tak jest. Jako mężczyzna nie jestem w stanie nic ci poradzić. Twoja matka nie żyje, inaczej ona by to zrobiła. Nie trać czasu na zaprzątanie Hanneke takimi sprawami, bo to stara panna, która nic nie wie i która by umarła, gdyby w jej obecności wyszło na jaw, co się dzieje między mężczyznami i kobietami w ich łóżkach. Radzę ci, żebyś złożyła wizytę Prudence. Jest małżonką z długim stażem i matką pół tuzina dzieci. Będzie mogła cię pouczyć co do kilku punktów małżeńskiego postępowania. Nie rumień się, Almo… jesteś za stara na rumieniec i wyglądasz z nim idiotycznie. Jeśli chcesz spróbować małżeństwa, to na Boga, spróbuj porządnie. Do łoża wejdź przygotowana, tak jak czynisz wszystko inne w życiu. To może okazać się warte wysiłku. I nadaj dla mnie na poczcie listy, jak już będziesz w mieście.

Alma nie miała nawet czasu porządnie przemyśleć własnych poglądów na małżeństwo, gdy wszystko zostało załatwione i zadecydowane. Nawet ojciec przeszedł natychmiast do problemów dziedziczenia oraz małżeńskiego łoża. A potem sprawy potoczyły się jeszcze szybciej. Następnego dnia Alma i Ambrose pojechali na ulicę Szesnastą, by zamówić dagerotyp: swój portret małżeński. Alma nigdy przedtem nie była fotografowana, Ambrose także nie. Podobieństwo obydwojga było tak strasznie prawdziwe, że aż się zawahała, czy ma zapłacić. Spojrzała na zdjęcie raz i nie chciała go więcej widzieć. Wydawała się o wiele starsza od Ambrose'a. Ktoś obcy, kto popatrzyłby na fotografię, pomyślałby, że grubokoścista, o mocno zarysowanej szczęce kobieta jest jego zrezygnowaną matką. Ambrose zaś wyglądał jak zagłodzony, oszalały więzień krzesła, na którym siedzi. Jedna jego ręka wyszła zamazana. Włosy miały wygląd, jakby dopiero co wyrwano go z męczącego snu, a z kolei włosy Almy były poskręcane i tragiczne. Jak to możliwe, żeby coś wyglądało tak inaczej od tego, jak się to *odczuwa*? Wszystko razem bardzo zasmuciło Almę. Ambrose jednak się tylko śmiał na widok zdjęcia.

– To *kalumnia*! – wykrzyknął. – Cóż to za niedobry los, patrzeć na swój aż tak uczciwy wizerunek! Ale mimo wszystko wyślę zdjęcie do rodziny w Bostonie. Miejmy nadzieję, że rozpoznają syna.

Czy dla innych ludzi, znajdujących się w podobnej sytuacji, wszystko też w taki sposób pędzi? Alma tego nie wiedziała. Nie miała doświadczenia w takich sprawach, jak zaloty, narzeczeństwo, rytuał zamążpójścia. Nigdy nie czytała kobiecych pism ani nie lubiła lekkich powieści, pisanych dla niewinnych i naiwnych panienek. (Rzecz jasna czytała nieprzyzwoite książki o spółkowaniu, ale taka lektura nie pomagała w subtelnościach bieżącej sytuacji). Innymi słowy, daleko jej było do obeznanej z tematem piękności. Gdyby doświadczenie Almy w dziedzinie miłości nie było aż tak skromne, byłaby może uznała swoje narzeczeństwo, takie jakie ono było, za surowe w charakterze i osobliwe. W ciągu trzech miesięcy ich znajomości nie wymienili z Ambrose'em ani jednego miłosnego listu, wiersza, uścisku. Uczucie ich łączące było wyraźne i stałe, ale brakowało w tym romansu. Inna kobieta mogłaby podejść do takiej sytuacji nieufnie. Alma natomiast czuła się jedynie pijana i zdezorientowana przez rozliczne pytania. Niekoniecznie te pytania były niemiłe, ale roiły się w niej w takiej liczbie, że przywodziły ją nieomal do szaleństwa. Czy Ambrose jest teraz jej kochankiem? Czy mogłaby go otwarcie tak nazwać? Czy ona należy do niego? Czy wolno jej wziąć go teraz w każdej chwili za rękę? A za kogo on ją uważa? Czy jej ciało da mu zadowolenie? Czego on od niej oczekuje? Nie potrafiła podać żadnych, choćby domniemanych odpowiedzi.

A jednocześnie całkowicie i bez pamięci była w nim zakochana.

Oczywiście podziwiała Ambrose'a od chwili ich pierwszego spotkania, ale – przed zaręczynami – nigdy nie brała pod uwagę możliwości posunięcia się do pełnego okazywania tego podziwu. Nigdy też nie miała odwagi sobie samej pozwolić na całkowite zakochanie się w nim, uważałaby to za zbyt zuchwałe i niebezpieczne. Musiało jej po prostu wystarczyć, że jest blisko. Alma byłaby się zgodziła traktować Ambrose'a wyłącznie jak brata, gdyby to zatrzymało go na zawsze w White Acre. Dzielić się z nim każdego ranka tostem posmarowanym masłem, patrzeć z bliska na jego rozświetloną twarz, kiedy opowiada o orchideach, być świadkiem jego mistrzostwa w dziedzinie grafiki, widzieć, jak się rzuca na jej otomanę, słuchając teorii o transmutacji i zamieraniu gatunków – naprawdę, to było i tak bardzo dużo. Nigdy nie ośmieliłaby się chcieć czegokolwiek więcej. Nawet po wydarzeniach w składziku introligatorskim Alma nie poprosiłaby o więcej. Cokolwiek to było, co się wydarzyło między nimi w ciemnościach (a nie miała śmiałości poruszyć z nim tego tematu), przygotowała się, by uznać chwilę za niepowtarzalną, być może nawet za wspólną halucynację. Mogłaby sobie wyperswadować, że prąd porozumienia, który przepłynął między nimi w mroku, był wyłącznie wytworem jej wyobraźni, i tym samym wrażenie, wywołane przez dotyk jego dłoni i pobudzające całe jej ciało, było nie do opanowania. Gdyby dać jej wystarczająco czasu, mogłaby nawet całkowicie zapomnieć, że coś takiego się w ogóle wydarzyło. Nawet po czymś takim nie pozwoliłaby sobie kochać go tak rozpaczliwie, tak kompletnie, tak beznadziejnie – bez jego aprobaty.

Teraz jednak, kiedy mieli się pobrać, zyskała aprobatę. Alma nie miała już najmniejszej szansy na powstrzymanie miłości – ani powodu. Pozwoliła więc sobie runąć prosto w nią. Czuła się rozpalona zdumieniem, przepełniona inspiracją, zafascynowana miłością do Ambrose'a. Tam, gdzie na jego obliczu widziała przedtem jedynie światło, teraz dostrzegała światło *niebiańskie*. Jego członki, które onegdaj były przyjemne, teraz wyglądały niczym u rzymskiego posągu. Głos rozbrzmiewał jak nieszpory. Jego najlżejsze spojrzenie uderzało w jej serce bojaźliwą radością.

Swobodnie wrzucona po raz pierwszy w życiu do królestwa niekontrolowanej i gwałtownej miłości, Alma ledwie poznawała samą siebie. Sen nie był jej prawie potrzebny. Czuła, że byłaby w stanie wiosłować łodzią pod stromą górę. Poruszała się po świecie jak w aureoli ognia. Czuła się *zwierzotycznie*. Ambrose nie był jedynym, którego odbierała z takim żywym poczuciem czystości, dreszczu i jasności – dotyczyło to wszystkiego i wszystkich. Wszystko stało się naraz cudowne. Dookoła dostrzegała oznaki konwergencji oraz łaski. Nawet najmniejsze sprawy były odkrywcze. Zalewał ją też nadmiar najbardziej zdumiewającej wiary w siebie. Ni stąd, ni zowąd nagle wymyślała rozwiązania botanicznych problematów, które dręczyły ją od lat. W szalonym tempie pisała listy do szacownych botaników (mężczyzn, których reputacja zawsze z lekka ją onieśmielała) i kwestionowała ich wnioski, jak od dawna pragnęła zrobić, ale nigdy dotychczas sobie na to nie pozwoliła.

„Przedstawił pan swego *Zygodon campylophyllus* z szesnastoma rzęskami, ale bez zewnętrznego perystomu!", karciła.

Albo: „Dlaczego jest pan pewien, że to kolonia *Polytrichum?*".

Albo: „Nie zgadzam się z wnioskiem profesora Marshalla. Rozumiem, że można się zniechęcić do osiągnięcia porozumienia na temat skrytopłciowości, ale ostrzegam przed pochopnym uznawaniem nowych gatunków, dopóki dogłębnie się nie zbada zebranych dowodów. Ostatnimi czasy występuje w obiegu tyle nazw wszelakich okazów, ilu jest studiujących je briologów; co nie znaczy, że okaz jest nowy bądź rzadki. W moim herbarium są cztery jego egzemplarze".

Dawniej nigdy nie miała odwagi wystąpić z takim protestem. Ośmieliła ją miłość, a umysł się poczuł jak mechanizm bez skazy. Tydzień przed ślubem Alma obudziła się w środku nocy zelektryzowana nagłym przypuszczeniem, że istnieje pokrewieństwo między algami i mchem. Od dziesięcioleci przyglądała się mchom oraz algom, ale nigdy wcześniej nie dostrzegła prawdy: to są kuzyni. Nagle poczuła całkowitą pewność, bez cienia wątpliwości. W istocie zdała sobie sprawę, że to nie jest tak, że mech jedynie *przypomina* algi, które wpełzły na suchy ląd; mchy *są* algami, które wpełzły na suchy ląd. W jaki sposób mech dokonał tej skomplikowanej przemiany z rośliny wodnej w lądową, tego Alma nie wiedziała. Ale oba te gatunki łączy nierozerwalnie spleciona historia. Musi je łączyć. Algi coś postanowiły, dawno temu, zanim Alma czy ktokolwiek inny zaczął je obserwować, w chwili decyzji ruszyły do góry, na suchy ląd, i uległy transformacji. Nie znała mechanizmu powodującego ową przemianę, ale wiedziała, że to się wydarzyło.

Pojęła to w środku nocy i zapragnęła przebiec przez hall i wskoczyć do łóżka Ambrose'a Pike'a – człowieka, który rozniecił w jej ciele i umyśle dzikie pożądanie. Pragnęła wszystko mu opowiedzieć, wszystko pokazać, dowieść, jak funkcjonuje wszechświat. Nie mogła czekać z tym do następnego dnia, do rozmowy przy śniadaniu. Nie mogła się doczekać, kiedy ujrzy jego twarz. Nie mogła się doczekać czasu, kiedy nic nie będzie musiało ich rozdzielać – nawet w nocy, nawet podczas snu. Leżała w łóżku i drżała z oczekiwania oraz uczucia.

Jak bardzo wydawały się oddalone od siebie ich pokoje!

Ambrose zaś, w miarę przybliżania się ślubu, stawał się coraz bardziej pogodny, coraz bardziej troskliwy. Nie mógłby być milszy dla Almy. Czasami się bała, co by było, gdyby zmienił zdanie, ale on nie okazywał najmniejszych oznak po temu. Wzdrygnęła się, podając mu oświadczenie przygotowane przez Henry'ego Whittakera, ale Ambrose podpisał bez wahania oraz pretensji – po prawdzie, nawet bez czytania. Każdej nocy, kiedy szli do swoich sypialni, całował jej piegowatą dłoń, tuż za knykciami. Mówił do niej: „Moja druga duszo, moja lepsza duszo".

Raz rzekł:

– Jestem takim dziwnym człowiekiem, Almo. Czy masz pewność, że zniesiesz moje nietypowe zachowanie?

– Zniosę cierpliwie! – obiecała.

Czuła, iż zagraża jej wewnętrzny płomień.

Lękała się, że umrze z radości.


Na trzy dni przed ślubem – który miał być prostą ceremonią odprawioną w salonie w White Acre – Alma ostatecznie wybrała się do siostry Prudence. Minęło wiele miesięcy, odkąd widziały się ostatni raz. Byłoby niegrzecznie z jej strony nie zaprosić siostry na ślub, Alma wysłała więc do Prudence wiadomość z wyjaśnieniem, że ma wyjść za przyjaciela pana George'a Hawkesa, i zapowiedziała się z krótką wizytą. Co więcej, Alma zdecydowała się skorzystać z porady ojca i porozmawiać z Prudence o sprawach łoża małżeńskiego. Nie miała ochoty na tego typu rozmowę, ale też nie chciała się znaleźć w objęciach Ambrose'a nieprzygotowana, a nie znała nikogo innego, kogo mogłaby o te sprawy zapytać.

Był wczesny wieczór w połowie sierpnia, kiedy Alma stanęła przed domem Dixonów. Siostrę zastała w kuchni przy szykowaniu kataplazmu z gorczycy dla najmłodszego z chłopców, Waltera, który leżał chory w łóżku ze szwankującym żołądkiem po zjedzeniu zbyt dużej ilości skórek od zielonego melona. Pozostałe dzieci kręciły się po kuchni, wykonując różne drobne prace. W pomieszczeniu było duszno i gorąco. W rogu siedziała Sara, trzynastoletnia córka Prudence, towarzyszyły jej dwie czarne dziewczynki, których Alma nigdy przedtem nie widziała. We trzy gręplowały wełnę.

Wszystkie dziewczęta, czarne oraz białe, miały na sobie najskromniejsze z możliwych fartuszki. Wszystkie dzieci podeszły do Almy i grzecznie pocałowały na przywitanie, nazywając ją ciocią, po czym wróciły do przerwanych prac. Alma zaproponowała, że pomoże Prudence przy kataplazmie, ale siostra odmówiła. Jeden z chłopców przyniósł Almie kubek cynowy napełniony wodą z pompy w ogrodzie. Woda była letnia i mętna i miała nieprzyjemny posmak. Alma nie miała na nią ochoty. Usiadła na długiej ławie i nie wiedziała, gdzie odstawić kubek. Ani też, co powiedzieć. Prudence – która otrzymała od Almy wiadomość na początku tygodnia – pogratulowała siostrze nadchodzących zaślubin. Wymiana zdań była pospieszna i zajęła jedynie chwilę, po czym temat się wyczerpał. Alma pochwaliła dzieci, pochwaliła porządek w kuchni, pochwaliła kataplazm z gorczycy, a potem już nie znalazła nic, co mogłaby jeszcze pochwalić. Prudence wychudła i miała zmęczony wygląd, ale nie narzekała ani też nie przekazała żadnych nowin na temat swojego życia. Alma nie zapytała o żadne nowiny na temat życia Prudence. Sama myśl o warunkach, z jakimi boryka się ta rodzina, ją przerażała.

Po dłuższej chwili zdobyła się jednak na odwagę i zadała pytanie.

– Prudence, zastanawiam się, czy moglybyśmy porozmawiać na osobności?

Jeśli pytanie ją zaskoczyło, Prudence tego nie okazała. Ale też jej gładkie lico zawsze niezdolne było do wyrażania tak pospolitych uczuć jak zdziwienie.

– Saro – odezwała się do najstarszej dziewczynki – zabierz całą resztę na dwór.

Dzieci opuściły kuchnię posłusznie i w powadze, jak żołnierze udający się na bój. Prudence nie usiadła, lecz stanęła oparta o wielki drewniany blat, który pełnił funkcję stołu, i z gracją założyła ręce na czystym fartuszku.

– Słucham? – zapytała.

Alma szukała w głowie słowa, od którego mogłaby zacząć. Nie znajdowała niczego, co nie brzmiałoby wulgarnie albo grubiańsko. Nagle poczuła, że decyzja, aby postąpić według rady ojca, jest potwornie niefortunna. Chciałaby uciec z tego domu – wrócić do wygód w White Acre, do Ambrose'a, z powrotem do miejsca, gdzie z pompy leci świeża i zimna woda. Prudence jednak bez słowa wpatrywała się w nią wyczekująco. Coś trzeba było powiedzieć.

– Ponieważ zbliżam się do wrót stanu małżeńskiego… – zaczęła Alma.

Zamilkła i rzuciła siostrze spojrzenie pełne rozpaczy, z całych sił pragnąc, by ta wbrew jakiemukolwiek rozsądkowi wydobyła z owego bezsensownego urywka zdania to, o co próbowała zapytać.

– Tak…? – powiedziała Prudence.

– Stwierdzam, że brak mi doświadczenia – dokończyła Alma.

Prudence dalej się w nią wpatrywała w niczym niezakłóconej ciszy. *Pomóżże mi, kobieto!* Alma chciała krzyczeć. Gdyby tylko mogła tu być Retta Snow! Nie nowa, obłąkana Retta – ale Retta dawna, radosna i niepohamowana. Gdyby Retta mogła tutaj być i gdyby mogły mieć z powrotem po dziewiętnaście lat. Czuła, że w trójkę, jako dziewczęta, bez żadnego ryzyka omówiłyby temat. Za sprawą Retty stałby się zabawny i otwarty. Retta uwolniłaby Prudence od powściągliwości, a Almie odebrałaby zawstydzenie. Ale teraz nie było nikogo, kto pomógłby siostrom zachowywać się jak siostry. A na dokładkę Prudence najwyraźniej nie była zainteresowana ułatwieniem dyskusji i w ogóle się nie odzywała.

– Stwierdzam, że brak mi doświadczenia w sprawach pożycia małżeńskiego – wyjaśniła Alma w akcie desperackiej odwagi. – Ojciec zasugerował, abym porozmawiała z tobą na temat dawania małżonkowi rozkoszy.

Prudence nieznacznie uniosła jedną brew.

– Przykro mi słyszeć, iż ojciec sądzi, że jestem autorytetem w takiej dziedzinie – odparła.

W rzeczy samej, taka opinia mogła być wyłącznie całkowicie błędna. Alma natychmiast to pojęła, ale teraz już nie można się było wycofać.

– Źle mnie zrozumiałaś – sprostowała. – Chodzi tylko o to, że od tak dawna jesteś zamężna, zrozum, urodziłaś przecież dużo dzieci…

– W małżeństwie chodzi o coś więcej, Almo, niż to, o czym mówisz. Poza tym mam pewne opory w stosunku do roztrząsania kwestii, o którą ci chodzi.

– Oczywiście, Prudence. Nie chcę urazić twojej wrażliwości ani się wdzierać do twej prywatności. Lecz to, o czym mówię, dla mnie pozostaje wciąż tajemnicą. Błagam, nie zrozum mnie źle. Nie potrzebuję konsultacji medycznej; jestem świadoma podstawowych funkcji anatomicznych. Potrzebuję raczej konsultacji z żoną, aby zrozumieć, co mężowi sprawi przyjemność, a co nie. W jaki sposób zaprezentować mu siebie, to znaczy w sensie sztuki dawania rozkoszy…

– Nie potrzeba do tego żadnej sztuki – odpowiedziała Prudence – jeśli się nie jest kobietą do wynajęcia.

– *Prudence!* – krzyknęła Alma z siłą, która ją samą zaskoczyła. – Spójrz na mnie. Czy nie dostrzegasz, jak jestem źle przygotowana? Czy wyglądam w twoich oczach na młodą kobietę? Czy ja wyglądam na obiekt pożądania?!

Do owej chwili Alma nie zdawała sobie sprawy, jak bardzo w rzeczywistości boi się pierwszej nocy z Ambrose'em. Oczywiście kocha go i wstrząsa nią dreszcz oczekiwania, ale również paraliżuje przerażenie. Owo przerażenie wyjaśniało po części drżenie w bezsenne noce podczas ostatnich kilku tygodni: nie wiedziała, jak ma się zachować jako żona mężczyzny. To prawda, że Almę pochłaniały bujne, gorszące, cielesne fantazje – ale była to wciąż istota niewinna. Wyobraźnia to jedna rzecz; rzeczywiste ciała razem to rzecz całkowicie inna. Jak Ambrose ją odbierze? W jaki sposób mogłaby go oczarować? Jest młodym mężczyzną, i to mężczyzną urzekającym, podczas gdy prawdziwa ocena wyglądu czterdziestoośmioletniej Almy może zawrzeć się wyłącznie w stwierdzeniu: przypomina bardziej ciernisty krzak aniżeli różę.

Coś minimalnie zmiękło w Prudence.

– Trzeba tylko, żebyś była chętna – powiedziała. – Mężczyzna obdarowany chętną i przyzwalającą żoną nie będzie potrzebował żadnego więcej kuszenia.

Taka informacja nic Almie nie pomogła. Prudence musiała się tego domyślić.

– Zapewniam cię, że obowiązki pożycia nie są nazbyt kłopotliwe. Jeśli mąż twój będzie czuły, nie doznasz większych obrażeń – dodała.

Alma zapragnęła rzucić się na podłogę i płakać. Naprawdę, czy Prudence sądzi, że Alma się boi *obrażeń*? Kto lub co mogłoby zadać Almie Whittaker jakiekolwiek obrażenia? Przy jej zrogowaciałych dłoniach? Przy ramionach, które mogłyby pochwycić dębowy blat, o który Prudence opiera się tak delikatnie, i rzucić go z łatwością na drugi koniec kuchni? Przy tym opalonym karku i włosach przypominających pole ostu? To nie obrażeń podczas nocy poślubnej obawiała się Alma, lecz *upokorzenia*. Rozpaczliwie pragnęła się dowiedzieć, co zrobić, aby tak się zaprezentować Ambrose'owi, by być niczym orchidea, czyli jak jej siostra, a nie jak zagon mchu, czyli ona sama. Takiej rzeczy jednak nie można nauczyć. Nie da się zmienić pewnych spraw. Ich rozmowa jest bezcelowa, może się najwyżej stać początkiem upokorzenia, niczym więcej.

– Dość już zabrałam ci czasu – rzekła Alma, wstając. – Musisz się zająć chorym dzieckiem. Wybacz mi.

Prudence przez ułamek chwili sprawiała wrażenie, jakby się zawahała – jakby chciała wyciągnąć rękę i poprosić siostrę, by została. Chwila szybko jednak minęła, jak gdyby nigdy nie zaistniała. Prudence nie drgnęła. Powiedziała jedynie: „Miło mi, że nas odwiedziłaś".

Dlaczego tak się różnimy? Alma pragnęła żebrać u siostry. Dlaczego nie możemy być sobie bliskie?

– Czy dołączysz do nas podczas ślubu w sobotę? – zapytała tylko, chociaż zakładała, że odpowiedź będzie odmowna.

– Niestety nie – oświadczyła Prudence.

Nie podała powodu. Obie wiedziały dlaczego: ponieważ Prudence nigdy więcej nie postawi nogi w White Acre. Henry by tego nie zaakceptował, sama Prudence także nie.

– W takim razie życzę ci wszystkiego dobrego – podsumowała Alma.

– I ja tobie – odpowiedziała Prudence.

Dopiero kiedy była w połowie ulicy, Alma zdała sobie sprawę z tego, co właśnie uczyniła: nie tylko prosiła wyczerpaną starą czterdziestoośmioletnią matkę – z chorym dzieckiem w domu! – o poradę w sprawie sztuki kopulacji, ale poprosiła *córkę dziwki* o poradę w sprawie sztuki kopulacji. Jak mogła zapomnieć o wstydliwym pochodzeniu Prudence? Prudence przecież nigdy o nim nie zapomniała – wiodła życie surowe i prawe jako sprzeciw wobec niesławnych niemoralnych postępków swej prawdziwej matki. I oto przychodzi Alma, wkracza w ów skromny, uczciwy i pełen dyscypliny dom z zapytaniem o sztuczki i fortele uwodzenia.

Alma usiadła na porzuconej przy drodze beczce załamana. Pragnęła pobiec z powrotem do domu Dixonów i przeprosić, ale jakże miałaby to uczynić? Co miałaby powiedzieć, żeby sytuacja nie stała się jeszcze bardziej przykra?

Jak mogła być tak nieczułym bęcwałem?

Gdzie na Boga podział się cały jej zdrowy rozsądek?


W dniu poprzedzającym ślub poczta przyniosła po południu dwie przesyłki dla Almy Whittaker.

Pierwszą z nich stanowiła koperta nadana we Framingham w stanie Massachusetts, z nazwiskiem „Pike" wypisanym w rogu. Alma najpierw zrozumiała, że to korespondencja do Ambrose'a, najwyraźniej od jego rodziny, ale koperta w środku zaadresowana była do niej, więc ją otworzyła.

> *Droga Panno Whittaker,*
> *proszę wybaczyć, że nie będę obecna na Pani ślubie z moim synem, Ambrose'em, lecz jestem w dużym stopniu kaleką i tak daleka podróż znacznie przekracza moje możliwości. Ucieszyłam się jednakże z wiadomości, że Ambrose ma wkrótce wstąpić w święty stan małżeński. Syn tak wiele lat żył w izolacji od rodziny oraz społeczeństwa, że już dawno temu porzuciłam nadzieję, iż kiedykolwiek weźmie sobie pannę młodą. Na dokładkę jego młode serce zostało przed wielu laty głęboko zranione przez śmierć dziewczyny, którą wielce podziwiał oraz adorował... dziewczyny z dobrej chrześcijańskiej rodziny z sąsiedztwa, którą zakładaliśmy, że poślubi... dlatego obawiałam się, iż jego uczucia zostały nieodwracalnie skrzywdzone i że nigdy już nie zazna radości naturalnej skłonności. Być może wyrażam się nazbyt otwarcie, chociaż z pewnością on sam wszystko*

*Pani opowiedział. Dlatego też wiadomość o jego zaręczynach przyjęłam z radością, jest bowiem oznaką uleczonego serca.*

*Otrzymałam Wasz portret ślubny. Pani wygląda na kompetentną kobietę. Nie widzę żadnych śladów lekkomyślności ani frywolności na Pani obliczu. Bez wahania powiem, że syn mój właśnie takiej kobiety potrzebuje. To jest mądry chłopiec – mój najmądrzejszy – i jako dziecko był mą największą radością, ale spędził za dużo czasu, niepotrzebnie wpatrując się w chmury i gwiazdy, i kwiaty. Obawiam się także, że uważa, iż przechytrzył chrześcijaństwo. Być może jest Pani kobietą, która wyprowadzi go z owego błędnego mniemania. Trzeba się modlić, aby uczciwe małżeństwo wyleczyło go z uciekania od moralności. Jednym słowem, choć żałuję, że nie mogę patrzeć, jak mój syn się żeni, to wiążę duże nadzieje z Waszym związkiem. Rozgrzałoby to serce matki, gdyby się dowiedziała, że jej dziecko uszlachetnia swój umysł, kontemplując Boga poprzez dyscyplinę studiowania Pisma Świętego oraz regularną modlitwę. Proszę tego dopilnować.*

*Bracia jego wraz ze mną witają Panią w naszej rodzinie. Przypuszczam, że to oczywiste. Niemniej jednak chcę o tym zaświadczyć.*

*Wasza*
*Constance Pike*

Jedyne, czego Alma się dowiedziała z listu, to: *dziewczyna, którą wielce podziwiał oraz adorował.* Pomimo przeświadczenia matki Ambrose nic jej nie opowiedział. Kim była dziewczyna? Kiedy zmarła? Ambrose wyjechał z Framingham na Uniwersytet Harvarda, kiedy miał około siedemnastu lat, i już nigdy potem nie mieszkał w rodzinnym miasteczku. Romans musiał być bardzo młodzieńczy, o ile to w ogóle był romans. Musieli być dziećmi albo prawie dziećmi. Na pewno była piękna, ta dziewczyna. Alma przedstawiała ją sobie: słodki śliczny mały collie, kasztanowowłosy niebieskooki ideał, który śpiewa hymny głosem jak miód i który spaceruje z młodziutkim Ambrose'em po wiosennych sadach w pełnym rozkwicie. Czy śmierć dziewczyny przyczyniła się do jego umysłowego załamania? Jak dziewczyna miała na imię?

Czemu Ambrose nic o tym nie opowiadał? Z drugiej strony, czemuż by miał? Czy nie miał prawa do zachowania dla siebie swoich dawnych historii? Czy Alma opowiedziała kiedykolwiek Ambrose'owi na przykład o swej wyświechtanej, bezużytecznej, źle ulokowanej miłości do George'a Hawkesa? Czy powinna była mu opowiedzieć? Ale tam nie ma, nie było nic do opowiadania. George Hawkes nawet nie wiedział, że jest aktorem w historii miłosnej, co znaczy, że w pierwszej kolejności nie było tam nigdy żadnej historii miłosnej.

I co ma teraz Alma zrobić z otrzymaną informacją? A jeszcze pilniej, co ma zrobić z listem? Przeczytała go jeszcze raz, powtórzyła treść i schowała go. Odpowie pani Pike później, w jakiś powierzchowny i oględny sposób. Wolałaby, żeby nigdy nie doręczono jej tego pisma. Musi nakłonić siebie do puszczenia tego, czego się dowiedziała, w niepamięć.

*Jak dziewczyna miała na imię?*

Na szczęście czekała na nią jeszcze jedna przesyłka – paczuszka zawinięta w brązowy woskowany papier i przewiązana szpagatem. Niespodziewanie nadeszła od Prudence Dixon. Kiedy Alma ją otworzyła, znalazła koszulę nocną z miękkiego białego lnu, obszytą koronką. Rozmiar wydawał się w sam raz na Almę. Była to prosta i urocza suknia, skromna, ale jednocześnie kobieca, z obfitymi fałdami, wysokim kołnierzykiem, guzikami z kości słoniowej i bufiastymi rękawami. Stan lśnił delikatnie kwiatkami wyhaftowanymi bladożółtą jedwabną nicią. Koszula była starannie złożona, naperfumowana lawendą i obwiązana białą wstążką, pod którą tkwiła wsunięta kartka z nieskazitelnym odręcznym pismem Prudence: „Z najlepszymi pozdrowieniami".

Gdzie Prudence zdobyła tak luksusową rzecz? Nie zdążyłaby sama uszyć; musiała kupić u jakiejś dobrej szwaczki. Ile trzeba było zapłacić? Skąd miała pieniądze? W koszuli było to wszystko, co Dixonowie odrzucili: jedwab, koronka, importowane guziki, wytworności wszelkiego rodzaju. Prudence nie nosiła nic tak eleganckiego niemal od trzydziestu lat. Wszystko to prowadziło

do wniosku, iż przygotowanie takiego podarunku wiele *kosztowa-*
*ło* Prudence – zarówno finansowo, jak moralnie. Alma poczuła,
jak coś ściska ją w gardle z emocji. Czy kiedykolwiek zrobiła coś
dla siostry, by zasłużyć na taką życzliwość? Szczególnie biorąc pod
uwagę ich ostatnie spotkanie, jak Prudence mogła zrobić jej taki
prezent?

Przez chwilę Alma pomyślała, że nie powinna go przyjmować.
Musi zapakować tę nocną koszulę i natychmiast odesłać z powrotem. Prudence będzie mogła pociąć ją na kawałki i poszyć śliczne
fartuszki dla swoich córek albo – bardziej prawdopodobnie – spie-
niężyć na jakiś abolicjonistyczny cel. Ale jednak nie, to byłoby niegrzeczne i niewdzięczne. Podarunków nie wolno zwracać. Nawet
Beatrix tak nauczała. Podarunków nigdy nie wolno zwracać. To
był akt łaski. Musi zostać przyjęty z taktem. Alma musi być pokor-
na i wdzięczna.

Dopiero później, kiedy poszła do sypialni, zamknęła za sobą
drzwi, stanęła przed lustrem i przymierzyła koszulę, dopiero wtedy lepiej zrozumiała, co siostra chciała jej przekazać, co radziła jej
zrobić i dlaczego nie można nigdy zwrócić owej części garderoby:
Alma musi włożyć to śliczne coś na swoją noc poślubną.

Wyglądała bowiem w tym czymś całkiem ładnie.

# ROZDZIAŁ SIEDEMNASTY

Ś lub odbył się we wtorek 29 sierpnia 1848 roku w salonie rezydencji White Acre. Alma włożyła brązową jedwabną suknię,
uszytą specjalnie na tę okazję. Świadkowali im Henry Whittaker
oraz Hanneke de Groot. Henry był pogodny, Hanneke posępna.
Sędzia z zachodniej Filadelfii, który w przeszłości robił z Henrym
interesy, oddał panu domu przysługę i poprowadził ceremonię
przysięgi małżeńskiej.

– Niech wiedzie was przyjaźń – zakończył, kiedy złożyli sobie
nawzajem obietnice. – Niech wzajemnie trapią was niepowodzenia
i wzajemnie podnoszą na duchu radości.

– Partnerzy w nauce, handlu oraz życiu! – całkiem nieoczekiwanie zakrzyknął Henry i z wyraźnym wysiłkiem wydmuchał nos.

Nie było nikogo więcej z przyjaciół ani rodziny. George Hawkes
przysłał skrzynkę gruszek z życzeniami, ale sam się rozchorował,
miał gorączkę, jak pisał, i nie mógł przybyć. Nadszedł także wielki bukiet kwiatów, poprzedniego dnia, w imieniu firmy Garrick
Pharmacy. Ze strony Ambrose'a nie było żadnych gości. Jego przyjaciel Daniel Tupper z Bostonu przysłał owego ranka telegram
z prostym zdaniem: „DOBRA ROBOTA PIKE", ale na ślub nie
przyjechał. Podróż pociągiem z Bostonu zajęłaby tylko pół dnia –
ale jednak nikt się nie zjawił, by towarzyszyć Ambrose'owi.

Rozglądając się dookoła, Alma zdała sobie sprawę, jakim niewielkim się stali gospodarstwem domowym. Zgromadzenie było
zdecydowanie za małe. Po prostu brakowało ludzi. Ledwie ich wystarczyło do zalegalizowania małżeństwa. Jakim sposobem osiąg-
nęli aż taką izolację? Przypomniała sobie bal, który rodzice wydali
w 1808 roku, dokładnie czterdzieści lat wcześniej: weranda i wielki

trawnik wirowały od tancerzy i muzyków, a ona sama biegała między nimi z pochodnią w ręce. Teraz trudno było sobie wyobrazić, że White Acre kiedykolwiek stanowiła miejsce takiego spektaklu, takiego śmiechu, gwaru i dzikich szaleństw. Od tamtego czasu stało się konstelacją milczenia.

W ślubnym prezencie Alma ofiarowała Ambrose'owi wyjątkowo wspaniały antykwaryczny egzemplarz *Sacred Theory of the Earth* pióra Thomasa Burneta, wydany w 1684 roku. Burnet był teologiem. Wedle jego domysłu planeta – przed potopem Noego – stanowiła gładką, idealnie doskonałą kulę, którą cechowało „piękno młodej i kwitnącej natury, świeżość i płodność, bez jednej zmarszczki, bez żadnej blizny na całym jej ciele; żadnych skał, żadnych gór, żadnych pustych jaskiń ani rozdziawionych kanałów, wszędzie jedynie gładka jednorodność". Ów Burnet nazywał to „Pierwszą Ziemią". Alma pomyślała, że książka spodoba się mężowi, i rzeczywiście tak się stało. Pojęcie doskonałości, marzenie o dziewiczej czystości – to był Ambrose w każdym calu.

On z kolei podarował Almie piękny arkusz włoskiego wykwintnie ozdobnego papieru, który złożył wielokrotnie w skomplikowaną jak gdyby kopertę i zapieczętował pieczęciami z wosku o czterech kolorach. Każde zagięcie było opieczętowane i każda pieczęć była inna. Był to bardzo ładny przedmiot – na tyle mały, iż mieścił się na dłoni – ale też dziwny, prawie kabalistyczny. Alma oglądała go ze wszystkich stron.

– Jak otwiera się taki podarunek? – zapytała.

– Nie otwiera się go – powiedział Ambrose. – Proszę cię, abyś nigdy go nie otwierała.

– Co się w nim znajduje?

– Przesłanie miłości.

– Naprawdę? – rzekła zachwycona Alma. – Przesłanie miłości! Chciałabym zobaczyć coś takiego!

– Wolałbym, abyś je sobie wyobraziła.

– Moja wyobraźnia nie jest aż tak bogata jak twoja, Ambrose.

– Ale tobie, która bardzo kochasz wiedzę, Almo, dobrze zrobi na wyobraźnię posiadanie czegoś złudnego. Poznamy się tak dobrze, ty i ja. Zostawmy sobie coś nieotwartego.

Włożyła podarunek do kieszeni. Tkwił tam cały dzień – dziwna, lekka, tajemnicza obecność.

Tego wieczoru obiad zjedli w towarzystwie Henry'ego i jego przyjaciela sędziego. Starsi panowie wypili za dużo porto. Alma nie raczyła się alkoholem, Ambrose też nie. Mąż uśmiechał się do niej za każdym razem, kiedy na niego spojrzała – ale przecież zawsze tak robił, także kiedy nie był jeszcze jej mężem. Wieczór mijał jak każdy inny, tyle że ona była teraz panią Ambrose'ową Pike'ową. Słońce zachodziło tego wieczoru powoli, jak stary kuternoga wolno schodzący ze schodów.

Wreszcie po obiedzie Alma i Ambrose udali się po raz pierwszy razem do jej sypialni. Alma usiadła na skraju łóżka, Ambrose usiadł obok. Wziął ją za rękę. Po długim milczeniu rzekła: „Przepraszam na chwilę…".

Pragnęła włożyć nową koszulę nocną, ale nie chciała przebierać się na jego oczach. Zabrała koszulę do niewielkiego ustronia, do którego wchodziło się z rogu pokoju – zainstalowano je, razem z wanną i kranem na zimną wodę, w 1830 roku. Rozebrała się i włożyła suknię nocną. Nie wiedziała, czy ma zostawić włosy upięte, czy je rozpuścić. Nie zawsze wyglądały dobrze, kiedy je rozpuszczała, ale niewygodnie jest spać ze spinkami i klamrami na głowie. Zawahała się, wreszcie zadecydowała zostawić upięte.

Kiedy wróciła do sypialni, zauważyła, że Ambrose również włożył nocny strój – miał na sobie coś prostego lnianego, co sięgało mu do goleni. Swoje dzienne ubranie porządnie poskładał i położył na krześle. Stał przy drugim brzegu łóżka. Almę przebiegł dreszcz zdenerwowania niczym kawaleryjska szarża. Po nim nie było widać nerwowości. Nie powiedział nic na temat jej koszuli. Skinął na nią w stronę łóżka, więc wdrapała się do środka. Wszedł do łóżka od drugiej strony i spotkał się z nią pośrodku. Natychmiast przyszła jej do głowy okropna myśl, że łóżko jest o wiele za małe dla nich obojga. Są obydwoje bardzo wysocy. Gdzie mają podziać się ich nogi? Co z ramionami? A jeśli kopnie go podczas snu? Jeśli wsadzi mu nieświadomie łokieć do oka?

Odwróciła się na bok ona, odwrócił się na bok on – i znaleźli się twarzą w twarz.

– Skarbie mej duszy – powiedział. Ujął jej rękę, uniósł do ust i pocałował, tuż ponad kłykciami, tak jak czynił to od miesiąca codziennie wieczorem, od czasu zaręczyn. – Przynosisz mi wielki spokój.

– Ambrose... – powtórzyła, oczarowana jego imieniem, oczarowana jego twarzą.

– To podczas snu najbliżej poznajemy siłę ducha – rzekł. – Nasze umysły będą mówić do siebie z bliska. To stanie się tutaj, razem w nocnej ciszy uwolnimy się ostatecznie z pęt czasu, przestrzeni, prawa naturalnego oraz fizycznego. Będziemy wedle woli włóczyć się po świecie w naszych snach. Będziemy mówić ze zmarłymi, przemieniać się w zwierzęta oraz przedmioty, frunąć poprzez czas. Naszych intelektów nie da się odnaleźć, a naszych umysłów nic nie będzie krępować.

– Dziękuję ci – powiedziała bezmyślnie.

Nic innego nie przychodziło jej do głowy w odpowiedzi na tak nieoczekiwane przemówienie. Czy to był jakiś rodzaj zalecania się? Czy w taki sposób biorą się do rzeczy tam, w Bostonie? Martwiła się, że jej oddech nie pachnie słodko. Jego oddech pachniał słodko. Wolałaby, żeby zgasił lampę. Natychmiast, jakby usłyszał jej myśli, wyciągnął rękę i zgasił światło. Ciemność była lepsza, bardziej komfortowa. Pragnęła płynąć ku niemu. Poczuła, jak powtórnie ujmuje jej dłoń i przyciska do warg.

– Dobranoc, moja żono – usłyszała.

Nie wypuścił z rąk jej dłoni. W ułamku chwili – poznała to po jego oddechu – już spał.


Wszystko, co Alma sobie wyobrażała, na co miała nadzieję, czego się bała i obawiała w związku z nocą poślubną – nie uwzględniło tego jednego biegu wypadków.

Ambrose zasnął, mocno i spokojnie u jej boku, z dłonią zaciśniętą dookoła jej palców lekko oraz ufnie, Alma tymczasem leżała nieruchomo z oczami szeroko otwartymi w otaczających ciemnościach i ciszy. Konsternacja ogarniała ją niczym coś oleistego i stęchłego. Szukała możliwego wyjaśnienia tego dziwnego wydarzenia, kartkując w głowie interpretację za interpretacją, jak robi się w nauce, gdy eksperyment pójdzie kompletnie źle.

Być może się obudzi i wrócą do małżeńskich rozkoszy – czy raczej je *zaczną*? Być może nie spodobała mu się jej koszula nocna? Może ona sama wydała mu się zbyt skromna? Albo zbyt chętna? Czy pragnie tamtej zmarłej dziewczyny? Czy rozmyśla o utraconej tyle lat temu miłości z Framingham? Albo może pokonało go zdenerwowanie? Czy może on jest niezdolny do miłosnych powinności? Żadne z wyjaśnień nie miało sensu, szczególnie ostatnie. Alma wiedziała to i owo o takich sprawach, wystarczająco, by rozumieć, że niezdolność do współżycia pogrąża mężczyzn w najgłębszym z możliwych wstydzie – ale Ambrose wcale nie wyglądał na zawstydzonego. Ani też nawet nie *spróbował* podjąć współżycia. Wprost przeciwnie, spał tak błogo i beztrosko, jak tylko mężczyzna potrafi spać. Spał jak bogate panisko w wykwintnym hotelu. Spał jak król po długim dniu spędzonym na polowaniu na dzika oraz turnieju. Spał jak mahometański książę zaspokojony przez tuzin urodziwych konkubin. Spał jak dziecko w cieniu drzewa.

Alma nie spała. Noc panowała gorąca. Było jej niewygodnie leżeć długo na jednym boku, bała się poruszyć, bała się wyciągnąć rękę z jego dłoni. Spinki i klamry uwierały ją w głowę. Ramię, na którym leżała, drętwiało. Po długim czasie ostatecznie uwolniła się z jego uścisku i przewróciła na wznak. Ale było to na nic: odpoczynek nie znajdzie do niej drogi tej nocy. Leżała znieruchomiała i zatrwożona, oczy miała szeroko otwarte, czuła wilgoć pod pachami, mózg bezskutecznie szukał pocieszającego wytłumaczenia dla owego najbardziej zaskakującego i niefortunnego obrotu rzeczy.

O świcie każdy ptaszek na ziemi, nieświadom jej przerażenia, zaczął wesoło śpiewać. Wraz z pierwszymi promieniami wstającego słońca Alma pozwoliła sobie na nikłą iskierkę nadziei, że mąż jej obudzi się ze świtem i teraz weźmie ją w objęcia. Być może te wszystkie spodziewane czułości stanu małżeńskiego zaczną się w świetle dnia.

Ambrose się obudził, ale nie wziął jej w ramiona. Zbudził się od razu pełen życia, świeży i kontent.

– Ależ miałem sny! – powiedział, leniwie się przeciągając. – Takich snów nie miałem od lat. Wielki to przywilej dzielić z tobą prądy twego bytu. Dziękuję ci, Almo! Będziemy mieć wspaniały dzień! Czy też śniłaś takie wspaniałe sny?

Oczywiście Alma nic nie śniła. Przetrwała noc zamknięta w koszmarze bezsenności. Niemniej przytaknęła. Nie wiedziała, co mogłaby innego uczynić.

– Musisz mi obiecać – powiedział Ambrose – że kiedy umrzemy... którekolwiek z nas byłoby pierwsze... będziemy posyłać sobie nawzajem wibracje, choć dzielić nas będzie śmierć.

Powtórnie, bezsensownie, przytaknęła. Było to łatwiejsze, niż zacząć mówić.

Wymięta i milcząca Alma przyglądała się, jak mąż ochlapuje twarz nad miską. Wziął ubranie z krzesła i grzecznie przeprosiwszy, udał się do ustronia, po czym wrócił w pełni ubrany i nasycony radością. Co zakradło się za ów szeroki uśmiech? Alma nie mogła nic dostrzec, najwyżej jeszcze więcej serdeczności. Wyglądał tak samo jak pierwszego dnia, kiedy go ujrzała – jak uroczy, promienny i pełen entuzjazmu dwudziestoletni mężczyzna.

Była głupia.

– Zostawię cię, byś nie musiała się krępować – powiedział. – Zaczekam przy śniadaniu. Ależ będziemy mieć wspaniały dzień!

Almę bolało całe ciało. Powoli wstała z łóżka niczym w jakiejś okropnej chmurze bezruchu i rozpaczy, niczym kaleka, po czym się ubrała. Spojrzała w lustro. Nie powinna była spoglądać. Postarzała się o dekadę w ciągu jednej nocy.

Kiedy w końcu zeszła, przy stole siedział Henry. Oddawali się z Ambrose'em taniemu blichtrowi konwersacji. Hanneke przyniosła dla Almy czajniczek świeżo zaparzonej herbaty i rzuciła jej ostre spojrzenie – ten rodzaj spojrzenia, które otrzymują wszystkie kobiety o poranku następującym po nocy poślubnej – Alma jednak unikała spotkania jej oczu. Starała się nie przybierać posępnej i niespokojnej miny, ale wyobraźnię miała wymęczoną i wiedziała, że oczy ma czerwone. Czuła się jak porośnięta pleśnią. Mężczyźni niczego nie zauważyli. Henry opowiadał historię, którą Alma słyszała już tuzin razy – o nocy, podczas której w obskurnym peruwiańskim miasteczku musiał dzielić łóżko z pompatycznym małym Francuzem, który miał wyjątkowo mocny francuski akcent, ale który niezmordowanie utrzymywał, że Francuzem nie jest.

Henry powiedział:

– Ten cymbał wciąż powtarzał: „Jhestem naphawdę Hanglikhiem!", a ja ciągle mówiłem: „Nie jesteś Anglikiem, ty idioto, jesteś Francuzem! Posłuchaj tylko tego swojego durnego akcentu!". Ale nie, cholerny bęcwał powtarzał: „Jhestem naphawdę Hanglikhiem!". Wreszcie powiedziałem mu: „No to powiedz mi... jak to jest możliwe, że jesteś Anglikiem?". A wtedy on zapiał z zachwytu: „Jhestem naphawdę Hanglikhiem, bo phosiadam hanghielską małżhonkę!".

Ambrose się śmiał i śmiał. Alma patrzyła na niego, jakby był jakimś rzadkim nieznanym okazem.

– Wedle takiej logiki – skonkludował Henry – ja jestem cholernym Holendrem!

– A ja jestem Whittakerem! – dodał Ambrose, wciąż się śmiejąc.

– Więcej herbaty? – zapytała Almę zarządczyni, posyłając jej znowu owo przenikliwe spojrzenie.

Alma zacisnęła usta, które – dopiero teraz zdała sobie sprawę – były stanowczo za bardzo otwarte.

– Nie, wystarczy, dziękuję, Hanneke.

– Ludzie będą dzisiaj zwozić ostatnie fury siana – powiedział Henry. – Doglądnij, Almo, żeby wszystko było porządnie zrobione.

– Tak, ojcze.

Henry odwrócił się jeszcze raz do Ambrose'a.

– Ma dużą wartość, ta twoja żona, szczególnie jeśli jest praca do wykonania. Prawdziwy z niej Farmer John w spódnicy.


Druga noc była taka sama jak pierwsza – a także jak trzecia oraz czwarta i piąta. Wszystkie kolejne noce takie same. Ambrose i Alma rozbierali się dyskretnie, wchodzili do łóżka i zwracali się przodem do siebie. On całował ją w rękę, życzył dobrej nocy i gasił lampę. Następnie Ambrose zapadał w sen jak zaczarowana postać z bajki, natomiast Alma leżała w milczącej udręce obok. Jedyne, co się zmieniło z czasem, to że dawała radę zapaść na kilka godzin w niespokojny sen, ale jedynie dlatego, że jej ciało padało ze zmęczenia. Sen przerywały jednak szarpiące pazurami senne widziadła i koszmarne napady niespokojnych, wędrujących myśli.

Za dnia Alma i Ambrose towarzyszyli sobie jak zawsze przy studiowaniu oraz podczas kontemplacji. Nigdy nie okazywał jej takiej czułości jak teraz. Ona w odrętwieniu krzątała się wkoło swojej pracy i pomagała mu w jego. Starał się zawsze być blisko niej – najbliżej jak to możliwe. Wyglądało na to, że nie spostrzega jej zakłopotania. Starała się nic nie okazywać. Cały czas miała nadzieję na zmianę. Upłynęły kolejne tygodnie. Nadszedł październik. Noce zrobiły się chłodne. Nic się nie zmieniło.

Ambrose czuł się tak swobodnie w ich małżeństwie, że Alma – po raz pierwszy w życiu – poczuła obawy, czy przypadkiem to ona sama nie wpada w szaleństwo. Oto ona pragnęła zgwałcić go do samych trzewi, on zaś był szczęśliwy, całując zaledwie jeden cal kwadratowy jej skóry tuż za środkowym kłykciem jej lewej dłoni. Czy została błędnie poinformowana co do natury małżeństwa? Czy to jakaś sztuczka? Dość płynęło w niej krwi Whittakerów, by wszystko się w niej gotowało na myśl, że ktoś próbuje wystrychnąć ją na dudka. Ale kiedy znowu spoglądała na oblicze Ambrose'a, które było w swych rysach najdalsze jak można sobie wyobrazić od fizjonomii łajdaka, jej wściekłość, kolejny raz, przemieniała się na powrót w pełną nieszczęścia konsternację.

Na początku października Filadelfia cieszyła się ostatnimi dniami babiego lata. Poranki osiągały maestrię w dziedzinie rześkości powietrza i błękitu nieba, a popołudnia – w łagodności oraz lenistwie. Ambrose zachowywał się tak, jak gdyby więcej teraz niż kiedykolwiek czerpał inspiracji. Rano wyskakiwał z łóżka jak wystrzelony z armaty. Zdołał uzyskać kwitnienie rzadkiej *Aerides odorata* w pawilonie orchidei. Lata temu Henry sprowadził roślinę z podnóży Himalajów, ale nigdy nie wydała ani jednego pączka, nastąpiło to dopiero wtedy, gdy Ambrose wyjął roślinę z doniczki stojącej na ziemi, włożył do koszyka wyścielanego korą oraz wilgotnym mchem i zawiesił wysoko na krokwi w jasnej, długo się utrzymującej plamie słońca. I nagle wytrysnął kwiat. Henry był zachwycony. Ambrose również. Rysował kwiat z każdej strony. Będzie dumą *florilegium* White Acre.

315

– Jeśli kochasz coś dostatecznie mocno, to coś w końcu pokaże ci swoje tajemnice – oznajmił Almie.

Pozwoliłaby sobie na sprzeciw, gdyby zapytano ją o zdanie. Nie mogłaby mocniej kochać Ambrose'a, ale on nie odkrywał przed nią żadnych sekretów. Jego zwycięstwo nad *Aerides odorata* wzbudziło w niej nieprzyjemną zazdrość. Zazdrościła roślinie uwagi i troski, jaką jej poświęcił. Ona nie była w stanie skupić się na swojej pracy, a on, proszę, triumfował w swojej. Zaczęła żałować, że dzieli z nim przestrzeń powozowni. Czemu on ustawicznie jej przeszkadza? Jego prasy drukarskie hałasowały i mocno pachniały gorącym tuszem. Alma nie mogła już tego znieść. Czuła, jakby sama zaczynała butwieć. Traciła cierpliwość. Jednego z owych dni przechodziła przez ogród warzywny w White Acre, kiedy natknęła się na młodego robotnika, który siedział na łopacie i leniwie wyciągał z kciuka drzazgę. Widziała go już przedtem – tego poszukiwacza drzazg. Znacznie częściej można go było znaleźć, jak siedzi na łopacie, niż jak nią pracuje.

– Na imię masz Robert, tak? – zapytała, przywdziewając na twarz ciepły uśmiech.

– Jestem Robert – potwierdził, podnosząc na nią wzrok bez szczególnego niepokoju.

– Co masz do zrobienia dzisiaj po południu, Robercie?

– Przekopać grządkę tego starego zgniłego grochu, psze pani.

– A czy zamierzasz się do tego wziąć w którymś z najbliższych dni, Robercie? – sondowała coraz bardziej niebezpiecznie niskim głosem.

– No niby tak, ale mam tutaj taką drzazgę, sama pani spojrzy…

Alma pochyliła się nad nim, obejmując go całego swoim cieniem. Chwyciła go za kołnierz, podniosła o całą stopę nad ziemię i potrząsając niczym workiem paszy, ryknęła:

– Bierz się z powrotem do roboty, ty bezużyteczny cwany kutasie, i to szybko, nim dziabnę ci jaja tym twoim szpadlem!

Rzuciła go na glebę. Upadł ciężko. Wygramolił się z jej cienia niczym królik i zaczął panicznie kopać, na oślep i w przerażeniu. Alma odeszła, potrząsając dla rozluźnienia mięśniami ramion, i natychmiast wróciła do rozmyślania o mężu. Czy to możliwe, żeby on nie *wiedział*? Czy może być ktoś tak niewinny, by wstąpić w związek małżeński, nie zdając sobie sprawy z małżeńskich obowiązków, nieświadom seksualnych mechanizmów między mężczyzną i żoną? Przypomniała sobie pewną książkę, którą czytała przed wielu laty, jeszcze wtedy, gdy gromadziła owe sprośne teksty na stryszku w powozowni. Nie pamiętała o niej przez co najmniej dwie dekady. W porównaniu z innymi książka była raczej nudna, ale teraz z powrotem przyszła jej na myśl. Nosiła tytuł: *The Fruits of Marriage: A Gentleman's Guide to Sexual Continence; A Manual for Married Couple*, i wyszła spod pióra dr. Horschta.

Ów dr Horscht napisał tę książkę po skonsultowaniu pewnej skromnej młodej chrześcijańskiej pary, która, jak utrzymywał, nie posiadała żadnej wiedzy – ani teoretycznej, ani praktycznej – na temat pożycia seksualnego. Małżonkowie wprawiali samych siebie oraz siebie nawzajem w zakłopotanie tak szczególnymi odczuciami i wrażeniami podczas wspólnego zajmowania małżeńskiego łoża, iż mieli silne poczucie, że rzucono na nich jakiś czar. Wreszcie kilka tygodni po ślubie biedny pan młody wypytał przyjaciela, który przedłożył mu szokującą informację, iż nowo poślubiony mąż, aby poprawnie przypieczętować związek, powinien włożyć swój organ prosto do „cieknącej dziurki" panny młodej. Pomysł wywołał tak wielki strach oraz wstyd w biednym młodzieńcu, iż pobiegł on natychmiast do dr. Horschta z zapytaniem, czy ów dziwacznie brzmiący czyn jest w ogóle wykonywalny oraz cnotliwy. Dr Horscht, współczując zakłopotanej młodej duszy, napisał podręcznik na temat mechanizmu seksualności, by pomóc innym dopiero co poślubionym młodym mężczyznom.

Lata temu Alma ledwie przekartkowała tę książkę. Być młodym mężczyzną i przejawiać tak całkowitą ignorancję co do genitalno-urologicznych funkcji – zdało jej się więcej niż absurdalne. Przecież nie ma takich ludzi?

Teraz jednak się zastanowiła.

Czy powinna mu *pokazać*?


Po południu owej soboty Ambrose wcześniej udał się do ich sypialni i postanowił wziąć kąpiel przed kolacją. Poszła za nim do pokoju. Usiadła na łóżku i słuchała, jak napuszcza wodę do wielkiej porcelanowej wanny po drugiej stronie drzwi. Słyszała, jak nuci. Jest szczęśliwy. Ona natomiast była wzburzona i nieszczęśliwa. Chyba teraz się rozbiera. Usłyszała przytłumiony plusk towarzyszący wchodzeniu do wanny, a następnie westchnienie z przyjemności. Potem ciszę.

Wstała i także się rozebrała. Zdjęła wszystko – reformy i koszulkę, nawet wyjęła spinki z włosów. Jeśliby miała jeszcze cokolwiek do zdjęcia, zdjęłaby i to. Jej nagość nie była piękna, zdawała sobie z tego sprawę, ale to było wszystko, co miała. Podeszła do drzwi kąpielowego ustronia i nachyliła się, przykładając ucho. Nie musiała tego robić. Były inne rozwiązania. Mogła nauczyć się tolerować rzeczy takie, jakie są. Mogła cierpliwie oddać się cierpieniu, oddać się temu małżeństwu-które-nie-jest-małżeństwem. Mogła nauczyć się pokonywać wszystko, co Ambrose w niej rozbudzał – swój nań apetyt, zawód, jaki jej sprawiał, poczucie dręczącej pustki, kiedy tylko znajdowała się obok niego. Gdyby umiała poskromić swoje pożądanie, wtedy mogłaby mieć męża takiego, jaki jest.

Lecz tego nie umiała się nauczyć.

Przekręciła gałkę, pchnęła drzwi i weszła najciszej, jak potrafiła. Ambrose głowę zwrócił w jej stronę i otworzył szeroko oczy z przerażenia. Nie odezwała się, on zaniemówił. Odwróciła wzrok od jego oczu i pozwoliła sobie na oględziny ciała dopiero co zanurzonego w zimną kąpiel. Oto on, w całej swej nagości i urodzie. Skórę miał mlecznobiałą – o wiele jaśniejszą na piersi oraz nogach niż na ramionach. Przez tors biegł cienki ślad owłosienia. Nie mógłby być doskonalej piękny.

Czy martwiła się, że może w ogóle nie mieć genitaliów? Czy wyobrażała sobie, że taka jest być może przyczyna problemu? No więc to nie stanowiło problemu. Miał genitalia – idealnie odpowiednie, ba, nawet robiące duże wrażenie piękne genitalia. Pozwoliła sobie na uważną obserwację owego jego uroczego przydatku – owego bladego, falującego morskiego stworzenia, które unosi się w wodzie pomiędzy jego nogami w czuprynie mokrego i intymnego futra. Ambrose nie drgnął. Tak jak i jego nieporuszony penis. Któremu nie podobało się całe to oglądanie. Natychmiast to zrozumiała. Alma dosyć czasu spędziła w lesie, gapiąc się na nieśmiałe zwierzęta, by rozpoznać, kiedy stworzenie nie chce być oglądane, i to stworzenie między nogami Ambrose'a nie chciało być oglądane. Jednak wciąż nie odrywała od niego wzroku, ponieważ nie była w stanie przestać patrzeć. Ambrose pozwolił jej na to – może nie tyle z chęci przyzwolenia, ale ponieważ był sparaliżowany.

Wreszcie spojrzała mu prosto w twarz, rozpaczliwie szukając jakiegoś dojścia do niego, połączenia. On jednak zastygł ze strachu. Skąd tu *strach*? Opadła na podłogę tuż obok wanny. Wyglądało to prawie tak, jak gdyby uklękła przed nim błagalnie. Nie – ona *klęczała* przed nim błagalnie. Jego prawa ręka o długich, wąskich palcach spoczywała na brzegu wanny, zaciśnięta na porcelanowym skraju. Rozluźniła ten zacisk, po kolei, palec po palcu. Pozwolił na to. Ujęła jego dłoń i zbliżyła do warg. Wzięła trzy jego palce do ust. Nie umiała się powstrzymać. Musiała mieć w sobie, w środku, jakąś jego część. Pragnęła go ugryźć, tylko tyle, żeby zatrzymać palce w ustach, by się nie wysunęły. Nie chciała go jednak przestraszyć, ale też nie chciała go puścić. Zamiast ugryźć, zaczęła ssać. Była całkowicie skoncentrowana na swoim pragnieniu. Jej wargi wydały dźwięk – prymitywny rodzaj mlaśnięcia.

To wyrwało Ambrose'a z odrętwienia. Zachłysnął się krótko powietrzem i wyszarpnął palce z jej ust. Usiadł gwałtownie z głośnym pluskiem i zakrył obiema dłońmi genitalia. Wyglądał, jakby miał zaraz umrzeć z przerażenia.

– Proszę… – powiedziała.

Przez chwilę mierzyli się spojrzeniem niczym kobieta i intruz, który się wdarł do jej sypialni – tyle że to ona była intruzem, a on przerażoną ofiarą. Patrzył na nią takim wzrokiem, jakby była kimś obcym, kto przyłożył mu nóż do gardła, jak gdyby pragnęła użyć go do zaspokojenia najbardziej wyuzdanej przyjemności, a potem odciąć mu głowę, wybebeszyć jego trzewia i zjeść jego serce, nadziewając je na długi zaostrzony widelec.

Alma ustąpiła. Czy miała jakikolwiek wybór? Wstała i powoli wyszła z kąpielowego ustronia, delikatnie zamykając za sobą drzwi. Z powrotem się ubrała. Zeszła na dół. Serce miała tak złamane, że nie rozumiała, jakim cudem jeszcze w ogóle żyje.

Hanneke de Groot zamiatała kąty jadalni, kiedy Alma ją znalazła. Ściśniętym głosem wydała polecenie. Niech zarządczyni przygotuje gościnny pokój, proszę, we wschodnim skrzydle dla pana Pike'a, który od dzisiaj tam będzie sypiał, dopóki nie zostaną poczynione dalsze ustalenia.

– *Waarom?* – zapytała Hanneke.

Alma jednak nie była w stanie odpowiedzieć dlaczego. Pragnęła rzucić się w ramiona Hanneke i zapłakać, ale się powstrzymała.

– Czy jest coś złego w pytaniu starej kobiety? – warknęła Hanneke.

– Powiesz sama z łaski swojej panu Pike'owi o nowym rozporządzeniu – oznajmiła Alma, zbierając się do wyjścia. – Ja nie jestem w stanie mu tego powiedzieć.


Owej nocy Alma spała na otomanie w powozowni i nie pojawiła się na kolacji. Rozmyślała o Hipokratesie, który wierzył, że komory serca są pompami powietrza, a nie krwi. Wierzył, że serce jest przedłużeniem płuc – czymś w rodzaju wielkiego mięśnia, pełniącego funkcję miecha, który podsyca palenisko ciała. Owej nocy Alma czuła, jak gdyby tak było. Wyczuwała w swojej piersi wielkie przypływy i pompę ssącą wiatru. Tak jakby jej serce z trudem łapało powietrze. Płuca zaś wydawały się wypełnione krwią. Tonęła z każdym oddechem. Nie mogła pozbyć się tego uczucia tonięcia. Czuła się, jakby oszalała. Czuła się jak zwariowana mała Retta Snow, która również zwykła nocować na tej otomanie, kiedy świat stawał się zbyt przerażający.

Rano Ambrose ją odnalazł. Był blady i twarz wykrzywiało mu cierpienie. Usiadł obok niej i ujął ją za ręce. Cofnęła je. Patrzył na nią długo i w milczeniu.

– Jeśli próbujesz coś bez słów mi zakomunikować, Ambrose – w końcu się odezwała głosem ściśniętym od gniewu – to nie będę w stanie tego usłyszeć. Mów do mnie wprost. Wyświadcz mi tę grzeczność, proszę.

– Wybacz – powiedział.

– Musisz mi powiedzieć, *co* mam ci wybaczyć.

Widać było po nim wewnętrzną walkę.

– To małżeństwo… – zaczął, po czym nie potrafił znaleźć dalszych słów.

Roześmiała się pustym śmiechem.

– Czym jest małżeństwo, Ambrose, jeśli podstępem pozbawia się je godziwych przyjemności, których mąż i żona mają się prawo spodziewać?

Skinął głową. Wyglądał na zrozpaczonego.

– Wprowadziłeś mnie w błąd – powiedziała.

– A jednak wierzyłem, że się zrozumieliśmy.

– Wierzyłeś? Wierzyłeś, że co zostało zrozumiane? Powiedz mi to słowami: Myślałeś, że nasze małżeństwo będzie czym?

Szukał odpowiedzi.

– Wymianą – powiedział w końcu.

– Czego dokładnie?

– Miłości. Idei oraz wsparcia.

– Tak i ja wierzyłam, Ambrose. Myślałam jednak, że nastąpią również inne wymiany. Jeśli chciałeś żyć jak szejkersi*, czemu nie uciekłeś i nie przyłączyłeś się do nich?

Spojrzał na nią spłoszony. Nie miał pojęcia, kto to jest szejker. Dobry Panie, ilu jeszcze rzeczy nie zna ten chłopak!

– Nie kłóćmy się, Almo, ani nie stawajmy do walki – błagał.

– Czy za tą zmarłą dziewczyną tęsknisz? Czy na tym polega twój problem?

Znowu wyraz spłoszenia na twarzy.

– Ta zmarła dziewczyna, Ambrose – powtórzyła. – Ta, o której opowiedziała mi twoja matka. Ta, która zmarła we Framingham przed wielu laty. Ta, którą kochałeś.

Nie mógłby być bardziej zakłopotany.

– Rozmawiałaś z moją matką?

– Napisała do mnie list. Opowiedziała w nim o dziewczynie… o twojej wielkiej miłości.

---

* Szejkersi (lub szejkerzy, w j. ang.: *Shakers*) to wyjątkowe wyznanie protestanckie nakazujące celibat (oficjalna nazwa: Zjednoczone Towarzystwo Wyznawców Powtórnego Przyjścia Chrystusa).

– Moja matka napisała list do ciebie? O Julii? – Z oszołomienia zakręciło mu się w głowie. – Ale ja przecież nigdy nie kochałem Julii, Almo. Była uroczym dzieckiem i przyjaciółką mej wczesnej młodości, ale nigdy jej nie kochałem. Matka mogła chcieć, żebym ją kochał, ponieważ to była córka wysoko postawionej rodziny, ale Julia była jedynie moją niewinną sąsiadką. Razem rysowaliśmy kwiatki. Była w tym małym geniuszem. Zmarła w wieku czternastu lat. Nie poświęciłem jej prawie żadnej myśli od tamtego czasu. Na Boga, czemu rozmawiamy o Julii?

– A czemu nie możesz kochać mnie? – zapytała w odpowiedzi Alma, nienawidząc brzmiącej w jej głosie rozpaczy.

– Nie mógłbym kochać cię *bardziej* – odrzekł Ambrose, dorównując jej rozpaczą.

– Jestem brzydka, Ambrose. Nigdy nie byłam tego nieświadoma. Jestem także stara. A jednak dostarczam rzeczy, których pragniesz… wygód, towarzystwa. Mogłeś mieć to wszystko bez poniżania mnie takim małżeństwem. Zresztą dostałeś już to ode mnie i dostawałbyś zawsze. Zadowoliłam się kochaniem ciebie niczym siostra, być może nawet niczym matka. Ale to ty chciałeś ślubu. To ty przedstawiłeś mi pomysł małżeństwa. To ty powiedziałeś, że pragnąłbyś zasypiać u mego boku każdej nocy. To ty pozwalałeś mi tęsknić do rzeczy, których pożądanie dawno temu przezwyciężyłam.

Musiała przerwać. Unosiła coraz bardziej głos, który do tego zaczął się jej załamywać. Porażka za porażką.

– Majątek jest mi niepotrzebny – powiedział Ambrose. Oczy miał wilgotne od smutku. – Znasz mnie.

– Ale jednak czerpiesz z niego korzyści.

– Nie rozumiesz mnie, Almo.

– Zupełnie pana nie rozumiem, panie Pike. Oświeć mnie.

– Zadałem ci pytanie – odparł. – Zadałem ci pytanie, czy pragniesz małżeństwa dusz… *mariage blanc*.

Ponieważ nie odpowiedziała od razu, dodał:

– To znaczy małżeństwa czystego, bez cielesnego kontaktu.

– Wiem, czym jest *mariage blanc*, Ambrose – straciła nad sobą panowanie. – Mówiłam po francusku kiedy ciebie jeszcze nie było na świecie. Nie potrafię zrozumieć, dlaczego wyobraziłeś sobie, że miałabym chcieć właśnie takiego małżeństwa.

– Ponieważ zapytałem cię o to. Zadałem ci pytanie, czy zechcesz żyć tak ze mną, a ty się zgodziłaś.

– Kiedy?

Alma czuła, że zaraz zerwie mu skalp z głowy, jeśli nie będzie mówił bardziej bezpośrednio i zgodnie z prawdą.

– W twoim kantorku do naprawiania książek, po tym jak znalazłem cię w bibliotece. Kiedy siedzieliśmy razem w milczeniu. Zapytałem ciebie bezgłośnie, „czy zechcesz żyć tak ze mną?", a ty odpowiedziałaś „tak". Usłyszałem, że mówisz tak. Poczułem, jak to mówisz! Nie zaprzeczaj, Almo... usłyszałaś moje pytanie poprzez dzielącą nas odległość i odpowiedziałaś mi twierdząco! Czy nie jest to prawdą?

Spanikowany wlepił w nią wzrok. Teraz ona zaniemówiła.

– A potem ty też zadałaś pytanie – ciągnął Ambrose. – Zapytałaś mnie milcząco, czy tego właśnie pragnę z tobą. I ja odpowiedziałem „tak", Almo! Pamiętam, że chyba nawet wypowiedziałem to na głos! Nie mógłbym odpowiedzieć bardziej jednoznacznie! Usłyszałaś, jak to mówię!

Cofnęła się myślą do owej nocy w składziku introligatorskim, do bezgłośnej eksplozji seksualnej rozkoszy, do odczuwania, jak jego pytanie wędruje poprzez jej całe ciało, a jej pytanie jak wędruje do niego. Co ona wtedy usłyszała? Słyszała, że ją pyta, tak wyraźnie, jakby słyszała kościelny dzwon: „Czy zechcesz żyć tak ze mną?". Oczywiście, że odpowiedziała tak. Sądziła, że pyta: „Czy zechcesz żyć ze mną w takiej jak ta zmysłowej rozkoszy?". A gdy w odpowiedzi zadała jemu pytanie: „Czy tego właśnie pragniesz ze mną?", miała na myśli: „Czy pragniesz ze mną takich właśnie zmysłowych rozkoszy?".

Dobry Boże na wysokości, zaszło między nimi nieporozumienie! Zaszło między nimi *nadprzyrodzone* nieporozumienie. Oto wydarzył się jedyny w życiu Almy Whittaker wypadek podpadający pod kategorię cudu, a ona go nie zrozumiała. To najtragiczniejszy żart, jaki kiedykolwiek usłyszała.

– Pytałam cię tylko o to – powiedziała znużona – czy pragniesz *mnie*. Co oznaczać miało… czy pragniesz mnie całej, w sposób, w jaki zazwyczaj kochankowie siebie pragną. Sądziłam, że pytasz o to samo.

– Ale ja nigdy nikogo bym nie poprosił o kontakt cielesny, w sensie, o jakim mówisz – odparł Ambrose.

– Dlaczego nie?

– Ponieważ w niego nie wierzę.

Alma nie pojmowała tego, co słyszy. Przez długą chwilę nie była w stanie wydobyć głosu.

– Czy w twoim pojęciu akt współżycia… nawet między mężczyzną i jego żoną… jest czymś podłym i zepsutym? Przecież na pewno wiesz, Ambrose, co inni ludzie dają sobie w małżeńskiej intymności. Czy uważasz, że pragnienie męża jako męża mnie poniża? Musiałeś słyszeć opowieści o przyjemnościach, jakie sobie dają mężczyźni i kobiety?

– Nie jestem jak inni mężczyźni, Almo. Powiedz szczerze, czy po tak długim czasie naszej znajomości może cię to zaskoczyć?

– Wyobrażasz sobie więc, że kim jesteś, jeśli nie tym, kim inni mężczyźni?

– Nie chodzi o to, co ja sobie wyobrażam, Almo… a o to, kim pragnę być. Czy raczej, kim niegdyś byłem i pragnę być znowu.

– A to oznacza kim, Ambrose?

– Aniołem Boga – odpowiedział Ambrose głosem przepełnionym niewyrażalnym smutkiem. – Miałem nadzieję, że będziemy mogli razem być aniołami Boga. Ale to nie stanie się możliwe, dopóki się nie wyzwolimy z ciała w naszej wędrówce ku niebiańskiej łasce.

– Och, na litość boską dwa razy pieprzonej *Chrysta* maci! – zaklęła Alma.

Chciałaby go schwycić i porządnie nim potrząsnąć, tak jak innego dnia potrząsnęła Robertem, robotnikiem z ogrodu. Chciałaby przedyskutować z nim Pismo Święte. Chciałaby mu powiedzieć, że Jehowa ukarał kobiety z Sodomy za seksualne obcowanie z aniołami – *ale otrzymały przynajmniej sposobność!* Co to za los, dostać anioła, i to tak pięknego, jednak tak niespolegliwego…

– Ambrose, daj spokój! – powiedziała. – Zbudź się! Nie żyjemy w rzeczywistości niebiańskiej... ani ty, ani z całą pewnością ja! Jakże możesz być aż tak ciemny? Dziecko, zwróć na mnie swoje oczy! Swoje prawdziwe oczy... swoje śmiertelne oczy. Czy ja przypominam ci anioła, Ambrosie Pike?

– Tak – odpowiedział prosto i smutno.

Wściekłość wyparowała z Almy, a jej miejsce zajął ciężki jak ołów, bezdenny smutek.

– A więc jesteś w wielkim błędzie – stwierdziła – i znaleźliśmy się w piekielnym bałaganie.


Nie mógł pozostać w White Acre.

Stało się to oczywiste jeszcze przed upływem tygodnia – podczas którego Ambrose nocował w pokoju gościnnym we wschodnim skrzydle, a Alma spała na otomanie w powozowni, obydwoje zaś w równym stopniu doświadczali dwuznacznych uśmieszków i chichotów młodych pokojówek. Być krócej niż miesiąc po ślubie i już spać nie tylko w różnych sypialniach, ale w różnych budynkach... zdecydowanie był to skandal zbyt smakowity, by ciekawska służba go zbagatelizowała.

Hanneke starała się nakazać służbie milczenie, ale plotki pojawiały się i śmigały niczym nietoperze o świcie. Mówili, że Ambrose nie może znieść, iż Alma jest taka stara i brzydka, pomimo fortuny, jaką ma wypchaną swoją wyschłą cipę. Mówili, że przyłapano Ambrose'a na kradzieży. Mówili, że Ambrose lubi młode ślicznotki i że przyłapano go z ręką na tyłeczku mleczarki. Mówili, co tylko chcieli; Hanneke nie była w stanie wszystkich odprawić. Alma słyszała to i owo na własne uszy, a czego nie słyszała, z łatwością potrafiła sobie wyobrazić. Łowiła wystarczająco niegodziwe spojrzenia.

Pod koniec października ojciec wezwał ją do swego gabinetu.

– O co tu chodzi? – zapytał. – Znudzona już nową zabawką?

– Nie kpij sobie ze mnie, ojcze... przysięgam ci, sama nie mogę tego znieść.

– Więc mi to wytłumacz.

– Wytłumaczenie zbyt duży przyniosłoby mi wstyd.

– Nie potrafię wyobrazić sobie, że tak jest, jak mówisz. Czy może imaginujesz sobie, że nie słyszałem dzisiaj kolejnej porcji plotek? Nic, co byś mi powiedziała, nie mogłoby przynieść większego wstydu od tego, co ludzie i tak już gadają.

– Nie mogę tego powiedzieć, ojcze.

– Czy on cię zdradził? *Tak szybko?*

– Znasz go, ojcze. Nie byłby do tego zdolny.

– Żadne z nas dobrze go nie zna, Almo. O co więc chodzi? Ukradł coś tobie… albo *mnie?* Czy może on zajeżdża cię prawie na śmierć? Bije cię skórzanym pasem? Nie, jakoś tego nie widzę. Nazwij to, dziewczyno. Co jest jego zbrodnią?

– On nie może tu dłużej zostać, a ja nie mogę powiedzieć dlaczego.

– Czy uważasz, że należę do ludzi, którzy mdleją, usłyszawszy prawdę? Jestem stary, Almo, ale jeszcze nie w grobie. Niech ci się nie wydaje, że nie zgadnę, jeśli zadam jeszcze parę pytań. Czy jesteś oziębła? Czy w tym cała rzecz? Czy też może on ma flaka?

Nie odpowiedziała.

– Aha – skonkludował. – Coś więc w tym stylu. Czyli nie doszło do porozumienia w sprawie małżeńskiej powinności?

Znowu nie odpowiedziała.

Henry klasnął w dłonie.

– No i cóż z tego? Mimo wszystko lubicie swoje towarzystwo. To więcej niż wielu innym ludziom jest dane w małżeństwie. I tak jesteś zbyt stara, by rodzić dzieci. Wiele małżeństw nie ma szczęśliwego pożycia w sypialni. Po prawdzie, to większość. Źle dobranych par jest więcej niż much na tym padole. Wasze małżeństwo może i skwaśniało szybciej od innych, ale cierpliwie zniesiesz i przetrzymasz to, Almo, jak większość z nas czyni… czy też czyniła. Czyż nie wychowano cię do cierpliwego znoszenia i przetrzymywania rzeczy? Nie pozwolisz, żeby twoje życie zawaliło się od jednego niepowodzenia. Bierz, ile się da dobrego. Myśl o nim, jakby był bratem, jeśli nie dość satysfakcjonująco zabawia cię pod kołdrą. Jako brat będzie wystarczająco dobry. Miły z niego kompan dla nas wszystkich.

– Nie odczuwam potrzeby posiadania brata. Powiadam, ojcze, *on nie może tu dłużej zostać.* Musi ojciec go stąd usunąć.

– A ja ci powiadam, córko, że nie upłynęły jeszcze trzy miesiące, jak staliśmy obydwoje w tym samym pokoju i ja wysłuchiwałem, jak perorowałaś, że musisz poślubić tego mężczyznę... mężczyznę, o którym nic nie wiedziałem, a o którym ty wiedziałaś tyle więcej, co wart jeden grosz. A teraz chcesz, żebym go przepędził. Czym ja mam być, twoim bulterierem? Zwierzę ci się, mnie się to nie podoba, ani trochę. Nie ma w tym godności. Czy to plotki cię tak męczą? Staw im czoło, jak Whittakerówna. Idź i pokazuj się wśród tych, co cię wyśmiewają. Strzel kogoś w głowę, jeśli nie spodoba ci się spojrzenie, jakie ci pośle. Nauczą się. Znajdą wkrótce coś innego do obgadywania. Ale rzucać tego młodego człowieka tylko dlatego, że... co? Nie zabawił cię? Weź sobie jakiegoś ogrodnika, jeśli musisz mieć jurnego samca w łóżku. Są mężczyźni, którym się płaci za taką rozrywkę, tak samo jak mężczyźni płacą kobietom. Ludzie pożądający pieniędzy zrobią wszystko, a ty pieniędzy masz dosyć. Użyj swojego wiana do założenia haremu młodych mężczyzn, dostarczających przyjemności, jeśli masz na to ochotę.

– Ojcze, proszę... – powiedziała błagalnym tonem.

– Tymczasem jednak co proponujesz, żebym uczynił z naszym panem Pikiem? – kontynuował. – Mam wlec go za powozem po ulicach Filadelfii, wymazanego smołą? Wrzucić do wód rzeki Schuylkill, przywiązanego do beczki pełnej kamieni? Zawiązać mu oczy, postawić pod ścianę i zastrzelić?

Nie była w stanie nic zrobić, stała tam pełna wstydu i smutku, niezdolna do jakiejkolwiek odpowiedzi. Czego się spodziewała po ojcu? A więc – choćby zdawało się to niemądre – oczekiwała, że Henry stanie w jej obronie. Sądziła, że Henry będzie oburzony jej znieważeniem. W jakimś stopniu oczekiwała, że będzie przemierzał dom z jedną ze swoich sławnych tyrad, wymachując ramionami niczym aktor w farsie: *Jak mogłeś coś takiego uczynić mojej córce?* Tego typu. Coś, co dorówna nasileniu i głębi jej własnej straty i wściekłości. Czemu jednak tak sądziła? Czy widziała, żeby Henry Whittaker kiedykolwiek kogokolwiek bronił? A jeśli w tej sprawie miałby kogoś bronić, to wyglądało na to, że bliski jest obrony Ambrose'a.

Zamiast przyjść z poratowaniem, ojciec ją zbagatelizował. Co więcej, Alma przypomniała sobie rozmowę, którą odbyła z Henrym na temat jej małżeństwa z Ambrose'em, niecałe trzy miesiące wcześniej. Henry ją ostrzegał – albo przynajmniej podniósł temat – czy „taki mężczyzna może jej dać satysfakcję w małżeńskim stanie". Co wtedy wiedział, a nie wyjawił? Co wie teraz?

– Dlaczego nie powstrzymałeś mnie przed małżeństwem? – zapytała w końcu. – Coś podejrzewałeś. Dlaczego nic nie powiedziałeś?

Henry wzruszył ramionami.

– Nie należało do zakresu moich obowiązków trzy miesiące temu postanawiać za ciebie. Ani nie należy teraz. Jeśli coś trzeba zrobić z tym młodym człowiekiem, musisz to zrobić sama.

Almie nie mieściło się to w głowie: Henry postanawiał za nią od zawsze, odkąd zaczęła być okruszkiem małej dziewczynki – przynajmniej zawsze tak to odbierała.

Nie powstrzymała się od zapytania.

– Ale co według ojca powinnam z nim zrobić?

– Rób, co ci się cholernie żywnie podoba, Almo! To jest twoja decyzja. Nie ja dysponuję panem Pikiem. Ty wniosłaś to coś w nasze domowe gospodarstwo, ty się tego pozbywasz... jeśli właśnie tego chcesz. I bierz się żwawo do dzieła. Zawsze lepiej uciąć całość, niż odrywać po kawałku. W sposób taki czy inny, ale życzę sobie, żeby problem został rozwiązany. Pewna doza zdrowego rozsądku umknęła tej rodzinie w ciągu ostatnich kilku miesięcy i chciałbym zobaczyć jego powrót. Mamy za dużo roboty, aby się zajmować takimi głupstwami.

W następnych latach Alma będzie próbowała przekonać samą siebie, że o tym, gdzie Ambrose ma się udać w dalszej części swego życia, zadecydowali wspólnie – ale było to jak najdalsze od prawdy. Ambrose Pike nie był człowiekiem, który decydowałby o sobie. Był jak puszczony luzem balonik, bajecznie podatny na wpływ potężniejszych od siebie – a każdy był od niego potężniejszy. Zawsze robił to, co mu kazano. Matka kazała mu studiować na Uniwersytecie Harvarda, więc zapisał się na Uniwersytet Harvarda. Przyjaciele wyciągnęli go ze śnieżnej zaspy i umieścili na oddziale dla chorych psychicznie, więc posłusznie pozwolił się tam zamknąć. Daniel Tupper z Bostonu powiedział mu, żeby jechał do meksykańskiej dżungli i malował orchidee, więc pojechał do dżungli i malował orchidee. George Hawkes zaprosił go do Filadelfii, więc przyjechał do Filadelfii. Alma zainstalowała go w White Acre i zleciła wykonanie wspaniałego *florilegium* roślinnej kolekcji jej ojca, więc wziął się do tego bez żadnych pytań. Poszedłby wszędzie, gdzie by mu wskazano.

Chciał być aniołem Boga, lecz Pan uchronił go, był jedynie owieczką.

Czy faktycznie obmyślała plan, który byłby dla niego najlepszy? Później mówiła sobie, że tak. Nie rozwiedzie się z nim; nie było potrzeby skazywać któregokolwiek z nich na taki skandal. Zaopatrzy go w wystarczające fundusze – nie żeby on kiedykolwiek o cokolwiek prosił, ale ponieważ tak należało uczynić. Nie wyśle go z powrotem do Massachusetts, nie tylko dlatego, że nie cierpi jego matki (nie cierpi jego matki za sprawą tamtego jednego listu!), ale także dlatego, iż myśl o Ambrosie już zawsze śpiącym na kozetce swego przyjaciela Tuppera była dla niej udręką. Nie mogła też wysłać go z powrotem do Meksyku, to pewne. Raz już tam prawie umarł z gorączki.

Ale także nie mogła zatrzymać go w Filadelfii, ponieważ jego obecność była dla niej źródłem zbyt wielkiego cierpienia. Litości, jakże ona straciła przy nim na znaczeniu! Ciągle jednak kochała jego twarz – bladą teraz i zmartwioną. Sam jej widok wywoływał w niej taką niewybredną, bezwstydną potrzebę, że ledwo go tolerowała. Będzie musiał wyjechać gdziekolwiek – byle daleko. Nie chce spotykać go w nadchodzących latach.

Napisała list do Dicka Yanceya – zarządcy o żelaznej pięści – który przebywał akurat w Waszyngtonie i załatwiał interesy z powstającymi tam ogrodami botanicznymi. Alma wiedziała, że wkrótce Yancey wyruszy na południowy Pacyfik na pokładzie statku wielorybniczego. Miał udać się na Tahiti, by przeprowadzić dochodzenie na podupadającej plantacji wanilii, należącej do Whittaker Company, i podjąć próbę wdrożenia taktyki sztucznego zapylania, którą Ambrose zasugerował ojcu Almy w czasie pierwszego wieczoru swego pobytu w White Acre.

Yancey zamierzał ruszyć w drogę niebawem, przed upływem dwóch tygodni. Był to dobry czas na żeglugę, jeszcze przed późnojesiennymi sztormami oraz przed porą zamarzania portów. Alma o tym wszystkim wiedziała. Czemu Ambrose nie miałby się udać razem z Dickiem Yanceyem? Było to przyzwoite, a nawet doskonałe rozwiązanie. Ambrose mógł przejąć zarządzanie plantacją wanilii. Zrobi na tym karierę, czyż nie? Wanilia to przecież orchidee. Henry Whittaker byłby zadowolony z takiego planu; na początku właśnie tego chciał, wysłać Ambrose'a na Tahiti, dopóki Alma nie wyperswadowała mu tego pomysłu – z wielką szkodą dla siebie samej.

Czy to było wygnanie? Alma starała się tak o tym nie myśleć. O Tahiti się mówi, że to raj, powtarzała sobie. To nie kolonia karna. Owszem, Ambrose jest delikatny, ale Dick Yancey dopilnuje, żeby nie stała mu się żadna krzywda. Praca będzie interesująca. Klimat panuje tam przyjemny i zdrowy. Kto nie zazdrościłby możliwości ujrzenia bajecznych wybrzeży Polinezji? Była to okazja, jaką każdy człowiek botaniki i handlu przywitałby radośnie – poza tym będą mu płacić.

Odsunęła na bok wewnętrzny głos, który protestował, że przecież to jest z całą pewnością wygnanie – i do tego brutalne. Omijała to, o czym dobrze wiedziała – że Ambrose nie jest ani człowiekiem botaniki, ani handlu, że jest istotą o wyjątkowej wrażliwości oraz talencie, istotą obdarzoną delikatnym umysłem, która być może zupełnie się nie nadaje ani do długiej podróży na wielorybniczym statku, ani do życia na rolniczej plantacji gdzieś pośród dalekich południowych mórz. Ambrose bardziej był dzieckiem niźli mężczyzną i wiele razy powtarzał Almie, że niczego więcej nie pragnie w życiu prócz bezpiecznego domu oraz czułego towarzystwa.

Cóż, wiele jest w życiu rzeczy, których pragniemy, mówiła sobie, i nie zawsze je dostajemy.

Poza tym nie miała gdzie go wysłać.

Poczyniwszy postanowienia, Alma umieściła męża na dwa tygodnie w hotelu United States – dokładnie naprzeciwko wielkiego banku, w którym w tajnych skarbcach trzymane były pieniądze jej ojca – sama zaś czekała na powrót Dicka Yanceya z Waszyngtonu.

W hallu hotelu United States właśnie, dwa tygodnie później, przedstawiła Alma męża Dickowi Yanceyowi – górującemu, milczącemu Dickowi Yanceyowi o strasznym spojrzeniu i szczęce jak wyrzeźbionej ze skały, który nie zadawał pytań i postępował wyłącznie tak, jak mu nakazano. Ambrose przecież też robił tylko to, co mu kazano. Przygarbiony i blady o nic nie zapytał. Nie zapytał nawet, jak długo ma pozostać w Polinezji. Zresztą i tak nie wiedziałaby, co odpowiedzieć na takie pytanie. To nie zesłanie, cały czas sobie powtarzała. Ale nawet ona nie wiedziała, jak długo ma owo niezesłanie trwać.

– Odtąd opiekować się tobą będzie pan Yancey – powiedziała do Ambrose'a. – Będziesz miał wszelkie możliwe wygody.

Czuła się, jakby zostawiała małe dziecko pod opieką krokodyla. W owej chwili kochała każdy cal Ambrose'a tak, jak zawsze go kochała – to znaczy *totalnie*. Już wtedy na samą myśl, że będzie żeglował na drugi koniec świata, poczuła wszechogarniającą pustkę. Ale przecież od ich nocy poślubnej nie czuła nic innego oprócz wszechogarniającej pustki. Pragnęła go objąć, ale *zawsze* przecież pragnęła go obejmować i nigdy nie mogła tego robić. Nie pozwoliłby. Pragnęła przylgnąć do niego i błagać, by został, błagać go, by ją kochał. Ale nie było jej wolno. I nic by to nie dało.

Uścisnęli sobie dłonie, tak samo jak w greckim ogrodzie jej matki w dniu, w którym się poznali. Ta sama mała zniszczona skórzana walizka stała u jego nogi, wypełniona wszystkim, co posiadał. Miał na sobie ten sam brązowy sztruksowy garnitur. Nie zabrał dla siebie nic z White Acre.

Ostatnią rzeczą, którą do niego powiedziała, było:

– Proszę cię, Ambrose, zrób to dla mnie i nie mów nikomu, kogokolwiek spotkasz, o naszym małżeństwie. Nikt nie musi wiedzieć, co się wydarzyło między nami. Podróżujesz nie jako zięć Henry'ego Whittakera, lecz jako jego pracownik. Cokolwiek innego będzie tylko prowadzić do pytań, a ja nie tęsknię do pytań, jakie mi może zadać świat.

Zgodził się skinieniem głowy. Nic nie powiedział. Wyglądał na chorego i wyczerpanego.

Alma nie potrzebowała prosić Dicka Yanceya o utrzymanie w tajemnicy jej historii z panem Pikiem. Zarządca wyłącznie dotrzymywał tajemnic, nie robił nic innego; dlatego właśnie Whittakerowie tak długo go zatrudniali.

To dzięki temu Dick Yancey się przydawał.

# ROZDZIAŁ OSIEMNASTY

Przez kolejne trzy lata Alma nie miała żadnych wieści od Ambrose'a; prawdę powiedziawszy, prawie w ogóle nie miała o nim wiadomości. Wczesnym latem 1849 roku Dick Yancey przesłał informację, że dotarli bezpiecznie, po podróży bez niespodzianek, na Tahiti. (Alma wiedziała, że to wcale nie znaczy, iż żegluga była łatwa; Dick Yancey każdą podróż, która nie kończyła się rozbiciem statku lub pojmaniem przez piratów nazywał podróżą bez niespodzianek). Raportował, że pan Pike został wysadzony w zatoce Matavai i oddany pod opiekę zainteresowanego botaniką misjonarza o nazwisku wielebny Francis Welles oraz że został wprowadzony w obowiązki związane z nadzorem nad plantacją wanilii. Niedługo potem Dick Yancey opuścił Tahiti, by zająć się interesami Whittakerów w Hongkongu. A potem nie było już żadnych nowych wiadomości.

Dla Almy był to czas nasycony rozpaczą. Rozpacz wywołuje znużenie i szybko staje się monotonna, dlatego też każdy dzień stawał się powtórzeniem dnia poprzedniego: smutny, samotny i bez wyrazu. Najgorsza okazała się pierwsza zima. Miesiące mijały zimniejsze i mroczniejsze niż jakiekolwiek inne w życiu Almy. Kiedy przechodziła między powozownią a domem, czuła, jak gromadzą się nad nią niewidzialne drapieżne ptaki. Nagie drzewa rzucały surowe spojrzenia, wołając, by je ogrzała albo ubrała. Schuylkill zamarzła wyjątkowo szybko i pokryła się tak grubym lodem, że mężczyźni nocą rozpalali na niej ogniska i piekli woły na rożnie. Kiedy Alma wychodziła na zewnątrz, uderzał w nią wiatr, chwytał w swe objęcia i owijał się dookoła niej niby sztywny lodowaty płaszcz.

Przestała sypiać w sypialni. Właściwie to prawie w ogóle przestała sypiać. Od czasu konfrontacji z Ambrose'em żyła głównie w powozowni; nie potrafiłaby znowu korzystać z małżeńskiego łoża. Przestała też zasiadać do posiłków w domu i jadała na obiad to samo, co na śniadanie: bulion i chleb, mleko i melasę. Zrobiła się apatyczna, przepełniał ją tragizm oraz czuła się trochę tak, jakby była morderczynią. Wszystko ją irytowało i drażniło ze strony właśnie tych, którzy najlepiej ją traktowali – na przykład Hanneke de Groot – i przestała zajmować się oraz troszczyć o takich ludzi jak Prudence albo biedna przyjaciółka Retta. Unikała ojca. Prawie nie doglądała prac w White Acre. Narzekała, że Henry traktuje ją niesprawiedliwie – jak służącą.

– Nigdy nie twierdziłem, że jestem sprawiedliwy! – krzyczał i zsyłał ją z powrotem do powozowni, dopóki się nie weźmie w garść.

Miała wrażenie, że świat kpi sobie z niej, więc nie umiała stawić mu czoła.

Alma zawsze była krzepka i nie znała, co to niedola chorego, przykutego do łóżka, ale pierwszej wiosny po odjeździe Ambrose'a miała kłopoty z porannym wstawaniem. Straciła zapał do badań. Nie rozumiała, czemu kiedykolwiek interesowała się mchem – ani czymkolwiek innym. Cały jej dawny entuzjazm porosły chwasty. Nie zapraszała gości do White Acre. Nie miała ochoty. Rozmawianie stało się nieznośnie męczące; milczenie jeszcze gorsze. Jej myśli były skażone i w niczym nie pomagały. Jeśli odważała się pojawić w jej pobliżu pokojówka albo ogrodnik, najbardziej prawdopodobne było, że Alma zakrzyknie: „Dlaczego nie mogę sobie pozwolić na chwilę prywatności?", i rzuci się w przeciwnym kierunku.

Gorączkowo poszukiwała odpowiedzi na temat Ambrose'a. Przeszukiwała jego pracownię, którą zostawił w nienaruszonym stanie. W górnej szufladzie biurka znalazła notes, pełen prywatnych zapisków. Nie powinna czytać czegoś tak osobistego, zdawała sobie z tego sprawę, ale uznała, że jeśli Ambrose chciałby zachować w tajemnicy swoje najskrytsze myśli, nie trzymałby ich zbioru w oczywistym miejscu, jakim jest niezaryglowana górna szuflada biurka. Notes nie przyniósł jednak żadnej odpowiedzi. Najwyżej zamącił jej jeszcze bardziej w głowie i przeraził. Stron nie zapełniały zwierzenia ani tęsknoty, nie było tam też prostego rejestru dziennych wydatków, jak w dziennikach ojca. Żaden wpis nie posiadał choćby daty. Wiele zdań nie było nawet zdaniami, a zaledwie ułomkami myśli, podążającymi za długimi myślnikami i lukami w tekście.

*Czymże twa wola – ?... Wieczystym zapominaniem wszelakich waśni... pragnieniem wyłącznie tego, co zdrowe i czyste, stosowaniem się jedynie do boskiej zasady samostanowienia... Znajduj wszędzie powściągnięte to, co przywiązane... Czy aniołowie tak boleśnie się skręcają przeciwko samym sobie oraz cuchnącemu ciału? Wszystko, co się we mnie zepsuło, ma być nieprzerwane i wrócić dzięki nie-samo-kaleczącej poprawie!... Być na wskroś – odrodzonym! – w dobroczynnej pewności!... Tylko za sprawą skradzionego płomienia albo skradzionej wiedzy mądrość jest zdolna do postępu!... W nauce brak mocy, ale połączenie obu – przymierze, w którym ogień rodzi wodę... Chrystusie, bądź mą esencją, bądź mi wewnątrz mnie przykładem!... ROZPALONY głód, gdy go karmić, rodzi jedynie więcej głodu!*

I tak strona za stroną. Konfetti myśli. Nie miało początku, prowadziło donikąd, kończyło się nigdzie. W świecie botaniki taki niejasny język nazywano *nomina dubia* albo *nomina ambigua* – co oznaczało mylące i dziwne nazwy roślin, określające niemożliwe do sklasyfikowania gatunki.

Pewnego popołudnia Alma wreszcie się załamała i zerwała pieczęcie na kunsztownie złożonym wykwintnym papierze, który dostała od Ambrose'a w dniu ślubu – na owym dziwnym przedmiocie, „przesłaniu miłości", którego, wedle jego specjalnej prośby, miała nigdy nie otwierać. Rozprostowała wielokrotne złożenie i wygładziła dłonią. Na środku kartki widniało jedno słowo, nakreślone jego eleganckim, charakterystycznym pismem: ALMA.

Bez sensu.

Kim jest ten człowiek? Czy raczej – kim był? I kim jest Alma, teraz, kiedy się rozstali? *Czym* jest, wnikała dalej. Jest dziewicą mężatką, która dzieliła swoje czyste łoże ze wspaniałym młodym mężem przez nieledwie miesiąc. Czy może w ogóle nazywać siebie żoną? Nie sądzi. Nie była w stanie się zmusić do dalszego używania nazwiska „pani Pike", które wydawało jej się teraz bolesnym żartem. Warczała na każdego, kto odważył się tak do niej zwrócić. Była nadal Almą Whittaker, tak jak zawsze była Almą Whittaker.

Nie potrafiła się powstrzymać od myślenia, że gdyby tylko była ładniejszą albo młodszą kobietą, nakłoniłaby męża, aby kochał ją tak, jak powinien kochać mąż. Dlaczego Ambrose uznał ją za kandydatkę do *mariage blanc*? Z pewnością dlatego, że wyglądała, jakby się do tego nadawała: pospolita postać nierobiąca żadnego wrażenia. Zadręczała się również pytaniem, czy powinna się przyuczyć do znoszenia upokorzenia w małżeństwie, jak radził ojciec. Być może należało zaakceptować warunki Ambrose'a. Gdyby zdobyła się na przełknięcie obrazy dumy oraz stłumienie pożądania, miałaby go wciąż przy sobie – towarzysza dni. Silniejsza jednostka może byłaby w stanie to znieść.

Zaledwie rok wcześniej była zadowoloną, pracowitą kobietą, która nigdy nawet nie słyszała o Ambrosie Pike'u, a teraz jej egzystencja rozsypywała się przez niego. Ten człowiek przybył, olśnił ją, omamił przedstawianiem piękna oraz cudu, rozumiał ją i jednocześnie nie rozumiał, poślubił ją i złamał jej serce, patrzył na nią tymi smutnymi i zrozpaczonymi oczami, zaakceptował wygnanie, a teraz go nie ma. Jak trudną i niewiarygodną rzeczą jest życie – że też taki kataklizm może nadejść i odejść tak szybko, zostawiwszy za sobą takie spustoszenie!

Pory roku mijały z ociąganiem. Był już 1850 rok. Pewnej kwietniowej nocy Alma zerwała się obudzona gwałtownym, nieokreślonym koszmarem sennym. Palce wczepione miała we własne gardło, krztusząc się sucho ostatnimi okruchami przerażenia. W panice uczyniła najdziwniejszą rzecz. Zsunęła się z otomany i wybiegła z powozowni na boso, przecięła żwirowy podjazd, dalej oszroniony dziedziniec, w końcu grecki ogród matki i pobiegła w kierunku domu. Okrążyła róg, biegnąc w stronę kuchennych, tylnych drzwi, pchnęła je z bijącym sercem i z trudem łapiąc oddech. Zbiegła na dół po schodach – w ciemności rozpoznając stopami każdy wyrobiony drewniany stopień – i zatrzymała się dopiero przy kracie zamykającej dostęp do sypialni Hanneke de Groot, zlokalizowanej w najcieplejszym kącie sutereny. Złapała za kratę i potrząsnęła nią jak oszalała więźniarka.

– Hanneke – krzyknęła. – Hanneke, boję się!

Gdyby chociaż na chwilę się zatrzymała podczas biegu, zapewne by się zastanowiła. Pięćdziesięcioletnia kobieta biegła w ramiona swojej starej niani. Absurdalne. Ale się nie zatrzymała.

– *Wie is daar?* – krzyknęła Hanneke zaskoczona.

– *Ik ben het. Alma!* – odpowiedziała Alma, przechodząc na stary kochany niderlandzki. – Musisz mi pomóc! Miałam straszny sen.

Hanneke wstała, gderliwa i zbita z tropu, i otworzyła kratę. Alma rzuciła się jej w ramiona – w owe wielkie, słone szynki – i rozpłakała jak dziecko. Hanneke była zaskoczona, ale dostosowała się i poprowadziła ją do łóżka, posadziła, objęła i pozwoliła się wyszlochać.

– Już dobrze, dobrze – powiedziała Hanneke – nic ci nie grozi, to cię nie zabije.

Ale Alma myślała, że bezdeń smutku jednak ją *zabije*. Nie mogła dotrzeć do jego dna. Tonęła w nim coraz głębiej od półtora roku i czuła lęk, że będzie tak tonąć już na zawsze. Wypłakiwała wszystko w szyję Hanneke, łkaniem zbierając plony swego od dawna mroczniejącego nastroju. Wylać musiała wielki kufel łez na podołek Hanneke, zarządczyni jednak się nie poruszyła ani nie rzekła nic innego prócz powtarzania: „Dobrze, już dobrze, moje dziecko. To cię nie zabije".

Kiedy Alma trochę się uspokoiła, Hanneke sięgnęła po czystą ściereczkę i rutynowo wytarła ją oraz siebie, jakby wycierała blaty w kuchni.

– To, od czego nie można uciec, trzeba znosić – powiedziała do Almy, ocierając jej łzy. – Nie umrzesz ze smutku… nie bardziej niż reszta ludzi.

– Ale w jaki sposób człowiek ma to znosić? – zapytała błagalnym głosem Alma.

– Godnie wypełniając obowiązki – odparła Hanneke. – Nie bój się pracy, dziecko. Znajdziesz w niej pocieszenie. Jeśli masz dosyć zdrowia, aby płakać, masz dosyć zdrowia, żeby pracować.

– Ale ja go kochałam – wykrztusiła Alma.

– W takim razie popełniłaś kosztowny błąd – westchnęła Hanneke. – Pokochałaś człowieka, który sądził, że świat jest z masła. Pokochałaś człowieka, który chciał oglądać gwiazdy w świetle dnia. Był bez sensu.

– Nie był bez sensu.

– Był *bez sensu* – powtórzyła Hanneke.

– Był wyjątkowy – odrzekła Alma. – Nie chciał żyć w ciele śmiertelnika. Chciał być niebiańską istotą... i chciał, żebym ja również się nią stała.

– Sama widzisz, Almo, każesz mi powtórzyć to jeszcze raz: był bez sensu. A jednak traktowałaś go tak, jakby był przybyszem niebiańskim. Prawdę powiedziawszy, wszyscy go tak traktowaliście! – Czy uważasz, że był łotrem? Że był podły?

– Nie. Ale nie był też niebiańskim przybyszem. Mówię ci, był po prostu trochę bez sensu. Powinien się okazać nieszkodliwy, ale ty jednak padłaś jego ofiarą. No cóż, drogie dziecko, wszyscy czasami padamy ofiarą jakiegoś nonsensu i czasami jesteśmy na tyle niemądrzy, żeby ten nonsens pokochać.

– Żaden mężczyzna mnie już nie posiądzie – stwierdziła Alma.

– Prawdopodobnie żaden – odparła zdecydowanie Hanneke. – Ale teraz musisz się z tym pogodzić... i nie jesteś pierwsza. Przez długi czas nurzałaś się w bagnie smutku, twoja matka wstydziłaby się za ciebie. Stajesz się miękka, a to jest hańba. Czy myślisz, że tylko ty cierpisz? Czytaj swoją Biblię, dziecko; ten świat nie jest rajem, lecz padołem łez. Czy myślisz, że Bóg uczynił dla ciebie wyjątek? Rozejrzyj się dookoła, co widzisz? Wszystko jest cierpieniem. Gdziekolwiek się obrócisz, wszędzie smutek. Jeśli w pierwszej chwili nie widzisz wszędzie smutku, spójrz uważniej. Przekonasz się, jak szybko go ujrzysz.

Słowa Hanneke były surowe, ale już samo brzmienie jej głosu krzepiło. Niderlandzki nie płynął miodem jak francuski ani nie był pełnym mocy językiem jak grecki, nie był szlachetny jak łacina, ale krzepił Almę niczym owsianka. Pragnęła złożyć głowę na podołku Hanneke i w nieskończoność wysłuchiwać łajania.

– Strząśnij z siebie ten kurz! – ciągnęła Hanneke. – Twoja matka będzie prześladować mnie zza grobu, jeśli pozwolę ci dalej tak się rozklejać i ssać ten żal jak przez ostatnie miesiące. Nie masz połamanych kości, stój więc o własnych kulasach. Chcesz, żebyśmy wiecznie ubolewali nad tobą? Czy ktoś wsadził ci gałąź do oka? Nie, nie wsadził… więc w takim razie przestań grymasić! Przestań spać jak pies na legowisku na tej twojej otomanie w powozowni. Weź się do obowiązków. Zajmij się ojcem… nie widzisz, że jest chory i stary i niedługo umrze? I daj mi spokój. Jestem za stara na takie głupoty, ty zresztą też. Byłoby szkoda, gdybyś na tym etapie życia, po tym wszystkim, czego cię nauczono, nie potrafiła lepiej nad sobą panować. Wracaj do swojego pokoju, Almo… do swojego *właściwego* pokoju, w tym domu. Zjesz jutro rano śniadanie przy stole razem z nami wszystkimi, tak jak zawsze, co więcej, oczekuję, że będziesz porządnie ubrana, zasiadając do posiłku. I zjesz wszystko, do ostatniego kęsa, i podziękujesz kucharzowi. Jesteś Whittakerówną, dziecko. Czas dojść do siebie. Już wystarczy.


Alma zrobiła, jak jej powiedziano. Co prawda pod groźbą oraz z wyczerpania, ale wróciła do własnej sypialni. Wróciła też do jadalni i wspólnego stołu, do obowiązków wobec ojca i do zarządzania White Acre. Najlepiej jak potrafiła wróciła do życia, które wiodła przed nastaniem Ambrose'a. Nie było lekarstwa na plotki pokojówek i ogrodników, ale – co przewidział Henry – w końcu zajęły ich inne skandale oraz dramaty i przestali gadać o zgryzotach Almy.

Ona sama o zgryzotach nie zapomniała, ale zaszyła rozdarcia w tkaninie swego życia tak dobrze, jak mogła, i żyła dalej. Po raz pierwszy dostrzegła, że zdrowie ojca faktycznie się rozpada, prawdę mówiła Hanneke, i to całkiem szybko. Co nie powinno zaskakiwać (miał wszak dziewięćdziesiąt lat!), ale zawsze widziała w nim takiego kolosa, taką ludzką niezwyciężoność, że jego teraźniejsza słabość zdumiewała ją i przerażała. Henry wycofywał się do sypialni na dłuższe okresy, szczerze niezainteresowany ważnymi sprawami handlowymi. Wzrok miał słaby, słuchu prawie wcale. Używał trąbki do ucha, by cokolwiek słyszeć. Almy potrzebował bardziej i mniej niż kiedykolwiek przedtem: bardziej jako pielęgniarki, mniej jako pracownika. Nigdy nie wspominał Ambrose'a. Nikt tego nie robił. Od Dicka Yanceya przychodziły sprawozdania informujące, że waniliowe pnącza na Tahiti wreszcie owocują. To były wszystkie wiadomości, jakie dostawała o swoim utraconym mężu.

Alma jednak nigdy nie przestała o nim rozmyślać. Cisza dochodząca z sąsiadującej z jej pracownią drukarni w powozowni stanowiła nieustający znak jego nieobecności, tak samo jak kurz i zaniedbanie w pawilonach orchidei oraz nuda przy stole podczas obiadu. Czekały ją rozmowy z George'em Hawkesem na temat zbliżającej się publikacji albumu orchidei Ambrose'a, której Alma miała doglądać. To również stanowiło znak, i to bolesny. Ale nie dało się nic z tym zrobić. Nie można wymazać każdego znaku. Po prawdzie, nie można wymazać *żadnego* znaku. Jej smutek nie znał przerwy, ale przetrzymywała go w kwarantannie w ukrytym zaułku serca, nad którym miała panowanie. To było wszystko, co mogła zrobić.

Kolejny raz, jak podczas innych samotnych momentów w życiu, zwróciła się ku zajęciom dającym pocieszenie i odwracającym uwagę. Wróciła do pracy nad *The Mosses of North America*. Wróciła do kolonii na głazach narzutowych i do kontrolowania progresu malutkich flag oraz znaczników. Znowu obserwowała powolne postępowanie lub rozpad jednego gatunku wobec drugiego. Wróciła do natchnionego spostrzeżenia sprzed dwóch lat – z czasu owych uderzających do głowy, radosnych tygodni przed ślubem – na temat podobieństwa pomiędzy glonami oraz mchami. Teraz nie było w niej tamtej pierwotnej, dzikiej pewności co do idei, ale nadal uważała za całkowicie możliwe, że roślina wodna przemieniła się w roślinę lądową. Coś w tym jest, istnieje między nimi jakiś zbieżny punkt lub związek, ale nie potrafiła rozwikłać zagadki.

Poszukując odpowiedzi oraz intelektualnego dla siebie zajęcia, wróciła do śledzenia toczącej się debaty na temat transformacji gatunków. Powtórnie przeczytała Lamarcka, dokładnie. Domniemywał, że biologiczna transmutacja następowała wtedy, gdy dochodziło albo do nadmiernego używania, albo zarzucania używania danych części ciała. Na przykład, utrzymywał, żyrafy mają takie długie szyje, ponieważ przez długi czas pewne konkretne żyrafy wyciągały się tak wysoko do góry, aby zjadać czubki drzew. Tym sposobem faktycznie *wymuszały* wzrost szyi w ciągu swego jednostkowego życia. Następnie przekazywały tę cechę – przedłużenie szyi – potomstwu. Z kolei pingwiny na odwrót, ich skrzydła są tak nieskuteczne, ponieważ zaprzestały ich używania. Skrzydła osłabiły się przez zaniedbanie i ta cecha – para szczątkowych niezdolnych do lotu wyrostków – została przekazana pingwiniemu potomstwu, zmieniając budowę całego gatunku.

Teoria była prowokacyjna, ale nie przekonywała Almy do końca. Uważała, iż gdyby przyjąć rozumowanie Lamarcka, transmutacja powinna się znacznie częściej pojawiać, niż da się to zaobserwować. Domniemywała, że według jego logiki po wiekach praktykowania obrzezania Żydzi powinni zacząć płodzić chłopców bez napletka. Mężczyźni, którzy całe życie się golą, powinni płodzić synów bez zarostu. Kobiety, które codziennie nawijają sobie włosy na wałki, powinny rodzić córki z naturalnymi lokami. A przecież nic z tego się nie wydarza.

Niemniej jednak rzeczy się *zmieniają* – Alma była tego pewna. I nie tylko ona. Niemal całe środowisko naukowe rozważało możliwość przemiany przedstawicieli danego gatunku z jednej formy w inną – być może nie na oczach, ale w dłuższym okresie czasu. Wokół tego tematu rozwijały się nieprawdopodobne teorie oraz bitwy. Dopiero co badacz William Whewell ukuł pojęcie *naukowiec*. Wielu uczonych protestowało przeciw takiemu bezceremonialnemu nowemu mianu, które brzmiało złowieszczo, tak jak straszne słowo *ateista**; czemu nie mogą dalej nazywać siebie po prostu *filozofami przyrody*? Czy ów tytuł nie jest bardziej pobożny, czystszy? Ale teraz przeprowadzano rozdział pomiędzy królestwem przyrody a królestwem filozofii. Pastorzy, którzy są także botanikami albo geologami, stają się coraz większą rzadkością, ponieważ badanie świata przyrody zaciemnia nazbyt wiele biblijnych aksjomatów. Kiedyś Bóg objawiał się w cudach natury; teraz to one rzucały Bogu wyzwanie. A uczeni musieli się opowiedzieć albo po jednej, albo po drugiej stronie.

---

* Naukowiec – ang. *scientist*, ateista – ang. *atheist*.

Gdy dawne pewniki trzęsły się i chwiały na bezustannie erodującym gruncie, Alma Whittaker – jedyna w White Acre – oddawała się niebezpiecznym rozważaniom. Rozmyślała o Thomasie Malthusie i jego koncepcjach dotyczących przyrostu naturalnego, chorób, kataklizmów, klęski głodu oraz zagrożenia gatunków. O wspaniałych nowych fotografiach Księżyca Johna Williama Drapera. Zastanawiała się nad teorią Louisa Agassiza, według której świat przeżył epokę lodowcową. Pewnego dnia wybrała się na długi spacer do muzeum przy Sansom Street, by zobaczyć pełną rekonstrukcję szkieletu mastodonta, a to wywołało w niej kolejną falę myśli o pradawności naszej planety – i w ogóle wszystkich planet. Powróciła do rozważań nad mchami oraz algami i nad tym, czy jeden gatunek mógł przemienić się w drugi. Znowu skoncentrowała się na *Dicranum*, i na zgłębianiu zagadnienia, jak ów konkretny gatunek mchu może istnieć w takiej mnogości nieznacznie się różniących odmian i za sprawą czego przybiera owe setki form oraz konfiguracji.

W końcu 1850 roku George Hawkes udostępnił światu album orchidei Ambrose'a – kunsztowną i kosztowną publikację zatytułowaną *The Orchids of Guatemala and Mexico*. Wszyscy, którzy zetknęli się z książką, uznali Ambrose'a Pike'a za najświetniejszego botanicznego rysownika epoki. Najsławniejsze ogrody chciały zamówić u pana Pike'a dokumentację własnych kolekcji, lecz Ambrose'a Pike'a nie było – zniknął na drugim końcu świata, uprawiał wanilię i był nieosiągalny. W Almie wywoływało to poczucie winy oraz wstyd, ale nie wiedziała, co ma z nimi zrobić. Każdego dnia spędzała z albumem jakiś czas. Piękno dzieła Ambrose'a przynosiło jej ból, ale też nie była w stanie od niego odejść. Poprosiła George'a Hawkesa, by wysłał jeden egzemplarz Ambrose'owi na Tahiti, ale nigdy się nie dowiedziała, czy przesyłka doszła. Załatwiła również, by matka Ambrose'a – budząca respekt pani Constance Pike – otrzymywała zyski, jakie książka przynosiła. To wywołało grzeczną wymianę korespondencji pomiędzy Almą i teściową. Pani Pike wielce niefortunnie sądziła, iż jej syn uciekł od świeżo poślubionej żony, by gonić lekkomyślne mrzonki – a Alma, jeszcze bardziej niefortunnie, nie wyprowadziła jej z błędnego mniemania.

Raz w miesiącu Alma odwiedzała dawną przyjaciółkę Rettę w Zakładzie Griffona. Retta przestała rozpoznawać Almę – ani też, jak się zdaje, nie rozpoznawała już samej siebie.

Z siostrą Alma się nie spotykała, ale od czasu do czasu miała o niej wieści: ubóstwo i abolicja, abolicja i ubóstwo, wciąż ta sama ponura historia.

Alma zastanawiała się głęboko nad wszystkimi owymi sprawami, ale nie wiedziała, co myśleć. Dlaczego ich koleje losu potoczyły się właśnie tak, a nie inaczej? Przywołało to na pamięć cztery odmienne rodzaje czasu i to, jak je kiedyś nazwała: Czas Boski, Czas Geologiczny, Czas Ludzki, Czas Mchu. Zdała sobie sprawę, że większość życia spędziła, marząc o przebywaniu w powolnym, mikroskopijnym świecie Czasu Mchu. Pragnienie było wystarczająco dziwne, ale kiedy poznała Ambrose'a Pike'a, zobaczyła, że jego pragnienia są jeszcze bardziej radykalne: chciał żyć w wiecznej pustce Czasu Boskiego – co oznacza, że po prostu chciał żyć poza czasem. I chciał, aby ona żyła tam razem z nim.

Jedno było pewne: Czas Ludzki jest najsmutniejszą, najbardziej obłędną, najbardziej druzgocącą odmianą czasu, jaka kiedykolwiek istniała. I Alma robiła wszystko, by ją ignorować.

Lecz dni i tak mijały.

Na początku maja 1851 roku, w chłodny, deszczowy poranek, przyszedł list zaadresowany do Henry'ego Whittakera. Nie było podanego nadawcy, a krawędzie koperty zaopatrzono tuszem w czarną obwódkę, co oznaczało żałobę. Alma czytała całą korespondencję Henry'ego, więc – rzetelnie wypełniając obowiązki przy biurku ojca – otworzyła i tę kopertę.

*Drogi Panie Whittaker,*
*piszę do Pana, by się przedstawić i jednocześnie przekazać smutną wiadomość. Nazywam się wielebny Francis Welles i od trzydziestu siedmiu lat jestem misjonarzem w zatoce Matavai na Tahiti. Kiedyś prowadziłem interesy z Pana dobrym przedstawicielem, Panem Yanceyem, który zna mnie ja-*

343

ko amatora entuzjastę w dziedzinie botaniki. Zbierałem dla Pana Yanceya sadzonki, pokazywałem mu interesujące stanowiska etc., etc. Sprzedawałem mu także morskie okazy, koral oraz muszle – przedmioty mojego szczególnego zainteresowania.

Ostatnio Pan Yancey pozyskał także moją pomoc przy staraniach utrzymania Pańskiej plantacji wanilii, która się tu u nas znajduje… wysiłek wielce wsparty przybyciem w 1849 roku pańskiego młodego podwładnego nazwiskiem Ambrose Pike. Mym smutnym obowiązkiem jest poinformowanie Pana, iż Pan Pike odszedł na zawsze, a to za sprawą pewnego zakażenia, które – jak to nader łatwo się zdarza w tutejszym gorącym klimacie – doprowadziło cierpiącego do szybkiej i przedwczesnej śmierci.

Gdyby zechciał Pan poinformować rodzinę zmarłego, dodam, iż Ambrose Pike odszedł do Pana 30 listopada 1850 roku. Może Pan także zechcieć przekazać jego bliskim, iż Pan Pike został pochowany po chrześcijańsku, z nabożeństwem śpiewanym, a ja zorganizowałem niewielki kamień do postawienia na jego grobie. Żal wielki czuję po jego odejściu. Był to dżentelmen wielkiej moralności oraz najczystszego charakteru. Niewielu takich spotyka się w naszej okolicy. Wątpię, bym jeszcze kiedykolwiek poznał kogoś jemu podobnego.

Nie mam innych słów pocieszenia poza wyrażeniem przekonania, iż Zmarły przebywa teraz w lepszym miejscu i że nigdy nie przyjdzie mu cierpieć upokorzeń starości.

Pozostaję z największym szacunkiem,

wielebny F.P. Welles

Wiadomość uderzyła w Almę z siłą ostrza topora walącego w granit: zadudniła w uszach, wstrząsnęła kośćmi i rzuciła garść iskier w oczy. Wybiła z niej jakiś klin – klin z czegoś strasznie ważnego – i ów klin poszybował w powietrze, ginąc na zawsze. Gdyby nie siedziała, upadłaby. A tak opadła na biurko ojca, przycisnęła policzek do wielce uprzejmego i taktownego listu wielebnego

F.P. Wellesa i płakała tak, jak gdyby chciała wypłakać wszystkie chmury ze sklepienia niebieskiego.

Jakże mogła jeszcze bardziej opłakiwać Ambrose'a niźli to, co już wypłakała? A jednak mogła. Wkrótce pojęła, że pod żalem kryje się żal, tak jak są warstwy pod warstwami na dnie oceanu – a pod nimi jeszcze kolejne warstwy, gdyby kopać dalej. Ambrose'a nie było przy niej już od tak dawna i musiała zdawać sobie sprawę, że już nigdy go przy niej nie będzie, ale dotychczas nie brała pod uwagę, że mógłby umrzeć przed nią. Prosty rachunek arytmetyczny powinien to wykluczyć: był przecież o wiele od niej młodszy. Jak to możliwe, że zmarł pierwszy? Był wcieleniem młodości. Był mieszanką całej niewinności, jakiej młodość kiedykolwiek doświadczyła. A jednak to on był martwy, a ona żywa. Wysłała go na śmierć.

Istnieje poziom żalu tak głęboki, że przestaje już przypominać żal. Ból staje się tak przejmujący, że ciało już nie jest w stanie go czuć. Żal sam siebie przyżega i cały w bliznach broni człowieka przed rozdmuchanymi uczuciami. Tego rodzaju odrętwienie jest łaską. Właśnie taki poziom żalu osiągnęła Alma, gdy uniosła twarz z blatu biurka ojca i przestała szlochać.

Ruszyła naprzód, jakby prowadzona jakąś tępą, nieugiętą zewnętrzną siłą. W pierwszej kolejności przekazała smutną wiadomość ojcu. Leżał na łóżku, oczy miał zamknięte, szary i wyczerpany, sam wyglądał jak własna pośmiertna maska. Wieść o śmierci Ambrose'a musiała nieludzko wykrzyczeć Henry'emu do trąbki w uchu, zanim ją pojął.

– Cóż, nadeszło i to – odparł i z powrotem zamknął oczy.

Powiedziała też Hanneke de Groot, która zacisnęła usta, przycisnęła dłonie do piersi i wyrzekła jedynie: „Boże!" – słowo, które po angielsku i w jej ojczystym języku brzmi tak samo.

Alma napisała list do George'a Hawkesa, wyjaśniając, co się stało, i podziękowała mu za uprzejmość, jaką okazał Ambrose'owi, oraz za uczczenie pamięci pana Pike'a wspaniałą księgą orchidei. George odpisał natychmiast w tonie pełnym idealnej czułości oraz uprzejmego żalu.

Wkrótce potem otrzymała list od siostry, wyrażający kondolencje z powodu utraty męża. Nie wiedziała, kto poinformował Prudence. Nie zapytała. Wysłała do niej odpowiedź z podziękowaniem.

Napisała list do wielebnego Francisa Wellesa, który podpisała imieniem ojca i w którym podziękowała za przekazanie smutnej wiadomości o śmierci najbardziej szanowanego spośród podwładnych oraz zapytała, czy Whittakerowie mogliby zrobić coś dla wielebnego w rewanżu.

Napisała również do matki Ambrose'a, przepisując każde słowo z listu wielebnego Francisa Wellesa. Wzdrygała się przed nadaniem go na poczcie. Alma wiedziała, że Ambrose był najukochańszym synem własnej matki, mimo „nieopanowanych obyczajów", o których pani Pike zwykła napomykać. Dlaczegóż nie miałby być jej najukochańszym dzieckiem? Był ulubieńcem wszystkich. Ta wiadomość może ją zniszczyć. Co gorsza, Alma nie potrafiła odrzucić myśli, że to ona zamordowała najukochańszego syna owej kobiety – najlepszego, klejnot, anioła z Framingham. Nadając ów okropny list, Alma mogła jedynie pragnąć, by chrześcijańska wiara pani Pike jakoś osłoniła ją przed ciosem.

Sama Alma nie odczuwała wsparcia ze strony wiary. Wierzyła w Stwórcę, ale nigdy nie uciekała się do Niego w chwilach rozpaczy – i teraz też tego nie zrobiła. Jej wiara nie była tego typu. Alma akceptowała i podziwiała Pana jako projektanta oraz pierwszą przyczynę wszechświata, ale w jej rozumieniu był On onieśmielającą, daleką, a nawet niemiłosierną postacią. Jakikolwiek byt, który mógł stworzyć świat pełen tak dotkliwego cierpienia, nie jest tym, do którego należy się zwracać po ukojenie od udręk tego świata. Po takie ukojenie można zwracać się tylko do ludzi takich jak Hanneke de Groot.

Kiedy już wypełnione zostały wszystkie obowiązki – listy powiadamiające o śmierci Ambrose'a napisane i nadane – nie było już nic więcej, co Alma mogłaby zrobić prócz przyzwyczajenia się do swego wdowieństwa, swego wstydu i smutku. Bardziej z nawyku niż potrzeby wróciła do studiów nad mchem. Bez tego czuła, że mogłaby sama umrzeć. Ojciec był coraz bardziej niezdrów. Jej odpowiedzialność rosła. Świat się kurczył.

I tak mogłaby wyglądać reszta życia Almy, gdyby nie przybycie – zaledwie pięć miesięcy później – Dicka Yanceya, który pewnego pogodnego październikowego poranka wszedł zamaszyście
na schody White Acre, dzierżąc w ręku małą, zniszczoną skórzaną
walizkę, należącą niegdyś do Ambrose'a Pike'a, i poprosił o spotkanie w cztery oczy z Almą Whittaker.

# ROZDZIAŁ DZIEWIĘTNASTY

A lma poprowadziła Dicka Yanceya do gabinetu ojca i zamknęła za nimi drzwi. Nigdy dotychczas nie przebywała z nim sama w jednym pomieszczeniu. Od najwcześniejszych lat pamiętała jego obecność, ale zawsze czuła się przy nim zmrożona i skrępowana. Jego górujący nad wszystkimi wzrost, trupio blada cera, lśniąca łysa czaszka, lodowate spojrzenie, ostry profil – wszystko razem tworzyło doprawdy groźną postać. Nawet teraz, po pięćdziesięciu latach znajomości, Alma nie umiała określić jego wieku. Był odwieczny. A to jedynie potęgowało grozę. Cały świat bał się Dicka Yanceya, czego właśnie pragnął Henry Whittaker. Alma nigdy nie pojmowała, skąd się bierze lojalność Yanceya wobec Henry'ego ani w jaki sposób Henry daje radę go kontrolować, lecz jedno było pewne: przedsiębiorstwo Whittaker Company nie funkcjonowałoby bez tego strasznego człowieka.

– Panie Yancey – rzekła Alma, wskazując ręką krzesło – proszę się rozgościć.

Nie usiadł. Stał pośrodku pokoju i niedbale trzymał w ręce walizkę Ambrose'a. Alma starała się nie patrzeć na nią – na jedyną własność swego zmarłego męża. Sama także nie usiadła. Najwyraźniej oboje nie zamierzali czuć się swobodnie.

– Czy jest coś, o czym chciałby mi pan powiedzieć, panie Yancey? Czy wolałby pan rozmawiać z moim ojcem? Ostatnio nie czuje się dobrze, o czym wiem, że jest pan poinformowany, lecz dzisiaj ma wyjątkowo dobry dzień i myśli klarownie. Może przyjąć pana w swoim pokoju sypialnym, jeśli to panu odpowiada.

Dick Yancey jednak wciąż milczał. To była jego słynna taktyka: milczenie jako broń. Kiedy Dick Yancey nic nie mówił, ci, co byli wokół niego, denerwowali się i zapełniali powietrze słowami. Ludzie mówili więcej, niżby chcieli powiedzieć. A Dick Yancey obserwował zza własnej bezgłośnej fortyfikacji, jak ujawniają swe sekrety, i zabierał je do White Acre. To było jego zadanie.

Alma postanowiła nie wpaść w pułapkę i nie mówić bez namysłu. Stali więc w milczeniu długą chwilę, aż nie mogła już dłużej tego znieść. Odezwała się powtórnie:

– Widzę, że trzyma pan walizkę mojego zmarłego męża. Wnoszę, że był pan na Tahiti i tam ją pan odnalazł. Czy przyjechał pan, aby mi ją zwrócić?

Nie drgnął ani nie wypowiedział słowa.

Alma kontynuowała:

– Jeśli zastanawia się pan, panie Yancey, czy chciałabym mieć tę walizkę z powrotem, to moja odpowiedź jest, tak… bardzo bym ją chciała mieć. Mój zmarły mąż niewiele posiadał i dużo by dla mnie znaczyło, gdybym mogła zatrzymać jako pamiątkę jedyną rzecz, do której, jak wiem, był niezwykle przywiązany.

Ale on nadal nic nie mówił. Czy zamierzał zmusić ją do błagania? Czy miała mu zapłacić? Czy chciał coś w zamian? A może – myśl przeleciała jej przez głowę jak zabłąkany, nielogiczny błysk – z jakiegoś powodu się wahał? Czy możliwe, że nie jest pewny, co zrobić? O Dicku Yanceyu nie da się nic powiedzieć. Nie da się nic z niego wyczytać. Alma zaczęła odczuwać niecierpliwość i zarazem przerażenie.

– Naprawdę muszę nalegać, panie Yancey – rzekła – aby się pan wytłumaczył.

Dick Yancey nie był mężczyzną, który kiedykolwiek by się tłumaczył. Alma wiedziała o tym równie dobrze jak wszyscy inni. Nie marnował słów na takie błahe rzeczy jak wyjaśnienia. W ogóle nie marnował słów. Prawdę powiedziawszy, Alma od wczesnego dzieciństwa rzadko słyszała, aby wypowiedział więcej niż trzy słowa pod rząd. Owego dnia jednakże Dick Yancey zdołał przekazać to, co miał do przekazania, w zaledwie dwu słowach, które warknął kącikiem ust, rzucając Almie walizkę w ramiona, kiedy ją mijał, ruszywszy w kierunku drzwi.

– Spal to – powiedział.

Alma dobrą godzinę siedziała w gabinecie ojca sama z walizką, utkwiwszy w niej wzrok, jak gdyby starała się oszacować – oceniając po zniszczeniu oraz zaplamieniu skóry solą – co się czai w środku. Czemu, na Boga, Yancey tak powiedział? Czemu miałby fatygować się i przywozić jej walizkę z drugiego końca świata jedynie po to, by powiedzieć, że ma ją spalić? Czemu sam jej nie spalił, jeśli trzeba było tak zrobić? I czy miał na myśli, że trzeba ją spalić *po* otworzeniu i przejrzeniu zawartości, czy *przed*? Czemu tak długo się wahał, zanim ją oddał?

Oczywiście nie miała szansy zadać mu któregokolwiek z owych pytań: już od dawna go nie było. Dick Yancey poruszał się z nieprawdopodobną szybkością; o ile go znała, równie dobrze mógł już znajdować się w połowie drogi do Argentyny. Nawet gdyby wciąż pozostawał w White Acre, i tak nie odpowiedziałby na żadne pytanie. Wiedziała o tym. Rozmowa tego typu nigdy nie znalazłaby się w zakresie usług Dicka Yanceya. Pewne było więc tylko, że cenna walizka Ambrose'a znajdowała się teraz w posiadaniu Almy – tak samo jak związany z nią dylemat.

Postanowiła zabrać walizkę do powozowni, by w pracowni, w odosobnieniu, się nad nią zastanowić. Usiadła na otomanie – z której wiele lat temu Retta zazwyczaj prowadziła z nią pogawędki, na której Ambrose zwykł był wygodnie się wyciągać, zwieszając swobodnie długie nogi, i gdzie Alma spędzała noce podczas mrocznych miesięcy po jego odejściu. Dokładnie obejrzała walizkę: wysoka na dwie stopy, szeroka na stopę i pół oraz głęboka na sześć cali – zwykły prostopadłościan z taniej wołowej skóry w kolorze miodu. Była wytarta, poplamiona i skromna. Rączkę najwyraźniej wielokrotnie reperowano drutem i na nowo oplatano tą samą skórą. Zawiasy skorodowały od morskiego powietrza i ze starości. Na rączce ledwie dawało się dostrzec słabo wytłoczony inicjał „A.P.". Dwa skórzane rzemienie spinały walizkę, opasując ją dookoła niczym popręg brzuch konia.

W typowym dla Ambrose'a stylu – nie było żadnego zamka. Ma ufną naturę – czy raczej miał. Być może gdyby na walizce był zamek, nie otwierałaby jej. Być może skończyłoby się na słabym westchnieniu nad jego skrytością i zostawiłaby ją. A być może nie.

Alma była urodzona do wnikliwego badania wszystkiego niezależnie od konsekwencji, nawet jeśli miałoby to oznaczać zrywanie zamka.

Otworzyła walizkę bez trudu. Wewnątrz znalazła złożoną doskonale znaną brązową sztruksową marynarkę, której widok ścisnął jej gardło. Wyjęła ją i przytuliła do twarzy, szukając w tkaninie zapachu Ambrose'a, ale wyczuła jedynie woń pleśni. Pod marynarką znalazła gruby plik: szkice i rysunki na dużych arkuszach papieru w kolorze skorupki od jajka, o zębatym brzegu – najwyraźniej wyrywanych z bloku. Pierwszy z wierzchu przedstawiał tropikalne drzewo *Pandanus*, łatwo rozpoznawalne po spiralnych liściach oraz grubych korzeniach. Widać było wirtuozerię ręki Ambrose'a w typowo dla niego perfekcyjnym oddaniu detali. Był to zaledwie szkic ołówkiem, ale jakże wspaniały. Alma przyglądała mu się, wreszcie odłożyła na bok. Pod spodem znajdował się kolejny rysunek – detal kwiatu wanilii narysowany tuszem i delikatnie podkolorowany zdawał się drżeć od powietrza na kartce papieru.

Almę zalała fala nadziei. Być może walizka zawiera impresje Ambrose'a z południowego Pacyfiku. Byłoby to pocieszające na wiele sposobów. Po pierwsze, znaczyłoby, że Ambrose znalazł na Tahiti ukojenie w swym talencie, a nie po prostu usychał w bezczynnej rozpaczy. Dalej, wchodząc w posiadanie jego prac, Alma zaczynała mieć *więcej* Ambrose'a – namacalną i kunsztowną pamiątkę. A do tego, co wcale nie było bagatelne, rysunki te otwierały przed nią okno na jego ostatnie lata: będzie mogła oglądać to, co widział, jak gdyby dane jej było patrzeć jego oczami.

Trzeci rysunek przedstawiał schematycznie i szybko naszkicowaną palmę kokosową i był niedokończony. Na widok czwartego Alma stanęła jak wryta. To była twarz. Niespodziewana. Ambrose – o ile wiedziała – nigdy nie przejawiał zainteresowania przedstawianiem ludzi. Nie był portrecistą i nigdy nie chciał nim być. A jednak ma oto przed sobą portret, rysowany tuszem precyzyjną ręką Ambrose'a. Był to prawy profil młodego mężczyzny. Jego rysy wskazywały na polinezyjskie pochodzenie. Wyraźne kości policzkowe, płaski nos, szerokie usta. Przystojny i silny. Włosy krótko obcięte, jak u Europejczyka.

Alma wzięła następny szkic: kolejny portret tego samego młodzieńca, lewy profil. Następny rysunek przedstawiał męskie ramię. Nie było to ramię Ambrose'a. Bark był o wiele szerszy, przedramię bardziej krzepkie. Na następnym – z bliska widziany fragment ludzkiego oka. Nie było to oko Ambrose'a (Alma rozpoznałaby wszędzie jego oczy). Było to oko kogoś innego, oko o gęstych rzęsach.

A potem znalazła studium całego ciała młodego mężczyzny, nagiego, widzianego od tyłu, oddalającego się od artysty. Plecy miał szerokie i umięśnione. Każdy krąg został precyzyjnie oddany. Inny akt przedstawiał młodego mężczyznę opartego w odpoczynku o pień palmy kokosowej. Alma już znała jego twarz – ta sama dumna brew, te same szerokie usta, te same migdałowe oczy. Tutaj wyglądał jakby młodziej niż na innych rysunkach – prawie chłopiec. Może siedemnasto- albo osiemnastoletni.

Nie znalazła więcej botanicznych szkiców. Wszystkie pozostałe rysunki, akwarele i szkice z walizki przedstawiały akty. Musiało ich być ponad sto – wszystkie tego samego młodego tubylca o krótkich, na europejską modłę przyciętych włosach. Na niektórych wyglądał, jakby spał. Na innych biegł, niósł dzidę, podnosił kamień, ciągnął sieć rybacką – całkiem podobnie do atletów albo półbogów na antycznej greckiej ceramice. Na żadnym z obrazków nie miał na sobie choćby strzępka odzieży – choćby butów. Większość studiów przedstawiała go z penisem wiotko zwisającym, w spoczynku. Niektóre jednak zdecydowanie inaczej. Młodzieniec zwracał na nich ku portreciście otwartą, a nawet być może rozbawioną twarz.

– O mój Boże – usłyszała własny głos Alma.

I zdała sobie naraz sprawę, że wypowiadała to przez cały czas, z każdym nowym szokującym rysunkiem.

O mój Boże, o mój Boże, o mój Boże.

Alma Whittaker należała do ludzi szybko myślących i daleka była od zmysłowej naiwności. Co do zawartości walizki nasuwał się jeden wniosek: Ambrose Pike – ideał czystości, anioł z Framingham – był zboczeńcem.

Odtworzyła w pamięci jego pierwszy wieczór w White Acre. Podczas kolacji olśnił ich, zarówno Almę, jak i Henry'ego, pomysłem ręcznego zapylania waniliowych orchidei na Tahiti. Co to on wtedy powiedział? To nic trudnego, zapewniał: *Potrzebujecie po prostu małych chłopców z małymi paluszkami oraz małymi pałeczkami*. Wtedy zabrzmiało to bardzo figlarnie. Teraz rozbrzmiewało we wspomnieniu perwersyjnie. Ale stanowiło też szersze wyjaśnienie. Ambrose nie był w stanie skonsumować ich małżeństwa nie dlatego, że Alma była stara, nie dlatego, że była brzydka i nie dlatego, że starał się naśladować anioły – lecz dlatego, że pragnął małych chłopców z małymi paluszkami i małymi pałeczkami. Albo dużych chłopców, jak widać na rysunkach.

Dobry Boże, na co on ją naraził! Jakie mówił jej kłamstwa! Jak nią manipulował! Jaki wywołał w niej niesmak wobec jej własnych naturalnych potrzeb. To spojrzenie, jakim ją przeszył z wanny owego popołudnia, kiedy wzięła jego palce do ust – jak gdyby była jakimś sukubem, który przyszedł, by żerować na jego ciele. Przypomniała sobie wers z Montaigne'a, którego czytała przed wielu laty, linijkę, którą zapamiętała na zawsze i która teraz wydawała się szalenie adekwatna: „Oto są dwie rzeczy, które wedle mej obserwacji zawsze pozostają w jednej harmonii: podniebne jasne myśli oraz piwniczne mroczne prowadzenie".

Ambrose oszukał ją podniebnymi myślami, wielkimi marzeniami, fałszywą niewinnością, pozorem pobożności, szlachetną gadką o obcowaniu z boskością – i patrzcie, gdzie skończył! W wątpliwej reputacji raju, z ochoczym kochankiem i zdrowo postawionym kutasem!

– Ty dwulicowy skurwysynu! – powiedziała na głos.


Inna kobieta być może poszłaby za radą Dicka Yanceya i spaliła walizkę z całą zawartością. Ona jednak wsunęła ją pod otomanę w pracowni. Nikt jej tam nie znajdzie. Zresztą nikt nie wchodził do tego pomieszczenia. Nienawidziła, jak przeszkadzano jej w pracy, i nikogo nie wpuszczała, nawet sprzątała tam sama. Ludzi nie obchodziło, co taka stara panna jak Alma może robić w pomieszczeniu pełnym durnych mikroskopów, nudnych książek i fiolek z wyschłym mchem. Była idiotką. A jej życie było komedią – straszną, smutną komedią.

Siadła do kolacji, nieświadoma, co je.

Kto jeszcze wie…?

Najgorsze plotki o Ambrosie słyszała zaraz po ich ślubie – przynajmniej myślała, że są najgorsze – ale nie mogła sobie przypomnieć, by ktokolwiek kiedykolwiek przezywał go ciotą. Czy pieprzył chłopców stajennych? Albo młodych ogrodników? Czy to o to mu chodziło? Ale kiedy miałby to robić? Zresztą by mówiono. Zawsze przecież byli razem, Alma i Ambrose, a tak pikantne sekrety nie utrzymują się długo w tajemnicy. Pogłoski są cenną walutą, która wypala dziury w kieszeniach i w końcu zawsze jest wydana. A przecież nikt nic takiego nie mówił.

Czy Hanneke wiedziała? Alma przyglądała się starej zarządczyni. Czy to dlatego była przeciwna Ambrose'owi? *Nic o nim nie wiemy*, powtarzała wiele razy…

A Daniel Tupper z Bostonu – najbliższy przyjaciel Ambrose'a? Czy był czymś więcej niż przyjacielem? A telegram, który przysłał w dniu ich ślubu, DOBRA ROBOTA PIKE – czy nie był to jakiś dwuznaczny kod? Ale Daniel Tupper miał przecież żonę i dom pełen dzieci, przypomniała sobie. To znaczy tak mówił Ambrose… Nie żeby to miało jakieś szczególne znaczenie. Ludzie podobno mogą być i tym, i tym naraz.

A co z matką? Czy pani Constance Pike wiedziała? Czy to właśnie miała na myśli, kiedy pisała: „Trzeba się modlić, aby uczciwe małżeństwo wyleczyło go z uciekania od moralności"? Dlaczego nie wczytała się dokładniej w ten list? Dlaczego nie przeprowadziła śledztwa?

Jak w ogóle mogła tego nie dostrzec?

Po obiedzie przemierzała swój pokój w tę i z powrotem. Czuła się rozdarta i przegrana. Zalewała ją ciekawość, jasno połyskująca gniewem. Nie potrafiła się powstrzymać, wróciła do powozowni. Weszła do pracowni drukarskiej, którą przeszło trzy lata wcześniej starannie (i kosztownie) wyposażyła dla Ambrose'a. Wszystkie maszyny odpoczywały teraz, nakryte płótnem, tak samo jak meble. Wyciągnęła notes Ambrose'a z górnej szuflady jego biurka i otworzyła na przypadkowej stronie. Znalazła próbkę znanych mistycznych bredni:

*Nie istnieje nic prócz UMYSŁU, a ten jest napędzany SIŁĄ... Nie zaciemniać dnia, nie rozświetlać nocną zmianą... Precz z zewnętrznym światem, precz z zewnętrznym światem!*

Zamknęła notes i wydała wulgarny dźwięk. Nie była w stanie znieść ani jednego jego słowa więcej. Dlaczego ten człowiek nigdy nie może się wyrażać *jasno*...?

Przeszła do swojej pracowni i wyciągnęła walizkę spod otomany. Tym razem uważniej przejrzała jej zawartość. Nie było to przyjemne zadanie, ale czuła, że musi mu podołać. Przebadała dokładnie boki walizki, szukając jakiejś skrytki czy też czegokolwiek innego, co mogło wcześniej umknąć jej uwagi. Przetrząsnęła kieszenie zużytej marynarki, ale znalazła jedynie ogryzek ołówka.

W drugiej kolejności wróciła do rysunków – trzech mistrzowskich szkiców roślin oraz dziesiątek obscenicznych przedstawień tego samego pięknego młodego mężczyzny. Rozważała, czy poddając je wnikliwszej analizie, może dojść do jakiegoś innego wniosku, lecz nie; portrety były nazbyt dosadne, nazbyt zmysłowe, nazbyt intymne. Nie było dla nich innej interpretacji. Alma odwróciła jeden z aktów i zauważyła napis na tylnej karcie, nakreślony uroczym, wdzięcznym pismem Ambrose'a. Widniał w rogu, wciśnięty niczym nieśmiała i skromna sygnatura. Ale to nie była sygnatura. Były to zaledwie dwa słowa małymi literami: *jutrzejszy poranek*.

Alma spojrzała jeszcze raz na rysunek i na froncie arkusza dostrzegła w tym samym dolnym prawym rogu te same dwa słowa: *jutrzejszy poranek*. Brała do ręki wszystkie po kolei rysunki i odwracała na tylną stronę. Każdy głosił to samo eleganckim, dobrze jej znanym charakterem pisma: *jutrzejszy poranek, jutrzejszy poranek, jutrzejszy poranek...*

O co w tym chodzi? Czy to jest jakiś diabelski szyfr?

Wzięła kartkę papieru i zaczęła przestawiać litery w „jutrzejszym poranku", tworząc inne słowa oraz zwroty:

JANEK TRUSZ ZJE PORY

JURNY SZEPT: ...OJ, RZEKA

TERAZ KRYJ UPOJNE SZ...

355

Żaden z nich nie miał sensu. Tłumaczenie na francuski, niderlandzki, łacinę, grekę czy niemiecki również nie pomagało. Ani czytanie od końca, ani też przypisywanie literom numerów odpowiadających ich pozycjom w alfabecie. Mógł to być szyfr. Ale być może chodziło o odroczenie. Być może zawsze coś się miało wydarzyć z tym chłopcem *następnego poranka*, przynajmniej według Ambrose'a. To byłoby bardzo do niego podobne: tajemnicze odkładanie na później. Może po prostu odkładał skonsumowanie związku ze swym nadobnym tubylczym modelem: „Teraz nie będę cię pieprzyć, młody człowieku, ale wezmę się do tego z samego rana, o *jutrzejszym poranku!*". Może właśnie w taki sposób chronił swoją czystość, wystawiony na pokusę. Może nawet nigdy nie dotknął chłopaka? Ale w takim razie dlaczego rysował go zawsze nagiego?

Naraz inna myśl przyszła jej do głowy: a może rysunki robione były na zamówienie? Może ktoś – na przykład jakiś bogaty zboczeniec – płacił Ambrose'owi za robienie rysunków tego chłopca? Ale czemu Ambrose miałby potrzebować pieniędzy, skoro Alma dbała o to, by niczego mu nie brakowało? I czemu miałby przyjąć takie zlecenie, był przecież osobą o delikatnej wrażliwości... a może tylko pozował na takiego? Jeśli jego moralność była wyłącznie udawana, to najwyraźniej odgrywał tę rolę dalej, nawet po opuszczeniu White Acre. Najwyraźniej nie miał na Tahiti opinii degenerata, inaczej wielebny Francis Welles nie trudziłby się chwaleniem Ambrose'a Pike'a jako „dżentelmena wielkiej moralności oraz najczystszego charakteru".

A więc dlaczego? Dlaczego właśnie *ten* chłopiec? Dlaczego nagi i pobudzony? Skąd taki przystojny młody towarzysz, i to o tak wyróżniających się rysach? Dlaczego tyle trudu, aby wykonać tak *wiele* rysunków? Czemu nie rysować kwiatów zamiast tego? Ambrose kochał kwiaty, a Tahiti jest zasypane kwiatami! Kim była ta męska muza? I dlaczego Ambrose aż po śmierć ustawicznie planował zrobić coś razem z tym chłopcem – i zrobić to, po wieczne nigdy, *jutrzejszego poranka*?

# ROZDZIAŁ DWUDZIESTY

H enry Whittaker umierał. Miał dziewięćdziesiąt jeden lat, nie powinno to więc nikogo zaskakiwać, Henry był jednak zaskoczony, ba, rozwścieczony, stwierdzając, iż znajduje się w tak marnym stanie. Od miesięcy już nie chodził i nie miał siły wziąć pełnego głębokiego oddechu, wciąż jednak nie mógł uwierzyć w swój stan. Uwięziony w łóżku, słaby i usunięty w cień, toczył po pokoju dzikim spojrzeniem, szukając drogi ucieczki. Wyglądał, jakby chciał znaleźć kogoś, kogo mógłby zadręczyć, przekupić albo wmanewrować pochlebstwem w utrzymywanie go przy życiu. Nie mógł uwierzyć, że z tego nie ma ucieczki. Był przerażony.

Im bardziej Henry się bał, tym bardziej tyranizował biedne pielęgniarki. Kazał bezustannie masować sobie nogi i – w strachu, że uduszą mu się jego płuca cierpiące na zapalenie – żądał ustawicznego utrzymywania ramy łóżka pod wysokim kątem. Odmawiał używania poduszek w obawie, że zaduszą go podczas snu. W czasie dnia stawał się jeszcze bardziej wojowniczy, nawet wtedy, kiedy mu się pogarszało. „Zrobiłaś na tym łóżku dziadowski burdel!", krzyczał za jakąś bladą, przestraszoną dziewczyną, która wybiegała z pokoju. Alma się zdumiewała, skąd bierze siły, by z mocą ujadać niczym pies łańcuchowy nawet wtedy, kiedy wyraźnie marniał pośród prześcieradeł. Był trudny, ale było też coś godnego podziwu w jego walce, coś królewskiego w odrzucaniu cichej i pokornej śmierci.

Ważył już tyle co nic. Ciało stało się pokrowcem, wiszącym na długich, ostrych kościach, pokrytym wszędzie wrzodami. Nie przyjmował nic oprócz bulionu wołowego, i to w niewielkich ilościach. Ale głos był ostatnią składową ciała Henry'ego, która go nie zawodziła. W pewnym sensie – szkoda. Jego głos ściągał bowiem cierpienie na poczciwe pielęgniarki i pokojówki, ponieważ – jak każdy dzielny angielski marynarz, idący na dno ze swoim statkiem – zaczął śpiewać nieprzyzwoite piosenki, jakby dla podtrzymania odwagi w obliczu katastrofy. Śmierć próbowała obiema rękoma ściągnąć go do siebie, on jednak odganiał ją śpiewem. „Kiedy flaga czerwona, niech sobie furkocze! Wsadź go w dupę panny, i po robocie!"

– Możesz już iść, Kate, dziękuję – powiedziała Alma do nieszczęsnej młodej pielęgniarki, której akurat wypadł dyżur, odprowadzając szybko dziewczynę do drzwi, ale zdążył jeszcze zaśpiewać: „Dobra stara Kaśka, co sika do strumienia, prowadziła raz niezłą szkołę kurwienia!".

Henry nigdy zanadto nie dbał o uprzejmości, ale teraz nie dbał już o nie wcale. Mówił, co tylko chciał powiedzieć – Almie przyszło do głowy, że nawet może więcej, niżli chciał. Był niewiarygodnie nietaktowny. Wykrzykiwał na temat pieniędzy, na temat nieudanych interesów. Oskarżał i prowadził dochodzenia, atakował i odpierał ataki. Podjął nawet walkę ze zmarłymi. Dyskutował z sir Josephem Banksem, ponownie próbując go przekonać, by uprawiał w Himalajach chinowce. Wygłaszał tyrady do ojca swojej zmarłej żony, który odszedł dawno temu: „Pokażę ci, ty holenderski śmierdzący świński ryju, jakim zamierzam zostać bogaczem!". Oskarżał własnego dawno zmarłego ojca o lizusowskie wazeliniarstwo. Wzywał Beatrix, by zajęła się nim i przyniosła mu cydr. Gdzie jego żona?! Po co człowiek ma żonę, jeśli nie do opieki, gdy leży złożony chorobą?!

A jednego dnia spojrzał Almie prosto w oczy i rzekł:

– Czy ty myślisz, że nie wiem, kim był ten twój mąż?

Alma się zawahała przez chwilę nazbyt długą. Powinna od razu odesłać pielęgniarkę, a ona zaczekała niepewna, co ojciec zechce dalej powiedzieć.

– Myślisz, że nie spotkałem podczas moich podróży takich gości? Myślisz, że ani razu nie byłem kiedyś taki sam? Myślisz, że zabrali mnie na pokład *Resolution*, bo znałem się na nawigacji? Byłem jeszcze nieowłosionym małym chłopaczkiem, Śliweczko…

nieowłosionym młodzikiem z lądu, z ładną czystą dziurką odbytową. Nie wstydzę się o tym mówić!

Zwracał się do niej „Śliweczko". Nie nazywał jej tak od lat – od całych dziesięcioleci. Ale też w ciągu ostatnich miesięcy czasami w ogóle jej nie poznawał. Wtedy jednak, kiedy używał jej ukochanego dawnego przewiska, było jasne, że dobrze wiedział, kim ona jest – co oznacza, że równie dobrą musiał mieć świadomość, o czym mówi.

– Możesz iść, Betsy – rozkazała Alma pielęgniarce, ta najwyraźniej jednak się nie spieszyła.

– Zadaj sobie sama to pytanie, Śliweczko, co oni mogli ze mną robić na tym statku! Największy młodzik, tym byłem! Och, dobry Boże, ależ oni mieli ze mną ubaw!

– Dziękuję, Betsy – powiedziała Alma, tym razem się podnosząc, by osobiście odprowadzić pielęgniarkę do wyjścia. – I zamknij za sobą drzwi. Dziękuję. Bardzo nam pomogłaś. Dziękuję. A teraz już idź.

Henry śpiewał jakiś koszmarny wierszyk, którego Alma dotychczas jeszcze nie słyszała. „Walili mnie od góry, walili mnie od dołu, kumpel mnie ruchał z innymi pospołu!"

– Ojcze – powiedziała – musi ojciec przestać. – Przysunęła się bliżej i położyła mu dłonie na piersi. – Ojciec *musi* przestać!

Przerwał śpiewanie i spojrzał na nią wściekłym wzrokiem. Złapał kościstymi palcami jej nadgarstki.

– Sama sobie zadaj pytanie, po co on się z tobą żenił, Śliweczko – powiedział Henry głosem tak czystym i mocnym, jakby znów był tym młodzikiem. – Idę o zakład, że nie dla pieniędzy! Ani nie dla twojej czystej dziurki odbytowej. To musiało być z jakiegoś innego powodu. Nie widzisz w tym sensu, nieprawdaż? Ja też nie, też nie widzę w tym sensu.

Alma uwolniła ręce z uścisku. Oddech cuchnął mu zgnilizną. Przeważająca część jego ciała była już obumarła.

– Niech ojciec przestanie mówić i napije się trochę bulionu – powiedziała, przytykając mu filiżankę do ust i unikając jego wzroku.

Czuła, że pielęgniarka podsłuchuje pod drzwiami.

– Ahoj, wiejemy aż za Przylądek Dobrej Nadziei! Bo jedni widzą w nas dupy, a drudzy złodziei! – zaśpiewał.

Próbowała wlać mu trochę bulionu do ust – głównie żeby przestał śpiewać – ale wszystko wypluł i odepchnął jej rękę. Bulion się rozprysł na prześcieradle, a filiżanka potoczyła po podłodze. Wciąż miał w sobie siłę, ten stary wyga. Sięgnął znowu po jej nadgarstki i jeden zdołał pochwycić.

– Nie bądź naiwna, Śliweczko – wyszeptał. – Nie wierz w nic, co jakakolwiek na świecie pizda albo skurwiel ci powiedzą. *Wszystko sprawdzaj sama!*

W ciągu następnego tygodnia, kiedy coraz bardziej osuwał się ku śmierci, Henry wypowiadał i wyśpiewywał jeszcze mnóstwo rzeczy – w większości sprośnych i zawsze niefortunnych. Almę najbardziej jednak uderzyło to jedno zdanie, takie celne i przemyślane. Zawsze będzie je pamiętała jako ostatnie słowa konającego ojca: *Wszystko sprawdzaj sama.*

Henry Whittaker umarł 19 października 1851 roku. To było jak wielki sztorm na morzu. Miotał się do końca, walczył do ostatniego oddechu, jaki dał radę złapać. Spokój, który przyszedł z końcem, kiedy ostatecznie odszedł, był zatrważający. Nikt nie wierzył, że wyszli z tego cało i przeżyli. Hanneke, wyczerpana i smutna, szlochała:

– Och, ci, co są już w niebie… życzę im powodzenia z tym, kto się do nich teraz wybiera!

Alma pomogła myć ciało. Poprosiła, by zostawiono ją samą ze zwłokami. Nie chciała się modlić. Nie chciała płakać. Chciała coś znaleźć. Odrzuciła prześcieradło zakrywające nagie ciało ojca i zaczęła badać skórę na brzuchu, macając palcami i bacznie się przyglądając. Szukała czegoś podobnego do blizny, jakiegoś guzka, czegoś dziwnego, małego, niepasującego. Szukała szmaragdu, o którym Henry przysięgał, że go zaszył we własnym ciele, lata temu, kiedy była małą dziewczynką. Nie wzdragała się przed tymi poszukiwaniami. Była przyrodnikiem. Jeśli szmaragd tam jest, znajdzie go.

*Musisz zawsze mieć przy sobie ostateczną łapówkę, Śliweczko.*

Nie było go tam.

Zdumiała się. Zawsze wierzyła we wszystko, co ojciec jej mówił. Ale może, pomyślała, ofiarował szmaragd Śmierci, tuż przed końcem. Kiedy przestały działać piosenki i odwaga przestała działać, i cały jego spryt zawiódł w negocjowaniu uniknięcia tego ostatecznego, przerażającego kontraktu, może wówczas powiedział: „Weź też mój najlepszy szmaragd!". I może Śmierć go wzięła, pomyślała Alma – ale potem wzięła także Henry'ego.

Z takiego paktu nawet jej ojciec nie potrafił się wykupić.

Henry Whittaker odszedł, a razem z nim odeszła jego ostatnia sztuczka.


Odziedziczyła wszystko. Testament – przedłożony jej zaraz następnego dnia po pogrzebie przez starego mecenasa, który od lat pracował dla Henry'ego – był dokumentem najprostszym z możliwych, nic więcej ponad zaledwie kilka zdań. Dla „jedynej naturalnie zrodzonej córki", oznajmiała ostatnia wola, Henry Whittaker pozostawia całą swoją fortunę. Całą ziemię, wszystkie interesy, cały majątek, wszystkie udziały – wszystko ma być wyłącznie Almy. Nie było zapisów dla nikogo innego. Żadnej wzmianki o adoptowanej córce Prudence Whittaker Dixon ani o oddanej służbie. Dla Hanneke nie było nic; dla Dicka Yanceya również nic.

Alma Whittaker stała się jedną z bogatszych kobiet Nowego Świata. Jej kontroli podlegał największy w Ameryce koncern importujący rośliny, zresztą prowadziła samodzielnie jego interesy już od pięciu lat, była też właścicielką połowy kwitnącej firmy Garrick & Whittaker Pharmaceutical Company. Była jedynym mieszkańcem największego prywatnego domu w Pensylwanii, posiadała prawa do wielu lukratywnych patentów i jej własnością były tysiące akrów żyznej roli. Pod jej bezpośrednim zarządem znalazły się dziesiątki służących i pracowników, a niezliczone zastępy ludzi na całym świecie pracowały dla niej na podstawie kontraktów. Jej cieplarnie i szklarnie rywalizowały z tymi, które znajdowały się w najlepszych botanicznych ogrodach Europy.

Nic z tego nie wydawało się jej darem niebios.

Alma była oczywiście wyczerpana i smutna z powodu śmierci

ojca, ale także poczuła się bardziej obciążona niż uszczęśliwiona owym gigantycznym spadkiem. Co mogło być interesującego w olbrzymim przedsiębiorstwie zajmującym się botanicznym importem albo w pracochłonnej produkcji farmaceutycznej? Na co miałoby jej być potrzebne posiadanie sześciu młynów, rozrzuconych po całej Pensylwanii? W jaki sposób ma używać trzydziestoczteropokojowej rezydencji, pełnej rzadkich skarbów, oraz roszczeniowej służby? Ile szklarni potrzebuje pani botanik, która zamierza badać mech? (Przynajmniej ta jedna odpowiedź była prosta: żadnej). A jednak to wszystko znalazło się w jej posiadaniu.

Po wyjściu prawnika Alma była oszołomiona. Narastał w niej żal nad samą sobą – postanowiła poszukać Hanneke de Groot. Potrzebowała pocieszenia z ust jedynej dobrze sobie znanej ludzkiej istoty, jaka pozostała na świecie. Kiedy wreszcie ją znalazła, stara zarządczyni stała wewnątrz ogromnego wygaszonego kominka w kuchni i próbowała kijem od miotły strącić wysoko w kominie jaskółcze gniazdo, zasypując się przy tym sadzą i brudem.

– Na pewno kto inny mógłby to za ciebie zrobić, Hanneke – powiedziała Alma po niderlandzku zamiast przywitania. – Zaraz znajdę jakąś dziewczynę.

Usmolona Hanneke wycofała się z kominka, prychając.

– Myślisz, że ich nie prosiłam? – zapytała stanowczo. – I myślisz, że jest jeszcze w tym domu jakakolwiek chrześcijańska dusza oprócz mnie, która zechce zadzierać głowę w kominie?

Alma podała Hanneke wilgotną ściereczkę do otarcia twarzy, po czym obie kobiety usiadły przy stole.

– Czy prawnika już nie ma? – zapytała Hanneke.

– Wyszedł przed pięcioma minutami – odrzekła Alma.

– Szybko poszło.

– Sprawa była prosta.

Hanneke zmarszczyła brwi.

– Więc zostawił wszystko tobie, tak?

– No właśnie.

– Nic dla Prudence?

– Nic – odparła Alma, spostrzegając, że zarządczyni nie pyta o zapis dla siebie.

– W takim razie go przeklinam – powiedziała twardo Hanneke po chwili milczenia.

Alma się skrzywiła.

– Hanneke, bądź tak dobra... Mój ojciec jeszcze nawet jednego dnia nie spoczywa w grobie.

– Powtarzam, przeklinam go – powtórzyła zarządczyni. – Przeklinam go jako upartego grzesznika, który pominął swoją drugą córkę.

– Ona i tak by nic od niego nie przyjęła, Hanneke.

– Nie wiesz tego na pewno, Almo! Ona należy do rodziny, a przynajmniej powinna być tak traktowana. Twoja nieodżałowanej pamięci matka chciała, by należała do rodziny. Spodziewam się, że w takim razie ty sama zatroszczysz się o Prudence?

Zaskoczyło to Almę.

– W jakim sensie? Moja siostra ledwo mnie toleruje i zwraca wszelkie podarunki. Nie jestem w stanie nic jej zaoferować ponad ciastko do herbaty, żeby nie powiedziała, że to więcej, niż potrzebuje. Chyba naprawdę nie wierzysz, że pozwoliłaby mi podzielić się z sobą majątkiem naszego ojca?

– Dumna z niej dziewczyna – powiedziała z podziwem w głosie Hanneke.

Alma wolała zmienić temat.

– Hanneke, jak tu teraz będzie, w White Acre, bez ojca? Nie znajduję przyjemności w zarządzaniu posiadłością bez niego. To tak, jakby wielkie, żywe serce zostało wyszarpnięte z tego domu.

– Nie pozwolę ci, żebyś pominęła siostrę – rzekła Hanneke, jak gdyby Alma nic przed chwilą nie mówiła. – Jedna rzecz, jak Henry grzeszy, głupi i samolubny, w grobie, a całkiem inna, jakbyś miała zachowywać się w taki sam sposób w życiu.

Alma się zjeżyła.

– Przyszłam tutaj dzisiaj do ciebie po pocieszenie i poradę, Hanneke, a tymczasem ty mi urągasz.

Wstała, jakby zamierzała opuścić kuchnię.

– Och, siadajże, moje dziecko. Nikogo nie obrażam. Chcę ci tylko powiedzieć, że masz u siostry znaczący dług i powinnaś dopilnować, żeby został spłacony.

– Nie mam u siostry żadnego długu.

Hanneke wzniosła obie ręce, wciąż czarne od sadzy.

– Czy ty *nic* nie widzisz, Almo?

– Jeśli nawiązujesz do braku ciepła między Prudence i mną, Hanneke, to proszę, żebyś nie składała całej za to winy wyłącznie na moje barki. Wina jest dokładnie taka sama jej, jak i moja. Nigdy nie czułyśmy się swobodnie w swoim towarzystwie, żadna z nas, ona odtrącała mnie przez te wszystkie lata.

– Nie mówię o siostrzanej serdeczności. Wielu sióstr nie łączy ciepła relacja. Mówię o poświęceniu. Wiem o wszystkim, co się dzieje w tym domu, drogie dziecko. Czy wyobrażasz sobie, że jesteś jedyną osobą, która przychodzi do mnie cała we łzach? Czy wyobrażasz sobie, że tylko ty pukasz do drzwi Hanneke, kiedy masz wielkie zmartwienie? Znam wszystkie sekrety.

Zdezorientowana Alma próbowała sobie wyobrazić swoją wyniosłą siostrę, rzucającą się we łzach w ramiona zarządczyni. Nie, tego się nie da przedstawić. Prudence nigdy nie mogła być tak blisko z Hanneke jak Alma. Prudence nie znała Hanneke od urodzenia i nie mówiła nawet po niderlandzku. Jak miałaby wyglądać ich zażyłość?

A jednak było pytanie, które Alma musiała zadać:

– Jakie sekrety?

Teraz zarządczyni przyjęła rozmyślnie powściągliwą postawę, czego z kolei Alma nie mogła znieść.

– Nie będę ci rozkazywała, żebyś mi wszystko powiedziała, Hanneke – rzekła, przechodząc na angielski. Zbyt była zirytowana, by dalej mówić w starym, bliskim sercu języku. – Twoje sekrety należą do ciebie, jeśli chcesz je dla siebie zatrzymać. Ale rozkazuję ci zaprzestać tej gry ze mną. Jeśli posiadasz informacje na temat tej rodziny, które uważasz, że powinnam znać, to chciałabym, żebyś je ujawniła. Ale jeśli popisujesz się jedynie, siedząc tu przede mną i kpiąc z mojej niewiedzy… mojej nieznajomości czegoś, o czym nie mam zielonego pojęcia… to w ogóle żałuję, że przyszłam dzisiaj do ciebie. Stoję przed poważnymi decyzjami dotyczącymi wszystkich w tym domu i głęboko rozpaczam z powodu odejścia ojca. Spoczywa na mnie teraz olbrzymia odpowiedzialność. Nie mam czasu ani nastroju, aby bawić się z tobą w zgadywanki.

Hanneke uważnie spojrzała na Almę, lekko zezując. Przy końcu przemówienia kiwnęła głową, jak gdyby pochwalała ton oraz wydźwięk słów.

– Bardzo dobrze – odezwała się. – Czy zadałaś sobie kiedykolwiek pytanie, dlaczego Prudence poślubiła Arthura Dixona?

– Proszę, przestań mówić zagadkami, Hanneke – odparła zmęczona Alma. – Ostrzegam cię, dzisiaj nie jestem w stanie tego znieść.

– Nie mówię zagadkami, dziecko. Próbuję coś ci przekazać. Zapytaj sama siebie... czy nigdy cię nie dziwiło to małżeństwo?

– Oczywiście, że dziwiło. Kto chciałby wyjść za Arthura Dixona?

– No właśnie, kto? Czy sądzisz, że Prudence kiedykolwiek była zakochana w swoim nauczycielu? Patrzyłaś na nich oboje przez lata, kiedy on tu mieszkał i dawał wam obu lekcje. Czy kiedykolwiek dostrzegłaś jakąkolwiek oznakę miłości wobec niego z jej strony?

Alma cofnęła się myślami.

– Nie – przyznała.

– Dlatego, że ona go nie kochała. Cały czas kochała innego. Almo, twoja siostra kochała George'a Hawkesa.

– George'a Hawkesa...?

Alma była w stanie jedynie powtórzyć nazwisko. W myślach ujrzała nagle wydawcę botanicznego – nie takiego, jak wygląda teraz (zmęczony sześćdziesięcioletni zgarbiony mężczyzna z obłąkaną żoną), ale takiego, jak wyglądał trzydzieści lat wcześniej, gdy sama była w nim zakochana (krzepiąca obecność wielkich rozmiarów o wspaniałej kasztanowej czuprynie i nieśmiałym uśmiechu).

– George'a Hawkesa? – zapytała powtórnie, dosyć niemądrze.

– Siostra twoja Prudence kochała George'a Hawkesa – powtórzyła w odpowiedzi Hanneke. – I powiem ci coś więcej: George Hawkes odwzajemniał jej miłość. Zakładam się, że nadal go kocha i zakładam się, że on kocha ją także, niezmiennie do dzisiejszego dnia.

Almie wydawało się to całkowicie pozbawione sensu. To tak, jak gdyby ktoś jej powiedział, że jej matka i ojciec nie są jej prawdziwymi rodzicami albo że się nie nazywa Alma Whittaker, albo że nie mieszka w Filadelfii – jak gdyby jakaś wielka i prosta prawda została nagle zburzona.

– Dlaczego Prudence miałaby kochać George'a Hawkesa? – zapytała, zbyt zmieszana, by zadać mądrzejsze pytanie.

– Ponieważ był dla niej *miły*. Czy myślisz, Almo, że to dar, być tak piękną jak twoja siostra? Pamiętasz, jak wyglądała w wieku szesnastu lat? Pamiętasz, w jaki sposób mężczyźni na nią patrzyli? Starzy, młodzi, żonaci, robotnicy… każdy. Nie było takiego mężczyzny, który postawiłby tutaj nogę i nie patrzyłby na twoją siostrę, jak gdyby chciał ją kupić na jedną noc. Musiała to znosić, odkąd była dzieckiem. Tak samo było z jej matką, ale jej matka miała słabszy charakter i się sprzedawała. Prudence jest jednak skromną i porządną dziewczyną. Jak sądzisz, dlaczego twoja siostra nigdy się nie odzywała przy stole? Czy uważasz, że była zbyt głupia, by mieć o czymkolwiek własne zdanie? Jak sądzisz, czemu zawsze przybierała minę bez żadnego wyrazu? Czy uważasz, że nigdy nic nie czuła? Jedyną rzeczą, jakiej Prudence zawsze pragnęła, Almo, to być niewidzialną. Nie możesz sobie wyobrazić, co to znaczy, gdy całe twoje życie mężczyźni gapią się na ciebie, jak gdybyś była wystawiona na aukcję.

Temu Alma nie mogła zaprzeczyć. Z całą pewnością *nie* znała takiego uczucia.

– George Hawkes był jedynym mężczyzną, który patrzył na twoją siostrę życzliwie… nie jak na przedmiot, ale jak na duszę – ciągnęła Hanneke. – Dobrze znasz pana Hawkesa, Almo. Czy nie dostrzegasz, że mężczyzna taki jak on może budzić w młodej kobiecie poczucie bezpieczeństwa?

Jak najbardziej dostrzegała. George Hawkes zawsze budził w Almie poczucie bezpieczeństwa. Bezpieczeństwa oraz okazywanego uznania.

– Czy kiedykolwiek się zastanawiałaś, dlaczego pan Hawkes ciągle bywał w White Acre, Almo? Czy uważasz, że przychodził tak często, by widywać się z twoim ojcem?

Hanneke litościwie nie dodała: „Czy uważasz, że przychodził tak często, by widywać się z *tobą*?", ale owo niewypowiedziane pytanie zawisło w powietrzu.

– On kochał twoją siostrę, Almo. Adorował ją na swój cichy sposób. A co więcej, ona też go kochała.

– Wciąż o tym mówisz – przerwała Alma. – Ciężko mi tego słuchać, Hanneke. Widzisz, kiedyś i ja kochałam George'a Hawkesa.

– Czy myślisz, że o tym nie wiem? – zawołała Hanneke. – Oczywiście, że go kochałaś, drogie dziecko, kochałaś go, ponieważ był uprzejmy wobec ciebie! I byłaś na tyle prostoduszna, że zwierzyłaś się z tej miłości twojej siostrze. Czy sądzisz, że młoda kobieta tak pryncypialna jak Prudence poślubiłaby George'a Hawkesa, wiedząc, że darzysz go uczuciem? Czy sądzisz, że mogłaby ci zrobić coś takiego?

– Czy oni chcieli się *pobrać*? – zapytała z niedowierzaniem Alma.

– Ależ naturalnie, że się chcieli pobrać! Byli młodzi i zakochani! Ale ona nie zrobiłaby tego tobie, Almo. George poprosił ją o rękę krótko przed śmiercią waszej matki. Odmówiła mu. Poprosił znowu. Znowu odmówiła. Prosił jeszcze wiele razy. A ona nie wyjawiała powodu odmowy, lojalna wobec *ciebie*. Gdy nie przestawał się oświadczać, narzuciła się na siłę Arthurowi Dixonowi, ponieważ się akurat nawinął i najłatwiej z wszystkich było wziąć go na męża. Znała Dixona na tyle dobrze, że mogła być przynajmniej pewna, iż jej nie skrzywdzi. Że nigdy jej nie uderzy ani nie będzie poniżać. Miała nawet pewne dla niego uznanie. To on wprowadził ją w te jej koncepcje abolicjonistyczne, jeszcze wtedy, kiedy był waszym nauczycielem, i bardzo zaraził nimi jej głowę... aż do teraz. Tak więc szanowała pana Dixona, ale go nie kochała i teraz też go nie kocha. Po prostu musiała wyjść za kogoś za mąż... za kogokolwiek... aby zniknąć z planów George'a, a także, wyznam ci, iż z nadzieją, że wtedy George poślubi *ciebie*. Wiedziała, że George cię lubi jako przyjaciela, i miała nadzieję, że nauczy się ciebie kochać jako żonę i da ci szczęście. Oto co zrobiła dla ciebie twoja siostra Prudence, dziecko. A ty stoisz tu przede mną, utrzymując, że nie masz wobec niej żadnego długu.

Przez dłuższą chwilę Alma nie mogła wydobyć z siebie słowa. A potem odezwała się niemądrze:

– Ale George Hawkes poślubił Rettę.

– Więc plan nie zadziałał... nieprawdaż, Almo? – zapytała

mocnym głosem Hanneke. – Czy ty to dostrzegasz? Twoja siostra zrezygnowała z mężczyzny, którego kochała, po nic. Bo on mimo wszystko nie ożenił się z tobą. Zrobił to samo co Prudence: narzucił się na siłę pierwszej osobie, jaka się nawinęła, by wziąć ślub z kimkolwiek.

Mojej osoby nawet nie brał pod uwagę, uzmysłowiła sobie Alma. Była to pierwsza myśl, jaka, karygodnie, przyszła jej do głowy, zanim jeszcze zaczęła się zastanawiać nad rozmiarem poświęcenia siostry.

*Nigdy nawet nie brał mnie pod uwagę.*

George nigdy nie widział w Almie nic ponad koleżankę na polu botaniki oraz małą mistrzynię mikroskopu. Wszystko nabierało teraz sensu. Czemu miałby w ogóle zauważyć Almę? Dlaczego miałby w ogóle zauważyć, że Alma jest kobietą, kiedy tuż obok miał nadzwyczajną Prudence? George nigdy sobie nie uświadamiał, nawet przez chwilę, że Alma go kocha, ale Prudence o tym wiedziała. Zawsze o tym wiedziała. I musiała także zdawać sobie sprawę, pojęła teraz z narastającym smutkiem Alma, że nie ma wielu mężczyzn na świecie, którzy nadawaliby się na męża dla Almy, George wzbudzał największe nadzieje. Z kolei Prudence mogła dostać każdego. Tak musiała to widzieć.

I w ten sposób Prudence zrezygnowała z George'a dla dobra Almy – czy przynajmniej próbowała. Ale to wszystko nie zdało się na nic. Siostra zrzekła się miłości jedynie po to, by jej wspaniały George Hawkes spędził życie z szaloną malutką żoną, która nigdy nawet nie przeczytała książki i która przebywa teraz w ośrodku zamkniętym. Zrzekła się miłości jedynie po to, aby Alma wiodła swoje życie w całkowitej samotności – i aby w wieku średnim narażona została na oczarowanie mężczyzną takim jak Ambrose Pike, u którego jej pożądanie wzbudziło tylko wstręt i który pragnął jedynie być aniołem (czy też, jak się teraz okazało, pragnął kochać jedynie nagich tahitańskich chłopców). Jakąż zmarnowaną uprzejmością okazało się młodzieńcze poświęcenie Prudence!

I nareszcie Alma pomyślała – biedna Prudence. Po dłuższej chwili dodała w myślach: Biedny George! A potem nagle: Biedna Retta! I na końcu: Biedny Arthur Dixon!

Biedni wszyscy.

– Jeśli prawdą jest, co mówisz, Hanneke – rzekła – to opowiadasz bardzo ponurą historię.

– To, co mówię, *jest* prawdą.

– Dlaczego nigdy wcześniej mi o tym nie powiedziałaś?

– Co by to dało?

– Ale dlaczego Prudence zrobiła dla mnie coś takiego? – zapytała Alma. – Prudence mnie nigdy nawet nie lubiła.

– Nie ma znaczenia, co o tobie myślała. Jest szlachetnym człowiekiem i w życiu kieruje się szlachetnymi zasadami.

– Czy ona litowała się nade mną, Hanneke? Czy to było to?

– Jeśli cokolwiek, to najwyżej cię podziwiała. Zawsze starała się ciebie naśladować.

– Nonsens! Nigdy tego nie robiła.

– Nonsensem to wypełniona jesteś ty, Almo! Ona zawsze ciebie podziwiała, moje dziecko. Przedstaw sobie, jak musiałaś wyglądać w jej oczach, kiedy się tutaj zjawiła! Pomyśl o całej swojej wiedzy, o uzdolnieniach. Zawsze starała się zdobyć twój podziw. Ty jednak nigdy go jej nie ofiarowałaś. Czy chociaż raz ją pochwaliłaś? Czy chociaż raz dostrzegłaś, jak ciężko pracowała, aby dogonić ciebie w nauce? Czy kiedykolwiek podziwiałaś jej zdolności, czy pogardzałaś nimi jako mniej wartymi od twoich? Jak to się stało, że pozostałaś tak uparcie ślepa na jej niepoślednie zalety?

– Nigdy nie rozumiałam tych jej niepoślednich zalet.

– Nie, Almo… nigdy nie wierzyłaś w ich istnienie. Przyznaj sama. Uważałaś jej dobro za pozę. Uważałaś ją za szarlatana.

– Tylko dlatego, że… że ona nosi taką *maskę*… – mruknęła Alma, walcząc o grunt, na jakim mogłaby się obronić.

– Rzeczywiście nosi, ponieważ chciałaby, żeby nikt jej nie widział oraz nie znał. Ale ja ją znam i powiem ci, że za tą maską chowa się najlepsza, najbardziej wspaniałomyślna, godna największego podziwu kobieta. Jakim cudem ty tego nie widzisz? Czy nie możesz poświadczyć, jak doskonale ona panuje nad sobą do dzisiejszego dnia… jak jest szczera we wszystkich swych dobrych uczynkach? Co jeszcze powinna zrobić, żeby zasłużyć na twój szacunek? A jednak ty nigdy jej nie chwalisz i jeszcze, bez najmniejszych oporów, zamierzasz całkowicie siostrę zlekceważyć teraz, kiedy odziedziczyłaś sezam pirackich skarbów po swoim durniu ojcu... człowieku, który był zawsze tak samo ślepy jak ty na cierpienie oraz poświęcenie innych.

– Hanneke, uważaj – ostrzegła ją Alma, walcząc z wzbierającą falą ogromnego smutku. – Wstrząsnęłaś mną, a teraz mnie atakujesz, kiedy jestem wciąż w stanie ogromnego oszołomienia. Muszę więc cię poprosić... proszę, obchodź się dzisiaj ze mną delikatnie, Hanneke.

– Ale my wszyscy już się obchodzimy z tobą delikatnie, Almo – odpowiedziała stara zarządczyni, nic a nic nie łagodniejąc. – Być może jesteśmy delikatni już za długo.


Zdruzgotana Alma uciekła do swojej pracowni. Usiadła na zniszczonej otomanie w kącie, niezdolna dłużej utrzymywać własnego ciężaru na własnych nogach. Oddychała płytko i szybko. Czuła się jak ktoś obcy we własnej skórze. Kompas, który miała w sobie – i który zawsze pokazywał jej kierunek do najprostszych prawd w jej świecie – ten kompas wirował jak szalony w poszukiwaniu bezpiecznego punktu, na którym mógłby się zatrzymać, ale nie znajdował nic.

Matka nie żyje. Ojciec nie żyje. Mąż – kimkolwiek dla niej był bądź nie był – nie żyje. Siostra Prudence zniszczyła dla Almy swoje życie, co nikomu nie przyniosło pożytku. George Hawkes jest kompletną tragedią. Retta Snow jest zrujnowanym, rozdartym nieszczęściem. A teraz wygląda na to, że Hanneke de Groot – ostatni żyjący człowiek, którego Alma kocha i podziwia – nie ma dla niej najmniejszego szacunku. Bo i nie powinna mieć.

Siedząc tak w pracowni, Alma zmusiła się wreszcie do uczciwego rozrachunku z własnym życiem. Jest pięćdziesięciojednoletnią kobietą, zdrową na umyśle i ciele, silną jak muł, wykształconą jak jezuita, bogatą jak żaden par. Nie jest piękna, trzeba przyznać, ale wciąż posiada większość własnych zębów i nie nęka jej żadna dolegliwość. Na co więc ma narzekać? Jej życie od narodzin skąpane było w luksusie. Nie ma męża, to prawda, ale nie ma również dziecka czy – teraz – rodziców wymagających opieki. Jest kompetentna, inteligentna, pracowita oraz (zawsze była tego pewna, ale ostatnio trochę spadło jej przekonanie) odważna. Jej wyobraźnia zetknęła się z najbardziej śmiałymi naukowymi i wynalazczymi pomysłami, jakie epoka miała do zaoferowania. Przy własnym stole dysputowała z wieloma najlepszymi umysłami swoich czasów. Jest właścicielką biblioteki, która Medyceuszy przyprawiłaby o łzy zazdrości, i czytała ten księgozbiór niejeden raz.

Mając takie wykształcenie oraz tyle przywilejów, co uczyniła Alma ze swoim życiem? Jest autorką dwóch mało znanych książek na temat briologii – książek, o które świat w najmniejszym stopniu nie wołał – a teraz pracuje nad trzecią. Nigdy nie poświęciła choćby jednej chwili na pomoc komukolwiek, z wyjątkiem swego samolubnego ojca. Jest dziewicą oraz wdową oraz sierotą oraz dziedziczką oraz starszą panią oraz... kompletną idiotką.

Sądziła, że dużo wie, ale nie wie nic.

Nie wie nic o swojej siostrze.

Nie wie nic o poświęceniu.

Nie wie nic o człowieku, którego poślubiła.

Nie wie nic o niewidzialnych siłach, które rządzą jej życiem.

Zawsze myślała o sobie jako o kobiecie godnej oraz światowej, ale w rzeczywistości jest kapryśną i starzejącą się księżniczką – czy raczej teraz starą babą – która nigdy nie zaryzykowała niczego wartościowego i która nigdy nie wybrała się dalej poza Filadelfię niż do szpitala dla upośledzonych w Trenton w New Jersey.

Taki smutny inwentarz powinien być nie do zniesienia, ale z jakiegoś powodu nie był. Nieoczekiwaną prawdę powiedziawszy, był ulgą. Alma zwolniła oddech. Jej kompas przestał wirować. Siedziała spokojnie z rękoma na podołku. Nieporuszona. Chłonęła całą nową prawdę i nie wzdragała się przed niczym.


Następnego dnia Alma dosiadła konia i wczesnym rankiem zjawiła się sama w biurze prawnym wieloletniego doradcy ojca, a tam spędziła dziewięć godzin, siedząc razem z nim przy biurku i sporządzając dokumenty, spisując gwarancje zabezpieczeń oraz unieważniając zastrzeżenia. Prawnik z niczym się nie zgadzał. Ona nie zwracała uwagi na ani jedno jego słowo. Potrząsał starą pożółkłą głową, aż trzęsły mu się zwisające policzki, ale przynajmniej nie próbował jej przekonywać. Ona jedna miała prawo podejmować decyzje i oboje dobrze o tym wiedzieli.

Zakończywszy tę sprawę, pogalopowała na Trzydziestą Dziewiątą Ulicę, do domu siostry. Był już prawie wieczór i rodzina Dixonów kończyła posiłek.

– Chodź ze mną na spacer – powiedziała do Prudence, która, nawet jeśli zaskoczyła ją nieoczekiwana wizyta Almy, to nie dała tego po sobie poznać.

Dwie kobiety ruszyły wolnym krokiem wzdłuż Chestnut Street, grzecznie ująwszy się pod ramię.

– Jak wiesz – zaczęła Alma – nasz ojciec odszedł.

– Tak – odpowiedziała Prudence.

– Dziękuję za kartkę z kondolencjami.

– Nie ma za co.

Prudence nie przyjechała na pogrzeb. Nikt się nie spodziewał, że przyjedzie.

– Spędziłam cały dzień z prawnikiem ojca – kontynuowała Alma. – Przeglądaliśmy testament. Znalazłam w nim wiele niespodzianek.

– Zanim będziesz mówić dalej – przerwała jej Prudence – muszę cię poinformować, że nie mogę przyjąć w dobrej wierze żadnych pieniędzy od naszego zmarłego ojca. Był między nami rozdźwięk, którego nie potrafiłam czy też nie chciałam naprawić, i nie byłoby etycznie z mojej strony korzystać z jego szczodrości wtedy, kiedy odszedł.

– Nie musisz się martwić – odparła Alma, zatrzymując się i spoglądając siostrze prosto w oczy. – Nie zostawił ci nic.

Prudence, jak zawsze opanowana, nie zareagowała. Powiedziała jedynie:

– W takim razie sprawa jest prosta.

– Nie, Prudence – odrzekła Alma, na powrót ujmując siostrę pod rękę. – Daleko jej do tego. Ojciec zrobił rzecz zaskakującą i błagam cię, uważnie wysłuchaj. Całość White Acre razem z przeważającą częścią swego majątku pozostawił Filadelfijskiemu Towarzystwu Abolicyjnemu.

Prudence i teraz nie zareagowała ani nie odpowiedziała. Dobre nieba, ależ ona jest silna, pomyślała zdjęta zachwytem Alma, niemalże gotowa złożyć ukłon w podziwie dla powściągliwości siostry. Beatrix byłaby dumna.

Alma kontynuowała:

– Było jeszcze dodatkowe rozporządzenie zapisane w testamencie. Zarządził, że zostawi posiadłość White Acre Towarzystwu Abolicyjnemu jedynie pod warunkiem, że rezydencja w White Acre przeznaczona zostanie na szkołę dla murzyńskich dzieci, a ty, Prudence, będziesz ją prowadzić.

Prudence spojrzała na Almę przenikliwie, jakby szukała oznak podstępu. Alma nie miała jednak problemu z miną otwartą i prawdomówną, albowiem to właśnie oświadczały dokumenty – czy też, to oświadczały *teraz*.

– Zostawił dosyć długi list z wyjaśnieniami – ciągnęła – który mogę ci streścić. Stwierdził, że czuje, iż uczynił w życiu mało dobrego, choć pięknie mu się powodziło. Że czuje, iż w zamian za własny niewyobrażalnie pomyślny los nie dał światu nic, co miałoby jakąkolwiek wartość. Że czuje, iż ty jesteś osobą, która najlepiej nadaje się do tego, by dopilnować, aby White Acre się przemieniła w siedzibę ludzkiej dobroci w przyszłości.

– Czy on takie słowa napisał? – zapytała Prudence, ostrożna jak zawsze. – Właśnie takie słowa, Almo? Nasz ojciec, Henry Whittaker, użył określenia „siedziba ludzkiej dobroci"?

– Właśnie takie słowa – uparcie twierdziła Alma. – Został już spisany akt notarialny oraz rozporządzenia. Jeśli nie akceptujesz zapisu ojca... jeśli nie przeprowadzisz się z powrotem do White Acre razem ze swoją rodziną i nie zajmiesz się zarządzaniem szkołą na jej terenie, jak życzył sobie nasz ojciec... to cały majątek oraz posiadłość wrócą do nas obu i będziemy musiały to wszystko sprzedać albo jakoś inaczej podzielić. Wziąwszy to pod uwagę, szkoda byłoby nie uszanować jego życzenia.

Prudence uważnie badała twarz Almy.

– Nie wierzę ci – powiedziała wreszcie.

– Nie musisz mi wierzyć – odparła Alma – ale jest, jak jest. Hanneke zostanie i będzie prowadzić dom oraz wyręczać cię w zarządzaniu White Acre. Ojciec zostawił Hanneke bardzo szczodrą darowiznę, ale wiem, że będzie chciała zostać i pomóc tobie. Ona cię podziwia i lubi być użyteczna. Ogrodnicy i robotnicy zostaną, by dbać o posiadłość. Biblioteka pozostanie nienaruszona, dla dobra uczniów. Pan Dick Yancey przejmie udziały w przedsiębiorstwie farmaceutycznym oraz będzie nadal prowadzić zamorskie interesy ojca, wszystkie przychody przekazując szkole, na pensje robotników oraz na wydatki związane z prowadzeniem spraw abolicyjnych. Czy rozumiesz?

Prudence nie odpowiedziała.

Alma mówiła dalej.

– Aha, jest jeszcze jeden zapis. Ojciec ustanowił hojny legat na pokrycie kosztów utrzymania naszej przyjaciółki Retty w Zakładzie Griffona do końca jej dni, tak by George Hawkes nie musiał ponosić tego ciężaru.

Tym razem Prudence zaczęła tracić panowanie nad mięśniami twarzy. Zawilgotniały jej oczy oraz dłoń, którą obejmowała dłoń Almy.

– Cokolwiek byś powiedziała – rzekła Prudence – nic mnie nie przekona, że nasz ojciec pragnął którejkolwiek z tych rzeczy.

Alma jednak się nie wycofała.

– Niech cię to nie dziwi. Wiesz, że był nieobliczalnym człowiekiem. I zobaczysz, Prudence... akt własności oraz dokumenty z zapisem są zupełnie jasne oraz prawomocne.

– Dobrze wiem, Almo, że ty sama potrafisz sporządzać jasne prawomocne dokumenty.

– Ale od tak dawna mnie znasz, Prudence. Czy kiedykolwiek widziałaś, żebym zrobiła w życiu coś innego niż to, co nasz ojciec pozwolił mi albo kazał zrobić? Pomyśl, Prudence. Widziałaś kiedykolwiek?

Prudence odwróciła wzrok. Nie była w stanie panować nad sobą, jej maska nareszcie opadła i wybuchnęła płaczem. Alma przyciągnęła siostrę – tę niezwykłą, dzielną, tak nieznaną jej siostrę – wzięła ją w ramiona i dwie kobiety stały długą chwilę, mocno objęte w milczeniu.

Prudence wreszcie się opanowała i otarła łzy.

– A co zostawił tobie, Almo? – zapytała drżącym głosem. – Co nasz ojciec, ten najbardziej szczodry z ojców, zapisał tobie pomiędzy owymi nieoczekiwanymi nadaniami?

– Nie martw się teraz o to, Prudence. Mam o wiele więcej, niż kiedykolwiek będzie mi potrzebne.

– Ale co dokładnie ci zostawił? Musisz mi powiedzieć.

– Trochę pieniędzy – odpowiedziała Alma. – I także powozownię… Czy raczej wszystkie moje rzeczy, które się w niej znajdują.

– Czy ty masz już na zawsze żyć w powozowni? – zapytała Prudence, przytłoczona i zmieszana, i znowu uczepiła się ręki Almy.

– Ależ nie, kochana. Ja już nigdy nie będę mieszkać w pobliżu White Acre. Teraz cała posiadłość znajduje się w twoich rękach. Ale moje książki oraz rzeczy pozostaną w powozowni, dopóki nie wrócę. Wyjadę na trochę, może gdzieś się osiedlę, a wtedy przyślę po to, czego będę potrzebować.

– Ale gdzie wyjedziesz?

Alma nie mogła się powstrzymać od śmiechu.

– Och, Prudence! – odparła. – Gdybyś tylko wiedziała, gdzie się wybieram, uznałabyś, że jestem zupełnie szalona!

CZĘŚĆ CZWARTA

*Misja z konsekwencjami*

# ROZDZIAŁ DWUDZIESTY PIERWSZY

Alma pożeglowała na Tahiti trzynastego dnia w listopadzie 1851 roku.

W Londynie właśnie postawiono Kryształowy Pałac na Wystawę Światową. W Obserwatorium w Paryżu zainstalowano wahadło Foucaulta. Biały człowiek dopiero co pierwszy raz ujrzał dolinę Yosemite. Podmorski kabel telegraficzny rozwijał się przez Atlantyk. John James Audubon zmarł ze starości; Richard Owen otrzymał Medal Copleya za dokonania w dziedzinie paleontologii; Żeńska Wyższa Szkoła Medyczna w Pensylwanii miała właśnie wypuścić pierwsze absolwentki, osiem lekarek; a Alma Whittaker – w wieku pięćdziesięciu jeden lat – opłaciła bilet pasażerski na wielorybniczym statku zmierzającym ku południowemu Pacyfikowi.

Płynęła bez służącej, bez przyjaciela, bez przewodnika. Hanneke de Groot zapłakała na jej ramieniu na wieść, że Alma odjeżdża, ale szybko się opanowała i zamówiła zestaw praktycznych ubrań, w tym dwie specjalne suknie podróżne: skromnie uszyte z lnu oraz wełny o wzmocnionych guzikach (niewiele różniące się od tego, co Hanneke sama nosiła na co dzień), w które Alma mogła się ubierać bez pomocy. W takim stroju przypominała raczej służącą, ale miała za to dużą wygodę i swobodę ruchów. Czemu się nie ubierała w ten sposób przez całe życie? Kiedy suknie na podróż były gotowe, Alma poinstruowała Hanneke, by w rąbek dwu z nich wszyła ukryte kieszonki, w których zamierzała trzymać złote oraz srebrne dukaty potrzebne do opłacania podróży. Owe monety stanowiły większość całego jej majątku. Nie była to pod żadnym względem fortuna, ale powinno ich wystarczyć – w co Alma z całego serca wierzyła – na utrzymanie oszczędnego podróżnika przez dwa albo trzy lata.

– Zawsze byłaś dla mnie taka dobra – powiedziała Alma do zarządczyni, kiedy suknie były obszyte.

– Cóż, będzie mi ciebie brakowało – odparła zarządczyni – i znowu będę płakać, kiedy odjedziesz, ale powiedzmy sobie szczerze, moje dziecko... obie jesteśmy już za stare, aby bać się wielkich zmian w życiu.

Prudence podarowała Almie na pamiątkę bransoletkę uplecioną z kosmyka jej własnych włosów (wciąż tak jasnych jak cukier) razem z kosmykiem włosów Hanneke (srebrnych jak wypolerowana stal). Własnoręcznie zawiązała bransoletkę na nadgarstku siostry, a Alma obiecała, że jej nigdy nie zdejmie.

– Nie mogłabym wyobrazić sobie cenniejszego podarunku – powiedziała.

I naprawdę tak myślała.

Natychmiast po podjęciu decyzji, że jedzie na Tahiti, Alma wystosowała list do misjonarza w zatoce Matavai, wielebnego Francisa Wellesa, uprzedzając go, że przyjedzie na czas nieokreślony. Zdawała sobie sprawę, że istnieje wielkie prawdopodobieństwo, iż to ona zjawi się w Papeete pierwsza, przed listem, ale nie mogła nic w związku z tym uczynić. Chciała wyruszyć jeszcze przed zimą. Wolała nie czekać zbyt długo, bo mogłaby zmienić zdanie. Pozostało jej mieć nadzieję, że gdy dotrze na Tahiti, znajdzie się dla niej jakieś miejsce do mieszkania.

Pakowała się przez trzy tygodnie. Wiedziała dokładnie, co zabrać, ponieważ od dziesięcioleci doradzała kolekcjonerom botanicznym w sprawach bezpiecznego oraz właściwie wyposażonego bagażu. Mieściło się w nim więc: mydło arszenikowe, szewski wosk, szpagat, kamfora, szczypce, korek, pudełka na owady, prasa do roślin, wiele wodoodpornych torebek z gumy, dwa tuziny solidnych ołówków, trzy słoiczki tuszu, puszka pigmentów akwarelowych, pędzle, pinezki, siatki, okulary, kit, drut mosiężny, małe skalpele, myjki, nici jedwabne, zestaw pierwszej pomocy medycznej oraz dwadzieścia pięć ryz papieru (bibuły, listowego, zwykłego brązowego). Rozważała zabranie strzelby, ale ponieważ nie była wybornym strzelcem, uznała, że podczas bliskiego starcia będzie musiał jej wystarczyć skalpel.

Podczas przygotowań towarzyszył jej głos ojca, rozbrzmiewający we wspomnieniu dyktowaniem lub udzielający instrukcji młodym botanikom. *Bądź czujna i uważna*, słyszała głos Henry'ego. *Upewnij się, że w twojej ekipie nie jesteś jedyną, która potrafi napisać oraz przeczytać list. Jeśli musisz znaleźć wodę, podążaj za psem. Jeśli głodujesz, najedz się owadów, zanim stracisz energię na polowanie. Wszystko, co może zjeść ptak, możesz jeść i ty. Największym niebezpieczeństwem nie są węże, lwy czy kanibale; największym niebezpieczeństwem są dla ciebie pęcherze na stopach, nieuwaga oraz zmęczenie. Dokładaj starań, by pisać swoje dzienniki oraz rysować mapy w czytelny sposób; jeśli umrzesz, twoje notatki mogą się przydać następnemu odkrywcy. W chwili ostatecznej możesz zawsze pisać krwią.*

Alma wiedziała, że dla ochłody w tropikach należy nosić jasne kolory. Wiedziała, że mydliny wtarte w tkaninę i wysuszone w ciągu nocy doskonale uodpornią ubranie na wodę. Wiedziała, że bezpośrednio na skórę należy wkładać flanelę. Wiedziała, że zrobi dobre wrażenie, jeśli przywiezie ze sobą podarki zarówno dla misjonarza (bieżącą prasę, nasiona warzyw, chininę, toporki oraz szklane butelki), jak i dla tubylców (perkal, guziki, lusterka i wstążki). Zapakowała jeden z ulubionych mikroskopów – najlżejszy – choć bardzo się bała, czy nie ulegnie zniszczeniu podczas podróży. Zapakowała lśniący nowy chronometr oraz mały termometr podróżny.

Wszystko to włożyła do kufrów oraz drewnianych skrzyń (z czułością wymoszczonych suchym mchem), a te ustawiła w małą piramidę na zewnątrz powozowni. Alma poczuła dreszcz paniki, kiedy ujrzała kwintesencję swego żywota zredukowaną do niewielkiego stosu. Czy zdoła przeżyć z tak skromną liczbą rzeczy? Jak sobie da radę bez biblioteki? Bez herbarium? Jak to będzie, gdy wiadomości o rodzinie albo ze świata nauki będą docierać po sześciu miesiącach? A jeśli statek zatonie i ta cała kwintesencja zaginie? Nagle ogarnęło ją współczucie dla wszystkich tych nieustraszonych młodych ludzi, których Whittakerowie wysyłali onegdaj na ekspedycje – albowiem i oni musieli czuć lęk i niepewność, nawet jeśli okazywali hart. O niektórych z nich nigdy więcej nie słyszano.

Podczas przygotowań Alma starała się ze wszech miar zachować wszelkie pozory *botaniste voyageuse*, ale prawda była taka, że nie jechała na Tahiti w poszukiwaniu roślin. Prawdziwy powód znajdował się w czymś, co leżało schowane na dnie największej skrzyni: w skórzanej walizce Ambrose'a, starannie zamkniętej i wypełnionej rysunkami przedstawiającymi nagiego tahitańskiego chłopca. Chciała poszukać tego, którego w myślach przyzwyczaiła się nazywać Tym Chłopcem, i była pewna, że go odnajdzie. Zamierzała szukać Tego Chłopca na całej wyspie Tahiti, jeśli zajdzie taka potrzeba, poszukiwać go wręcz *botanicznie*, jak rzadką odmianę orchidei. Rozpozna go, jeśli go tylko zobaczy, jasno to wiedziała. Tę twarz znać będzie po kres swoich dni. W końcu Ambrose był świetnym artystą i żywo oddał rysy. Jakby zostawił jej mapę, a teraz ona według niej będzie podążać.

Nie zastanawiała się, co zrobi z Tym Chłopcem, kiedy już go znajdzie. Wiedziała tylko, że to nastąpi.


Alma wsiadła w pociąg do Bostonu, spędziła trzy doby w niedrogim hotelu portowym (cuchnącym ginem, tytoniem oraz potem wcześniejszych gości), po czym zaokrętowała na statek *Elliot* – studwudziestostopowy wielorybnik, szeroki i solidny jak stara kobyła – zdążający ku Markizom dwunasty już raz, odkąd został zbudowany. Kapitan się zgodził, za słoną opłatą, nadłożyć 850 mil i dowieźć Almę na Tahiti.

Był nim niejaki Terrence z Nantucket, marynarz, którego podziwiał Dick Yancey, i to on załatwił Almie miejsce na pokładzie. Terrence jest twardy, a taki powinien być kapitan, zapewniał ją Yancey, i utrzymuje większą od innych dyscyplinę wśród swoich ludzi. Był to człowiek znany bardziej z odwagi niż z rozwagi (szczególnie z metody podnoszenia zamiast opuszczania żagli podczas sztormu, w celu złapania podmuchów dla osiągnięcia większej szybkości), ale był też wierzący i poważny i dążył do podniesienia morale na morzu. Dick Yancey mu ufał i często z nim żeglował. Dick Yancey zawsze się spieszył i wolał kapitanów, którzy żeglują szybko oraz bez lęku, a Terrence właśnie taki był.

Alma nigdy wcześniej nie przebywała na statku. Czy ściślej, była na wielu statkach, kiedy jeździła z ojcem do doków w Filadelfii, by sprawdzać nadchodzące transporty, ale nigdy dotychczas nie żeglowała. Gdy *Elliot* wciągnął slip, stała na pokładzie, a serce jej waliło, chcąc chyba wyskoczyć z piersi. Obserwowała, jak się zbliżają ostatnie dźwigi doku, a potem – z zapierającą dech prędkością – oddalają. Mknęli przez wielki bostoński port, a małe łódki rybackie podskakiwały na kilwaterze. Gdy popołudnie się chyliło ku wieczorowi, Alma po raz pierwszy w życiu znajdowała się na otwartym oceanie.

– Będę służyć wszelką pomocą, aby wygodnie się pani podróżowało – zapewnił kapitan Terrence, kiedy weszła na pokład.

Ceniła jego troskę, ale wkrótce stało się jasne, że trzeba zapomnieć o wygodzie podczas tej podróży. Jej kajuta, tuż obok prywatnej kabiny kapitana, była mała i ciemna oraz cuchnęła ściekami. Woda pitna smakowała jak ze stawu. Statek wiózł ładunek mułów do Nowego Orleanu i zwierzęta się uporczywie użalały. Jedzenie było ciężko strawne (rzepa ze słonymi herbatnikami na śniadanie; suszona wołowina oraz cebula na obiad), a pogoda w najlepszym wypadku niepewna. Przez pierwsze trzy tygodnie podróży ani razu nie widziała słońca. Statek od razu wpadł w ciąg sztormów, które tłukły zastawę stołową i w oszałamiającym tempie ciskały marynarzami po pokładzie. Aby bezpiecznie zjeść swoją suszoną wołowinę z cebulą, Alma musiała się kilkakrotnie przywiązywać do kapitańskiego stołu. Ale zjadała mężnie i bez narzekania.

Na statku nie było żadnej innej kobiety ani żadnego wykształconego mężczyzny. Marynarze grali w karty do późnej nocy, śmiali się i hałasowali, nie dając jej spać. Czasami tańczyli na pokładzie jak opętani i kończyli dopiero wtedy, kiedy kapitan Terrence groził, że połamie im skrzypce, jeśli nie przestaną. Na pokładzie *Elliota* byli sami nieokrzesańcy. Jeden z marynarzy u wybrzeży Karoliny Północnej złapał jastrzębia, obciął mu skrzydła i dla rozrywki patrzył, jak ptak skacze po pokładzie. Alma uznała to za barbarzyństwo, ale nic nie powiedziała. Następnego dnia znudzeni marynarze zabawiali się, aranżując ślub dwóch mułów. Założyli zwierzętom strojne kołnierze z papieru i podnieśli raban, hukając i pokrzykując.

Kapitan pozwolił na to; uznał zabawę za nieszkodliwą (być może, pomyślała Alma, ponieważ odgrywano *chrześcijański* ślub). Nigdy przedtem nie widziała, by ludzie tak się zachowywali.

Alma nie miała z kim prowadzić poważnych rozmów, postanowiła więc zaprzestać poważnego rozmawiania. Była uśmiechnięta i zamieniała z każdym kilka słów. Powzięła zamiar nie przysparzać sobie wrogów. Ponieważ mieli spędzić razem najbliższe pięć do siedmiu miesięcy na morzu, była to słuszna strategia. Śmiała się nawet z żartów, jeśli mężczyźni nie stawali się zbyt wulgarni. Nie miała obaw o to, czy jest bezpieczna; kapitan Terrence nie pozwoliłby na spoufalenie, a mężczyźni nie okazywali żadnej lubieżności w stosunku do Almy. (Nie dziwiło jej to. Jeśli mężczyźni nie interesowali się nią, gdy miała dziewiętnaście lat, z pewnością żaden nie zwróci na nią uwagi, kiedy ma pięćdziesiąt jeden).

Jej najserdeczniejszym towarzyszem stała się oswojona małpka kapitana Terrence'a. Zwierzątko na imię miało Mały Nick i godzinami przesiadywało z Almą, ciągle coś na niej podskubując w poszukiwaniu nowych oraz dziwnych rzeczy. Mały Nick miał wyjątkowo inteligentne oraz ciekawskie usposobienie. Najbardziej z wszystkiego interesowała go utkana z włosów bransoletka, którą Alma nosiła na nadgarstku. Nie mógł opanować pomieszania, kiedy nie znajdował podobnej bransoletki na drugim nadgarstku – i codziennie rano sprawdzał, czy może wyrosła tam nocą. Po czym wzdychał i posyłał Almie spojrzenie pełne rezygnacji, jak gdyby mówił: „Czemu chociaż raz nie możesz być symetryczna?". Po pewnym czasie Alma nauczyła się dzielić z Małym Nickiem tabaką. Delikatnie wkładał szczyptę do jednej z dziurek nosa, oczyszczająco kichał, po czym zasypiał u niej na podołku. Nie miała pojęcia, co by zrobiła bez jego towarzystwa.

Opłynęli rożek Florydy i zatrzymali się w Nowym Orleanie, aby wyładować muły. Nikt ich nie opłakiwał. W Nowym Orleanie, nad jeziorem Pontchartrain, Alma ujrzała niezwykłą mgłę. Bele bawełny oraz beczki cukru trzcinowego piętrzyły się na nabrzeżu, czekając na załadunek. Widziała parostatki, ustawione w rzędach długich jak okiem sięgnąć w oczekiwaniu na możliwość poterkotania kołem w górę Missisipi. Robiła dobry użytek ze znajomości francuskiego, chociaż akcent tamtejszych ludzi wprawiał ją w zakłopotanie. Podziwiała malutkie domy z ogródkami ozdobionymi muszelkami oraz pospinanymi krzewami. Olśniewały ją kobiety w sukniach o wyszukanym kroju. Pragnęłaby dłużej wszystko odkrywać, ale wezwana została z powrotem na pokład.

Popłynęli wzdłuż wybrzeży Meksyku na południe. Statek opanowała gorączka. Prawie nikt jej nie umknął. Płynął z nimi lekarz, który był jednak całkowicie bezużyteczny, wkrótce więc to Alma rozdzielała leki z własnego sekretnego zapasu środków przeczyszczających oraz wymiotnych. Nie uważała siebie za nic więcej nad pielęgniarkę, ale ponieważ była kompetentną farmaceutką, zyskała niewielką grupę wielbicieli.

Wreszcie sama też się rozchorowała i musiała pozostać w kajucie. Gorączka przyniosła mgliste sny oraz wyraziste lęki. Nie potrafiła utrzymać rąk z dala od waginy i budziła się w parkosyzmach bólu i rozkoszy. Bezustannie śniła o Ambrosie. Czyniła heroiczne wysiłki, by o nim nie myśleć, gorączka osłabiała jednak fortyfikacje umysłu i wspomnienie o nim wdzierało się do środka – tyle że zniekształcone. We snach widziała go w wannie – w taki sposób, w jaki zobaczyła go nagiego tamtego popołudnia – teraz jednak jego penis przepięknie urósł i stanął, a on sam, lubieżnie się do niej uśmiechając, kazał go ssać, aż się zakrztusiła z braku tchu. W innych snach widziała Ambrose'a w wannie i nagle budziła się ogarnięta paniką, przekonana, że go zamordowała. Jednej nocy usłyszała, jak szeptał: „Teraz ty jesteś dzieckiem, a ja matką", i obudziła się z krzykiem, wyciągając ramiona. Ale nikogo nie było. Jego głos mówił po niemiecku. Czemu właśnie po niemiecku? Co to oznaczało? Przez resztę nocy leżała rozbudzona, starając się zrozumieć wyraz *matka – Mutter* po niemiecku – słowo, które w alchemii znaczy także „tygiel". Nie potrafiła dostrzec znaczenia tego snu, ale odczuwała jego ciężar, jak gdyby był klątwą.

Po raz pierwszy zaczęła żałować podjęcia podróży.

Następnego dnia po Bożym Narodzeniu od gorączki zmarł jeden z marynarzy. Owinięto go w płótno żaglowe, obciążono kulą armatnią i w milczeniu spuszczono do morza. Pozostali mężczyźni przyjęli jego śmierć bez zauważalnych oznak smutku i zlicytowali między siebie pozostałe po nim rzeczy. Wieczorem było już tak, jak gdyby tamten człowiek nigdy nie istniał. Alma wyobrażała sobie, jak wyglądałaby licytacja jej rzeczy. *Co by zrobili z rysunkami Ambrose'a?* Kto wie? Być może taki skarb, nasycony zboczoną wrażliwością, miałby wartość dla poniektórych mężczyzn. Na morze szli mężczyźni wszelkiego rodzaju. Alma dobrze o tym wiedziała.

Wreszcie wyzdrowiała. Mocny wiatr zaniósł ich do Rio de Janeiro, gdzie zobaczyła portugalskie statki niewolnicze płynące na Kubę. Ujrzała przepiękne plaże, przy których rybacy ryzykowali życie na tratwach, wyglądających nie solidniej niż daszek nad kurnikiem. Zobaczyła olbrzymie, wachlarzowe palmy, większe od tych w szklarniach w White Acre, i czuła się bliska agonii z pragnienia, by móc pokazać je Ambrose'owi. Nie potrafiła wyrzucić go z myśli. Zastanawiała się, czy i on widział palmy, kiedy tędy przepływał.

Starała się rozpraszać te myśli, podejmując niestrudzone eksploracyjne spacery. Widziała kobiety bez czepków, za to palące w czasie przechadzki ulicą cygara. Widziała tułaczy, handlarzy, brudnych Kreoli i grzecznych Murzynów, półdzikich i eleganckich Mulatów. Widziała mężczyzn sprzedających papugi oraz jaszczurki na mięso. Zajadała się pomarańczami, cytrynami oraz limonami. Pochłonęła tak wiele owoców mango – dzieląc się kilkoma z Małym Nickiem – że dostała wysypki. Oglądała wyścigi konne oraz zabawę taneczną. Nocowała w hotelu prowadzonym przez mieszaną parę – pierwszą, jaką widziała w życiu. (Kobieta była serdeczną, wykwalifikowaną Murzynką, która nic nie robiła powoli; mężczyzna był biały i nie robił w ogóle nic). Nie było dnia, by nie oglądała maszerujących ulicami Rio mężczyzn prowadzących zakutych w kajdany niewolników na sprzedaż. Nie mogła znieść tego widoku. Aż ją mdliło ze wstydu za te wszystkie lata, podczas których nie zwracała uwagi na tak obrzydliwy proceder.

Znów ruszyli na morze, zmierzając do przylądka Horn. Kiedy byli niedaleko, pogoda stała się tak ostra, że Alma – i tak już ubrana w warstwy flaneli oraz wełny – musiała narzucić męski szynel oraz pożyczyć rosyjską uszatkę. Tak opatulona nie różniła się od mężczyzn na pokładzie. Widziała Ziemię Ognistą, ale statek nie mógł zawinąć do portu, gdyż wiał zbyt gwałtowny wiatr. Przez następne piętnaście nieszczęsnych dni opływali przylądek. Kapitan nie pozwalał zwijać żagli i Alma nie pojmowała, jakim cudem maszty to wytrzymują. Statek kładł się to na jednej, to na drugiej burcie. *Elliot* krzyczał z bólu, a jego drewniana dusza biczowana była i okładana razami przez gwałtowne morze.

– Przepłyniemy cali, jeśli taka będzie wola boska – mówił Terrence, odmawiając zgody na obniżenie żagli i próbując zrobić kolejne dwadzieścia węzłów przed zapadnięciem zmroku.

– A jeśli ktoś przy tym zginie? – krzyczała do niego Alma poprzez wiatr.

– Morski pochówek – odkrzyknął kapitan, prąc naprzód.

Potem nadeszło czterdzieści pięć lodowatych dni. Fale szturmowały bez końca. Czasami wichury były tak silne, że starsi marynarze intonowali psalmy dla podtrzymania ducha. Inni klęli i się odgrażali, a kilku całkowicie milczało – jak gdyby już byli martwi. Sztormy poluzowały umocowanie klatek z drobiem, aż wreszcie rozsypały kury po pokładzie. Jednej nocy bom rozpadł się na drzazgi drobne jak podpałki. Następnego dnia marynarze próbowali założyć nowy bom, bezskutecznie. Jeden z nich spadł do ładowni powalony przez fale i połamał żebra.

Przez cały ten czas Alma tkwiła w zawieszeniu pomiędzy nadzieją i strachem, przeświadczona, że w każdej chwili może zginąć – ale ani razu nie krzyknęła z przerażenia i nie podniosła głosu w panice. Kiedy pogoda na koniec się uspokoiła, kapitan Terrence powiedział do niej: „Jest pani prawdziwą córą Neptuna, panno Whittaker", i Alma poczuła, że nigdy wcześniej nie zyskała tak wielkiej pochwały.

Wreszcie w połowie marca wpłynęli do doku w Valparaiso. Marynarze znaleźli na miejscu pod dostatkiem domów nierządu, w których zajęli się miłosnymi potrzebami, Alma zaś odkrywała to rozwinięte i gościnne miasto. Okolica wokół portu, błotnista równina, stanowiła dzielnicę biedoty, ale na zboczach wzgórz znalazła piękne domy. Wspinała się na kolejne wzgórza całymi dniami i czuła wracającą siłę w nogach. W Valparaiso widziała prawie tyle samo Amerykanów co w Bostonie – wszyscy w drodze do San Francisco w poszukiwaniu złota. Napełniała brzuch gruszkami i czereśniami. Obserwowała idącą w kierunku ogromnej katedry, długą na pół mili procesję religijną ku czci zupełnie jej nieznanego świętego. Czytała gazety i napisała listy do domu, do Prudence oraz do Hanneke. Jednego chłodnego i przejrzystego dnia wspięła się na najwyższy punkt w Valparaiso, skąd – w zamglonej dali – dostrzegła pokryte śniegiem szczyty Andów. Poczuła, że nieobecność ojca zadaje jej olbrzymią ranę. Przyniosło jej to dziwną ulgę – tęsknić za Henrym, nie za Ambrose'em.

A potem popłynęli dalej, po szerokich wodach Oceanu Spokojnego. Dni zrobiły się cieplejsze. Marynarze spokojniejsi. Czyścili pokład, zdrapując pleśń oraz wymioty. Nucili podczas pracy. Statek o poranku w gwarnej krzątaninie przypominał małą wioskę. Alma przyzwyczaiła się do braku prywatności i obecność marynarzy stała się dla niej pociechą. Znała ich i cieszyła się, że są. Uczyli ją wiązania węzłów oraz śpiewania szant, a ona opatrywała im rany oraz nacinała wrzody. Jadła mięso albatrosa zestrzelonego przez młodego marynarza. Minęli unoszące się na wodzie wzdęte ścierwo wieloryba – miał całkowicie zdarty tłuszcz przez innych wielorybników – ale na żywego osobnika się nie natknęli.

Ocean Spokojny był olbrzymi i pusty. Alma dopiero teraz pojęła, dlaczego tyle czasu zajęło Europejczykom znalezienie *Terra Australis* w owym niebywałym bezmiarze. Dawni odkrywcy zakładali, że – aby planeta utrzymywała równowagę – powinien się gdzieś tutaj znajdować południowy kontynent wielkości Europy. Ale popełniali błąd. Tutaj nie było prawie nic oprócz wody. Można co najwyżej było powiedzieć, że półkula południowa jest *odwrotnością* Europy: wielkim kontynentem oceanu, pokropionym maciupeńkimi jeziorami lądu rozrzuconymi w zaiste olbrzymiej od siebie nawzajem odległości.

Nastąpił ciąg dni w niebieskiej pustce. Z każdej strony Alma dostrzegała prerię wody aż do krańca swej zdolności pojmowania. Wciąż nie spotykali wielorybów. Nie widzieli także ptaków, ale zaczęli dostrzegać gdzieś daleko, za stu milami, wahania pogody, a te nie wyglądały dobrze. Powietrze zastygało w ciszy aż do nadejścia sztormów, a potem wiatry zaczynały krzyczeć z udręki.

W połowie kwietnia przeżyli napawające grozą załamanie pogody, które na ich oczach zaczerniło niebo, w środku popołudnia uśmiercając dzień. Powietrze stało się ciężkie i przerażające. Tak nagła zmiana na tyle zmartwiła kapitana Terrence'a, że widząc łańcuchy błyskawic nadchodzące z każdego kierunku, nakazał opuścić żagle – wszystkie. Zamiast fal zaczęły toczyć się na nich wielkie czarne góry. A potem – tak szybko jak nadeszła – burza się rozpłynęła i na powrót zajaśniało niebo. Jednak marynarze, zamiast okazać ulgę, zaczęli krzyczeć w przerażeniu, ponieważ dostrzegli zbliżającą się trąbę wodną. Kapitan odesłał Almę pod pokład, ona jednak ani drgnęła; tornado stanowiło zbyt fascynujące widowisko. Nagle wzbił się kolejny okrzyk, mężczyźni spostrzegli bowiem, że naprawdę zbliżają się do nich *trzy* trąby wodne i niebezpiecznie blisko otaczają statek z różnych stron. Alma była jak zahipnotyzowana. Jedno z tornad na tyle się zbliżyło, że zobaczyła długie sznurki wody w ogromnej wirującej kolumnie, podrywane spiralnie z oceanu do samego nieba. Z wszystkiego, co dotychczas widziała w życiu, było to najbardziej majestatyczne, najbardziej święte oraz najbardziej ekscytujące widowisko. Ciśnienie powietrza zgęstniało. Alma musiała walczyć o wciągnięcie każdego oddechu i czuła, jak gdyby błona bębenkowa w jej uszach miała się rozerwać. Przez następne pięć minut wszystko tak nią owładnęło, że nie wiedziała, czy wciąż żyje, czy jest już martwa. Nie pojmowała, w jakim świecie się znajduje. Uderzyło ją, że to świat, w którym jej czas już nie istnieje. O dziwo, nie miała nic przeciwko temu. Do nikogo nie tęskniła. Ani jedna osoba, którą kiedykolwiek znała, nie przyszła jej na myśl – ani Ambrose, ani nikt inny. Niczego nie żałowała. Stała, całkowicie pochłonięta zachwytem, przygotowana na wszystko, cokolwiek miałoby nadejść.

Trąby wodne odeszły i morze się uspokoiło. Alma czuła, że było to najszczęśliwsze doświadczenie jej życia.

Znowu płynęli.

Hen, daleko, na nieosiągalnym południu leżała Antarktyda. Na północy podobno nie było nic – tak przynajmniej mówili znudzeni marynarze. Kontynuowali kurs na zachód. Alma tęskniła do radości, jaką daje spacer oraz zapach ziemi. Pozbawiona innych botanicznych okazów do studiowania poprosiła marynarzy, aby wyłowili dla niej wodorosty. Nie znała się dobrze na wodorostach, ale umiała odróżniać cechy i wkrótce się zorientowała, że niektóre z nich mają korzenie sczepione w okrągłą masę, a innych korzenie są spłaszczone. Niektóre były uwypuklone, inne gładkie. Próbowała znaleźć sposób na zachowanie wodorostów poddawanych badaniom, by nie zamieniały się w szlam albo czarne płatki czegoś, co jest niczym. Nigdy tego nie opanowała, lecz przynajmniej miała jakieś zajęcie. Z zachwytem spostrzegła, że marynarze owijają zakończenia harpunów w kępki suchego mchu; mogła znowu badać coś pięknego i tak dobrze jej znanego.

Nauczyła się podziwiać marynarzy. Nie pojmowała, jak mogą znosić tak długie odcinki czasu daleko od lądowych wygód. Jak oni to robią, że potrafią nie oszaleć? Ją ocean zdumiewał i zarazem niepokoił. Nigdy nic nie wywarło na niej większego wrażenia. Ocean odczuwała jako najdokładniejszą destylację materii i największe arcydzieło misterium. Jednej nocy żeglowali po diamentowym polu płynnej fosforescencji. Podczas ruchu *Elliot* roztrącał dziwne molekuły zielonego i purpurowego światła i ciągnął za sobą poprzez morze długi rozjarzony welon. Było to tak piękne, że Alma się dziwiła, czemu mężczyźni się nie rzucają do wody, pochłonięci przez odurzającą magię na śmierć.

W te noce, kiedy nie mogła spać, chodziła boso po pokładzie, starając się zahartować podeszwy stóp przed pobytem na Tahiti. Patrzyła na długie odbicia gwiazd w spokojnej wodzie, świecące jak latarki. Niebo ponad nią było równie nieznane jak otaczające morze. Dostrzegała kilka konstelacji, które przypominały jej o domu – Orion, Plejady – ale zniknęła Gwiazda Polarna, tak jak i Wielka Niedźwiedzica. Brak owych skarbów na sklepieniu nieba wywoływał w niej uczucie zdesperowania i bezbronnej dezorientacji. Ale w zamian za to miała na niebiosach inne dary. Mogła teraz oglądać Krzyż Południa i Bliźnięta oraz szeroko rozlane mgławice Drogi Mlecznej.

Zachwycona konstelacjami Alma rzekła pewnej nocy do kapitana Terrence'a:

– *Nihil astra praeter vidit et undas.*

– Co to znaczy? – zapytał.

– To z ody Horacego – odparła. – Poeta mówi, że nic nie widać oprócz gwiazd i fal.

– Przykro mi, ale nie znam łaciny, panno Whittaker – przeprosił. – Nie jestem katolikiem.

Pewien starszy marynarz, który mieszkał na południowym Pacyfiku przez wiele lat, opowiedział, że gdy Tahitańczycy wybierają gwiazdę, której się będą trzymać podczas nawigacji, nazywają ją *aveia* – swoim bogiem przewodnim. Ale najbardziej rozpowszechnionym określeniem na gwiazdę jest *fetia*. Mars jest na przykład czerwoną gwiazdą: *fetia ura*. Gwiazda poranna jest *fetia ao*: gwiazdą światła. Tahitańczycy są wyjątkowymi nawigatorami, mówił stary żeglarz, pełen zachwytu dla ich umiejętności. Potrafią nawigować bezgwiezdną i bezksiężycową nocą, orientując się zaledwie według wyczucia prądów oceanicznych. Rozróżniają szesnaście rodzajów wiatru.

– Zawsze się zastanawiałem, czy kiedykolwiek ruszyli ku nam, na północ, zanim my dotarliśmy do nich na południu – powiedział. – Zastanawiałem się, czy kiedykolwiek przybyli do Liverpoolu albo do Nantucket w swoich łodziach. Mogło tak być. Mogli przyżeglować aż tam i przyglądać się nam, kiedy spaliśmy, a potem powiosłowali z powrotem, zanim zdążyliśmy ich zauważyć. Ani trochę nie byłbym zdziwiony, gdybym się dowiedział, że tak było.

I tym sposobem Alma poznała kilka słów w języku tahitańskim. Poznała słowo *gwiazda*, *czerwony* oraz *światło*. Poprosiła marynarza, żeby nauczył ją więcej. Ofiarował się ze wszystkim, co potrafi, starając się pomóc, ale znał głównie marynistyczne terminy oraz to, co się mówi do pięknych dziewcząt.

Wciąż nie widzieli żadnych wielorybów.

Mężczyzn ogarniało niezadowolenie. Nudzili się, niespokojni. Morza były przetrzebione. Kapitan obawiał się bankructwa. Niektórzy z marynarzy – ci bardziej zaprzyjaźnieni z Almą – chcieliby się przed nią popisać sztuką polowania.

– To jest taki dreszcz, jakiego z niczym nie porównasz – obiecywali.

Codziennie wyglądali wielorybów. Także Alma. Ale nigdy nie dane jej było żadnego zobaczyć, ponieważ w czerwcu 1852 roku dopłynęli do Tahiti. Marynarze ruszyli w swoją drogę, Alma w swoją, i już więcej nie słyszała o *Elliocie*.

# ROZDZIAŁ DWUDZIESTY DRUGI

Pierwszy widok Tahiti, jaki Alma ujrzała jeszcze z pokładu *Elliota*, to strome górskie szczyty, niewzruszenie wyniesione ku bezchmurnemu ciemnoniebieskiemu niebu. Właśnie się obudziła owego wspaniałego czystego poranka i wyszła na pokład, by zlustrować świat, który ma być jej światem. Nie spodziewała się tego, co ujrzała. Widok Tahiti zmusił jej pierś do gwałtownego złapania oddechu: nie jego uroda, lecz inność. Przez całe życie słuchała opowieści o tej wyspie, oglądała ryciny i obrazy, ale mimo to nie miała pojęcia, że jest właśnie taka, aż do przesady niezwykła. Tutejsze góry w niczym nie przypominały pofalowanych wzgórz Pensylwanii; były to bujnie zielone i dzikie zbocza – szokująco strome, przerażająco ostre, niewiarygodnie wysokie, oślepiająco zielone. Faktycznie cała wyspa była przesadnie wystrojona w zieleń. Aż do samej plaży, wszystko było wybujałe i zielone. Palmy kokosowe sprawiały wrażenie, jak gdyby wyrastały prosto z wody.

Wytrącało ją to z równowagi. Oto jest tutaj, dosłownie pośrodku pustkowia – w połowie drogi pomiędzy Australią oraz Peru – i nie może przestać się dziwić: Skąd w ogóle taka wyspa w takim miejscu? Tahiti wydawała się nieprawdopodobnym zakłóceniem olbrzymiej, nieskończonej, płaskiej powierzchni Pacyfiku – samowolną katedrą nie z tej ziemi, która wyskoczyła ze środka morza bez żadnego powodu. Spodziewała się ujrzeć coś na podobieństwo raju, ponieważ tak zawsze opisywano Tahiti. Spodziewała się, że to piękno ją pokona i będzie się czuła, jakby przybiła do Edenu. Czyż Bougainville nie nazwał wyspy *La Nouvelle Cythère*, na cześć miejsca narodzin Afrodyty? Ale pierwszą reakcją Almy był, szczerze powiedziawszy, lęk. Doświadczając owego jasnego poranka, w owym łagodnym klimacie, nagłego pojawienia się tej sławnej utopii, nie doznała nic oprócz poczucia zagrożenia. Ciekawe, co myślał o wyspie Ambrose? Wolałaby, żeby nie zostawiano jej tutaj samej. Ale gdzie indziej miała iść?

Statek, powolny zawodnik, wśliznął się gładko do portu w Papeete. Dziesiątki ptaków morskich krążyły nad masztami, zataczając koła szybciej, niż Alma była w stanie je zliczyć bądź rozpoznać gatunki. Została razem z bagażem wyładowana na gwarne, kolorowe nabrzeże. Kapitan Terrence uprzejmie zajął się znalezieniem powozu, który mógłby ją zawieźć na misję do zatoki Matavai.

Po miesiącach spędzonych na morzu drżały jej nogi i nerwy odmawiały posłuszeństwa. Widziała dookoła siebie najróżniejszych ludzi – marynarzy i oficerów marynarki, ludzi parających się handlem, ktoś był w sabotach i wyglądał na holenderskiego kupca. Widziała parę Chińczyków o długich warkoczach zwisających na plecy, handlujących perłami. Widziała tubylców i mieszańców, i Bóg wie kogo jeszcze. Widziała tęgiego Tahitańczyka, ubranego w ciężką dwurzędową marynarską kurtkę z wełnianego sukna, którą najwyraźniej nabył od brytyjskiego marynarza, ale nie miał do niej spodni, jedynie spódniczkę z trawy i niepokojąco nagi tors. Widziała tubylcze kobiety bardzo różnie odziane. Niektóre spośród starszych bezwstydnie obnażały piersi, młodsze zaś zwykle miały na sobie długie sukienki i włosy sczesane w proste warkocze. Alma uznała, że są to zapewne nowo nawrócone chrześcijanki. Widziała kobietę owiniętą w coś, co wydawało się obrusem, na nogach miała o kilka numerów za duże męskie skórzane buty i sprzedawała jakieś nieznane owoce. Widziała fantastycznie ubranego gościa, który miał na sobie męskie spodnie włożone jako coś w rodzaju kubraka, z głową łopoczącą liściastą koroną. Ten widok uznała za niezwykły, ale nikt prócz niej nie zwracał na niego uwagi.

Tubylcy byli wyżsi niż ludzie, do jakich się Alma przyzwyczaiła. Niektóre kobiety były prawie tak duże jak ona sama. A mężczyźni jeszcze więksi. Skórę mieli niczym lśniąca miedź. Niektórzy z mężczyzn nosili długie włosy i ich wygląd przerażał; inni mieli włosy krótkie i wyglądali na ucywilizowanych.

Alma dostrzegła smutną grupkę prostytutek, natychmiast spieszących z jednoznaczną bezwstydną propozycją ku marynarzom z *Elliota*, kiedy ci tylko postawili stopę na ziemi. Kobiety miały rozpuszczone włosy, lśniące czarne fale sięgały im poniżej talii. Z tyłu wszystkie wyglądały tak samo. Z przodu było widać różnice w wieku oraz urodzie. Alma obserwowała, jak zaczęło się targowanie. Zastanawiała się, ile coś takiego może kosztować. A także, co konkretnie oferują te kobiety. Ile to trwa i gdzie się odbywa. Zastanawiała się, gdzie idą marynarze, jeśli chcą kupić usługi chłopców zamiast dziewcząt. W porcie nie było żadnych oznak tego typu transakcji. Zapewne odbywały się w bardziej dyskretnych miejscach.

Zobaczyła wszelkiego rodzaju dzieci i niemowlęta – w ubraniach oraz bez ubrań, w wodzie i poza wodą, przed nią na drodze oraz poza drogą. Dzieci poruszały się jak ławice ryb albo stada ptaków, każda decyzja wcielana była w życie natychmiastowo i w zbiorowej zgodnej jedności: *Teraz skaczemy! Teraz biegniemy! Teraz żebrzemy! Teraz przedrzeźniamy!* Zobaczyła starego człowieka, którego nogę stan zapalny dwukrotnie powiększył. Miał białe oczy ślepca. Zobaczyła malutkie powozy, ciągnięte przez najsmutniejsze na świecie kucyki. Zobaczyła sforę małych brązowych łaciatych piesków, kotłujących się w cieniu. Zobaczyła trzech francuskich marynarzy, już pijanych o tak pięknym poranku, śpiewających ramię w ramię sprośne piosenki. Zobaczyła drogowskazy do sali z bilardem oraz, co zdumiewające, do drukarni. Stały ląd kołysał się pod jej stopami. Było jej gorąco na słońcu.

Urodziwy czarny kogut spostrzegł Almę i podążył w jej kierunku dumnym i demonstracyjnym krokiem, jak gdyby był emisariuszem wyznaczonym do oficjalnych powitań. Był tak dostojny, że nie zdziwiłaby się, gdyby miał na sobie galową szarfę przewieszoną przez pierś. Kogut zatrzymał się wprost przed nią, władczy i czujny. Alma prawie się spodziewała, że przemówi albo zażąda dokumentów. Nie mając innego pomysłu, pochyliła się i pogłaskała dworskiego ptaka, jakby był psem. Zdumiewające, że pozwolił na to. Pogłaskała go jeszcze raz, a on zagdakał z głębokiego zadowolenia. W końcu kogut usiadł we wdzięcznej pozie u jej stóp i napuszył pióra. Okazywał każdym ruchem, że ich interakcja odbyła się dokładnie według jego oczekiwań. Alma poczuła się trochę pocieszona tą prostą wymianą gestów. Spokój oraz pewność siebie koguta pomogły jej się odprężyć.

A potem obydwoje – kobieta i ptak – czekali razem w milczeniu na nabrzeżu, czekali na cokolwiek, co ma nastąpić.


Papeete dzieli od zatoki Matavai siedem mil. Alma zlitowała się nad biednym osłem, który musiał dźwigać jej bagaż, i zeszła z wozu, by iść obok pieszo. Cudownie było znowu używać nóg po wielu miesiącach unieruchomienia na morzu. Malownicza droga tonęła w cieniu pod krzyżującymi się liśćmi palm oraz chlebowców. Krajobraz wyglądał swojsko, ale też myląco. Alma rozpoznawała wiele gatunków wśród palm. Znała je ze szklarni ojca, inne jednak stanowiły tajemnicze połączenie plisowanych liści oraz kory gładkiej jak skóra. Znając je dotychczas wyłącznie ze szklarni, nigdy nie miała okazji *słuchać* drzew palmowych. Wiatr wydawał w ich liściach dźwięk przypominający szelest jedwabiu. Czasami przy mocniejszych podmuchach pnie skrzypiały jak stare drzwi. Były bardzo głośne i ożywione. Chlebowce z kolei wyglądały okazalej oraz bardziej elegancko, niż sobie to kiedykolwiek wyobrażała. Przypominały ojczyste wiązy: lśniące i wielkoduszne.

Powoził stary Tahitańczyk o niepokojąco wytatuowanych plecach oraz mocno naoliwionej klatce piersiowej. Pomysł Almy, aby iść na piechotę, wprawił go w zakłopotanie. Prawdopodobnie miał obawy, czy nie zapowiada to braku zapłaty. By go uspokoić, Alma próbowała uiścić należność w połowie drogi, ale spowodowało to jedynie większe zakłopotanie. Kapitan Terrence wytargował cenę, lecz te uzgodnienia wydawały się teraz nieaktualne. Alma proponowała zapłatę w monetach amerykańskich, z kolei ów człowiek najwyraźniej się starał wydać jej resztę z garści brudnych hiszpańskich piastrów oraz boliwijskich peso. Alma nie była w stanie zrozumieć, w jaki sposób oblicza wymianę walut, aż wreszcie pojęła, że on po prostu próbuje zhandlować swoje stare monety za jej nowe.

Zostawił ją w cieniu bananowego gaju pośrodku osiedla misji w zatoce Matavai i starannie ułożył bagaż w piramidę; wyglądała dokładnie tak, jak sześć miesięcy wcześniej przed powozownią w White Acre. Alma się rozejrzała. Położenie misji było przyjemne, choć całość sprawiała skromniejsze wrażenie, niż się spodziewała. Kościół misyjny stanowiła maleńka skromna konstrukcja, pobielona wapnem i kryta strzechą. Dookoła niej skupiło się kilka podobnie bielonych oraz krytych chat. Musiało tu mieszkać nie więcej niż tuzin osób.

Gmina powstała na brzegu małej rzeki, która wpływała tutaj do morza. Rzeczka rozdzielała długą, łukowatą plażę czarnego wulkanicznego piasku. Kolor piachu spowodował, że zatoka nie lśniła turkusową barwą, którą zwykło się kojarzyć z południowym Pacyfikiem; wyglądała na majestatyczną, ciężką, powoli falującą zatokę atramentu. Rafa położona jakieś trzysta metrów od brzegu sprawiała, że woda była całkiem spokojna. Nawet z tej odległości Alma słyszała, jak fale o nią uderzają. Wzięła do ręki garść piachu koloru sadzy i pozwoliła, by się przesypał przez palce. W dotyku przywodził na myśl miękki aksamit i nie zostawił żadnego śladu na dłoni.

– Zatoka Matavai – wymówiła na głos.

Trudno jej było uwierzyć, że i ona jest tutaj. Wszyscy wielcy odkrywcy ostatniego stulecia tutaj stali. Wallis i Vancouver, i Bougainville. Kapitan Bligh obozował przez sześć miesięcy na tej właśnie plaży. Największe jednak wrażenie robiła na Almie świadomość, że do tej samej plaży przybił kapitan Cook, kiedy w 1769 roku po raz pierwszy dotarł na Tahiti. Z lewej strony, w niedużej od Almy odległości, leżał wyniesiony cypel, z którego Cook obserwował tranzyt Wenus – ruch malutkiego dysku planety poprzez tarczę Słońca – cały świat przepłynąwszy, by go ujrzeć. Spokojna mała rzeczka po prawej ręce Almy niegdyś wyznaczyła ostatnią w historii granicę pomiędzy Brytyjczykami a Tahitańczykami. Po wylądowaniu Cooka na Tahiti dwa ludy stanęły naprzeciwko siebie na obu jej brzegach, przez wiele godzin przyglądając się sobie w zdumieniu. Tahitańczycy myśleli, że Brytyjczycy przypłynęli do nich z nieba i że ich ogromne, imponujące okręty są wyspami – *motu* – które odpadły od gwiazd. Anglicy próbowali ocenić, czy owi Indianie okażą się agresywni i niebezpieczni. Tahitańskie kobiety podeszły do samego brzegu i zaczęły poddawać próbie angielskich żeglarzy po drugiej stronie rzeki, figlarnie i prowokacyjnie tańcząc. Nie grozi nam żadne niebezpieczeństwo, zawyrokował kapitan Cook, i puścił swobodnie swoich mężczyzn. Marynarze wymieniali z kobietami żelazne gwoździe na seksualne przysługi. Kobiety wzięły gwoździe i zasadziły je w ziemi, wierząc, że wyrośnie im więcej owego cennego żelaza w taki sam sposób, jak rośnie drzewo z sadzonki.

Ojca Almy nie było na tamtej wyprawie. Henry Whittaker przybył na Tahiti w sierpniu 1777 roku, czyli osiem lat później, razem z trzecią ekspedycją kapitana Cooka. Tahitańczycy i Anglicy byli już wówczas wzajemnie do siebie przyzwyczajeni – i równie z sobą zaprzyjaźnieni. Niektórzy z marynarzy mieli nawet na wyspie żony oczekujące ich powrotu oraz dzieci. Tahitańczycy nazywali kapitana Cooka „Toote", ponieważ nie potrafili wymówić jego nazwiska. Alma znała te wszystkie fakty z opowieści ojca – opowieści, które zapomniała na dziesięciolecia. Teraz wszystkie wróciły w pamięci. Jej ojciec jako młody mężczyzna kąpał się właśnie w tej rzeczce. Od tamtej pory misjonarze używają jej wód, dowiedziała się Alma, do chrzczenia.

Teraz, kiedy wreszcie się tutaj znalazła, nie była pewna, co dalej robić. Wokoło nie było żywej duszy z wyjątkiem dziecka, które samo pluskało się w rzece. Chłopiec mógł mieć najwyżej trzy lata, był całkowicie nagi i najwyraźniej się nie bał tego, że zostawiono go samego w wodzie. Nie chciała oddalać się od bagażu, więc usiadła na stosie i czekała, aż ktoś nadejdzie. Odczuwała ogromne pragnienie. Była też głodna, ponieważ rano z podniecenia nie zjadała na statku śniadania.

Po długiej chwili z odległej chaty wynurzyła się korpulentna Tahitanka z motyką w ręce, ubrana w długą skromną suknię oraz biały czepek. Na widok Almy stanęła. Alma wstała i wygładziła sukienkę. *Bonjour*, krzyknęła. Tahiti oficjalnie należało wówczas do Francji; Alma uznała, że najlepiej użyć francuskiego.

Kobieta pięknie się uśmiechnęła.

– Mówimy tutaj po angielsku! – odkrzyknęła.

Alma wolałaby podejść, aby nie musiały do siebie krzyczeć, ale – śmieszne! – wciąż się lękała zostawić bagaż.

– Szukam wielebnego Francisa Wellesa! – zawołała.

– Jest dzisiaj na zagrodzie! – odkrzyknęła pogodnie kobieta i ruszyła w swoją drogę, w kierunku Papeete, znowu zostawiając Almę samą z bagażem.

Zagroda? Czy trzymali tutaj bydło? Jeśli tak, to Alma ani nie dostrzegała, ani nie wyczuwała żadnych po nim śladów. Czy kobieta mogła mieć co innego na myśli?

W ciągu następnych kilku godzin przeszło obok niej i sterty jej kufrów oraz skrzyń paru Tahitańczyków. Wszyscy byli nastawieni przyjaźnie, ale nikt nie wydawał się specjalnie zainteresowany jej obecnością i nikt nie zatrzymał się na dłuższą rozmowę. Każdy powtarzał to samo, wielebny Francis Welles jest dzisiaj cały dzień „na zagrodzie". A o której wróci z zagrody? Nikt nie wiedział. Wszyscy mieli nadzieję, że przed zmrokiem.

Kilku chłopców zebrało się dookoła Almy i odważnie bawili się rzucaniem kamyków w jej bagaż albo pod jej nogi, dopóki starsza duża kobieta nie spojrzała na nich spode łba i ich nie odgoniła; wtedy pobiegli bawić się nad rzeką. Gdy dzień powoli mijał, kilku mężczyzn z małymi wędkami przeszło obok Almy w kierunku plaży i na początku brodząc, zaczęło wchodzić coraz głębiej w wodę. Zatrzymali się, gdy sięgała im do szyi, i w leniwie toczących się falach szukali ryb. Jej pragnienie i głód stały się natarczywe. Wciąż jednak nie miała odwagi iść na poszukiwania i zostawić bagaż.

W tropikach zmierzch nadchodzi szybko. Alma już to poznała podczas miesięcy spędzonych na morzu. Cienie się wydłużyły. Dzieci wybiegły z wody i popędziły do swoich chat. Alma obserwowała słońce opuszczające się szybko za strome szczyty wyspy Moorea, po drugiej stronie zatoki. Poczuła narastającą panikę. Gdzie będzie spać? Dokoła jej głowy przelatywały roje komarów. Teraz stała się już dla Tahitańczyków przezroczysta. Zajmowali się wokół niej swoimi sprawami, jak gdyby ona i jej bagaż stanowili kamienny kopiec, który stoi tutaj na plaży od zarania dziejów. Wieczorne jaskółki wynurzyły się z drzew, ruszając na polowanie. Na wodzie światło zachodzącego słońca lśniło oślepiającymi błyskami.

I wtedy Alma dostrzegła coś w wodzie. Coś, co kierowało się ku plaży. Było to niewielkie kanoe, szybkie i wąskie. Osłoniła dłonią zmrużone od odbitego słonecznego blasku oczy, próbując policzyć ludzi w środku. Ale nie, tam była tylko jedna postać. Dostrzegła, jak energicznie wiosłuje. Kanoe uderzyło w brzeg z nadzwyczajną siłą – z doskonałym impetem małej strzały – i wyskoczył z niego elf. Taka przynajmniej była pierwsza myśl Almy: Oto elf! Dokładniejsza obserwacja pokazała, że elf był mężczyzną, białym, o nieujarzmionej koronie śnieżnych włosów i rozwianej brodzie do kompletu. Był malutki, ale poruszał się dziarsko na krzywych nogach i z niezwykłą jak na tak małą osobę siłą wyciągnął kanoe na plażę.

– Wielebny Welles? – zakrzyknęła z nadzieją, wymachując ramionami w sposób całkowicie pozbawiony godności.

Gdy mężczyzna się zbliżał, trudno było orzec, co się bardziej rzuca w oczy – drobna postura czy wychudzona budowa. Był o połowę mniejszy od Almy i miał ciało dziecka, do tego niewiele go więcej od szkieletu. Policzki miał zapadnięte, a ramiona ostro zaznaczone pod koszulą. Spodnie na wymizerowanej talii trzymał podwójnie złożony sznurek. Broda opadała mu na piersi. Na nogach miał dziwnego rodzaju sandały, także zrobione ze sznurka. Nie nosił kapelusza i jego twarz pokrywała głęboka opalenizna. Ubranie jescze nie było w strzępach, ale niewiele brakowało. Przypominał złamany parasol. Przypominał starego, miniaturowego rozbitka.

– Wielebny Welles? – zapytała powtórnie z wahaniem, narastającym wraz z jego przybliżaniem się.

Spojrzał na nią do góry – *wysoko* do góry – uczciwymi i jasnoniebieskimi oczyma.

– Jestem wielebnym Wellesem – odparł. – Przynajmniej wierzę, że wciąż jeszcze nim jestem.

Mówił z lekkim, ucinającym końcówki słów, nieokreślonym brytyjskim akcentem.

– Wielebny Wellesie, nazywam się Alma Whittaker. Mam nadzieję, że otrzymał pan mój list?

Przechylił głowę na bok: jak ptak, zaintrygowany, nieporuszony.

– Pani list?

Tego właśnie się obawiała. Nikt jej tutaj nie oczekiwał. Wzięła głęboki oddech i próbowała wymyślić, w jaki sposób najlepiej będzie się przedstawić.

– Przyjechałam z wizytą, wielebny Wellesie, i prawdopodobnie trochę tutaj zostanę… co pewnie widać.

Uczyniła przepraszający gest, skierowany w stronę piramidy bagażu.

– Interesuje mnie botanika naturalna i chciałabym zgłębić tutejsze rośliny. Wiem, że pan sam też jest tak jakby przyrodnikiem. Przybyłam z Filadelfii w Stanach Zjednoczonych. Chciałabym także zrobić przegląd plantacji wanilii, które znajdują się w posiadaniu mojej rodziny. Moim ojcem był Henry Whittaker.

Wielebny uniósł cienkie białe brwi.

– Pani ojcem *był* Henry Whittaker, czy tak pani powiedziała? – zapytał. – Czyżby ów dobry człowiek zmarł?

– Niestety tak, wielebny Wellesie. Dopiero co, ubiegłego roku.

– Ubolewam nad tym, co słyszę. Niechaj Pan przytuli go do serca Swego. Od lat pracowałem dla pani ojca, na swój skromny sposób. Sprzedałem mu wiele gatunków, za które był tak dobry porządnie mi zapłacić. Widzi pani, nigdy nie spotkałem pani ojca, ale pracowałem z jego emisariuszem, niejakim panem Yanceyem. Pani dobry ojciec był zawsze najbardziej prawym oraz szczodrym człowiekiem. W ciągu tych lat wypłaty otrzymywane od pana Whittakera wielokrotnie pomagały utrzymywać tę niewielką osadę. Nie możemy przecież zawsze liczyć na to, że Londyńskie Towarzystwo Misyjne tutaj do nas dotrze, nieprawdaż? Ale powiem pani, zawsze mogliśmy liczyć na pana Yanceya oraz pana Whittakera. Proszę mi wyjawić, czy pani zna pana Yanceya?

– Znam go dobrze, wielebny Wellesie. Znałam go przez całe życie. To on pomógł mi zorganizować tę podróż.

– Ależ oczywiście! Oczywiście, że musi go pani znać. Wie też więc pani na pewno, że dobry z niego człowiek.

Alma nie mogła przytaknąć, że kiedykolwiek przyszłoby jej na myśl podejrzewać Dicka Yanceya o bycie „dobrym człowiekiem", ale mimo to kiwnęła głową. Tak samo nigdy przedtem nie słyszała, by określano jej ojca mianem szczodrego, prawego i miłego człowieka. Do tych słów w odniesieniu do niego niektórzy musieliby się długo przyzwyczajać. Przypomniała sobie kogoś z Filadelfii, kto określił kiedyś jej ojca jako „drapieżnego dwunoga". Pomyśleć, ile wzbudziłoby zdumienia w tym człowieku, gdyby ujrzał, jak szanują imię owego dwunoga tutaj, pośrodku południowych mórz! Alma uśmiechnęła się na tę myśl.

– Z wielką radością pokażę pani plantacje wanilii – kontynuował wielebny Welles. – Tutejszy człowiek z naszej misji przejął nad nimi zarząd, od kiedy straciliśmy pana Pike'a. Czy pani znała Ambrose'a Pike'a?

Serce Almy wykonało w piersi piruet, ale zachowała neutralny wyraz twarzy.

– Tak, trochę go znałam. Blisko współpracowałam z ojcem, wielebny Wellesie, i prawdę powiedziawszy, wspólnie podjęliśmy decyzję, aby wysłać pana Pike'a na Tahiti.

Wiele miesięcy temu, jeszcze w Filadelfii, Alma zadecydowała, że nikomu na Tahiti nie będzie mówić o związku z Ambrose'em. Od początku podróży występowała jako „panna Whittaker" i pozwalała, aby świat uważał ją za starą pannę. Nikt przy zdrowych zmysłach nie mógłby uznać jej małżeństwa z Ambrose'em Pikiem za jakiekolwiek małżeństwo. Zresztą wyglądała całkiem jak stara panna – i tak się też czuła. Ogólnie rzecz biorąc, nie lubiła kłamać, ale przyjechała tutaj, aby złożyć w całość historię Ambrose'a Pike'a, a miała duże wątpliwości, czy ktokolwiek byłby z nią szczery, wiedząc, że Ambrose był jej mężem. Założyła, że Ambrose spełnił prośbę i nie powiedział nikomu o małżeństwie, a nie wyobrażała sobie, aby ktokolwiek mógł się domyślać między nimi związku innego niż ten, że pan Pike był pracownikiem jej ojca. Alma występowała więc wyłącznie jako podróżująca przyrodniczka oraz córka dobrze znanego botanicznego importera i farmaceutycznego potentata; dla każdego powinno być jak najbardziej naturalne, że się pojawiła na Tahiti z własnego powodu – aby zbadać tamtejsze mchy oraz zajrzeć na rodzinną plantację wanilii.

– No cóż, dotkliwie nam brakuje pana Pike'a – rzekł ze słodkim uśmiechem wielebny Welles. – Być może mnie brakuje go najbardziej. Sama pani rozumie, dla naszej osady jego śmierć była wielką stratą. Pragnęlibyśmy, aby wszyscy przyjeżdżający na wyspę stanowili taki przykład dla tubylców jak pan Pike, który był przyjacielem bękartów i ludzi upadłych, a wrogiem nienawiści i napastliwości, rozumie pani, tego typu człowiek. Był dobrym człowiekiem, ten wasz pan Pike. Widzi pani, ja go podziwiałem, ponieważ czułem, że on potrafi zademonstrować tubylcom... w przeciwieństwie do wielu chrześcijan, którzy, wydaje się, nie są w stanie tubylcom tego pokazać... czym powinien być prawdziwy duch chrześcijaństwa. Bo powiem pani, że prowadzenie się wielu innych odwiedzających nas chrześcijan nie zawsze zdaje się obliczone na wzbudzanie szacunku dla naszej religii w oczach tutejszych prostych ludzi. Pan Pike był jednak wzorem dobroci. Co więcej, miał dar zjednywania sobie tubylców w stopniu, jaki rzadko widywałem u innych. Do wszystkich przemawiał tak prosto i wielkodusznie. Niestety, nie wszyscy mężczyźni przybywający na naszą wyspę z daleka są tacy. Bo Tahiti może się okazać niebezpiecznym rajem. Dla tych, którzy są przyzwyczajeni do, powiedzmy, bardziej rygorystycznego moralnego krajobrazu europejskiego społeczeństwa, ta wyspa i jej ludzie mogą stanowić pokusę trudną do odparcia. Przybysze to wykorzystują, rozumie pani. Nawet niektórzy misjonarze, z przykrością to mówię, czasami wykorzystują tutejszych ludzi, którzy są niewinni jak dzieci, chociaż z pomocą Pana staramy się rozwiać w nich większy instynkt samozachowawczy. Pan Pike taki nie był... rozumie pani, taki, żeby wykorzystywać.

Słowa wielebnego zwaliły Almę z nóg. Było to dla niej najbardziej niezwykłe przemówienie powitalne, jakie kiedykolwiek słyszała (z wyjątkiem może pierwszego spotkania z Rettą Snow). Wielebny Welles w żaden sposób nie wnikał, dlaczego Alma Whittaker przebyła długą drogę z Filadelfii, by teraz usiąść na stercie bagażu pośrodku jego misji, za to natychmiast zaczął rozprawiać o Ambrosie Pike'u! Nie spodziewała się tego. Ani tego, że jej mąż, ze swoją walizką pełną lubieżnych i sekretnych rycin, będzie z pasją wychwalany jako przykład moralności.

– Tak, wielebny Wellesie. – To było wszystko, co dała radę wykrztusić.

Zdumiewające, ale wielebny Welles ciągnął temat.

– Co więcej, powiem pani, że zacząłem kochać pana Pike'a jak najdroższego przyjaciela. Nie może sobie pani wyobrazić, jakiej otuchy dodaje inteligentny towarzysz w miejscu tak samotnym jak to. Zaprawdę, przeszedłbym wiele mil, by znowu ujrzeć jego twarz albo by znów przyjaźnie uścisnąć mu dłoń, gdyby tylko było to możliwe... taki cud jednak nigdy się nie zdarzy, dopóki oddech porusza mą piersią, bo, widzi pani, panno Whittaker, pan Pike wezwany został z powrotem do domu, do raju, a my zostaliśmy tutaj sami.

– Tak, wielebny Wellesie – powiedziała jeszcze raz Alma, bo cóż więcej mogła rzec?

– Może pani nazywać mnie bratem Wellesem – dodał – jeśli i ja mógłbym panią nazywać siostrą.

– Oczywiście, bracie Wellesie – odpowiedziała.

– Może siostra przyłączyć się teraz do naszej wieczornej modlitwy. Rozumie siostra, trochę się spieszymy. Dzisiaj wieczorem zaczniemy później niż zazwyczaj, bo spędziłem cały dzień na zagrodzie koralowej, przez co, pojmuje siostra, całkowicie straciłem rachubę czasu.

Ach, pomyślała Alma – zagroda *koralowa*. Oczywiście! Był cały dzień na morzu, na rafie, a nie opiekując się bydłem.

– Dziękuję – odpowiedziała. Spojrzała znowu na bagaż i się zawahała. – Zastanawiam się, gdzie mogłabym zostawić swoje rzeczy, żeby były bezpieczne? W liście do brata, bracie Wellesie, prosiłam o informację, czy mogłabym na jakiś czas zatrzymać się tutaj, w osadzie. Studiuję mech, proszę brata, i miałam nadzieję, że uda mi się zbadać pod tym kątem wyspę... – Głos jej zamarł pod jego szczerym i nieporuszonym wzrokiem.

– Oczywiście! – rzekł.

Czekała na coś więcej, ale to było wszystko. Ależ był niedociekliwy! Nie mógłby się wykazać większym brakiem nietaktu, nawet gdyby umawiali się na to spotkanie od dziesięciu lat.

– Dysponuję pieniędzmi – rzekła skrępowana Alma – które mogłabym ofiarować misji w zamian za zakwaterowanie...

– Oczywiście! – ćwierknął powtórnie.

– Nie mam jeszcze pewności, jak długo chciałabym tutaj pozostać... Zrobię wszystko, co w mej mocy, aby się nie stać ciężarem... Nie wymagam żadnych wygód... – Głos znowu jej uwiązł w gardle.

Odpowiadała na pytania, których nie zadawał. Znacznie później Alma się przekona, że wielebny Welles nigdy nikomu nie zadaje pytań, ale w tamtej chwili uważała to za niezwykłe.

– Oczywiście! – powiedział po raz trzeci. – A teraz proszę przyłączyć się do naszej modlitwy, siostro Whittaker.

– Naturalnie – odpowiedziała, dając za wygraną.

Poprowadził ją daleko od bagażu – daleko od wszystkiego, co posiadała, i wszystkiego, co było dla niej cenne – krocząc w kierunku kościoła. Mogła jedynie pomaszerować za nim.


Kaplica miała najwyżej dwadzieścia stóp długości. Wewnątrz stały rzędy prostych ławek, ściany były pobielone i czyste. Cztery lampki oliwne na wielorybi tran dawały przyćmione światło. Alma naliczyła osiemnaścioro wiernych, samych rdzennych Tahitańczyków. Jedenaście kobiet oraz siedmiu mężczyzn. Dyskretnie, aby nie wydać się obcesową, zlustrowała dokładnie twarze wszystkich mężczyzn. Żaden nie był Tym Chłopcem z rycin Ambrose'a. Mężczyźni mieli na sobie proste spodnie i koszule w europejskim stylu, a kobiety długie luźne suknie, które Alma wszędzie widziała, gdy tylko przypłynęła. Większość kobiet była w czepkach, ale jedna – Alma rozpoznała w niej surową niewiastę, która przegoniła zaczepnych chłopaków – miała na głowie słomiany kapelusz z szerokim rondem, ozdobionym wyszukaną kompozycją z żywych kwiatów.

Potem nastąpiła najbardziej niezwykła msza ze wszystkich, jakich Alma była dotychczas świadkiem, i z pewnością najkrótsza. Najpierw zaśpiewali hymn w tahitańskim języku, nikt nie korzystał ze śpiewnika. Dla uszu Almy muzyka brzmiała dziwnie – pełna dysonansów, ostra, z głosami nakładającymi się na głosy według wzoru, którego nie była w stanie pojąć, i przy akompaniamencie bębna, na którym grał czternastoletni na oko chłopiec. Rytm bębna w żaden sposób nie pasował do pieśni – przynajmniej Alma nie umiała ich do siebie dopasować. Kobiece głosy wznosiły się świdrującymi zawołaniami ponad monotonnym śpiewem mężczyzn. Nie potrafiła odnaleźć w tej dziwnej muzyce żadnej ukrytej melodii. Wsłuchiwała się, szukając znajomych słów (Jezus, Chrystus, Bóg, Pan, Jehowa), ale żadnego nie rozpoznawała. Czuła skrępowanie, siedząc w milczeniu pośród głośno śpiewających kobiet. Nie była w stanie nic od siebie dodać.

Gdy pieśń się zakończyła, Alma oczekiwała, iż wielebny Welles wygłosi kazanie, ale on siedział dalej nieporuszony z opuszczoną głową, zanurzony w modlitwie. Nie podniósł wzroku nawet wtedy, gdy wielka tahitańska kobieta z kwiatami na kapeluszu wstała i podeszła do prostego pulpitu. Przeczytała po angielsku krótki kawałek z Ewangelii św. Mateusza. Alma się zdumiała, że Tahitanka potrafi czytać, i to po angielsku. Choć sama nigdy nie była bardzo pobożna, znajome słowa przyniosły jej wytchnienie. Błogosławieni niech będą ubodzy, pokorni, miłosierni, o czystych sercach, upokorzeni i prześladowani. Błogosławieni, błogosławieni, błogosławieni. Tak wiele błogosławieństw, tak gorliwie wyrażonych.

Kobieta zamknęła Biblię i – wciąż po angielsku – wygłosiła szybkie, głośne i dziwne kazanie.

– Jesteśmy *zrodzeni*! – wołała. – *Czołgamy się*! *Idziemy*! *Płyniemy*! *Pracujemy*! Wydajemy na świat *dzieci*! *Starzejemy* się! Podpieramy się *kijem*! Ale tylko w Bogu jest *pokój*!

– *Pokój*! – odpowiedziało zgromadzenie.

– Gdy lecimy do nieba, Bóg jest *tam*! Gdy płyniemy po morzu, Bóg jest *tam*! Gdy idziemy po lądzie, Bóg jest *tam*!

– Jest *tam*! – powtórzyło jak echo zgromadzenie.

Kobieta otworzyła szeroko ramiona i szybko je zamknęła, i tak raz za razem po wielekroć. Otwierała też szybko i zamykała usta. Wyglądało to jak proste błazeństwa pajacyka na sznurku. Część zgromadzenia zachichotała. Kobiecie najwyraźniej nie przeszkadzał śmiech. Przestała się ruszać i zawołała:

– Patrzcie na nas! Jesteśmy mądrze *wykonani*! Mamy pełno *zawiasów*!

– *Zawiasów*! – odpowiedzieli chórem.

– Ale zawiasy *zardzewieją*! *Umrzemy*! Tylko Bóg *pozostanie*!

– *Pozostanie*! – padła odpowiedź.

– Król ciał nie posiada *ciała*! Ale przynosi nam *pokój*!

– *Pokój*! – zawołało zgromadzenie.

– Amen! – zakończyła kobieta w kapeluszu z kwiatami i powróciła na miejsce.

– *Amen*!

I to był już koniec mszy. Nie mogła trwać dłużej niż piętnaście minut. A jednak wystarczyło czasu, aby Alma zauważyła – kiedy wyszła na zewnątrz – że niebo całkowicie zdążyło pociemnieć i wszystkie, co do najmniejszej, sztuki jej bagażu zdążyły zniknąć.

– *Gdzie* został zabrany mój bagaż? – żądała wyjaśnień Alma. – I przez kogo?

– Hmm. – Wielebny Welles podrapał się po głowie, patrząc na miejsce, gdzie jeszcze niedawno piętrzyły się kufry Almy. – No więc nie jest łatwo udzielić odpowiedzi na te pytania. Prawdopodobnie chłopaki wszystko zabrały, rozumie siostra. To zwykle jest sprawka chłopaków, tego typu niespodzianki. Ale z pewnością został zabrany.

Takie zapewnienie nic nie dało.

– Bracie Wellesie! – zawołała oszalała z przerażenia. – Pytałam brata, czy nie powinniśmy go zabezpieczyć! Pilnie potrzebuję tych rzeczy! Mogliśmy przenieść je do jakiejś chaty, może byłyby bezpieczne za zamkniętymi drzwiami! Dlaczego brat tego nie zaproponował?

Kiwał energicznie głową w najszczerszym przytakiwaniu, lecz bez najmniejszego śladu konsternacji.

– No tak, mogliśmy schować bagaż w chacie. Ale, widzi siostra, i tak wszystko zostałoby zabrane. Teraz czy później i tak by zabrali, siostro.

Alma pomyślała o mikroskopie, o ryzach papieru, o tuszu i lekarstwach i zestawie ampułek. A co z ubraniami? Dobry Boże, co z walizką Ambrose'a, pełną owych niebezpiecznych rycin nie do opisania? Czuła, że się rozpłacze.

– Przecież przywiozłam dary dla tubylców, bracie Wellesie. Nie musieli mnie okradać. Dałabym im różne rzeczy. Przywiozłam dla nich nożyczki i wstążki!

– Wygląda na to, siostro, że podarunki siostry zostały przyjęte! – Uśmiechnął się szeroko.

– Ale tam były też rzeczy, które muszę mieć z powrotem... kruche rzeczy o niewypowiedzianej wartości.

Nie był całkiem pozbawiony współczucia, przyznała w duchu. Uprzejmie pokiwał głową i przynajmniej zwrócił uwagę na jej zmartwienie.

– Musiało to siostrę przygnębić, siostro Whittaker. Ale proszę mieć pewność... nic z tych rzeczy nie zostało utracone na zawsze. Zostało po prostu zabrane, być może tylko na pewien czas. Część może wróci do siostry, jeśli okaże siostra cierpliwość. Jeśli jest coś o szczególnej dla siostry wartości, mogę o to konkretnie poprosić. Czasami, jeśli poproszę w stosowny sposób, rzecz bywa zwracana.

Przebiegała w myślach wszystko, co zapakowała na podróż. Co było jej najrozpaczliwiej potrzebne? Nie mogła prosić o walizkę pełną zboczonych rysunków Ambrose'a, choć jej utrata stanowiła torturę, była to bowiem jej najwartościowsza własność.

– Mój mikroskop – odpowiedziała słabo.

Pokiwał głową.

– Z tym może być kłopot, sama siostra rozumie. Mikroskop to rzecz tutaj wyjątkowo niespotykana. Nikt wcześniej czegoś takiego nie widział. Nie sądzę, abym i ja kiedykolwiek takie coś oglądał! Ale natychmiast zacznę się rozpytywać. Proszę siostry, teraz możemy tylko mieć nadzieję! A co do dnia dzisiejszego, musimy znaleźć dla siostry lokum. Kawałek dalej wzdłuż plaży, jakieś ćwierć mili stąd, jest mała chatka, którą pomogliśmy zbudować panu Pike'owi, kiedy tutaj osiadł. Stoi prawie nietknięta, odkąd odszedł, niech Bóg da mu odpoczywanie. Myślałem, że któryś z tubylców zajmie ją dla siebie, ale wygląda na to, że nikt nie chce tam wejść. Jest naznaczona przez śmierć, rozumie siostra... to znaczy w ich pojęciu. To są przesądni ludzie. Ale to przyjemna chata z wygodnymi meblami i jeśli siostra nie jest przesądna, powinna się tam czuć swobodnie. Siostra nie jest przesądną osobą, prawda, siostro Whittaker? Nie robi siostra takiego wrażenia. Pójdziemy ją obejrzeć?

Alma miała wrażenie, że zaraz upadnie.

– Bracie Wellesie – odpowiedziała, walcząc, by głos się jej nie załamał – proszę mi wybaczyć. Miałam długą podróż. Cały znany mi świat jest daleko stąd. Jestem wstrząśnięta utratą w ciągu jednej chwili całego dobytku, który udało mi się uchronić podczas przemierzania piętnastu tysięcy mil. Od obiadu, który zjadłam wczoraj na statku wielorybniczym, nie miałam nic w ustach, z wyjątkiem uprzejmie podanej mi przez brata komunii. Wszystko jest nowe, wszystko jest obce. Jestem przygnębiona i bardzo zmartwiona. Bracie, proszę mi wybaczyć…

Alma przestała mówić. Straciła orientację, do czego ma prowadzić ta przemowa. Pogubiła się, o wybaczenie *czego* prosi.

Klasnął w ręce.

– Jeść! Oczywiście, musi siostra zjeść! Przepraszam, siostro Whittaker! Bo widzi siostra, ja sam nie jadam… albo bardzo rzadko. Zapomniałem, że inni tak nie mogą! Żona by mnie związała i rzuciła urok, gdyby zobaczyła mój brak wychowania!

Bez słowa oraz dodatkowych wyjaśnień co do osoby owej żony wielebny Welles odbiegł i zapukał do chaty stojącej najbliżej kościoła. Drzwi otworzyła duża Tahitanka, ta sama, która wygłosiła kazanie tego wieczoru. Wymienili parę słów. Kobieta spojrzała w stronę Almy i skinęła głową. Almę nurtowało, czy to żona wielebnego. Wielebny Welles pospieszył na swych sprężystych pałąkowatych nogach z powrotem.

– Zrobione! – powiedział. – Siostra Manu zajmie się siostrą. Jadamy tutaj prosto, ale przyznaję, powinna siostra to minimum zjeść! Ona przyniesie coś siostrze do chaty. Poprosiłem, by także przyniosła *ahu taoto*… szal do spania, nie używamy tu niczego więcej nocą. Przyniosę też siostrze lampę. A teraz poszukajmy drogi. Nic więcej nie przychodzi mi do głowy, czego mogłaby siostra potrzebować.

Almie przychodziło do głowy wiele rzeczy, których mogłaby potrzebować, ale obietnica jedzenia oraz snu wystarczały, by dodać jej na jakiś czas sił. Szła za wielebnym plażą z czarnego piasku. Maszerował zdumiewająco szybko jak na kogoś o tak krótkich i wykrzywionych nogach. Pomimo własnych długich kroków musiała wkładać trochę wysiłku, by za nim nadążyć. Niósł latarnię, ale jej nie zapalił, ponieważ na niebo wzeszedł jasny księżyc. Almę zdumiewały duże, ciemne kształty przemykające po piachu w poprzek ich drogi. Myślała, że to szczury, ale spojrzawszy baczniej, dostrzegła, że kraby. Zaniepokoiły ją. Były całkiem pokaźnych rozmiarów, każdy o jednym większym szczypcu, trzymanym z boku, kiedy przebiegały truchtem, strasznie klekocząc. Podchodziły zbyt blisko do jej stóp. Pomyślała, że wolałaby szczury. Dobrze, że miała na sobie buty. Wielebny Welles zagubił gdzieś sandały pomiędzy mszą a spacerem, ale nie przejmował się krabami. Paplał cały czas podczas drogi.

– Ciekawi mnie, jakie wyda się siostrze Tahiti, siostro Whittaker, z botanicznego punktu widzenia – powiedział. – Wielu się rozczarowało. To bujny klimat, proszę siostry, ale jesteśmy na malutkiej wyspie i sama siostra zobaczy, że jest tu głównie obfitość, a nie różnorodność. Dla sir Josepha Banksa Tahiti było z całą pewnością zbyt ubogie… Pod względem botaniki, ma się rozumieć. Uważał, że tutaj znacznie bardziej od roślin interesujący są ludzie. Może coś w tym jest! Rosną tu tylko dwa gatunki orchidei… pan Pike był niepocieszony, kiedy o tym usłyszał, i z zapałem szukał ich większej liczby… ale tutaj, kiedy się pozna palmy, co się dzieje błyskawicznie, nie ma wiele więcej do poznawania. Jest, proszę siostry, drzewo o nazwie agape, które przypomina drzewo gumowe i które rośnie na wysokość czterdziestu stóp… ale zakładam się, że nie zachwyci kobiety wychowanej w głębokich lasach Pensylwanii, haha!

Alma nie miała dosyć energii, by odpowiedzieć wielebnemu Wellesowi, że nie wychowywała się w głębokim lesie.

Nie przestawał mówić.

– Jest tu cudowny gatunek wawrzynu, *tamanu*… czyli pożyteczny, dobry. Siostry meble są z niego zrobione. Rozumie siostra, jest odporny na insekty. Jest odmiana magnolii zwana *hutu*, którą wysłałem ojczulkowi siostry w 1838 roku. Wzdłuż wybrzeża wszędzie znajdzie siostra hibiskus oraz mimozę. Spodoba się siostrze kasztanowiec *mape*… Może już go siostra zauważyła, nad rzeką? Dla mnie to najpiękniejsze drzewo na wyspie. Kobiety sporządzają sobie ubranie z kory czegoś w rodzaju morwy papierowej… nazywają ją *tapa*… ale teraz wiele kobiet woli bawełnę oraz kaliko, które przywożą marynarze.

– Też przywiozłam kaliko – mruknęła przygnębiona Alma. – Dla kobiet.

– Och, bardzo się ucieszą! – zawołał z werwą wielebny Welles, jak gdyby zapomniał, że skradziono Almie rzeczy. – Czy siostra przywiozła papier? Książki?

– Przywiozłam – odparła Alma, jeszcze bardziej posmutniała.

– Bo widzi siostra, tutaj trudno o papier. Wiatr, piasek, sól, deszcz, insekty… nie ma klimatu bardziej zabójczego dla książek! Patrzyłem, proszę siostry, jak wszystkie moje papiery na oczach znikają!

Jak moje na moich, dopiero co, Alma miała na końcu języka. Chyba jeszcze nigdy w życiu nie była tak głodna ani tak zmęczona.

– Chciałbym mieć tahitańską pamięć – ciągnął wielebny Welles. – Wtedy nie byłby potrzebny papier! To, co my trzymamy w bibliotekach, oni trzymają w głowach. Czuję się przy nich wielkim półgłówkiem. Najmłodsi rybacy znają tu nazwy dwustu gwiazd! Aż trudno sobie wyobrazić, ile znają najstarsi z nich. Kiedyś przechowywałem dokumenty, ale zraziło mnie obserwowanie, jak są zjadane, nawet kiedy zapisałem na nich prawa. W tutejszym klimacie jest wielka obfitość owoców i kwiatów, ale, sama siostra rozumie, także pleśni i zgnilizny. To nie jest ziemia dla uczonych! Ale, pytam się, czym jest dla nas historia? Tak krótki jest nasz pobyt na tym świecie! Po co się trudzić zapisywaniem mignięcia naszego życia? Jeśli komary zbyt mocno będą siostrze się naprzykrzać wieczorami, proszę poprosić siostrę Manu, aby pokazała siostrze, w jaki sposób rozpalać przed drzwiami suche łajno świń, to je trochę powstrzymuje. Siostra Manu okaże się nad wyraz pomocna, zapewniam. Kiedyś to ja wygłaszałem tutaj kazania, ale jej sprawia to więcej przyjemności niż mnie, a tubylcy wolą jej kazania od moich, tak więc teraz ona jest kaznodzieją. Nie ma rodziny, dlatego zajmuje się świniami. Karmi je z ręki, proszę siostry, aby zachęcić do nieoddalania się od osady. Na swój sposób jest bogata. Może sprzedać prosię za miesięczny połów ryb i inne tego typu skarby. Tahitańczycy bardzo sobie cenią pieczone prosię. Kiedyś wierzyli, że dym z pieczenia przyciąga bogów i duchy. Oczywiście niektórzy ciągle w to wierzą, mimo że są chrześcijanami, hahaha! W każdym razie dobrze jest się znać z siostrą Manu. Ma piękny głos do śpiewania. Dla europejskiego ucha tahitańskiej muzyce brakuje tego wszystkiego, co mogłoby ją uczynić przyjemną, ale z czasem może siostra nauczy się ją znosić.

Czyli siostra Manu *nie* jest żoną wielebnego Wellesa, pomyślała Alma. Kto więc nią jest? I gdzie jest żona wielebnego?

– Jeśli zobaczy siostra w nocy światła w zatoce, proszę się nie obawiać – mówił niezmordowanie dalej. – To tylko mężczyźni, którzy płyną z latarniami na połów ryb. Szalenie malownicze. Światło wyciąga latające ryby, które wskakują prosto do kanoe. Niektórzy chłopcy potrafią je złapać ręką w locie. Powiem coś siostrze... jeśli lądowej przyrodzie na Tahiti brakuje różnorodności, nadrabia to z nawiązką obfitością cudów w morzu! Jeśli siostra zechce, pokażę jej jutro koralowe ogrody, nieopodal rafy. Tam doświadczy siostra najbardziej imponującej pomysłowości Pana. Jesteśmy na miejscu... chata pana Pike'a! A teraz będzie to siostry dom! Czy powinienem powiedzieć raczej, siostry *fare*! Po tahitańsku dom nazywamy *fare*. Nie myśli siostra, że czas zacząć się uczyć podstawowych słówek?

Alma powtórzyła w myślach: fare. Zapisała je w pamięci. Była wyczerpana, ale Alma Whittaker musiałaby być konająca, by nie zastrzyc uszami na dźwięk nowego, nieznanego języka. W słabym blasku księżyca dostrzegła na niewielkim zboczu, tuż nad plażą, maleńką *fare*, ukrytą wśród mozaiki palmowych drzew. Chata nie była większa od najmniejszego zagonka w ogrodach White Acre, ale patrzyło się na nią z przyjemnością. Gdyby zapragnąć porównać, przypominała może nadmorski angielski domek, tyle że w miniaturowej skali. Zwariowana zygzakowata ścieżka, wysypana zgniecionymi muszlami, prowadziła od drzwi prosto do morza.

– Wiem, ta ścieżka jest pomylona, ale zrobili ją Tahitańczycy – powiedział ze śmiechem wielebny Welles. – Nie widzą nic pożytecznego w kładzeniu prostej ścieżki, nawet na najkrótszą odległość! Przyzwyczai się siostra do takich fenomenów jak ten! Dobrze, że dom jest trochę poza plażą. Rozumie siostra, tutaj będzie siostra kilkanaście stóp ponad linią najwyższego przypływu.

Kilkanaście stóp. Nie wydawało się to dużo.

Gdy podeszli krętą ścieżką do chaty, Alma spostrzegła, że funkcję drzwi spełniało prostokątne skrzydło z plecionych liści palmowych. Wielebny pchnął je bez wysiłku. Najwyraźniej nie było w nim zamka. Wewnątrz zapalił lampę. Stali pośrodku pojedynczej, niewielkiej otwartej przestrzeni pod zwykłym słomianym dachem. Wyprostowana Alma sięgała głową do najniższej krokwi. Po ścianie przebiegła jaszczurka. Podłoga pokryta była suchą trawą, która szeleściła pod stopami. Stała tam surowa drewniana ława bez poduszek, ale przynajmniej miała oparcie oraz podłokietniki. Był stół z trzema krzesłami, z którego jedno się nadłamało i stało przechylone. Stół wyglądał jak dziecięcy stolik w przedszkolu. Okna bez szyb oraz bez zasłon otwierały się na wszystkie strony. Ostatnim meblem było proste łóżko, niewiele większe od ławy, z czymś w rodzaju cienkiego siennika. Ów materac wykonano ze starego płótna żaglowego i wypchano. Cały pokój wydawał się bardziej odpowiedni dla człowieka o gabarytach wielebnego Wellesa niż jej własnych.

– Pan Pike mieszkał tak jak tubylcy – usłyszała – co oznacza, w jednym tylko pokoju. Ale jeśli chciałaby siostra mieć przepierzenie, sądzę, że moglibyśmy coś zaradzić.

Alma nie potrafiła sobie wyobrazić, gdzie można by było postawić w tak małym pomieszczeniu przepierzenie. W jaki sposób podzielić nic na części?

– Może siostra zechcieć w jakieś chwili wrócić do Papeete, siostro Whittaker. Większość tak robi. W stolicy można znaleźć więcej cywilizacji, przypuszczam. A także więcej rozpusty i więcej zła. Ale za to jest tam Chińczyk, który zrobi pranie i tego typu rzeczy. Są tam przeróżni Portugalczycy i Rosjanie… wszyscy ci, którzy spadają z wielorybniczych statków i już tutaj zostają. Nie żeby Portugalczycy bądź Rosjanie podnosili poziom cywilizacji, ale jest tam ludzka różnorodność większa niż w naszej małej osadzie, rozumie siostra.

Alma kiwnęła głową, ale wiedziała, że nie opuści zatoki Matavai. To tu było zesłanie Ambrose'a, a teraz będzie jej.

– Na tyłach, obok ogrodu, znajdzie siostra miejsce do gotowania – objaśniał dalej wielebny Welles. – Proszę, żeby siostra nie

412

spodziewała się za wiele po ogródku, chociaż pan Pike starał się uprawiać go w szlachetny sposób. Każdy się stara, ale kiedy świnie i kozy skończą się wypasać, niewiele dla nas zostaje dyni! Możemy dać kozę, jeśli siostra lubi świeże mleko. Może siostra ustalić to z siostrą Manu.

Jak na zawołanie siostra Manu pojawiła się na progu. Weszła im niemal na głowę. Kiedy Alma i wielebny Welles byli w środku, dla niej już ledwie starczyło miejsca. Alma nie była nawet pewna, czy Tahitanka zmieści się w wejściu z tym swoim ogromnym, pokrytym kwiatami kapeluszem na głowie, ale jakoś wszyscy zdołali się ścisnąć. Siostra Manu rozwiązała płócienny tobołek i zaczęła wykładać na malutki stół jedzenie, używając liści bananowca jako talerzy. Alma całym wysiłkiem woli poskromiła pragnienie, by natychmiast nie rzucić się na pokarm. Siostra Manu wręczyła jej też kawałek zakorkowanej łodygi bambusowej.

– Woda dla siostry do *picia* – powiedziała.

– Dziękuję – wyszeptała Alma. – To miłe.

Patrzyli na siebie w milczeniu przez dobrą chwilę: Alma z wyczerpaniem, siostra Manu ostrożnie, wielebny Welles pogodnie.

Wreszcie wielebny skinął głową i rzekł:

– Dziękujemy Ci, Panie Jezu i Boże Ojcze za bezpieczne przybycie naszej siostry Whittaker. Prosimy, abyś miał ją w swej specjalnej pieczy. Amen.

Po ich wyjściu Alma obiema rękami wzięła się do jedzenia, połykając szybko wielkie kęsy, i nie zwolniła nawet na chwilę, by popatrzeć, co je.

Obudziła się pośrodku nocy z posmakiem ciepłego żelaza w ustach. Poczuła woń sierści oraz krwi. W pokoju jest zwierzę. Ssak. Rozpoznała to, zanim jeszcze zdążyła sobie uzmysłowić, gdzie się znajduje. Serce biło jej gwałtownie, gdy starała się dokopać w głowie do pełniejszej informacji. Nie jest na statku. Nie jest w Filadelfii. Jest na Tahiti – nareszcie nabrała rozeznania! Jest na Tahiti, w chacie, w której zatrzymał się Ambrose i w której zmarł. Jakie to słowo mają na chatę? *Fare*. Jest w swojej *fare*, a razem z nią jest zwierzę.

413

Usłyszała jękliwe skamlenie, ton wysoki i upiorny. Usiadła w małym niewygodnym łóżku i rozejrzała się dookoła. Przez okno wpadało księżycowe światło, więc zobaczyła – pośrodku pokoju stał pies. Był nieduży, może dwudziestofuntowy. Miał czarne uszy i szczerzył do niej zęby. Ich oczy zatopiły się w sobie. Skowyt psa przeszedł w warczenie. Alma nie chciała walczyć z psem, nawet małym. Myśl przyszła sama z siebie, spokojnie. Obok łóżka leżał krótki kawałek bambusa, wypełniony świeżą wodą, który dała jej siostra Manu. Była to jedyna rzecz w zasięgu ręki, która mogła spełnić funkcję broni. Starała się ocenić, czy jest w stanie sięgnąć po bambus, nie zwracając uwagi na psa. Nie, z całą pewnością nie chce z nim walczyć, ale jeśli będzie musiała, chce, żeby to był uczciwy mecz. Powoli zaczęła wyciągać rękę w kierunku podłogi, nie spuszczając wzroku ze zwierzęcia. Pies warknął i podszedł trochę bliżej. Cofnęła rękę. Spróbowała znowu. Pies znowu warknął, tym razem z większą złością. Nie ma szansy zaopatrzyć się w jakąkolwiek broń.

Niech i tak będzie. Była zbyt zmęczona, aby się bać.

– O co masz do mnie pretensje? – zapytała znużonym głosem.

Na dźwięk jej słów pies uwolnił potok żalów, szczekając z taką mocą, iż całe jego ciało przy każdej sylabie zdawało się unosić nad podłogą. Patrzyła na niego beznamiętnie. Jest środek nocy. W drzwiach nie ma zamka. Nie ma poduszki pod głowę. Straciła wszystko, co posiada, i śpi w brudnej sukni podróżnej, z obrębkiem pełnym zaszytych monet – wszystkimi pieniędzmi, jakie jej zostały, odkąd ją okradziono. Do własnej obrony ma jedynie krótki kawałek bambusa i nawet nie może po niego sięgnąć. Dom otoczony jest przez kraby i zaatakowany przez jaszczurki. A teraz jeszcze to: rozzłoszczony tahitański pies w pokoju. Była tak wyczerpana, że poczuła się niemal znudzona.

– Idź sobie – powiedziała do niego.

Pies zaszczekał jeszcze głośniej. Dała spokój. Odwróciła się tyłem, przewróciła na bok i jeszcze raz spróbowała jakoś ułożyć na cienkim materacu. A on szczekał i szczekał. Oburzenie psa nie miało granic. Dobrze, zaatakuj mnie, pomyślała. Zasnęła przy odgłosach ujadania.

Kilka godzin później Alma znowu się zbudziła. Światło było

inne. Zbliżał się świt. Teraz pośrodku podłogi siedział ze skrzyżowanymi nogami wpatrzony w nią chłopiec. Zamrugała i poczuła magię: Jakiż to czarownik zamienił małego psa w małe dziecko? Chłopiec miał długie włosy i poważną twarz. Wyglądał mniej więcej na osiem lat. Był bez koszuli, ale Alma odetchnęła z ulgą, spostrzegłszy, że jest w spodniach – chociaż jedną nogawkę miał w połowie oderwaną, jak gdyby wyszarpnął się z jakiejś pułapki i zostawił w niej część odzieży.

Chłopiec zerwał się na nogi, najwyraźniej czekał na jej przebudzenie. Podszedł do łóżka. Cofnęła się przerażona, ale zauważyła, że coś trzyma, co więcej, że próbuje jej to dać. W przyćmionym świetle poranka przedmiot świecił na jego wyciągniętej dłoni. Było to coś niewielkiego, z mosiądzu. Położył przedmiot na brzegu łóżka. Jej wziernik z mikroskopu.

– Och! – zawołała.

Na dźwięk jej głosu chłopiec uciekł. Lichy element konstrukcji mieniący się drzwiami rozbujał się bezgłośnie.

Alma nie mogła już potem usnąć, ale nie wstała od razu. W każdym calu czuła się tak zmęczona jak poprzedniego wieczoru. Kto do niej przyjdzie w następnej kolejności? Co to jest za miejsce? Musi znaleźć jakiś sposób, by zatarasować drzwi w nocy – ale czym? Mogłaby na noc podstawić mały stolik pod drzwi, ale przecież z łatwością da się go odsunąć. Zresztą na co może się w ogóle zdać blokowanie drzwi, gdy okna to zaledwie otwory w ścianach? Obracała w dłoni mosiężny element strapiona i przepełniona tęsknotą. Gdzie jest reszta ukochanego mikroskopu? Kim było to dziecko? Powinna je złapać i zobaczyć, gdzie chowa resztę tego wszystkiego, co kiedyś posiadała.

Zamknęła oczy i przysłuchiwała się nieznanym dźwiękom dookoła. Czuła się tak, jak gdyby miała usłyszeć wybuch świtu. Z całą pewnością natomiast słyszała odgłos fal, wybuchających tuż za jej drzwiami. Słychać je było niepokojąco blisko. Wolałaby znajdować się nieco dalej od morza. Wszystko było zbyt bliskie, zbyt niebezpieczne. Ptak, który przysiadł na dachu, wprost nad jej głową, wydał dziwny dźwięk. Zawołanie brzmiało mniej więcej tak: „*My-yśl! My-yśl! My-yśl!*".

Jak gdyby kiedykolwiek robiła co innego!

W końcu Alma wstała, pogodzona z bezsennością. Zastanawiała się, gdzie znaleźć wychodek, czy też miejsce, które mogłoby spełniać jego rolę. Poprzedniego wieczoru kucnęła za *fare*, ale wolałaby mieć obok jakieś lepsze rozwiązanie. Wychodząc przed chatę, prawie potknęła się o coś. Wprost na progu – jeśli ktoś mógłby to nazwać progiem – zobaczyła walizkę Ambrose'a, grzecznie na nią czekającą, nieotwartą i ciasno obwiązaną sznurem jak zawsze. Uklękła, rozplątała sznurek i otworzyła, po czym szybko przerzuciła ryciny: wszystkie obrazki były na swoim miejscu.

Na plaży jak okiem sięgnąć, nie było widać żywej duszy – ani kobiety, ani mężczyzny, ani chłopca, ani psa.

– *My-yśl!* – krzyczał ptak nad jej głową. – *My-yśl!*

# ROZDZIAŁ DWUDZIESTY TRZECI

Ponieważ czas się nie buntuje przeciwko mijaniu – nawet w naj-dziwniejszych i najbardziej obcych okolicznościach – mijał i Almie w zatoce Matavai. Powoli i z oporami zaczynała pojmować otaczający ją świat.

Tak samo jak we wczesnym dzieciństwie podczas pierwszych przebudzeń poznania, Alma zaczęła od badania własnego domu. Nie trwało to bardzo długo, ponieważ jej malutka tahitańska *fare* nie była White Acre. Nie stanowiła nic więcej prócz jednego po-mieszczenia, umownych drzwi, trzech pustych otworów okien-nych, paru prętów prymitywnych mebli oraz krytego strzechą dachu, okupowanego przez jaszczurki. Pierwszego ranka Alma do-kładnie obejrzała dom w poszukiwaniu śladów po Ambrosie, ale nic nie znalazła. Zaczęła ich szukać, jeszcze nim się rozglądnęła (bezowocnie) za utraconym bagażem. Co miała nadzieję znaleźć? Wiadomość dla niej, zapisaną na ścianie? Skrzynkę z rysunkami? Może paczkę listów albo dziennik, który ujawniłby coś innego niż nieodgadnioną, mistyczną tęsknotę? Ale nie pozostał po nim ża-den ślad.

Zrezygnowana pożyczyła miotłę od siostry Manu i starannie oczyściła ściany z pajęczyn. Wymieniła na podłodze starą suchą trawę na nową suchą trawę. Wypchała na nowo materac i zaak-ceptowała *fare* jako własną. Pogodziła się również, zgodnie z radą wielebnego Wellesa, z frustrującym faktem, że jej dobytek albo kiedyś w końcu do niej wróci, albo nie i że nie ma nic – absolutnie nic – co można byłoby zrobić w tej sprawie. Było to źródłem jej udręki, ale czuła zarazem w tym jakąś słuszność czy nawet spra-wiedliwość. Odarcie ze wszystkiego, co dla niej cenne, nakładało na nią rodzaj natychmiastowej pokuty. Czuła się dzięki temu jakby bliżej Ambrose'a; oboje za sprawą Tahiti utracili wszystko.

Ubrana w swą jedyną pozostałą suknię kontynuowała eksplorację okolicy.

Z tyłu, za domem, znalazła miejsce zwane *himaa*, otwarte palenisko, nad którym nauczyła się gotować wodę i przyrządzać kilka potraw. Siostra Manu pokazała jej, co robić z lokalnymi owocami i warzywami. Alma się nie spodziewała, że efekt jej gotowania może aż tak smakować sadzą lub piaskiem, ale nie ustawała w wysiłkach i była dumna, że potrafi sama przyrządzać sobie posiłki, czego – przez całe długie życie – nigdy dotychczas nie robiła. (Stałam się autotrofem, Retta Snow byłaby ze mnie dumna! – pomyślała ze smętnym uśmiechem). Ogródek przedstawiał żałosny widok, ale niewiele można było z tym zrobić; Ambrose wybudował dom na gorącym piachu, próżno byłoby nawet próbować. Nie można też było nic uczynić w sprawie jaszczurek, które całą noc urządzały gonitwy na krokwiach. Jedyne, co robiły pożytecznego, to zjadały komary, więc Alma starała się nimi nie przejmować. Wiedziała, że nie chcą jej skrzywdzić, choć wolałaby, aby nie przemykały tuż obok, kiedy śpi. Cieszyła się, że to nie węże. Na Tahiti na szczęście nie ma węży.

Są za to kraby, lecz wkrótce nauczyła się nie zwracać uwagi i na wszelakiego rozmiaru kraby, biegające truchcikiem na plaży dookoła jej stóp. One także nie zamierzały czynić jej krzywdy. Gdy tylko ją spostrzegały oczami falującymi na szypułkach, odbiegały w różnych kierunkach w pośpiesznej panice. Zaczęła chodzić na boso, kiedy uznała, że to bezpieczniejsze. Tahiti jest zbyt gorąca, zbyt wilgotna, zbyt piaszczysta i zbyt śliska, by chodzić po niej w butach. Na szczęście naturalne środowisko sprzyja chodzeniu boso; na wyspie nie rośnie ani jedna kolczasta roślina, a ścieżki w większości były kamienne lub piaszczyste.

Alma poznała kształt i charakter plaży oraz najważniejsze obyczaje pływów. Sama nie pływała, ale zdobywała się na brodzenie, każdego dnia nieco głębiej, w leniwych, ciemnych wodach zatoki Matavai. Wdzięczna była rafie, która utrzymywała wody zatoki we względnym spokoju.

Nauczyła się kąpać w rzece każdego poranka, razem z innymi kobietami z osady, z których wszystkie były równie duże i mocno zbudowane jak ona. Tahitanki maniakalnie dbały o czystość osobistą, codziennie pieniącym się mydłem z byliny imbirowej myły na brzegu włosy i ciało. Nieprzyzwyczajona codziennie się myć, Alma szybko zaczęła się dziwić, czemu dotychczas nie miała takiego zwyczaju. Nauczyła się ignorować grupki chłopców stojących w pobliżu rzeki i naśmiewających się z nagości kobiet. Chowanie się przed nimi nie miało sensu; nie było takiej pory dnia bądź nocy, aby dzieciaki cię nie wytropiły.

Tahitańskim kobietom nie przeszkadzały śmiechy dzieci. Znacznie bardziej martwiły je sztywne, szorstkie i wypłowiałe włosy Almy, wkoło których robiły dużo hałasu, przepełnione smutkiem i troską, wszystkie bowiem miały włosy bardzo piękne, opadające w czarnych puklach na plecy. Zresztą ona sama czuła się z tego powodu źle. Jedną z pierwszych rzeczy, jakich się nauczyła po tahitańsku, było, jak przepraszać za stan własnych włosów. Zastanawiała się, czy istnieje takie miejsce na ziemi, gdzie jej włosów nie uznano by za tragiczne. Podejrzewała, że nie.

Alma uczyła się tahitańskiego od każdej osoby, która się do niej odzywała. Ludzie byli uprzejmi, serdeczni i zachęcanie jej do nauki stanowiło dla nich osobliwą zabawę. Zaczęła od nazw najpospolitszych rzeczy w zatoce Matavai: drzew, jaszczurek, ryb, nieba, uroczych małych gołąbków zwanych *uuairo* (słowo to brzmiało tak samo jak ich miękki, bulgoczący krzyk). Do gramatyki przeszła szybko. Mieszkańcy osady mówili po angielsku na różnych poziomach zaawansowania – niektórzy całkiem płynnie, inni zaś kreatywnie – Alma jednak, urodzona lingwistka, zawsze się starała porozumiewać z nimi po tahitańsku.

Tahitański nie był jednak prostym językiem. Dla jej uszu bardziej przypominał śpiew ptaków niż mowę, a ona nie miała dosyć muzycznego talentu, by go opanować. A do tego potrafiłaby wykazać, że nie jest to język rzetelny, taki, na którym można polegać. Nie posiadał stałych zasad, jak łacina albo greka. Ludzie w zatoce Matavai szczególnie uwodzili oraz naciągali słowami, podmieniając je każdego dnia. Czasami wplatali fragmenty z francuskiego albo angielskiego, tworząc nowe, fantazyjne wyrazy. Tahitańczycy kochali zawiłe gry słowne, których człowiek nie był w stanie pojąć, jeśli pradziadowie jego pradziadów nie pochodzili stąd. Do tego ludzie z zatoki Matavai mówili inaczej niż ludzie z Papeete, odległego zaledwie o siedem mil, a ludzie *stamtąd* mówili inaczej niż mieszkańcy Taravao albo Teahupo. Z jednej strony wyspy zdanie mogło znaczyć co innego niż po jej przeciwnej stronie albo dzisiaj znaczyło co innego aniżeli wczoraj.

Alma uważnie przyglądała się ludziom dookoła, próbując pojąć naturę tego dziwnego miejsca. Najważniejsza była siostra Manu, ponieważ nie tylko doglądała świń, ale także utrzymywała porządek w całej osadzie. Była nieugiętą panią protokołu, bezwzględnie wyczuloną na maniery i uchybienia. Wszyscy w osadzie kochali wielebnego Wellesa i wszyscy bali się siostry Manu. Tahitanka – której imię znaczy „ptak" – była równie wysoka jak Alma i umięśniona jak mężczyzna. Mogłaby wziąć Almę na barana. Niewiele było kobiet, o których można by *tak* powiedzieć.

Siostra Manu zawsze nosiła słomkowy kapelusz z szerokim rondem, każdego dnia przybrany świeżymi kwiatami, ale gdy nadchodził czas kąpieli w rzece, Alma widziała, że czoło Manu poznaczone jest brutalnymi białymi bliznami. Dwie, może trzy starsze kobiety miały podobne tajemnicze ślady na czole, Manu jednak była prócz tego jeszcze dodatkowo naznaczona: brakowało jej ostatniego kawałka każdego z różowych palców. Almie wydawało się to dziwnym okaleczeniem, eleganckim i symetrycznym. Nie potrafiła sobie wyobrazić, co musiałby człowiek zrobić, aby tak metodycznie stracić różowe koniuszki palców. Ale nie miała odwagi zapytać.

To siostra Manu biła każdego ranka i wieczoru w dzwony wzywające na modlitwę, a ludzie – wszyscy z osiemnaściorga dorosłych mieszkańców osady – posłusznie przybywali. Nawet Alma starała się nie opuszczać żadnej religijnej ceremonii w zatoce Matavai, by nie obrazić siostry Manu, bez jej przychylności bowiem długo by nie przetrwała. Stwierdziła zresztą, że wcale nietrudno wysiedzieć na takiej mszy; zwykle nie trwała dłużej niż kwadrans, a kazanie siostry Manu, głoszone w dziwacznej angielszczyźnie, było zawsze zajmujące. (Uznała, że gdyby luterańskie zgromadzenia w Filadelfii były równie proste i zabawne, byłaby znacznie lepszą luteranką). Alma pilnie się przysłuchiwała niejasnym pieśniom tahitańskim i starała się w odpowiednich chwilach wyłapywać z nich słowa oraz zwroty.

*Te rima atua*: ręka Boża.

*Te mau pure atua*: lud Boży.

Co do chłopca zaś, który pierwszej nocy przyniósł wziernik od jej mikroskopu, odkryła, że należy do bandy pięciu małych chłopaczków, włóczących się po misjonarskiej osadzie bez innego celu prócz nieustannej zabawy aż do wyczerpania sił, zwalającej ich na piasek, by – tak jak psy – natychmiast mogli zasnąć tam, gdzie padli. Potrzebowała tygodni, by zacząć ich rozróżniać. Ten, który do niej przyszedł, nosił imię Hiro. Miał najdłuższe włosy i chyba zajmował najwyższą pozycję w gangu. (Później dowiedziała się, że według tahitańskiej mitologii Hiro był królem złodziei. Zabawne, że pierwszy kontakt z młodocianym królem złodziei zatoki Matavai miała wtedy, kiedy oddawał jej to, co jej skradziono). Hiro uchodził za brata chłopca o imieniu Makea, choć być może w rzeczywistości nie byli braćmi. Utrzymywali, iż są także braćmi pozostałych chłopców: Pepeihy, Tinomany oraz kolejnego Makei, Almie jednak nie wydawało się to możliwe, ponieważ wszyscy wyglądali na ten sam wiek i dwóch nosiło to samo imię. Nie mogła dojść, kto jest ich rodzicami. Nie widać było, aby ktokolwiek prócz nich samych zajmował się chłopcami.

W zatoce Matavai były także inne dzieci, ale te podchodziły znacznie poważniej do życia niż pięciu chłopców, których Alma w myślach zaczęła nazywać „drużyną Hiro". Tamte inne dzieci przychodziły każdego popołudnia do misyjnej szkoły na lekcje angielskiego i czytania, nawet jeśli ich rodzice nie mieszkali w osadzie wielebnego Wellesa. Byli wśród nich mali chłopcy o starannie, krótko przyciętych włosach oraz małe dziewczynki z pięknymi warkoczami, ubrane w długie sukienki i promienne uśmiechy. Lekcje pobierali w szkole, a udzielała ich młoda kobieta o jasnej twarzy, ta sama, która pierwszego dnia zawołała do Almy: „Mówimy tutaj po angielsku!". Na imię miała Etini – „droga usiana białym kwieciem" – i po angielsku mówiła doskonale, z energicznym brytyjskim akcentem. Wieść głosiła, że w dzieciństwie uczyła ją sama żona wielebnego Wellesa, a teraz cieszyła się sławą najlepszej nauczycielki na wyspie.

Duże wrażenie robili na Almie schludni i zdyscyplinowani uczniowie, ale znacznie bardziej intrygowało ją pięciu dzikich i niewyedukowanych chłopców z drużyny Hiro. Dotychczas nigdy jeszcze nie widziała dzieci tak wolnych jak Hiro, Makea, Papeiha, Tinomana i drugi Makea. Mali książęta wolności, oto czym byli, do tego wielce radośni. Jak mitologiczne skrzyżowanie ryby, ptaka i małpy, czuli się tak samo u siebie w wodzie, na drzewie oraz na lądzie. Rozhuśtani na pnączach wpadali do wody z okrzykami zupełnie pozbawionymi lęku. Wiosłowali w stronę rafy na małych drewnianych deskach, a potem, nieprawdopodobne, *stawali* na owych deskach i płynęli wskroś spienionych, przełamujących się grzyw fal. Nazywali tę zabawę *faheei* i Almie aż trudno było pojąć, jaką musieli mieć pewność siebie oraz sprawność, by z taką łatwością unosić się na grzbietach fal. Na plaży z kolei boksowali się i niezmordowanie uprawiali zapasy. Lubili też budować szczudła. Obsypywali ciała jakimś białym proszkiem i gonili się po piasku niczym wysokie zwariowane potwory. Puszczali także *uo* – latawiec zrobiony z liści palmowych. W spokojniejszych momentach grali w coś, co przypominało grę w kamienie. Mieli też przy sobie ciągle zmieniającą się menażerię kotów, psów, papug, a nawet węgorzy (węgorze trzymali w murowanych wodnych zagrodach w rzece; kiedy któryś z chłopców gwizdał, niesamowicie wystawiały głowy ponad powierzchnię wody, oczekując karmienia owocami z ręki). Czasami drużyna Hiro zjadała swoich ulubieńców, oprawiwszy i upiekłszy nad prowizorycznym rożnem. Jedzenie psów było tam na porządku dziennym. Wielebny Welles powiedział Almie, że tahitański pies jest równie smaczny jak angielskie jagnię – ale przecież on sam nie jadł angielskiej jagnięciny od dziesięcioleci, Alma nie była więc pewna, czy może zaufać jego ocenie. I miała nadzieję, że nikt nie zje Rogera.

Imię Roger należało, jak się okazało, do małego pieska, który odwiedził ją w *fare* pierwszej nocy. Wyglądało na to, że Roger do nikogo nie należy, ale podobno lubił Ambrose'a, który obdarował go owym dostojnym i solidnym imieniem. Wszystko to wyjaśniła Almie siostra Etini, kończąc niepokojącą uwagą: „Roger nigdy siostry nie ugryzie, siostro Whittaker, jeśli nie zacznie go siostra karmić".

Podczas pierwszych kilku tygodni Roger przychodził każdej nocy do małego pokoju Almy i całym sercem oddawał się ujadaniu. Przez długi czas nie widywała go w ciągu dnia. Jego oburzenie jednak stopniowo, choć z widocznym oporem topniało i chwile okazywania obrazy stawały się coraz krótsze. Aż pewnego ranka Alma po obudzeniu się spostrzegła Rogera śpiącego na podłodze tuż obok jej łóżka, co znaczy, że wszedł w nocy do chaty, już w ogóle nie szczekając. Znamienna odmiana. Usłyszawszy, że Alma się porusza, Roger zawarczał i uciekł, ale powrócił kolejnej nocy i od tego czasu nie szczekał. Jak można było przewidzieć, chciała go nakarmić, na co on rzeczywiście chciał ją ugryźć. Poza tym było im razem całkiem dobrze. Pies stał się może nie tyle przyjazny, ile już nie pragnął odłączyć jej gardła od reszty ciała, i to był postęp.

Roger wyglądał okropnie. Był pomarańczowy i do tego łaciaty, miał nieregularnie zbudowaną szczękę oraz kulał i coś bezlitośnie odgryzło mu duży kawałek ogona. Był też *tuapu'u* – garbusem. Mimo to Alma zaczęła doceniać jego obecność. Ambrose kochał go z jakiegoś powodu, pomyślała, i to ją intrygowało. Potrafiła godzinami patrzeć na psa i zastanawiać się, co też może wiedzieć o jej mężu – czego był świadkiem. Jego towarzystwo stanowiło dla niej pocieszenie. Nie mogłaby powiedzieć, że Roger jej broni albo że jest jej wierny, ale sprawiał wrażenie, jakby był przywiązany do domu. Dzięki temu w nocy z trochę mniejszym strachem zasypiała, wiedząc, że zaraz przyjdzie.

To było dobre, ponieważ Alma porzuciła wszelką nadzieję na jakiekolwiek poczucie bezpieczeństwa bądź prywatności. Nic by nie osiągnęła, próbując wyznaczyć granicę dookoła swojego domu lub tych kilku, które jeszcze jej pozostały, prywatnych rzeczy. Dorośli, dzieci, zwierzęta, pogoda – o każdej porze dnia bądź nocy, bez żadnego powodu wszyscy i wszystko czuli prawo do swobodnego wchodzenia do *fare* Almy. Trzeba przyznać, że nie zawsze przychodzili z pustymi rękoma. Elementy jej własności z czasem wracały w kawałkach i fragmentach. Nigdy nie wiedziała, kto je przynosi. Nigdy nikogo nie zauważyła. Było tak, jak gdyby wyspa powoli wykrztuszała porcje połkniętego bagażu.

W pierwszym tygodniu odzyskała trochę papieru, halkę, ampułkę z lekarstwem, zwój tkaniny, rolkę sznurka oraz szczotkę do włosów. Pomyślała wtedy, że jeśli poczeka wystarczająco długo, zwrócą jej wszystko. Ale tak nie było, ponieważ przedmioty potrafiły znikać tak samo, jak się pojawiały. Dostała z powrotem drugą suknię podróżną – z cudownie nietkniętymi monetami zaszytymi w rąbek – co było prawdziwym błogosławieństwem, ale nigdy nie odzyskała żadnego z zapasowych czepków. Wróciła do niej niewielka część papieru listowego. Nigdy więcej nie ujrzała podręcznej apteczki, ale kilka szklanych fiolek na okazy botaniczne stanęło na jej progu w równym rzędzie. Pewnego ranka odkryła, że zniknął jej jeden but – tylko jeden! – i nie mogła zrozumieć, po co komu pojedynczy but, ale za to w tym samym czasie wrócił całkiem przydatny komplet farb akwarelowych. Innego dnia odzyskała podstawę swego cennego mikroskopu, spostrzegając jednocześnie, że ktoś zabrał w zamian z powrotem wziernik. Tak jak gdyby jej dom nawiedzały przypływy i odpływy, zostawiając i zabierając szczątki jej dawnego życia. Nie miała innego wyjścia, jak to zaakceptować i zdumiewać się dzień po dniu tym, co znajdowała i traciła, a potem znowu odzyskiwała i znowu gubiła.

Walizki Ambrose'a jednak już nigdy więcej jej nie zabrano. Owego poranka, kiedy zwrócono ją na próg, postawiła walizkę na małym stoliku wewnątrz *fare* i tak zostawiła – dosłownie nietkniętą, jak gdyby pilnował jej niewidzialny polinezyjski Minotaur. Co więcej, nigdy nie zginął ani jeden rysunek Tego Chłopca. Nie rozumiała, czemu walizka oraz jej zawartość traktowane są z taką czcią, podczas gdy nic innego nie było bezpieczne w zatoce Matavai. Nie miała odwagi zapytać: *Czemu nie tykacie tego przedmiotu ani nie kradniecie tych rysunków?* Jak by wyjaśniła, czym są rysunki, albo co ta walizka dla niej znaczy? Jedyne, co mogła, to zachować milczenie i wciąż nic nie rozumieć.

Ambrose cały czas zajmował myśli Almy. Nie pozostawił po sobie żadnych śladów na Tahiti prócz resztek sympatii podzielanej przez wszystkich, ona jednak szukała owych śladów bez ustanku. Cokolwiek robiła i czegokolwiek dotykała, wywoływało pytanie: Czy on też to robił? Jak spędzał tutaj czas? Co myślał o swojej malutkiej chacie, osobliwym jedzeniu, trudnym języku, niezmiennym morzu, drużynie Hiro? Czy kochał Tahiti? Czy, tak jak dla Almy, wyspa była dla niego zbyt obca i zbyt dziwna, by ją kochać? Czy paliło go słońce, jak teraz ją na czarnej piaszczystej plaży? Czy brakowało mu chłodnych fiołków i dyskretnych drozdów z domu, tak jak Almie, nawet wtedy, gdy podziwiała bujne hibiskusy oraz hałaśliwe zielone papugi? Czy był melancholijny i smutny, czy pełen radości, odnajdując ten Eden? Czy kiedykolwiek myślał tutaj o Almie? Czy szybko o niej zapomniał, z ulgą przyjmując wolność od jej kłopotliwego pożądania? Czy może o niej zapomniał, ponieważ zakochał się w Tym Chłopcu? A jeśli chodzi o Tego Chłopca, gdzie jest teraz? To nie jest tak naprawdę *chłopiec* – musiała to sobie jasno powiedzieć, szczególnie gdy powtórnie przestudiowała rysunki. Widoczna na nich postać przedstawiała chłopca u progu męskości. Teraz, dwa albo trzy lata później, musi już być z niego w pełni ukształtowany mężczyzna. Jednak w umyśle Almy pozostał Tym Chłopcem – i nigdy nie przestała go szukać.

W zatoce Matavai nie znajdowała jednak żadnego śladu Tego Chłopca. Szukała go w twarzy każdego mężczyzny, który przechodził przez osadę, w twarzy każdego rybaka, który pojawiał się na plaży. Kiedy wielebny Welles opowiedział Almie, jak Ambrose uczył pewnego Tahitańczyka sztuki zajmowania się orchideami waniliowymi (*mali chłopcy, małe paluszki, małe pałeczki*), Alma pomyślała, że to musi być on. Ale kiedy poszła na plantację, nie było tam Tego Chłopca: znalazła korpulentnego starszego mężczyznę z opaską na jednym oku. Wielokrotnie wybierała się na plantację, pozorując zainteresowanie pracami polowymi, nigdy jednak nie zauważyła nikogo, kto w choćby najmniejszym stopniu przypominał postać z rysunków. Mniej więcej co kilka dni oznajmiała, że idzie szukać roślin, ale naprawdę wracała do stolicy, Papeete, biorąc z plantacji osiołka na długą drogę. Na miejscu cały dzień i większość wieczoru chodziła po ulicach, przyglądając się każdej mijanej twarzy. Osiołek szedł za nią – wychudła, tropikalna wersja Soamesa, dawnego przyjaciela z dzieciństwa. Szukała Tego Chłopca w dokach, przed burdelami, w hotelach pełnych wytwornych francuskich kolonizatorów, w nowej katedrze katolickiej, na targu. Czasami spostrzegała przed sobą wysokiego, dobrze zbudowanego miejscowego mężczyznę o krótkich włosach, podbiegała za nim i dotykała jego ramienia, gotowa zadać jakiekolwiek pytanie, byle się tylko odwrócił. Za każdym razem była pewna: To będzie on.

To nigdy nie był on.

Zdawała sobie sprawę, że będzie musiała wkrótce rozszerzyć poszukiwania i ruszyć na obszary poza Papeete i zatoką Matavai, ale nie mogła zadecydować, od czego zacząć. Wyspa Tahiti ma trzydzieści pięć mil długości i dwanaście szerokości oraz kształt jak gdyby przechylonej ósemki. Przez wielkie jej obszary trudno przejść, jeśli wręcz nie jest to niemożliwe. Kiedy pozostawiło się ocienioną piaszczystą drogę, wijącą się dużymi odcinkami wzdłuż wybrzeża, teren stanowił odstraszające wyzwanie. Terasy plantacji pochrzynu pięły się w górę zbocza, razem z gajami palm kokosowych pośród oceanu krótkiej, suchej, szorstkiej trawy, aż nagle nie było już nic prócz wysokich klifów oraz niedostępnej dżungli. Powiedziano jej, że niewielu ludzi mieszka w górach oprócz tych, którzy żyją na klifach – nieomal mitycznych, posiadających nadzwyczajne zdolności wspinaczkowe. Byli to myśliwi, nie rybacy. Niektórzy z nich nigdy nie dotknęli morza. Tahitańczycy z klifów i Tahitańczycy z wybrzeża zawsze traktowali siebie z nieufnością i nie przekraczali pewnych granic. Może Ten Chłopiec pochodził z klifów? Ale Ambrose rysował go na tle morza, niosącego rybackie sieci. Alma nie potrafiła rozwikłać tej zagadki.

Możliwe też było, że Ten Chłopiec jest żeglarzem – pomocnikiem na zawijającym czasami do portu wielorybniku. Jeśli tak jest, nigdy go nie znajdzie. Może być teraz gdziekolwiek na świecie. Może nawet już nie żyć. Lecz nieobecność dowodu – o czym Alma dobrze wiedziała – nie stanowi dowodu nieobecności.

Będzie musiała kontynuować poszukiwania.

Osada misyjna nie dostarczała jej żadnych informacji. Nie rozchodziły się żadne niegodziwe pogłoski na temat Ambrose'a – nawet podczas kąpieli w rzece, kiedy kobiety wyjątkowo swobodnie plotkowały. Nikt nie komentował na boku dotkliwie nieobecnego i dla wszystkich nieodżałowanego pana Pike'a. Alma posunęła się nawet do zadania pytania wielebnemu Wellesowi:

– Czy pan Pike zaprzyjaźnił się tutaj z kimś? Z kimś, kto stał mu się bliższy od innych?

W odpowiedzi wielebny jedynie spojrzał jej szczerze prosto w oczy i rzekł krótko:

– Pana Pike'a kochali wszyscy.

Tak rozmawiali tego dnia, kiedy poszli odwiedzić grób Ambrose'a. Alma musiała poprosić wielebnego, by ją tam zaprowadził i by mogła oddać cześć zmarłemu pracownikowi ojca. Chłodnym i zachmurzonym popołudniem wspięli się razem na wzgórze Tahara, gdzie nieopodal grani założono mały angielski cmentarz. Wielebny Welles okazał się doskonałym kompanem do wędrówki – maszerował szybko i sprawnie po każdym terenie, dzieląc się fascynującymi dykteryjkami w czasie drogi.

– Kiedy przybyłem tutaj pierwszy raz – rzekł owego dnia podczas wspinaczki po stromym zboczu – próbowałem określić, jakie gatunki roślin oraz warzyw pochodzą z Tahiti, a które przywieźli starożytni osadnicy i odkrywcy, lecz, widzi siostra, określić czegoś takiego się nie da, co jest wielce irytujące. Sami Tahitańczycy nie byli zdolni do wielkiej pomocy przy mych usiłowaniach, albowiem twierdzili, że wszystkie rośliny... nawet te uprawne... umieścili tutaj bogowie.

– Grecy mówili tak samo – stwierdziła pomiędzy sapnięciami Alma. – Utrzymywali, że winne grono oraz gaje oliwne zasadzili bogowie.

– Tak – odparł wielebny Welles. – Ludzie chyba zapominają, co sami stworzyli, nieprawdaż? Wiemy już, że polinezyjskie ludy mają ze sobą korzeń taro, palmę kokosową oraz chlebowiec, kiedy zasiedlają nową wyspę, ale sami mówią, że to bogowie zasiali te rośliny. Niektóre ich historie są bajeczne. Mówią, że bogowie nadali drzewom chlebowca kształt przypominający ludzkie ciało jako wskazówkę dla ludzi, rozumie siostra... że drzewo jest przydatne.

Mówią, że to dlatego liście chlebowca mają kształt podobny do dłoni... by wskazać ludziom, iż powinni sięgać do drzewa i znajdować na nim pożywienie. Prawdę powiedziawszy, Tahitańczycy twierdzą, że *wszystkie* pożyteczne rośliny na wyspie przypominają części ludzkiego ciała, rozumie siostra, takie wskazówki od bogów. To dlatego olej kokosowy, który pomaga na ból głowy, pochodzi z kokosa, który przypomina kształtem głowę. *Mape*, czyli kasztany są ponoć dobre na dolegliwości nerkowe, ponieważ same przypominają nerki, jak mi mówiono. Jaskrawoczerwony sok rośliny *fei* jest ponoć przydatny w chorobach krwi.

– Boski szyfr – mruknęła Alma.

– Tak, tak – odparł wielebny Welles, choć Alma nie była pewna, czy ją usłyszał. – Choćby w gałęziach bananowców typu plantan, na przykład tych tutaj, też, siostro Whittaker, widać symbol ludzkiego ciała. Za sprawą ich kształtu ludzie używają gałęzi plantanów jako daru pokoju... jako gestu *człowieczeństwa*, mogłaby siostra rzec. Rzuca się taką gałąź na ziemię, pod nogi wroga, by pokazać własną ustępliwość oraz wolę porozumienia. Powiem coś siostrze, to odkrycie bardzo mi się przydało, kiedy przybyłem na Tahiti! Rzucałem wszędzie gałęzie plantanowych bananowców, we wszystkich kierunkach, rozumie siostra, w nadziei, że mnie nie zabiją i nie zjedzą!

– Czy naprawdę zabiliby brata i zjedli? – zapytała Alma.

– Najprawdopodobniej nie, chociaż misjonarze zawsze się tego boją. Może zna siostra zabawny misjonarski kawał: „Jeśli misjonarza zje kanibal i misjonarz zostanie strawiony, a kanibal potem umrze, czy strawione ciało misjonarza zmartwychwstanie w całości w Dniu Sądu Ostatecznego? A jeśli nie, to skąd święty Piotr będzie wiedział, które kawałki posłać do nieba, a które do piekła?". Hahaha...!

– Czy pan Pike kiedykolwiek rozmawiał z bratem na temat poglądów, o których brat przed chwilą opowiadał? – zapytała Alma, jednym uchem słuchając popisów dowcipu wielebnego. – Tych o bogach tworzących rośliny w różnych szczególnych kształtach, mam na myśli, w celu wskazania na ich przydatność w służbie człowieka?

– Pan Pike i ja rozmawialiśmy o bardzo wielu rzeczach, siostro Whittaker!

Almie nie przychodziło do głowy, w jaki sposób pytać o szczegóły bez wyjawiania zbyt wielu informacji na swój temat. Dlaczego miałby tak bardzo zajmować ją podwładny ojca? Nie chciała wzbudzać podejrzeń. Ale misjonarz był tak dziwnym człowiekiem! Otwartym i zagadkowym zarazem. Kiedy tylko mówili o Ambrosie, Alma pilnie śledziła jego oblicze, by coś z niego wyczytać, ale wielebny Welles pozostawał nieprzenikniony. Zawsze spoglądał na świat z taką samą nieporuszoną twarzą. Miał nastrój niezależny od sytuacji. Był niezmienny jak latarnia morska. Jego otwartość była tak pełna i doskonała, że stanowiła nieomal maskę.

W końcu dotarli na cmentarz z małymi pobielonymi kamieniami, tu i ówdzie wyrzeźbionymi w krzyże. Wielebny Welles zaprowadził Almę prosto do grobu Ambrose'a, posprzątanego i oznaczonego niewielkim kamieniem. Miejsce było urocze, rozciągał się stamtąd widok na całą zatokę Matavai, aż po jasne rozległe morze. Alma miała obawy, że gdy już stanie przy rzeczywistym grobie, nie będzie w stanie pohamować emocji, ale nie straciła spokoju – w najmniejszym nawet stopniu. W ogóle nie czuła Ambrose'a w tamtym miejscu. Nie umiała wyobrazić sobie, że leży pogrzebany pod tym kamieniem. Pamięć podsunęła wspomnienie, jak wyciąga cudownie długie nogi na trawie, opowiadając o cudach i dziwach, a ona bada w tym czasie mchy. Poczuła, że w Filadelfii istniał bardziej niż tutaj, w Filadelfii i w jej pamięci. Nie mogła wyobrazić sobie, że tutaj, pod jej stopami, jego kości pokrywają się pleśnią. Ambrose nie należał do tej ziemi; należał do powietrza. Już *za życia* był w znikomy sposób związany z ziemią, pomyślała. Jakże mógłby więc teraz przebywać w ziemi?

– Nie mieliśmy drewna na trumnę – wyjaśnił wielebny Welles – więc owinęliśmy pana Pike'a w tutejszą tkaninę i pochowaliśmy go w kanoe, wywracając je do góry dnem, jak czasami się tutaj robi. Bez stosownych narzędzi trudno tu uprawiać stolarkę, rozumie siostra, a do tego kiedy tubylcy zdobędą drewno, wolą nie marnować go w grobie, więc posługujemy się starymi kanoe. Ale tubylcy okazali, jak sama siostra widzi, wielką troskę o chrześcijańskie wierzenia pana Pike'a. Zorientowali jego grób po linii wschód–zachód, żeby widział wschodzące słońce, tak jak czyni się we wszystkich chrześcijańskich kościołach. Kochali go, jak mówiłem. Oby umierał szczęśliwy. To był najlepszy z ludzi.

– Czy sprawiał wrażenie szczęśliwego tutaj, bracie Welles?

– Czerpał z wyspy wiele radości, czego się wszyscy w końcu uczymy. Ale, widzi siostra, jestem pewien, że liczył na więcej orchidei! Tahiti potrafi rozczarować, jak powiedziałem, tych, którzy przybywają, by studiować historię naturalną.

– Czy pan Pike kiedykolwiek brata niepokoił? – odważyła się mocniej nacisnąć Alma.

– Ludzie przybijają do brzegów tej wyspy z wielu powodów, siostro Whittaker. Moja żona zwykła mówić, że obmywają się u naszych brzegów, owi przetrąceni obcy, i najczęściej nie wiedzą nawet, gdzie przybili! Niektórzy wyglądają na doskonałych dżentelmenów, ale później dowiadujemy się, że zostali skazani w swoich ojczystych stronach. Ale z drugiej strony inni byli doskonałymi dżentelmenami w swoim europejskm życiu, ale tutaj przybyli, by zachowywać się jak skazańcy! Nikt nie wie, co jest w sercu drugiego człowieka.

Nie odpowiedział na jej pytanie.

A Ambrose? – pragnęła zapytać. Co było w jego sercu?

Ugryzła się w język.

A potem wielebny Welles powiedział swoim zwykłym, pogodnym głosem:

– Po drugiej stronie tego niskiego muru może siostra zobaczyć groby moich córek.

Zdanie odebrało Almie głos. Nie wiedziała, że wielebny Welles miał córki, ani tym bardziej że tutaj zmarły.

– To takie tyłe groby, jak siostra widzi – wyjaśniał – ponieważ dziewuszki nie żyły długo. Żadna nie doczekała pierwszych urodzin. Helen, Eleanor i Laura, ta od lewej. Penelope oraz Theodosia spoczywają za nimi, po prawej stronie.

Wszystkie z pięciu grobów były malutkie, mniejsze od cegły. Alma nie znajdowała słów pocieszenia. Był to najsmutniejszy widok, z jakim się zetknęła w życiu.

Wielebny Welles, widząc jej pełną bólu twarz, uśmiechnął się łagodnie.

– Ale, proszę siostry, na pocieszenie ich najmłodsza siostra, Cristina, żyje. Bóg dał nam jedną córkę, którą zdołaliśmy wprowadzić w życie, i ona wciąż żyje. Mieszka w Kornwalii i z kolei sama jest teraz matką trzech małych synków. Pani Welles jest tam z nią. Moja żona mieszka z naszym żyjącym dzieckiem, rozumie siostra, a ja mieszkam tutaj, by towarzyszyć tym, które odeszły. – Zerknął ponad ramieniem Almy. – Ach, proszę spojrzeć! – zawołał. – Plumeria ma kwiaty! Zerwiemy kilka i zabierzemy z powrotem dla siostry Manu. Będzie mogła przystroić nimi kapelusz na wieczorną mszę. Czyż nie będzie zachwycona?


Wielebny Welles zawsze wprawiał Almę w konsternację. Nie spotkała wcześniej człowieka tak pogodnego, nienarzekającego, który by tak wiele utracił i który by potrzebował tak niewiele do życia. Z biegiem czasu odkryła, że nie miał nawet domu. Żadna *fare* nie należała do niego. Spał w kościele misyjnym, na jednej z ławek. Często nie miał nawet *ahu taoto* do przykrycia. Tak jak kot, potrafił zasnąć wszędzie. Nie posiadał nic prócz Biblii – a nawet ona czasami znikała na całe tygodnie, dopóki ktoś jej w końcu nie zwrócił. Nie trzymał żadnych zwierząt ani nie uprawiał ogrodu. Małe kanoe, którym lubił od czasu do czasu popłynąć na rafę koralową, należało do czternastoletniego chłopca, który był na tyle hojny, że je pożyczał. Nie ma na świecie więźnia, mnicha ani żebraka, który posiadałby mniej niż ten człowiek, myślała Alma.

Dowiedziała się jednak, że nie zawsze tak było. Francis Welles wychował się w Kornwalii, w miejscowości Falmouth, nad samym morzem, w dużej rodzinie bogatego rybaka. Choć nie zechciał wyjawić Almie dokładniejszych szczegółów z dzieciństwa ("Wolałbym, aby nie zaczęła siostra gorzej o mnie myśleć, poznawszy, co wyprawiałem!"), dał jej do zrozumienia, że był urwisem. Uderzenie w głowę wysłało go do Pana – tak przynajmniej wielebny określił swoje nawrócenie: gospoda, burda, "butelką w łeb" i nagle... objawienie!

Od owego momentu zwrócił się ku nauce oraz pobożnemu życiu. Wkrótce poślubił dziewczynę imieniem Edith, wykształconą oraz cnotliwą córkę miejscowego metodysty. Dzięki Edith nauczył się wysławiać, myśleć oraz postępować bardziej sumiennie i szlachetnie. Polubił książki i oddawał się „wszelkiego rodzaju wysokim myślom", jak to określił. Otrzymał święcenia kapłańskie. Młody i podatny na fantastyczne idee, świeżo upieczony wielebny Francis Welles złożył wraz z żoną podanie do Londyńskiego Towarzystwa Misyjnego, prosząc o przyznanie najdalszego i najbardziej pogańskiego terenu, by głosić tam słowo Zbawiciela. Londyńskie Towarzystwo Misyjne przyjęło Francisa serdecznie, albowiem nieczęsto znajdowali człowieka w służbie Bożej, który byłby zarazem zahartowanym i kompetentnym żeglarzem. Ta strona zawodu nie służy bowiem wywodzącym się z Cambridge dżentelmenom o delikatnych dłoniach.

Państwo Wellesowie przybyli na Tahiti w 1797 roku, na pierwszym statku misyjnym, jaki kiedykolwiek przybił do brzegów wyspy. Na pokładzie było prócz nich piętnastu innych angielskich ewangelików. W owym czasie boga Tahitańczyków wyobrażał kawałek drewna o długości sześciu stóp, owinięty w płócienne *tapa* oraz przystrojony czerwonymi piórami.

– Kiedy przybiliśmy tutaj pierwszy raz – opowiadał Almie – tubylców najbardziej zadziwiły nasze ubrania. Jeden z nich ściągnął mi z nogi but i spostrzegłszy skarpetkę, odskoczył przerażony. Rozumie siostra, pomyślał, że nie mam palców u nogi! Cóż, zaraz potem nie miałem butów, bo mi je zabrał!

Francis Welles natychmiast polubił Tahitańczyków. Lubił ich dowcip, stwierdził. Byli zdolnymi mimami, uwielbiającymi przedrzeźnianie. Przypominali mu żarty i zabawy w dokach w Falmouth. Lubił, kiedy dzieci wołały za nim, jeśli miał słomkowy kapelusz na głowie: „Głowa kryta strzechą! Głowa kryta strzechą!".

Tak, zdecydowanie lubił Tahitańczyków, niemniej nie odniósł sukcesu w ich nawracaniu. Opowiadał:

– Biblia nas uczy: „Kiedy tylko o mnie usłyszą, ulegną: obcy będą mi posłuszni". Cóż, siostro Whittaker, być może dwa tysiące lat temu tak było! Ale nie było tak, gdy po raz pierwszy wylądowaliśmy na Tahiti! Pomimo całej łagodności owych ludzi, rozumie siostra, opierali się wszelkim próbom nawrócenia, i to z wielkim zaangażowaniem. Nie mogliśmy nawet wpływać na ich dzieci! Pani Welles zorganizowała szkołę dla maluchów, ale ich rodzice się skarżyli: „Dlaczego przetrzymujecie mojego syna? Jakie zdobędzie bogactwa dzięki waszemu bogu?". Uroczy byli ci nasi tahitańscy uczniowie, mówię siostrze, byli tacy mili, grzeczni i uprzejmi. Jedyny problem polegał na tym, że w ogóle nie interesował ich Nasz Pan! Tylko śmiali się z biednej pani Welles, kiedy próbowała uczyć ich katechizmu.

Trudne mieli życie pierwsi misjonarze. Na drodze ich ambicjom stawała nędza oraz dylematy moralne. Próby głoszenia Ewangelii spotykały się albo z obojętnością, albo z rozbawieniem. Dwie osoby zmarły pierwszego roku. Misjonarzy obwiniano o wszelkie katastrofy spotykające Tahiti i nie kojarzono z żadnym z darów niebios. Ich rzeczy albo zgniły, albo zostały zjedzone przez szczury, albo zostały im zrabowane sprzed samych nosów. Pani Welles przywiozła z Anglii tylko jeden rodzinny skarb: piękny zegar ścienny z kukułką, wydzwaniający godziny. Gdy Tahitańczycy usłyszeli, jak wybija czas, za pierwszym razem uciekli w przerażeniu. Za drugim razem przynieśli owoce dla zegara, pokłonili mu się i wznieśli przed nim błagalną pieśń. Za trzecim razem go ukradli.

– Trudno nawrócić kogoś – ciągnął – kogo twój bóg intryguje mniej niż twoje nożyczki! Hahaha! Ale czy można kogokolwiek winić za pożądanie nożyczek, jeśli wcześniej nigdy ich nie widział? Czyż para nożyczek nie wydaje się cudem w porównaniu z ostrzem wykonanym z zęba rekina?

Alma dowiedziała się, że przez blisko dwadzieścia lat ani wielebny Welles, ani nikt inny nie zdołał nakłonić pojedynczego Tahitańczyka do przyjęcia chrześcijaństwa. Podczas gdy inne polinezyjskie wyspy ochoczo garnęły się do Boga Prawdziwego, Tahiti trwała w uporze. Przyjazna, lecz uparta. Wyspy Cooka, Wyspy Żeglarskie*, Wyspy Gambiera, Hawaje – nawet nieustraszone Markizy! – wszystkie przyjęły Chrystusa, a Tahiti nie. Tahitańczycy byli

---

* Współcześnie Samoa.

uroczy i radośni, ale nieugięci. Śmiali się, weselili, tańczyli i po prostu nie mieli zamiaru rezygnować z własnego hedonizmu.

– Ich dusze zrobiono z mosiądzu i żelaza – narzekali Anglicy.

Niektórzy z początkowej grupy misjonarzy, wyczerpani i sfrustrowani, wrócili do Londynu, do domu, gdzie spostrzegli, że mogą godziwie zarabiać na życie, opowiadając o przygodach na morzach południowych lub pisząc o nich książki. Pewnego misjonarza wypędzono ostrzem dzidy, ponieważ próbował rozebrać jedną z najświętszych świątyń wyspy, by z jej kamieni wybudować kościół. Spośród tych zaś posłańców Boga, którzy pozostali na Tahiti, niektórzy podryfowali ku innym, prostszym celom. Jeden zajął się handlem muszkietami oraz prochem. Drugi otworzył hotel w Papeete i wziął sobie aż dwie młode tubylcze żony do grzania łóżka. Jeden zaś – James, wrażliwy młody kuzyn Edith Welles – po prostu stracił wiarę, popadł w rozpacz, wyruszył na morze jako majtek i nigdy więcej o nim nie słyszano.

Martwi, wygnani, o wygasłej wierze bądź wyczerpani... Tak oto życie wyplewiło wszystkich misjonarzy z wyjątkiem Francisa i Edith Wellesów, którzy pozostali w zatoce Matavai. Nauczyli się tahitańskiego i obywali bez wygód. W początkowych latach Edith powiła pierwsze z dziewczynek – Eleanor, Helen i Laurę – z których każda zmarła, jedna po drugiej, jeszcze w niemowlęctwie. Wellesowie jednak się nie poddali. Wybudowali, prawie wyłącznie własnymi rękoma, malutki kościół. Wielebny Welles znalazł sposób na wytwarzanie mleka wapiennego z wyblakłego na słońcu koralowca poprzez wypalanie go w prymitywnym piecu, dopóki nie zamieniał się w proszek. Dzięki pobieleniu kościół wyglądał bardziej zachęcająco. Z koźlej skóry oraz bambusa wykonał harmonię. Próbował założyć ogród, siejąc smutne, przywykłe do wilgoci angielskie nasiona. („Po trzech latach starań udało nam się wyhodować jedną truskawkę", powiedział Almie, „więc podzieliliśmy się nią, pani Welles i ja. Jej smak był na tyle dobry, że przyprawił panią Welles o szloch. Od tamtego czasu nie udało mi się wyhodować więcej ani jednej. Choć całkiem nieźle udawała mi się od czasu do czasu kapusta!") Nabył, po czym utracił za sprawą kradzieży stadko czterech krów. Próbował uprawiać kawę oraz tytoń, lecz bez powodzenia. To samo z ziemniakami, pszenicą oraz winogronem. Dobrze dawały sobie radę świnie w misyjnej osadzie, ale żaden inny żywy inwentarz nie potrafił przetrwać w tamtejszym klimacie.

Pani Welles uczyła angielskiego tubylczą ludność z zatoki Matavai, którą uznała za bystrą i szybko łapiącą obcy język. Nauczyła czytać i pisać wiele miejscowych dzieci. Niektóre z nich znacznie się posunęły w nauce angielskiego przy Wellesach. Szczególnie jeden mały chłopiec robił postępy – w ciągu osiemnastu miesięcy przeszedł od całkowitego analfabetyzmu do zdolności czytania Nowego Testamentu bez zająknięcia przy którymkolwiek słowie, chrześcijaninem jednak nie został. Zresztą jak żadne z nich.

Wielebny Welles opowiadał dalej:

– Często zadawali mi pytanie, ci Tahitańczycy, jaki jest dowód na twojego boga. Chcieli, żebym opowiadał o cudach, siostro Whittaker. Pragnęli dowodów łaski dla zasłużonych, rozumie siostra, i kary dla winnych. Miałem takiego jednego bez nogi, który prosił mnie, abym zechciał polecić mojemu bogu, by ów wyhodował mu nową nogę. Odrzekłem: „A gdzie ja ci znajdę nową nogę, w tym czy jakimkolwiek innym kraju?". Hahaha! Cóż, droga siostro, nie potrafiłem czynić cudów, więc nie robiłem na nich wrażenia. Patrzyłem na tahitańskiego chłopca, który stał nad grobem małej siostry i pytał: „Dlaczego Jezus Bóg zasadził moją siostrzyczkę w ziemi?". Chciał, żebym polecił Jezusowi Bogu, aby uczynił, by dziecko powstało z martwych… lecz, widzi siostra, ja nie byłem w stanie nawet własnych dzieci wskrzesić, jakim sposobem miałbym więc wywołać taki fenomen? Nie potrafiłem przedstawić żadnego innego dowodu na istnienie mego Wybawcy, siostro Whittaker, prócz tego, który moja dobra żona, pani Welles, nazywa „wewnętrznym dowodem". Tak wówczas, jak i teraz wiem wyłącznie to, co moje serce odczuwa jako prawdziwe, rozumie siostra… to mianowicie, że bez miłości naszego Pana byłbym łajdakiem. To jedyny cud, jaki mogę zaświadczyć, i dla mnie stanowi to cud wystarczający. Być może dla innych wystarczający nie jest. Nie mogę wszak ich winić, nie mają bowiem możności zajrzeć do mego serca. Nie mogą zobaczyć ciemności, jaka tam kiedyś panowała, ani tego, co ją zastąpiło. Ale do dnia dzisiejszego to jedyny cud, jaki mam do zaoferowania, proszę siostry, i jest on skromny.

Alma dowiedziała się również, że panowało duże zamieszanie wśród tubylców co do tego, jakiego rodzaju jest ten nowy bóg – bóg Anglików – i gdzie ów bóg mieszka? Przez długi czas tubylcy z zatoki Matavai byli przeświadczeni, że to Biblia, którą wielebny Welles ze sobą nosił, jest jego bogiem.

– Bardzo ich niepokoiło, że noszę swojego boga tak zwyczajnie, wsadzonego pod ramię, albo że zostawiam boga przy stole bez żadnego towarzystwa, albo że pożyczam boga innym! Próbowałem im wytłumaczyć, że mój Bóg jest wszędzie, rozumie siostra. Ale oni chcieli wtedy wiedzieć: „Dlaczego go w takim razie nie widzimy?". Odpowiadałem: „Ponieważ mój Bóg jest niewidzialny", na co oni pytali: „Dlaczego w takim razie się o niego nie potykasz?", a ja wtedy odpowiadałem: „Zaprawdę, przyjaciele, czasem tak czynię!".

Londyńskie Towarzystwo Misyjne nie przychodziło z żadną pomocą. Prawie dziesięć lat wielebny Welles nie miał żadnych wieści z Londynu – żadnych poleceń, żadnego wsparcia finansowego, żadnej zachęty. Wziął więc religię w swoje ręce. Zaczął od chrztu, którego udzielał każdemu, kto chciał się ochrzcić. Było to w dużej niezgodzie z wytycznymi Londyńskiego Towarzystwa Misyjnego, które wymagało, aby nie chrzcić nikogo, dopóki nie będzie *całkowitej pewności*, że się wyrzekł starych bożków i przyjął Prawdziwego Zbawcę. Ale Tahitańczycy *chcieli* się chrzcić, ponieważ była to dla nich świetna zabawa – lecz przy tym pragnęli zachować dawne wierzenia. Wielebny Welles ustępował. Chrzcił setki niewierzących oraz na poły wierzących.

– Kimże jestem ja, abym mógł odmawiać człowiekowi chrztu? – pytał ku zadziwieniu Almy. – Pani Welles tego nie pochwalała, muszę przyznać. Siostra rozumie, miała przeświadczenie, że szczerość potencjalnego chrześcijanina powinna zostać ściśle przetestowana przed chrztem. Dla mnie jednak byłaby to inkwizycja! Często mi przypominała, iż nasi koledzy w Londynie pragnęli, byśmy wymuszali jednolitość wiary. Ale przecież jednolitości wiary nie ma nawet pomiędzy mną a panią Welles! Mawiałem często do mej dobrej żony: „Droga Edith, czyżbyśmy przebyli taki kawał drogi jedynie po to, by stać się Hiszpanami?". Jeśli człowiek pragnie zanurzenia w rzece, to zanurzę go w rzece! Bo widzi siostra, jeśli człowiek ma przybyć do Pana, to stanie się to za sprawą woli Pana... a nie za sprawą tego, czy ja coś zrobię czy nie. Jaką więc krzywdę miałby czynić chrzest? Człowiek, jak wychodzi z rzeki, jest jedynie nieco czystszy, niż kiedy do niej wchodził, i być może jest także troszeczkę bliżej Raju.

Wielebny Welles wyznał, że w niektórych przypadkach chrzcił poszczególnych ludzi wielokrotnie w ciągu roku, dziesięć albo i więcej razy pod rząd. Po prostu nie widział w tym nic złego.

W następnych kilku latach Wellesowie doczekali się kolejnych dwóch córek: Theodosii oraz Penelopy. I one zmarły w niemowlęcym wieku i ułożone zostały na spoczynek wieczny na wzgórzu, w rzędzie za swoimi siostrami.

Na Tahiti przybyli w tym czasie nowi misjonarze. Starali się trzymać z daleka od zatoki Matavai i od niebezpiecznie liberalnych poglądów wielebnego Wellesa. Nowi misjonarze byli bardziej stanowczy wobec tubylców. Ustanowili kodeks praw przeciwko cudzołóstwu oraz poligamii, przeciwko naruszaniu dóbr osobistych, nieprzestrzeganiu dnia Pańskiego, kradzieży, dzieciobójstwu oraz przeciwko rzymskiemu katolicyzmowi. Tymczasem wielebny Welles jeszcze bardziej zboczył z kursu ortodoksyjnych praktyk misjonarskich. W 1810 roku przetłumaczył Biblię na język tahitański, nie wystarawszy się pierwej o pozwolenie z Londynu.

– Nie przetłumaczyłem całej Biblii, proszę siostry, tylko te jej fragmenty, które według mnie mogłyby się spodobać Tahitańczykom. Moja wersja jest znacznie krótsza od tej, którą siostra zna, siostro Whittaker. Na przykład opuściłem wszelkie napomknienia o szatanie. Doszedłem do przekonania, że najlepiej nie omawiać otwarcie szatana, rozumie siostra, ponieważ im więcej Tahitańczycy słyszą o Księciu Ciemności, tym bardziej czują wobec niego szacunek oraz ciekawość. Widziałem młodą, świeżo poślubioną kobietę klęczącą w moim własnym kościele, modlącą się do szatana, aby, jak błagała, przysłał syna jako pierworodnego. Kiedy próbowałem naprawić jej ścieżkę w błędnym zwróconą kierunku, odpowiedziała: „Ale ja pragnę zdobyć poparcie tego jednego boga, którego boją się wszyscy chrześcijanie!". Odstąpiłem więc od jakichkolwiek wzmianek o szatanie. Trzeba się dostosowywać, siostro Whittaker. Trzeba się dostosowywać!

Londyńskie Towarzystwo Misyjne w końcu dowiedziało się o owych „dostosowaniach" i, wielce niezadowolone, wysłało notę, iż Welles ma zaprzestać nauczania i natychmiast powrócić do Anglii. Londyńskie Towarzystwo Misyjne znajdowało się jednak na całkiem przeciwnym krańcu świata, jakże więc mogliby cokolwiek wyegzekwować? Zresztą wielebny Welles tymczasem i tak *przestał* nauczać i pozwalał kobiecie zwanej siostrą Manu odprawiać mszę, mimo że wciąż nie całkiem się wyrzekła swoich wszystkich innych bogów. Ale lubiła Jezusa Chrystusa i mówiła o nim z największą elokwencją. Wieści na ten temat jeszcze bardziej zdenerwowały Londyn.

– Ja po prostu nie mogę się tłumaczyć przed Londyńskim Towarzystwem Misyjnym – wyjaśniał Almie nieomal ze skruchą. – Ich prawo zostaje w tyle, rozumie siostra. Nie mają pojęcia, jak sprawy rzeczywiście wyglądają. Ja tutaj odpowiadam wyłącznie przed Źródłem wszelkich łask, a mam niezmienne przekonanie, że Źródło wszelkich łask lubi siostrę Manu.

Żaden Tahitańczyk jednakże nie przyjął w pełni chrześcijaństwa aż do roku 1815, kiedy król Tahiti – król Pōmare – odesłał wszystkie swoje idole na misję do Papeete razem z listem, pisanym po angielsku, w którym wyraził życzenie, aby jego starych bogów skazano na ogień: nareszcie zapragnął zostać chrześcijaninem. Pōmare miał nadzieję, że taką decyzją uratuje swój lud, Tahiti znajdowało się bowiem w poważnych tarapatach. Z każdym kolejnym statkiem przybywała nowa plaga. Umierały całe rodziny – od odry, ospy, od potwornej choroby zwanej prostytucją. Kapitan Cook ocenił tahitańską populację na dwieście tysięcy w 1772 roku, ale do roku 1815 spadła ona do około ośmiu tysięcy dusz. Nikt nie był zwolniony – chorowali wysocy rangą wodzowie, właściciele ziemscy oraz nisko urodzeni. Nawet syn samego króla zmarł na suchoty.

W konsekwencji Tahitańczycy zaczęli tracić zaufanie do swoich bogów. Gdy śmierć nawiedza tak wiele domostw, wątpliwe zaczynają się wydawać wszelkie pewniki. Razem z rozprzestrzeniającymi się chorobami szerzyła się plotka, że to bóg Anglików karze Tahitańczyków za odrzucenie Jego Syna, Jezusa Chrystusa. Ów lęk przygotował Tahitańczyków na przyjęcie Pana i król Pōmare był pierwszym nawróconym. Życie jako chrześcijanin rozpoczął od przygotowania uczty i, na oczach wszystkich, spożycia jedzenia bez złożenia na wstępie ofiary starym bogom. Tłum zgromadzony wokół króla ogarnęła panika, albowiem ludzie byli pewni, że rozzłoszczeni bogowie zaraz rażą go śmiertelnie. Nie został śmiertelnie rażony.

Po tym wydarzeniu wszyscy się nawrócili. Tahiti, osłabiona, poniżona i zdziesiątkowana była wreszcie chrześcijańska.

– Czyż nie mieliśmy szczęścia? – zapytał Almę wielebny Welles. – Czyż w rzeczy samej nie mieliśmy szczęścia?

Wypowiedział to tym samym pogodnym tonem, którym zawsze przemawiał. Alma uważała to za zagadkę wielebnego Wellesa. Nie była w stanie pojąć, co się kryje, jeśli w ogóle cokolwiek, za ową wieczną pogodą ducha. Czy był cynikiem? Heretykiem? Czy był prostakiem? Czy jego prostoduszność była wyuczona czy wrodzona? Niemożliwe było cokolwiek wyczytać z jego twarzy, wiecznie skąpanej w promiennym blasku niewinności. Oblicze miał tak otwarte, że zawstydzało podejrzliwych, pazernych, okrutnych. Taka twarz wywoływała wstyd u kłamcy. Czasami i w Almie budziła wstyd, ponieważ sama nigdy nie była z nim szczera w sprawie własnych dziejów lub zamiarów. Czasami pragnęła sięgnąć swoją wielką dłonią po jego małą rękę i – rezygnując z dostojnych tytułów brata Wellesa i siostry Whittaker – powiedzieć po prostu: „Nie byłam z tobą szczera, Francis. Pozwól, że ci opowiem moją prawdziwą historię. Pozwól, że opowiem ci o moim mężu oraz naszym nienaturalnym małżeństwie. Proszę, pomóż mi zrozumieć, kim był Ambrose. Proszę, opowiedz mi wszystko, co o nim wiesz, i proszę, opowiedz mi, co wiesz o Tym Chłopcu".

Ale tak nie uczyniła. Był sługą Pana i szanowanym, żonatym chrześcijaninem. Jakże mogłaby rozmawiać z nim o takich rzeczach?

Niemniej wielebny Welles opowiedział Almie całe swoje dzieje i niewiele zataił. Opowiedział, jak zaledwie kilka lat po nawróceniu króla Pōmare razem z panią Welles całkowicie niespodziewanie doczekali się kolejnego noworodka płci żeńskiej. Tym razem niemowlę przeżyło. Pani Welles widziała w tym znak boskiej aprobaty – tego, że Wellesowie przyczynili się do chrystianizacji Tahiti. W związku z tym dali dziecku na imię Christina. W owym czasie zamieszkiwali najładniejszą chatę w osadzie, tuż obok kościoła, tę samą, w której obecnie mieszka siostra Manu, i żyli w wielkim szczęściu. Pani Welles razem z córką hodowały lwie paszcze oraz ostróżki i stworzyły prawdziwy mały angielski ogródek. Dziewczynka nauczyła się pływać wcześniej, niż chodzić, jak każde inne dziecko na wyspie.

– Christina była moją radością i nagrodą – opowiadał wielebny Welles. – Tahiti nie była jednak, według mojej żony, odpowiednim miejscem do wychowywania angielskiej dziewczynki. Sama siostra rozumie, tyle jest tutaj demoralizujących wpływów. Nie zgadzam się z tym, ale tak uważała pani Welles. Gdy Christina stała się młodą panienką, pani Welles zabrała ją z powrotem do Anglii. Od tamtego czasu ich nie widziałem. Więcej ich nie zobaczę.

Dla Almy taki los oznaczał nie tylko samotność, ale także niesprawiedliwość. Nie powinno się zostawiać żadnego prawego Anglika w takim odosobnieniu pośród obcych mórz południowych, by musiał samotnie mierzyć się ze starością. Pomyślała o ostatnich latach życia ojca: co on by zrobił bez Almy?

Jak gdyby czytając w jej myślach, wielebny Welles dodał:

– Tęsknię za moją dobrą żoną oraz Christiną, ale nie zostałem tu całkiem sam i bez rodziny. Uważam siostrę Manu oraz siostrę Etini za swoje siostry nie tylko z nazwy. W naszej szkole misyjnej także mieliśmy szczęście wychować przez lata wielu znakomitych i zacnych uczniów, których uważam za własne dzieci, a niektórzy z nich, proszę siostry, sami zostali misjonarzami! Pełnią służbę na dalszych wyspach, ci nasi tubylczy uczniowie. Jest Tamatoa Mare, który poniósł Dobrą Nowinę na wielką wyspę Raiatea. Jest Patii, który rozszerzył królestwo Wybawcy na wyspę Huahine. Jest Paumoana, niestrudzony w głoszeniu Imienia Pana na Bora-Bora. Wszyscy są moimi synami i wszystkich podziwiam. Widzi siostra, na Tahiti istnieje coś takiego, co się nazywa *taio* i co jest rodzajem adopcji, sposobem na czynienie krewnych z obcych ludzi. Kiedy się zawiera *taio* z tubylcem, wymienia się genealogią, rozumie siostra, i ludzie stają się wzajemnie częścią swoich rodowodów. Rodowód jest tutaj najważniejszą rzeczą. Niektórzy Tahitańczycy potrafią wyrecytować swój rodowód do trzydziestu pokoleń wstecz... całkiem jak listy przodków w Starym Testamencie, rozumie siostra. Znaleźć się w takim rodowodzie to szlachetny przywilej. A ja mam teraz w swojej genealogii swych tahitańskich synów, że tak powiem, którzy mieszkają na tutejszych wyspach i są pocieszeniem dla starego człowieka.

– Ale nie są razem z bratem – nie mogła się powstrzymać Alma. Doskonale zdawała sobie sprawę, jak daleko leży Bora-Bora. – Nie ma ich tutaj, by mogli bratu pomóc lub się bratem zaopiekować w razie potrzeby.

– Mówi siostra prawdę, ale sama świadomość, że są, niesie pocieszenie. Obawiam się, że siostra widzi moje życie w smutnych barwach. Proszę nie odbierać mylnego wrażenia. Żyję tam, gdzie przeznaczone mi żyć. Rozumie siostra, nigdy nie mógłbym opuścić misji. Moja praca tutaj to nie jest wykonywanie polecenia, siostro Whittaker. Moja praca tutaj to nie jest posada, rozumie siostra, z której może człowiek pójść na emeryturę w wygodną starczą niedołężność. Moja praca to utrzymanie przy życiu do końca mych dni tego malutkiego kościoła niczym tratwy, targanej wichurami i niedolami świata. Ktokolwiek zapragnie wejść na pokład mojej tratwy, może to uczynić. Widzi siostra, nie zmuszam nikogo, by przyszedł, ale jakżebym mógł porzucić tratwę? Moja dobra żona zarzucała mi, że jestem lepszym chrześcijaninem aniżeli misjonarzem. Może ma rację! Nie jestem pewien, czy kiedykolwiek kogokolwiek nawróciłem. Niemniej ten kościół jest moim zadaniem, siostro Whittaker, i dlatego muszę tu pozostać.

Alma dowiedziała się, że wielebny ma siedemdziesiąt siedem lat. Był w zatoce Matavai dłużej, niż trwało jej życie.

# ROZDZIAŁ DWUDZIESTY CZWARTY

N adszedł październik. Wyspa wkroczyła w porę roku zwaną przez Tahitańczyków *hia'ia* – porą łaknienia, kiedy trudno znaleźć owoce chlebowca i ludzie czasami odczuwają głód. Na szczęście w zatoce Matavai głód nie zapanował. Oczywiście nie było nadmiaru, ale dzięki rybom oraz bulwom taro nikomu nie brakowało jedzenia.

Och, te bulwy taro! Nudne, mdłe bulwy taro! Tarkowane i tłuczone, obślizgłe gotowane, pieczone na węglu, rolowane w małe wilgotne pulpety zwane *poi* i serwowane do śniadania, przy komunii oraz do świńskiego koryta. Monotonia menu opartego na bulwach taro bywała czasami przełamywana dodatkiem małych bananów – słodkich i wspaniałych bananów, które można było połykać nieomal w całości – ale i one coraz rzadziej się zdarzały. Alma z pożądaniem patrzyła na świnie, ale siostra Manu chciała je zachować na inny dzień, na dzień większego głodu. Nie dane jej więc było cieszyć się wieprzowiną, na każdy posiłek były po prostu bulwy taro i czasami, jeśli miało się szczęście, spora ryba. Alma wszystko by oddała za dzień bez bulwy taro – tyle że dzień bez bulwy taro oznaczałby dzień bez pożywienia. Zaczynała rozumieć, dlaczego wielebny Welles w ogóle zrezygnował z jedzenia.

Nastały dni ciche, upalne i nieruchome. Wszyscy stali się apatyczni i leniwi. Pies Roger wykopał dziurę w ogrodzie Almy i z wywieszonym jęzorem spał w niej prawie cały dzień. Zuchwałe kurczaki grzebały w poszukiwaniu jedzenia, dawały za wygraną i okupowały cień. Nawet drużyna Hiro – najbardziej aktywni z małych urwisów – drzemali po południu w cieniu jak stare psy. Czasem kręcili się przy jakimś apatycznym zajęciu. Hiro zdobył ostrze siekiery, które przywiązał do sznurka, i walił nim w skałę niby w gong. Było to coś w rodzaju muzyki, jak przypuszczała Alma, ale brzmiało dla niej bezbarwnie i męcząco. Całą Tahiti ogarnęło znudzenie i zmęczenie.

W czasach jej ojca wyspa rozświetlona była wojennymi pochodniami i żądzą. Piękni młodzi Tahitańczycy i Tahitanki tańczyli tak perwersyjnie i dziko dookoła ognisk na tej samej plaży, że Henry Whittaker – młody i jeszcze nieukształtowany – musiał w przerażeniu odwracać głowę. Teraz panowała wyłącznie apatia. Misjonarze, Francuzi, wielorybnicze okręty, wszyscy ze swymi kazaniami, biurokracją i chorobami wypędzili diabła z Tahiti. Wielcy wojownicy wymarli. Zostały teraz tylko te leniwe dzieci, drzemiące w cieniu albo szczękające ostrzami siekiery i obręczami beczki w ramach jakiegoś urozmaicenia. Czy młodość miała jeszcze cokolwiek wspólnego z dzikością?

Alma wciąż prowadziła poszukiwania Tego Chłopca, wypuszczając się na coraz dłuższe spacery albo sama z psem Rogerem, albo z bezimiennym wychudzonym osłem. Penetrowała małe wioski i osady wzdłuż wybrzeża ciągnącego się po obu stronach zatoki Matavai. Widziała wszelkie typy mężczyzn i chłopców. Byli wśród nich owszem, przystojni młodzieńcy, o budowie ciała, którą wielce podziwiali dawni przybysze z Europy, ale także młodzi mężczyźni, których nogi poważnie były zniekształcone słoniowacizną, oraz chłopcy ze skrofułami na oczach od wenerycznych chorób matek. Widziała dzieci zgięte i wykręcone od gruźlicy kręgosłupa. Młodocianych, którzy powinni być urodziwi, ale naznaczeni zostali ospą albo odrą. Znajdowała nieomal puste wsie, wyniszczone przed laty przez chorobę i śmierć. Zobaczyła osady misyjne, w których panowały wyraźnie surowsze zasady niż w zatoce Matavai. Czasami nawet brała udział w mszy w owych osadach. Nikt nie śpiewał tam po tahitańsku, lecz intonowano z mocnym akcentem kojące hymny prezbiteriańskie. Nie znalazła Tego Chłopca w żadnej z owych parafii. Mijała zmęczonych robotników, zagubionych włóczęgów, spokojnych rybaków. Widziała sędziwego mężczyznę, który siedział na palącym słońcu i grał na tahitańskim flecie w tradycyjny sposób, dmuchając w otwór instrumentu jedną dziurką nosa –

i wydając dźwięk tak melancholijny, że aż się Almie ścisnęło serce od bolesnej nostalgii za własnym domem. Ale nigdzie wciąż nie widziała Tego Chłopca.

Jej poszukiwania okazywały się bezowocne, spis ludności żadnego dnia nie przynosił upragnionego wyniku, ale zawsze z radością wracała do zatoki Matavai oraz panującego w misji ustalonego porządku. Zawsze z wdzięcznością przyjmowała od wielebnego Wellesa zaproszenia do koralowych ogrodów. Spostrzegła, że jego koralowe ogrody stanowią coś zbliżonego do jej kolonii mchów w White Acre – coś bogatego i wolno rosnącego, co można było badać latami bez końca, nie popadając dzięki temu przez całe dziesięciolecia w osamotnienie. Bardzo lubiła rozmowy podczas wycieczek na rafę. Poprosiła siostrę Manu, by uplotła dla niej specjalne sandały, takie same jak jego, z ciasno przeplecionych liści pandanowca, by mogła chodzić po ostrych koralach, nie raniąc stóp. Pokazał Almie nieokiełznane widowiska gąbek, ukwiałów i korali – całe to wciągające piękno płytkich wód tropikalnych. Nauczył ją nazw kolorowych ryb i opowiadał dzieje Tahiti. Ani razu nie zapytał o jej życie. Odczuwała ulgę; nie musiała mu kłamać.

Alma polubiła też malutki kościół w zatoce Matavai. Budowla była zdecydowanie pozbawiona wszelkich oznak glorii (widziała znacznie okazalsze kościoły w innych częściach wyspy), ale zawsze cieszyły ją krótkie, dobitne, pomysłowe kazania siostry Manu. Od wielebnego Wellesa dowiedziała się, że – dla tahitańskiego umysłu – historia Jezusa zawiera znajome elementy i one właśnie pomagały pierwszym misjonarzom przedstawić tubylcom Chrystusa. Ludzie na Tahiti wierzą, że świat podzielony jest na *pô* oraz *ao*, ciemność i światło. Ich wielki pan Taroa, stwórca, urodzony został w *pô* – narodził się w nocy, w ciemności. Gdy misjonarze poznali tę mitologię, wytłumaczyli Tahitańczykom, że Jezus Chrystus także narodził się w *pô* – jego źródłem były ciemność i cierpienie. To zwróciło uwagę Tahitańczyków. Niebezpiecznym i pełnym mocy przeznaczeniem jest narodzić się w nocy. *Pô* jest krainą zmarłych, krainą niezrozumiałego i budzącego lęk. *Pô* cuchnie, rozkłada się i przeraża. Nasz Pan, jak nauczali Anglicy, przybył, aby wyprowadzić ludzkość z *pô* do światła.

Dla Tahitańczyków miało to jaki taki sens. Przynajmniej wywoływało podziw dla Chrystusa, albowiem granica między *pô* oraz *ao* jest niebezpiecznym terenem i tylko zdecydowanie odważna dusza może przejść z jednego w drugie. *Pô* oraz *ao* są zbliżone do piekła i nieba, wyjaśniał Almie wielebny Welles, ale jest między nimi więcej zależności i w miejscu, gdzie się przenikają, panuje obłąkanie. Tahitańczycy nigdy nie przestali się bać *pô*.

– Kiedy sądzą, że na nich nie patrzę – powiedział – nadal składają niewielkie ofiary bogom, którzy zamieszkują *pô*. Czynią te ofiary, rozumie siostra, nie dlatego, że czczą czy uwielbiają bogów ciemności, lecz by ich przekupić, aby pozostali w świecie duchów, by utrzymać ich z dala od krainy światła. *Pô* jest wyobrażeniem najtrudniejszym do wyrugowania, proszę siostry. *Pô* nie przestaje istnieć w umysłach Tahitańczyków po prostu razem z nastaniem dnia.

– Czy siostra Manu wierzy w *pô*? – zapytała Alma.

– Absolutnie nie – odparł wielebny Welles, niewzruszony jak zawsze. – Jest doskonałą chrześcijanką, jak siostra wie. Ale, rozumie siostra, liczy się z *pô*.

– Czy w takim razie wierzy w duchy? – nie dawała za wygraną Alma.

– Oczywiście nie – rzekł łagodnie wielebny Welles. – To byłoby nie po chrześcijańsku. Ale ona także *nie lubi* duchów i nie chce, żeby błąkały się po osadzie, więc czasami nie ma wyjścia, musi złożyć im ofiarę, rozumie siostra, by się trzymały z daleka.

– Więc jednak *wierzy* w duchy – stwierdziła Alma.

– Ależ oczywiście, że nie wierzy – poprawił ją wielebny Welles. – Jedynie daje sobie z nimi radę, rozumie siostra. Przekona się siostra, że istnieją także pewne rejony tej wyspy, których nikt z naszej osady nie powinien według siostry Manu odwiedzać. Powiadają, proszę siostry, że w najwyższych oraz najbardziej niedostępnych miejscach Tahiti, kiedy człowiek zbliży się do skraju mgły, może się rozpłynąć w niej na zawsze, wrócić prosto do *pô*.

– Ale czy siostra Manu wierzy, że może się tak naprawdę stać? – zapytała Alma. – Że człowiek się rozpłynie?

– Ależ nic a nic – odpowiedział pogodnie wielebny Welles. – Lecz z całego serca się temu sprzeciwia.

Alma się zastanawiała: czy Ten Chłopiec rozpłynął się w *pô*? A Ambrose?

Alma nie miała wieści z dalekiego świata. Żadne listy nie przychodziły do niej na Tahiti, choć sama często pisała do Prudence i Hanneke, a czasami nawet do George'a Hawkesa. Systematycznie wysyłała listy statkami wielorybniczymi, choć miała świadomość, jak niewielkie jest prawdopodobieństwo, iż dotrą do Filadelfii. Dowiedziała się, że wielebny Welles czasami nie miał wieści od żony i córki przez dwa lata pod rząd. A wtedy, kiedy listy nadchodziły, po długiej morskiej podróży były często zamoczone i nieczytelne. To wydawało się Almie jeszcze tragiczniejsze od nieotrzymywania żadnych wieści, ale jej przyjaciel akceptował taką sytuację tak samo jak wszelkie inne utrapienia: ze stoickim spokojem.

Alma czuła się samotna, do tego panował upał nie do zniesienia – w nocy nie było chłodniej aniżeli w ciągu dnia. Jej mały domek stał się piekarnikiem pozbawionym powietrza. Jednej nocy obudził ją męski szept prosto do ucha: „*Słuchaj!*". Ale kiedy usiadła, nikogo nie było w pomieszczeniu – ani z drużyny Hiro, ani psa Rogera. Nie było nawet najlżejszego drgnienia wiatru. Z walącym sercem wyszła na zewnątrz. Było pusto. Spostrzegła, że zatoka Matavai w wyciszonej i balsamicznej nocy stoi gładka jak lustro. Cały baldachim gwiazd ponad nią idealnie się odbijał w wodzie, jak gdyby były teraz dwa nieboskłony: jeden wysoko, drugi nisko. Cisza i czystość widoku budziła grozę. Plaża wydawała się aż ciężka od wszelakich obecności.

Czy Ambrose kiedykolwiek widział tutaj coś takiego? Podwójne niebiosa podczas jednej nocy? Czy czuł kiedykolwiek ten lęk i zadziwienie, wrażenie i samotności, i obecności jednocześnie? Czy właśnie on ją obudził szeptem do ucha? Próbowała sobie przypomnieć, czy to brzmiało jak głos Ambrose'a, ale nie była pewna. Czy w ogóle jeszcze rozpoznałaby głos Ambrose'a, gdyby go usłyszała?

Byłoby to jednak bardzo do niego podobne, obudzić ją i zachęcać do *słuchania*. Jak najbardziej podobne. Jeśliby kiedykolwiek zmarły człowiek próbował przemawiać do żywych, byłby to

Ambrose Pike – właśnie on, z tymi wszystkimi swoimi wzniosłymi fantazjami na temat tego, co metafizyczne oraz cudowne. Nawet Almę niemal przekonał do cudów, a ona nie była podatna na takie wpływy. Czyż nie wydawali się czarnoksiężnikami owej nocy w składziku introligatorskim – mówiąc do siebie bez słów, rozmawiając za pośrednictwem podeszew stóp oraz rąk i dłoni? Pragnął spać obok niej, jak twierdził, aby słuchać jej myśli. Ona chciała spać u jego boku, aby móc w końcu zgrzeszyć, włożyć męski członek do ust – on jednak pragnął tylko słuchać jej myśli. Czemu nie mogła pozwolić mu po prostu słuchać? Czemu on nie mógł jej po prostu pozwolić, by po niego sięgnęła?

Czy kiedykolwiek o niej myślał, choćby jeden raz, kiedy był tutaj, na Tahiti?

Może próbował jej teraz coś przekazać, ale luka była zbyt duża. Być może słowa się rozmoczyły i zamazały w podróży przez wielkie odmęty pomiędzy śmiercią a ziemią – tak właśnie jak owe smutne, zniszczone listy, które wielebny Welles otrzymywał czasami od swojej żony z Anglii.

– Kim *ty byłeś*? – zapytała Ambrose'a ołowianą nocą, patrząc na cichą lustrzaną zatokę.

Jej głos głośno rozbrzmiał na pustej plaży, aż się sama przestraszyła. Wsłuchiwała się, czekając na odpowiedź, po ból uszu, ale nie usłyszała nic. Nic ponad plusk malutkiej fali na piasku. Woda mogła równie dobrze być w owej chwili stopioną cyną, powietrze także.

– Gdzie jesteś, Ambrose? – zapytała, tym razem nieco spokojniej.

Żadnego dźwięku.

– Wskaż mi, gdzie znajdę Tego Chłopca – wyszeptała.

Ambrose nie odpowiadał.

Zatoka Matavai nie odpowiadała.

Niebo nie odpowiadało.

Dmuchała w wystygły żar; nic tam nie było.

Alma usiadła i czekała. Myślała o historii Taroa, pierwszego boga Tahitańczyków, którą usłyszała od wielebnego Wellesa. Taroa stwórca. Taroa, zrodzony w muszli. Taroa leżał w milczeniu przez niepoliczalne wieki jako jedyna żywa rzecz we wszechświecie. Na świecie panowała taka pustka, że kiedy zawołał poprzez ciemność, nie odezwało się nawet echo. Bliski był śmierci z samotności. I z tej niemożliwej do przedstawienia samotności oraz pustki Taroa zrodził nasz świat.

Alma leżała na piasku. Zamknęła oczy. Było tu wygodniej niż na materacu w jej dusznym *fare*. Nie przeszkadzały jej kraby, pracowicie drepczące po niej chwiejnym krokiem. Dźwigając muszle, były jedynym ruchem na plaży, jedynym życiem we wszechświecie. Doczekała na owym wąskim srebrze ziemi pomiędzy dwoma niebiosami, aż wstało słońce i gwiazdy zniknęły z nieba oraz morza, ale nikt nic jej nie powiedział.


Nadeszła Gwiazdka, a z nią pora deszczowa. Deszcz przyniósł ulgę w piekielnym upale, ale także zdumiewających rozmiarów ślimaki i zawilgłe ślady pleśni w fałdach coraz bardziej sfatygowanych spódnic Almy. Czarny piasek plaży w zatoce Matavai nasiąkł niczym pudding. Rzęsiste ulewy kazały Almie przesiadywać całymi dniami w chacie, w której, w huku wody o dach, ledwo dawała radę słyszeć własne myśli. Natura powoli przejmowała jej niewielkie lokum. Populacja zamieszkujących sufit jaszczurek potroiła się w ciągu jednej nocy – biblijna nieomal plaga – i kapała gęstymi kroplami odchodów oraz na pół strawionych owadów po całej *fare*. Jedyny but, jaki Almie pozostał na tym świecie, obrodził ze swego gnijącego wnętrza grzybami. Kiście bananów musiała zawieszać na krokwiach, by zapobiec porwaniu ich przez zmokłe i natarczywe szczury.

Pies Roger pojawił się pewnej nocy w codziennym wieczornym obchodzie, ale tym razem pozostał na wiele dni; po prostu nie miał serca do zmagania się z takim deszczem. Alma żywiła nadzieję, że rozprawi się ze szczurami, ale jak widać i do tego nie miał serca. Nadal gryzł Almę, kiedy chciała karmić go z ręki, ale teraz czasami przyjmował od niej jedzenie, jeśli położyła je na podłodze i odwróciła się do niego tyłem. Czasami pozwalał się pogłaskać po głowie podczas drzemki.

Burze nacierały, kiedy chciały. Słychać było, jak się gromadzą daleko na morzu – ryk wichury od południowo-zachodniej strony równomiernie się wzmagał, niczym odgłos nadjeżdżającego pociągu. Jeśli zanosiło się na wyjątkowo groźny sztorm, jeżowce wypełzały z zatoki w poszukiwaniu wyższego, bezpieczniejszego terenu. Czasami znajdowały schronienie w chacie Almy: nowy powód dla ostrożnego stawiania stóp. Woda spadała z nieba niczym deszcz strzał. Rzeka przy krańcu plaży pieniła się błotem, a powierzchnia zatoki bulgotała i pluła. W miarę narastania sztormu świat wkoło osaczał Almę. Od morza nadchodziły mgła i ciemność. Najpierw znikał horyzont, potem się rozpływała majacząca w oddali wyspa Morea, dalej przestawały istnieć rafy, potem plaża, a w końcu istnieli tylko ona i Roger, samotni we mgle. Świat był naraz niewielki jak malutka i wcale nie wodoodporna chata Almy. Ze wszystkich stron wiał wiatr, grzmoty przerażająco ryczały, a deszcz atakował z całej mocy.

Potem deszcz ustawał jak na dźwięk zaklęcia i wracało piekące słońce – nagłe, wspaniałe, oszałamiające – choć nigdy nie na tak długo, by Alma zdążyła wysuszyć swój siennik. Z piasku unosiła się w kłębach para. Ze zboczy wzgórz spływały podmuchy wilgotnego wiatru. Na plaży powietrze furkotało i tańczyło jak strzepywane prześcieradło – jak gdyby sama plaża strzepywała z siebie przemoc, z którą musiała się zmierzyć. Przez kilka godzin albo dni panował wilgotny spokój, dopóki nie zagrzmiał następny sztorm.

W takie dni rodziła się tęsknota za biblioteką oraz rozległym, suchym, ciepłym domostwem. Alma wpadłaby w straszliwą rozpacz podczas deszczowej pory na Tahiti, gdyby nie urocze odkrycie: dzieci z zatoki Matavai uwielbiały deszcz. A najbardziej z nich cieszyła się drużyna Hiro – czemu by nie? Była to przecież pora zjeżdżania po błocie, taplania się w kałużach oraz dosiadania niebezpiecznych, dzikich, rwących prądów wezbranej rzeki. Pięciu małych chłopców zamieniało się w pięć wydr, nie tylko niezrażonych wodą, ale także pełnych zachwytu. Cała ospałość, jaką przejawiali podczas gorącej i suchej pory łaknienia, została teraz spłukana i zastąpiło ją żwawe i nieoczekiwane *życie*. Drużyna Hiro przypominała Almie mchy; podczas upału wysychają i marnieją, ale dobrze zamoczone natychmiast ożywają. Silniczki zmartwychwstania, oto czym były te niezwykłe dzieciaki! Miały z powrotem wielkie zdeterminowanie oraz animusz i entuzjazm do działania w na nowo odmoczonym świecie, co przywiodło Almie na myśl jej własne dzieciństwo. Jej także ani deszcz, ani błoto nie były w stanie powstrzymać przed eksplorowaniem otoczenia. To wspomnienie wywołało nagłe i zdecydowane pytanie: Dlaczego w takim razie teraz kryje się we wnętrzu chaty? Jako dziewczynka nigdy nie unikała słoty, dlaczego więc miałaby unikać jej teraz, jako dorosła kobieta? Jeśli nie ma na wyspie miejsc, gdzie można byłoby się schronić przed deszczem, to dlaczego po prostu nie moknąć? To pytanie z kolei sprowokowało Almę do następnego: Dlaczego nie zwerbowała drużyny Hiro do poszukiwań Tego Chłopca? Któż mógłby być lepszy do szukania tahitańskiego chłopaka od innych tahitańskich wyrostków?

Wysnuwszy taki wniosek, Alma wybiegła z chaty i przywołała pięciu dzikich urwisów, którzy – w owej chwili – rzucali w siebie błotem ze zdumiewającym wyczuciem celu. Przybiegli do niej jako jednolita, nieobliczalna, ubłocona, roześmiana masa. Bawił ich widok białej pani stojącej pośrodku ich plaży w zenicie ulewy, w coraz bardziej mokrej, namiękającej na ich oczach sukni. Wspaniała zabawa, i to za darmo.

Alma przywołała chłopców bliżej i odezwała się do nich mieszanką tahitańskiego z angielskim, wspartą energiczną gestykulacją. Nie potrafiła sobie później przypomnieć, w jaki właściwie sposób zdołała przedstawić im swój plan, ale całość zasadzała się na idei: *Pora na przygodę, chłopaki!* Zapytała ich, czy znają środek wyspy, te miejsca, do których siostra Manu nie lubiła, aby chodzili ludzie z osady. Czy znają wszystkie z zakazanych miejsc, te, w których mieszkają ludzie z klifów i gdzie można znaleźć najbardziej pogańskie wioski? Czy zechcieliby zaprowadzić tam siostrę Whittaker, ruszyć na wielką przygodę?

Czy zechcieliby? Oczywiście, że by zechcieli! Był to tak zabawny pomysł, że wyruszyli jeszcze tego samego dnia. Prawdę powiedziawszy, wyruszyli natychmiast, i Alma bez wahania pospieszyła za nimi. Bez butów, bez map, bez prowiantu, bez – Boże uchowaj! – *parasoli*, chłopcy poprowadzili Almę na zbocza tuż za misjonarską osadą, daleko od bezpiecznych nabrzeżnych osad, które penetrowała w pojedynkę. Ruszyli prosto do góry, w mgłę, w deszczowe chmury, ku dżunglowym szczytom, które Alma ujrzała jako pierwsze z pokładu *Elliota* i które wydały jej się wówczas przerażająco obce. Wspinali się – i nie tylko tego dnia, ale każdego kolejnego przez następny miesiąc. Codziennie przeczesywali coraz bardziej oddalone szlaki i coraz dziksze miejsca, często w zacinającym deszczu, zawsze z Almą Whittaker depczącą im po piętach.

Na początku Alma się martwiła, czy nadąży za nimi, ale szybko poczyniła dwa spostrzeżenia: że lata zajmowania się botanicznym kolekcjonerstwem utrzymały ją w wyjątkowo dobrej formie oraz że te dzieciaki całkiem uroczo zważają na ograniczenia swego gościa. Zwalniały z powodu Almy w wyjątkowo niebezpiecznych miejscach i nie proponowały jej skoków ponad głębokimi przepaściami ani podciągania się na rękach na mokrych skałach, co same czyniły z wielką wprawą. Czasami, na szczególnie stromych zboczach, drużyna Hiro zostawała z tyłu, za Almą, by ją popychać do góry, sromotnie opierając ręce na jej szerokim siedzeniu, ale Alma nie miała nic przeciwko temu: po prostu starali się jej pomóc. Byli wobec niej wspaniałomyślni. Wiwatowali, kiedy się wspięła, a jeśli złapała ich głęboko w dżungli noc, trzymali ją za ręce, prowadząc z powrotem do bezpiecznej misji. Podczas marszów w ciemnościach uczyli ją tahitańskich wojennych pieśni – pieśni śpiewanych przez mężczyzn dla zebrania odwagi w obliczu niebezpieczeństwa.

Tahitańczycy znani byli na morzach południowych jako zręczni wspinacze i nieustraszeni wędrowcy (Alma słyszała o wyspiarzach, którzy zdolni byli maszerować przez ów niedostępny teren trzydzieści mil bez przerwy i nie słabli), ale Alma też nie należała do słabeuszy – szczególnie kiedy była na polowaniu, a teraz, czuła, odbywało się polowanie jej życia. Miała szansę znaleźć Tego Chłopca. Jeśli wciąż jest gdzieś na wyspie, te niezmordowane urwisy go wytropią.

Coraz dłuższe nieobecności w misyjnej osadzie nie uszły uwagi innych.

Gdy miła siostra Etini z wyrazem zmartwienia na twarzy zadała wreszcie pytanie, gdzie spędza całe dnie, Alma odpowiedziała najprościej: „Poluję na mchy z pomocą waszych pięciu najsprawniejszych młodych przyrodników!".

Nikt nie podawał jej słów w wątpliwość, panował bowiem doskonały sezon na mech. I rzeczywiście, Alma dostrzegała intrygujące mszaki na kamieniach i drzewach, które mijali, ale się nie zatrzymywała dla oględzin. Mchy zawsze tu będą; teraz szukała czegoś bardziej przemijającego, bardziej niecierpiącego zwłoki: mężczyzny. Mężczyzny, który miał tajemnice. By go znaleźć, musiała się poruszać w Czasie Ludzkim.

Z kolei chłopcy byli zachwyceni ową nieoczekiwaną zabawą w oprowadzanie dziwnej starszej pani po całej Tahiti, by mogła zobaczyć wszystko, co zakazane, i poznać najbardziej odosobnione plemiona. Zaprowadzili Almę do opustoszałych świątyń i do złowróżbnie wyglądających jaskiń, gdzie wzrok wciąż łowił widok ludzkich kości po kątach. Zdarzało się i żywym Tahitańczkom straszyć w owych posępnych miejscach, ale nigdy nie było wśród nich Tego Chłopca. Zaprowadzili ją do małej osady na brzegu jeziora Maeva, w której kobiety wciąż nosiły spódniczki z trawy, a mężczyźni mieli twarze pokryte makabrycznym tatuażem, ale i tam nie było Tego Chłopca. Tego Chłopca nie było także pośród myśliwych, których mijali na niepewnych szlakach, ani nie było go na zboczach Mont Orohena, ani góry Aorii, ani w długich tunelach wulkanicznych. Drużyna Hiro zabrała ją na szmaragdową grań na szczycie świata, tak wysoką, że zdawała się rozpoławiać samo niebo – albowiem po jednej jej stronie padał deszcz, gdy po drugiej świeciło słońce. Alma stała na tym niebezpiecznym szczycie, ciemność mając po lewej, a jasność po prawej ręce, lecz nawet tam, w najwyższym z możliwych obserwacyjnych punktów, w samym środku starcia jednej aury z drugą, punkcie skrzyżowania *pô* oraz *ao* – nigdzie nie było widać Tego Chłopca.

Dzieciaki były bystre i wkrótce wykombinowały, że Alma czegoś szuka, ale dopiero Hiro – zawsze najbystrzejszy – pojął, że Alma szuka kogoś.

– On tu nie? – pytał Almę pod wieczór każdego dnia pełen niepokoju.

Hiro polubił mówienie po angielsku i uważał się w tym za nadzwyczaj biegłego.

Alma nigdy nie potwierdziła, że szuka osoby, ale również nigdy temu nie zaprzeczyła.

– My znajdziemy on dzień jutro! – codziennie przysięgał, ale minął styczeń, a potem minął luty, lecz Alma ciągle nie znajdowała Tego Chłopca.

– My znajdziemy on następny niedziela! – obiecywał Hiro, używając słowa „niedziela" wedle lokalnego obyczaju, w znaczeniu tygodnia.

Ale minęły cztery kolejne niedziele, a Alma nie odnalazła Tego Chłopca. Zrobił się już kwiecień. Hiro był zmartwiony i ponury. Nie przychodziło mu już na myśl żadne nowe miejsce na wyspie, do którego mógłby zabrać Almę na kolejny dziki wypad. Przestało to być dobrą zabawą; Hiro poczuł powagę przedsięwzięcia i najwyraźniej zdawał sobie sprawę, że się w nim nie sprawdza. Inni członkowie drużyny, czując ciężki nastrój Hiro, także stracili naturalną wesołość. To wtedy Alma zadecydowała uwolnić pięciu chłopców od obowiązku. Byli za młodzi na zamartwianie się *jej* zmartwieniem; nie chciała patrzeć, jak się uginają pod troską i odpowiedzialnością tylko dlatego, że muszą polować dla niej na zjawę.

Alma zwolniła drużynę Hiro z gry i już nigdy więcej nie wyruszyła z nimi w góry. W podzięce dała każdemu z pięciu chłopców po kawałku swojego mikroskopu – tego, który podczas wielu miesięcy ostatecznie sami jej zwrócili w *prawie* nienaruszonym stanie – i uścisnęła im ręce. Posługując się tahitańskim, powiedziała, że są największymi z żyjących wojowników. Podziękowała im za odważną wyprawę po ich świecie. Powiedziała, że znalazła wszystko, co miała znaleźć. A potem odesłała ich z powrotem do dawnego trybu życia, polegającego na wiecznej, próżnej zabawie.

Zakończyła się pora deszczowa. Alma przebywała już na Tahiti prawie rok. Zrzuciła z polepy w chacie butwiejącą starą sieczkę i jeszcze raz przyniosła nową. Napełniła nowym suchym sianem gnijący siennik. Obserwowała, jak z każdym pojaśniałym i coraz bardziej rześkim dniem zmniejsza się populacja jaszczurek. Związała nowy pęk rózeg i omiotła do czysta ściany z pajęczyn. Pewnego poranka, ogarnięta potrzebą odświeżenia własnego poczucia misji, otworzyła walizkę Ambrose'a, by jeszcze raz popatrzeć na rysunki przedstawiające Tego Chłopca, lecz znalazła tylko – po długiej porze deszczów – jedną wielką pleśń. Próbowała oddzielać kartkę od kartki, ale rozpadały się jej w rękach na lepkie, zielone szczątki. Dodatkowo w rysunkach zalęgły się jakieś mole i żywiły się tymi resztkami. Nie była w stanie uratować żadnego szkicu. Nie dało się zobaczyć nawet śladu po twarzy Tego Chłopca ani żadnej z linii, pięknie nakreślonych ręką Ambrose'a. Wyspa pożarła jedyny, jaki pozostał, dowód po jej zagadkowym mężu i jego niepojętej, nierealnej muzie.

Alma odczuła rozpad rysunków jako kolejną śmierć: teraz odeszło nawet urojenie. Pragnęła zapłakać i zaczęła wątpić w swoją wcześniejszą ocenę. Tak wiele widziała twarzy na Tahiti podczas ostatnich dziesięciu miesięcy, że teraz zaczęła się zastanawiać, czy w ogóle zdołałaby rozpoznać Tego Chłopca, gdyby przed nią stanął. Może nawet go widziała? Czy nie mógł być jednym z tych młodych mężczyzn na nabrzeżu w Papeete, kiedy przybyła na wyspę? A może przechodziła obok niego wiele razy? Może nawet mieszka tutaj, w osadzie, a ona się po prostu uodporniła na jego rysy? Teraz nie miała już nic, co mogłoby odświeżyć jej pamięć. Dotychczas Ten Chłopiec ledwo istniał, a teraz przestał istnieć zupełnie. Zamknęła walizkę, tak jak się zamyka wieko trumny.

Nie mogła zostać na Tahiti. Alma nie miała teraz co do tego żadnych wątpliwości. Nigdy nie powinna była tutaj przyjeżdżać. Jakże wiele energii oraz determinacji i jakie *koszty* poniosła, by dostać się na tę wyspę zagadek, a teraz jest osamotniona i zdana na własne siły, i to w imię czego. Co gorsza, jest kłopotem dla małej osady szczerych dusz, których pokarm spożywa, których zasoby nadweręża, których dzieci zaangażowała do własnych nieodpowiedzialnych celów. Cóż za wspaniała sytuacja, doprawdy! Alma czuła, że całkowicie utraciła sens życia, jakkolwiek marny by był. Przerwała nudne, lecz szlachetne studia nad mchami, by ruszyć na nic niewarte poszukiwania zjawy – czy raczej *dwóch* zjaw: Ambrose'a oraz

Tego Chłopca, obydwu. I po co? Nie dowiedziała się nic więcej o Ambrosie prócz tego, co wiedziała, zanim tu przybyła. Wszystkie relacje tubylców określały jej męża jako takiego człowieka, jakim się zawsze wydawał: łagodna cnotliwa dusza, niezdolna do złych czynów, zbyt dobra dla tego świata.

Zaczęło jej świtać, że bardzo możliwe, iż Ten Chłopiec nigdy w ogóle nie istniał. Inaczej przecież do tego czasu by go znalazła albo ktoś by coś o nim powiedział – nawet w najbardziej okrężny sposób. Ambrose musiał go wymyślić. To było najsmutniejsze z wszystkiego, co Alma była sobie w stanie wyobrazić. Ten Chłopiec był wytworem umysłu nie w pełni poczytalnego człowieka. Ambrose tak bardzo tęsknił za towarzyszem, że narysował go sobie. Wyczarowawszy przyjaciela – pięknego kochanka-widmo – zaznał wreszcie duchowego małżeństwa, za którym tak tęsknił. Miało to pewien sens. Umysł Ambrose'a nigdy nie był w równowadze, nawet w najkorzystniejszych okolicznościach! To człowiek, którego najserdeczniejszy przyjaciel oddał do szpitala dla psychicznie chorych i który wierzył, że potrafi dostrzec odciski palców Boga na roślinach. Ambrose był człowiekiem, który widział anioły w orchideach i który onegdaj wierzył, że sam jest aniołem – tylko pomyśleć! A ona przebyła połowę świata, szukając zjawy spreparowanej w kruchej i obłąkanej wyobraźni osamotnionego mężczyzny.

Historia była prosta, ale ona skomplikowała ją swoim daremnym śledztwem. Być może pragnęła jego historii bardziej grzesznej, choćby po to, by własną uczynić tragiczniejszą. Być może chciała, aby Ambrose miał na sumieniu bardziej obrzydliwe rzeczy, pederastię oraz zdeprawowanie, by mogła nim pogardzać, zamiast za nim tęsknić. Być może chciała znaleźć dowód nie na jednego Chłopca tutaj, na Tahiti, ale na *wielu* chłopców – rzesze kochanków, których Ambrose zgwałcił oraz zniszczył, jednego po drugim. Ale na nic takiego nie było żadnego dowodu. Prawda była jedynie następująca: niemądra i nazbyt rozbudzona erotycznie Alma poślubiła niewinnego młodego człowieka, naznaczonego wybrakowaną psychiką. Gdy ten młody człowiek ją zawiódł, zachowała się wobec niego okrutnie i w złości zesłała go na morza południowe, gdzie zmarł, samotny i niezrównoważony, błądzący po manowcach fantazji, zagubiony w beznadziejnie maleńkiej osadzie zarządzanej – jeśli ktokolwiek mógłby nazwać to zarządzaniem! – przez prostodusznego i nieskutecznego starego misjonarza.

Dlaczego zaś walizka Ambrose'a wraz ze spoczywającymi w niej rysunkami pozostała niemal rok nietknięta (z wyjątkiem dotknięcia przyrody) w niestrzeżonej *fare* Almy na Tahiti, gdy cały pozostały jej dobytek był pożyczany, podkradany, rozpraszany bądź przetrząsany… cóż, po prostu brakowało jej wyobraźni, by rozwikłać tę zagadkę. Co więcej, brakowało jej już chęci, by borykać się z kolejnym niemożliwym pytaniem.

Niczego więcej się tutaj nie dowie.

Nie znajdowała nic, co skłaniałoby ją do pozostania. Musi sporządzić jakiś plan na lata życia, które jej pozostały. Jest porywcza i nierozważna, ale wsiądzie na następny wielorybniczy statek płynący na północ i znajdzie dla siebie jakieś miejsce do życia. Wiedziała tylko, że nie wolno jej wracać do Filadelfii. Zrzekła się White Acre i nie może nigdy tam wrócić; byłaby nie w porządku wobec Prudence, która ma prawo przejąć posiadłość bez kłopotu, jaki mógłby sprawić przyjazd Almy. Zresztą powrót do domu byłby upokarzający. Musi zacząć od początku. Musi także znaleźć sposób na utrzymanie. Jutro wyśle wiadomość do Papeete, że poszukuje koi na dobrym statku z szanowanym kapitanem, który słyszał o Dicku Yanceyu.

Nie osiągnęła spokoju, ale przynajmniej podjęła decyzję.

## ROZDZIAŁ DWUDZIESTY PIĄTY

Cztery dni później o świcie obudziły Almę radosne okrzyki drużyny Hiro. Wyszła przed *fare*, by zobaczyć, co się dzieje. Jej pięciu dzikich chłopaczków biegało w tę i z powrotem, wywijało koziołki i przewracało się na zalanej wczesnoporannym światłem plaży, wyrzucając z siebie żywiołowe wrzaski po tahitańsku. Hiro ją zauważył i z zawrotną szybkością przybiegł zygzakowatą ścieżką pod same drzwi.

– Jutrzejszy poranek być tu! – krzyknął.

Zawsze pełnemu entuzjazmu dziecku z podniecenia oczy lśniły bardziej niż kiedykolwiek dotychczas.

Zbita z tropu Alma ujęła go za ramię, pragnąc, by ochłonął i dał się lepiej zrozumieć.

– Co chcesz przez to powiedzieć, Hiro? – zapytała.

– Jutrzejszy poranek być tu! – znowu wykrzyknął, niezdolny się powstrzymać od podskakiwania w czasie mówienia.

– Powiedz mi to po tahitańsku – nakazała w jego języku.

– *Teie o jutrzejszy poranek!* – krzyknął posłusznie, co brzmiało równie nonsensownie jak po angielsku. – Jutrzejszy poranek być tu!

Alma spojrzała ponad jego głową i dostrzegła tłum gromadzący się na plaży – nadchodzili wszyscy mieszkańcy misji oraz ludzie z pobliskich wiosek. A każdy podniecony jak jej chłopcy. Dojrzała wielebnego Wellesa, biegnącego w stronę brzegu swoim śmiesznym, przekrzywionym truchtem. Zobaczyła biegnącą siostrę Manu oraz siostrę Etini, a także okolicznych rybaków.

– Patrz! – powiedział Hiro, wskazując w stronę morza. – Jutrzejszy poranek jest przybywać!

Alma spojrzała na zatokę i ujrzała – jak mogła nie dostrzec tego wcześniej? – flotyllę długich kanoe, napędzaną tuzinem ciemnoskórych wioślarzy i z nieprawdopodobną szybkością tnących wodę w kierunku plaży. Nigdy podczas pobytu na Tahiti nie przestała zdumiewać się mocą i zwinnością owych kanoe. Kiedy flotylle, takie jak ta, mknęły po zatoce, zawsze się czuła tak, jak gdyby obserwowała przybycie Jazona i Argonautów albo floty Odyseusza. Najbardziej z wszystkich uwielbiała moment, kiedy zbliżywszy się do brzegu, wioślarze napinali mięśnie w ostatnim pchnięciu, a kanoe wypryskiwały z morza niczym wystrzelone z wielkich niewidzialnych łuków i energicznie lądowały na plaży.

Alma miała więcej pytań, ale Hiro już popędził, by razem z resztą rosnącego tłumu witać łodzie. Nigdy dotychczas nie widziała tylu ludzi na plaży. Entuzjazm i jej się udzielił, także więc pobiegła na brzeg. Były to wyjątkowo wspaniałe, wręcz majestatyczne kanoe. Największe musiało mierzyć z sześćdziesiąt stóp. Na jego dziobie stał mężczyzna o imponującym wzroście oraz budowie – najwyraźniej przywódca całej ekspedycji. Był Tahitańczykiem, ale gdy bliżej podeszła, dostrzegła, że ma na sobie nienaganny garnitur europejskiego kroju. Mieszkańcy wsi zgromadzili się wokół niego, śpiewali powitalne pieśni i ponieśli go od kanoe na ramionach niczym króla.

Ludzie zanieśli przybysza do wielebnego Wellesa. Alma przecisnęła się przez ciżbę, podchodząc jak najbliżej. Mężczyzna pochylił się przed wielebnym i obydwaj przycisnęli do siebie nosy w tradycyjnym geście największego przywiązania. Usłyszała, jak wielebny Welles powiedział głosem wilgotnym od łez: „Witaj we własnym domu, błogosławiony synu Boga".

Po chwili przybysz wyswobodził się z objęć i odwrócił z uśmiechem do ludzi. Alma mogła po raz pierwszy spojrzeć na jego twarz. Gdyby nie trzymał jej w pionie ciasny tłum wielu ciał, byłaby upadła, porażona rozpoznaniem.

Słowa *jutrzejszy poranek* – które Ambrose pisał na tylnych stronach rysunków przedstawiających Tego Chłopca – nie były szyfrem. „Jutrzejszy poranek" to nie marzycielskie pragnienie nierealnej przyszłości, nie anagram ani też żaden inny okultystyczny kod. Raz w życiu Ambrose Pike był całkowicie otwarty i szczery: Jutrzejszy Poranek to po prostu imię.

I teraz, faktycznie, Jutrzejszy Poranek przybył.

Wprawiło ją to we wściekłość.

Taka była jej pierwsza reakcja. Czuła – zapewne irracjonalnie – że została oszukana. Dlaczego w ciągu tych wszystkich miesięcy poszukiwań i znoszenia niedostatków nigdy nie usłyszała ani jednej o nim wzmianki – o tej władczej istocie, tym uwielbianym gościu, o mężczyźnie, ku któremu cała północna Tahiti spieszy na nabrzeże, aby go przywitać? Jakim sposobem do jego imienia oraz istnienia nie poczyniono nigdy żadnej aluzji, nawet najmniejszej? Nikt nie użył w obecności Almy słów *jutrzejszy poranek*, jeśli nie miało to dosłownego znaczenia czegoś, co ma się wydarzyć następnego dnia, i z całą pewnością nikt nigdy nie wspomniał o powszechnym na wyspie uwielbieniu dla jakiegoś nieuchwytnego, przystojnego tubylca, który może pewnego dnia przybyć znikąd i któremu będą oddawać cześć. Nie słyszała o takiej postaci najmniejszej nawet plotki. Jak może ktoś o takim znaczeniu ot, tak sobie, po prostu się *pojawić*?

Radosny, rozśpiewany tłum podążył w stronę kościoła misyjnego, Alma jednak pozostała na plaży i z trudem próbowała to wszystko zrozumieć. Zamiast dawnych przekonań pojawiły się nowe pytania. Wszystko, czego była pewna zaledwie tydzień temu, łamało się niczym kra lodowa u zarania wiosny. Zjawa, której przyjechała tutaj szukać, rzeczywiście istnieje, ale to nie Chłopiec; to raczej ktoś w rodzaju króla. Jakie sprawy łączyły Ambrose'a z królem wyspy? Jak się spotkali? Czemu Ambrose przedstawiał Jutrzejszy Poranek jako prostego rybaka, kiedy najwyraźniej był to człowiek o znacznej władzy?

Alma poczuła, że jej wewnętrzny mechanizm upartej i nieugiętej spekulacji kolejny raz zaczął się obracać. To uczucie jeszcze bardziej ją rozłościło. Miała już dosyć spekulacji. Nie mogła dłużej znieść wymyślania nowych teorii. Czuła, że całe życie spędziła na domysłach. A przecież jedynym, czego zawsze pragnęła, było *wie-*

*dzieć*, lecz mimo to teraz – po wszystkich latach niezmordowanego stawiania pytań – znowu jedynie rozważa i pyta, i zgaduje.

Koniec z domysłami. Nigdy więcej. Teraz musi się wszystkiego dowiedzieć. Będzie się domagać wiedzy.

Kościół słychać było już z daleka, dużo wcześniej, zanim się do niego dotarło. Śpiew dochodzący ze skromnej budowli nie przypominał żadnego słuchowego wrażenia, jakiego Alma kiedykolwiek w życiu doświadczyła. Był to ryk radości. W środku brakowało już miejsca; stanęła na zewnątrz w przepychającym się, rozśpiewanym tłumie i słuchała. Hymny, które wcześniej śpiewano w tym kościele – chór głosów osiemnastu wiernych z misji wielebnego Wellesa – brzmiały słabo i piskliwie w porównaniu z tym, co teraz usłyszała. Po raz pierwszy zrozumiała, czym tahitańska muzyka może naprawdę być i czemu setki głosów razem ryczących i wyjących służą: zagłuszeniu oceanu. To właśnie czynili w tej chwili, wyrażając druzgocącą cześć, piękną i groźną.

Gdy wreszcie ucichli, Alma usłyszała, jak przybysz przemawia – czysto i z mocą – do zebranych. Mówił po tahitańsku, od czasu do czasu ciągnąc wywód niczym zaśpiew. Przecisnęła się bliżej drzwi i zajrzała do wnętrza: był to Jutrzejszy Poranek, wysoki i wspaniały, i zza pulpitu wołał do zgromadzenia ze wzniesionymi rękoma. Alma zbyt elementarnie posługiwała się tahitańskim, aby zrozumieć całe kazanie, ale zdołała pojąć, że mężczyzna dawał pełne pasji świadectwo żywego Chrystusa. Ale czynił nie tylko to; przekomarzał się także ze zgromadzonymi ludźmi, w taki sam sposób, jaki Alma często widziała u chłopców z drużyny Hiro igrających z falami. Jego zapał i pewność siebie były niezachwiane. Doprowadzał zgromadzenie wiernych do śmiechu oraz do łez, a także do poważnego skupienia i żywiołowej radości. Czuła, jak tembr i nasilenie jego głosu wywołują i w niej emocje, mimo iż w dużej części nie rozumiała słów.

Wystąpienie Jutrzejszego Poranka trwało dobrze ponad godzinę. Sprawił, że ludzie śpiewali; sprawił, że się modlili; sprawił, że byliby gotowi zaatakować o świcie. Alma pomyślała, iż jej matka gardziłaby tym. Beatrix Whittaker nigdy się nie oddawała ewangelicznym pasjom; była przekonana, że opętanym ludziom grozi zagubienie dobrych manier oraz rozumu, a dokąd doprowadziłoby to naszą cywilizację? W każdym razie oszałamiający monolog Jutrzejszego Poranka nie przypominał niczego, co Alma słyszała dotychczas w kościele wielebnego Wellesa – czy *jakimkolwiek* innym. To nie był filadelfijski duchowny, skrupulatnie udzielający luterańskich nauk, ani siostra Manu, ze swymi prostymi homiliami, głoszonymi monosylabami; to była oracja. To był bojowy werbel. To był Demostenes broniący Ktezyfonu. To był Perykles oddający hołd poległym Ateńczykom. To był Cyceron upominający Katylinę.

Przemówienie Jutrzejszego Poranka z całą pewnością *nie* przywołało Almie na myśl pokory i łagodności, którą przyzwyczaiła się łączyć z wizerunkiem skromnej, małej przybrzeżnej misji. W Jutrzejszym Poranku nie było nic pokornego ani łagodnego. Prawdę powiedziawszy, nigdy nie spotkała tak zuchwałego i opanowanego osobnika. Przyszło jej do głowy powiedzenie Cycerona w oryginalnym, dobitnym łacińskim brzmieniu (był to bowiem, jak czuła, jedyny język, który potrafiłby się przeciwstawić grzmiącej fali tubylczej elokwencji, jaka ją zalewała): „Nemo umquam neque poeta neque orator fuit, qui quemquam meliorem quam se arbitraretur".

Nigdy nie było poety ni oratora, który by sądził, że istnieje lepszy od niego.


Od tej chwili dzień stawał się coraz bardziej rozgorączkowany.

Dzięki wielce skutecznemu systemowi lokalnego telegrafu na Tahiti (szybkonodzy chłopcy o donośnych głosach), nowina o przybyciu Jutrzejszego Poranka rozeszła się błyskawicznie i plaża w zatoce Matavai z godziny na godzinę zapełniała się coraz większym gwarnym tłumem. Alma próbowała znaleźć wielebnego Wellesa, by zadać mu wiele pytań, ale jego drobna sylwetka ciągle znikała w ciżbie, i zdołała jedynie rejestrować, że miga jej tu albo tam, z białymi włosami powiewającymi na wietrze, promienny ze szczęścia. Nie zdołała się także zbliżyć do siostry Manu, która była tak zelektryzowana, że zgubiła ogromny ukwiecony kapelusz i szlochała jak uczennica w tłumie trajkoczących euforycznie kobiet. Nigdzie nie dało się dostrzec drużyny Hiro – czy raczej wszędzie było ich widać, ale poruszali się dla Almy zbyt szybko, by zdążyła któregokolwiek złapać i wypytać.

Tłum na plaży – jak gdyby jednomyślnie – oddawał się hulance. Przygotowano miejsce do zapasów oraz zawodów bokserskich. Młodzi mężczyźni zrzucili koszule, natarli ciała olejem kokosowym i zaczęli się mocować. Dzieci galopowały wzdłuż brzegu w spontanicznych wyścigach. Na piasku pojawił się ring, zapowiadający walkę kogutów. Czas mijał, aż przybyli muzycy, a razem z nimi wszelkiego rodzaju instrumenty, od tubylczych bębnów i fletów po europejskie tuby oraz skrzypki. W innej części plaży mężczyźni pracowicie kopali dół na palenisko i wykładali go kamieniami. Szykowali gigantyczny rożen. Niespodziewanie Alma dostrzegła, jakby wynurzyła się znikąd, siostrę Manu, która na jej oczach złapała świnię, przytrzymała i zabiła – ku całkowitemu zdumieniu zwierzęcia. Alma poczuła się lekko urażona tym widokiem. (Jak długo kazano jej czekać na smak wieprzowiny? A teraz wystarczyło przybycie Jutrzejszego Poranka i sprawa załatwiona). Za pomocą ostrego noża Manu pewną ręką i z uśmiechem na ustach rozebrała tuszę. Wyciągnęła z niej trzewia wprawnym ruchem. Potem razem z kilkoma silnymi kobietami przytrzymały tuszę nad otwartym ogniem w palenisku, by przypalić na niej szczecinę, a następnie owinęły ją w liście i opuściły na gorące kamienie. Kurczaki w wielkiej liczbie, bezbronne wobec napływu owej fali gwałtownej potrzeby ucztowania, podążyły za świnią ku śmierci.

Alma spostrzegła śliczną siostrę Etini, spieszącą z naręczem owoców chlebowca. Rzuciła się w tamtą stronę, dotknęła jej ramienia i zapytała:

– Siostro Etini… proszę mi powiedzieć: kim jest Jutrzejszy Poranek?

Etini odwróciła się z uśmiechem.

– Jest synem wielebnego Wellesa – odpowiedziała.

– *Synem* wielebnego Wellesa? – powtórzyła Alma.

Wielebny Welles miał przecież tylko córki – a ściśle, tylko jedną żyjącą córkę. Gdyby angielski siostry Etini nie był tak sprawny i płynny, Alma mogłaby uznać, że kobieta się przejęzyczyła.

– Synem z *taio* – wyjaśniła Etini. – Jutrzejszy Poranek jest synem adoptowanym. Jest także moim synem oraz synem siostry Manu. Jest synem wszystkich z misji! Wszyscy tutaj jesteśmy rodziną z *taio*.

– Ale skąd on się zjawił? – zapytała Alma.

– Zjawił się stąd – odparła Etini, nie mogąc ukryć wielkiej dumy. – Jutrzejszy Poranek jest nasz, proszę siostry.

– Jednak skąd się zjawił dzisiaj rano?

– Przybył z Raiatei, gdzie teraz mieszka. Ma tam własną misję. Odniósł wielki sukces na Raiatei, wyspie niegdyś najbardziej nieprzyjaznej prawdziwemu Bogu. Ludzie, których dzisiaj przywiózł ze sobą, to jego nawróceni... to znaczy niektórzy z jego nawróconych. Można być pewnym, że ma ich o wiele więcej.

Można być pewnym, że Alma miała o wiele więcej pytań, lecz siostra Etini spieszyła na ucztę, Alma więc jej podziękowała i pozwoliła odejść. Sama zaś przeszła nad rzekę, do buszu drzew guajawy, i usiadła w cieniu, aby pomyśleć. Dużo było do przemyślenia i do poskładania. Rozpaczliwie pragnąc zrozumieć te wszystkie nowe zdumiewające informacje, cofnęła się do rozmowy z wielebnym Francisem Wellesem sprzed kilku miesięcy. Mgliście przypominała sobie opowieść wielebnego o trzech adoptowanych synach – trzech najbardziej przykładnych wychowankach misyjnej szkoły w zatoce Matavai – którzy teraz prowadzą szacowne misje na odległych wyspach. Zmuszała się do wysiłku, by przypomnieć sobie szczegóły odległej w czasie rozmowy, ale jej wspomnienia były frustrująco niewyraźne. Alma czuła, że Raiatea rzeczywiście może być jedną z wysp, o których mówił, ale była pewna, że ani razu nie przywołał imienia „Jutrzejszy Poranek". Zwróciłaby uwagę na to imię, gdyby je kiedykolwiek usłyszała. Te słowa natychmiast zwróciłyby jej uwagę, gdyż wywoływały osobiste skojarzenia. Nie, nigdy przedtem nie słyszała, żeby ktoś wypowiadał to imię. Wielebny Welles widocznie nazywał go jakoś inaczej.

Siostra Etini jeszcze raz przeszła pospiesznie nieopodal, tym razem z pustymi rękoma, i Alma jeszcze raz rzuciła się w jej stronę, by ją zatrzymać. Wiedziała, że jest uciążliwa, ale nie potrafiła się powstrzymać.

– Siostro Etini – zapytała. – Jak ma na imię Jutrzejszy Poranek?

Siostra Etini spojrzała zaskoczona.

– Na imię ma Jutrzejszy Poranek – odpowiedziała prosto.

– Jak brat Welles w takim razie go nazywa?

– A! – Oczy siostry Etini pojaśniały. – Brat Welles nazywa go tahitańskim imieniem, czyli Tamatoa Mare. Ale Jutrzejszy Poranek jest przydomkiem, który on sam sobie nadał, kiedy był jeszcze małym chłopcem! I woli, żeby go tak nazywać. On zawsze miał dużą łatwość z językami, siostro Whittaker... całkiem najlepszy uczeń, jakiego kiedykolwiek miałyśmy z panią Welles, i zobaczy siostra, że mówi lepiej niż ja... od najwcześniejszego dzieciństwa słyszał, że jego tahitańskie imię* brzmi jak te angielskie słowa. Zawsze był bardzo mądry. A teraz imię pasuje do niego, wszyscy się z tym zgadzamy, bo przynosi dużą nadzieję, rozumie siostra, dla każdego, kto go spotka. Jak nowy dzień.

– Jak nowy dzień – powtórzyła Alma.

– Właśnie tak.

– Siostro Etini – rzekła Alma – przepraszam siostrę, ale mam jeszcze jedno pytanie. Jak dawno temu Tamatoa Mare był ostatni raz w zatoce Matavai?

– W listopadzie 1850 roku – odpowiedziała bez wahania siostra Etini i pobiegła dalej.

Alma znowu usiadła w cieniu i przyglądała się radosnemu zamętowi. Patrzyła bez radości. Czuła w sercu ucisk, jak gdyby ktoś odciskał kciuk na jej piersi, mocno i zdecydowanie.

W listopadzie 1850 roku zmarł tutaj Ambrose Pike.


Upłynęło trochę czasu, nim Alma zdołała się zbliżyć do Jutrzejszego Poranka. Tamtej nocy odbyło się wielkie świętowanie – uczta godna monarchy, za którego z pewnością go uważano. Setki Tahitańczyków zgromadziło się na plaży, jedzono pieczone wieprze,

---

* Tamatoa Mare (tahit.) – Tomorrow Morning (ang.)

ryby i owoce chlebowca, delektowano się puddingiem z mąki arrarutowej, słodkimi ziemniakami oraz obfitością kokosów. Zapalono ogniska i ludzie ruszyli do tańca – oczywiście nie do tańca wyuzdanego, z którego onegdaj znane było Tahiti, ale mniej wulgarnego ludowego tańca, który w swoim języku nazywali *hura*. W innych osadach misyjnych nawet takie tańce były zakazane, Alma wiedziała jednak, że wielebny Welles czasami na nie zezwalał. („Po prostu nie widzę w tym nic złego", powiedział kiedyś, a Alma uznała, że owo często powtarzane zdanie jest doskonałym mottem dla wielebnego Wellesa).

Alma nigdy wcześniej nie widziała tahitańskiego tańca, a teraz urzekł ją, tak jak zwykle urzekał innych. Młode tancerki ozdobiły włosy potrójnymi sznurami kwiatów jaśminu oraz gardenii i owinęły kwiaty dookoła szyi. Powolna muzyka falowała. Niektóre z dziewcząt cerę miały naznaczoną ospą, ale w blasku ognia wszystkie wyglądały równie pięknie. Wyraźnie się czuło ruch kobiecych bioder i kończyn pod obowiązującymi w misyjnej osadzie bezkształtnymi sukniami o długich rękawach. Był to chyba najbardziej prowokacyjny taniec, jaki Alma kiedykolwiek oglądała (już same dłonie prowokowały w sposób, jaki ją zachwycił), i nie mogła się powstrzymać przed wyobrażaniem sobie, jak zapewne taki taniec wyglądał w 1777 roku w oczach jej ojca, kiedy wykonujące go kobiety w dodatku nie miały na sobie nic prócz spódniczek z trawy. Musiało to być wyjątkowe widowisko dla młodego chłopaka z Richmond, który usiłował zachować cnotę.

Od czasu do czasu atletycznie zbudowani mężczyźni wskakiwali do kręgu tańczących i błazeńsko przerywali *hura*. Na początku Alma myślała, że chodzi o przerwanie zmysłowego napięcia wesołością, ale i oni wkrótce zaczynali swoimi ruchami zbliżać się do granicy, za którą była lubieżność. Często inicjowali żartobliwe łapanie tancerek, dziewczęta zaś z wdziękiem wymykały się, nie tracąc tanecznego kroku. Najmniejsze dzieci też najwyraźniej rozumiały ukryte aluzje do gry pożądania i odtrącania imitowanej w tańcu – ryki śmiechu wskazywały na większe wyrobienie, niżby wskazywał ich wiek. Nawet siostra Manu, ów błyszczący przykład chrześcijańskiej przyzwoitości, wskoczyła w pewnym momencie do zmysłowego kręgu tancerek *hura*, ze zdumiewającą sprawnością kołysząc ciałem. Gdy jeden z młodych tancerzy ruszył za nią, pozwoliła się złapać, ku dzikiemu zachwytowi tłumu. Tancerz przylgnął mocno do jej biodra, wykonując ruchy, których jawna sprośność nie mogła być przez nikogo zrozumiana błędnie; siostra Manu zaś obdarzyła go zaledwie komicznie zalotnym spojrzeniem i nie przerwała tańca.

Alma obserwowała wielebnego Wellesa, który wydawał się po prostu zachwycony tym, co widzi dookoła. Siedział przy nim Jutrzejszy Poranek, dostojny w swej idealnej postawie oraz nienagannym stroju angielskiego dżentelmena. W ciągu całego wieczoru ludzie podchodzili, by usiąść koło niego, przycisnąć swój nos do jego nosa i wymienić pozdrowienia. On zaś traktował wszystkich z taktem oraz wspaniałomyślnością. Prawdą jest, Alma musiała przyznać, że nigdy w życiu nie widziała tak pięknej ludzkiej istoty. Oczywiście, na Tahiti wszędzie można było znaleźć fizyczne piękno i po pewnym czasie człowiek przyzwyczajał się do niego. Piękni byli tu mężczyźni, kobiety jeszcze piękniejsze, a dzieci najpiękniejsze. Jakimiż bladymi pokrakami o patykowatych ramionach musiała się wydawać większość Europejczyków w porównaniu z nadzwyczajnymi Tahitańczykami! Stwierdziło to tysiące razy tysiące pozostających pod wielkim wrażeniem obcokrajowców. Tak więc, owszem, nie brakowało tutaj piękna i Alma wiele go widziała – ale Jutrzejszy Poranek był piękniejszy od wszystkiego.

Skórę miał ciemną i lśniącą, a uśmiech niczym łagodna poświata księżyca. Ci, na których rzucał spojrzenie, pławili się w jego szczodrej promienności. Nie można było nie patrzeć na niego. Prócz przystojnego oblicza uwagę przyciągał już sam jego wzrost. Był rzeczywiście kolosalnej budowy, Achilles obleczony w ciało. Z pewnością poszłoby się za takim w bój. Wielebny Welles opowiadał kiedyś Almie, że w dawnych czasach, kiedy wyspiarze z mórz południowych ruszali na wojnę przeciwko sobie, zwycięzcy szukali między zwłokami poległych przeciwników tych najwyższych i o najciemniejszej skórze. A kiedy znaleźli owych gigantycznych osobników, otwierali ich ciała i wyciągali kości, z których wyrabiali haczyki na ryby, dłuta oraz broń. Wierzono, że kości największych mężczyzn naładowane są fantastyczną mocą i w związku z tym posiadacze zrobionych z nich narzędzi oraz uzbrojenia będą niezwyciężeni. W przypadku Jutrzejszego Poranka – Alma złapała się na makabrycznej myśli – można byłoby wykonać tyle broni, że wypełniłaby zbrojownię, jeśli dałoby się go najpierw zabić.

Obserwując wszystko dookoła, Alma trzymała się na obrzeżach blasku bijącego od ogniska, by zanadto się nie rzucać w oczy. Ale nikt nie zwracał na nią uwagi, tak ich pochłaniała własna zabawa. Hulanka przeciągnęła się głęboko w noc. Ogniska płonęły wysoko i jasno, rzucając cienie mroczne i poskręcane, aż strach było je przekraczać, aby nie złapały człowieka i nie wciągnęły w *pō*. Tańce stały się dziksze, a dzieci zaczęły się zachowywać jak opętane dusze. Alma przypuszczałaby, że odwiedziny ważnego chrześcijańskiego misjonarza nie powinny wywołać aż *tyle* frywolnego fetowania – ale przecież była wciąż nowicjuszem w sprawach Tahiti. Wielebnego najwyraźniej nic nie niepokoiło, nigdy nie wyglądał na szczęśliwszego i radośniejszego.

Dobrze po północy wielebny Welles wreszcie dostrzegł Almę.

– Siostro Whittaker! – zawołał. – Gdzież się podziały moje maniery? Musi siostra poznać mego syna!

Alma podeszła do obu mężczyzn, siedzących tak blisko ogniska, iż sami zdawali się płonąć. Spotkanie było niezręczne – Alma bowiem stała, a mężczyźni, zgodnie z lokalnym zwyczajem, siedzieli. Ona jednak nie miała siadać. Nie miała pocierać z nikim nosa. Jutrzejszy Poranek wyciągnął do niej długie ramię i zaofiarował grzeczny uścisk dłoni.

– Siostro Whittaker – powiedział wielebny Welles – to jest mój syn, o którym siostrze opowiadałem. Drogi mój synu, oto siostra Whittaker, jak widzisz, która przybyła do nas ze Stanów Zjednoczonych Ameryki. Jest znanym przyrodnikiem.

– Przyrodnikiem! – rzekł Jutrzejszy Poranek z doskonałym brytyjskim akcentem, kiwając głową. – Jako dziecko bardzo się interesowałem historią naturalną. Przyjaciele uważali mnie za wariata, bo ceniłem rzeczy, których nikt inny nie cenił… liście, owady, koral i inne tego typu. Ale była to przyjemność i edukacja. To wartościowe życie, studiować świat głęboko. Jakaż szczęśliwa jest siostra, mając takie powołanie.

Alma popatrzyła na niego. Zobaczyła nareszcie tę twarz z bliska, ową niedającą się wymazać z pamięci twarz, która długi czas ją dręczyła i fascynowała, twarz, która wezwała ją tutaj z drugiego krańca planety, tę twarz, która tak uporczywie drążyła jej wyobraźnię; tę twarz, która osaczyła ją aż po obsesję – i była to twarz po prostu zdumiewająca. Wywarła na niej piorunujące wrażenie, tak bardzo, że aż pomyślała, jakie to niewiarygodne, iż on z kolei nie jest poruszony *jej* widokiem: jak to możliwe, że ona zna go tak dobrze, gdy on zupełnie jej nie zna?

Wielkie nieba, ale dlaczegóż miałby ją znać?

Odpowiedzi towarzyszyło przepojone łagodnością spojrzenie. Rzęsy miał aż absurdalnie długie. Stanowiły nie tylko nadmiar, ale wręcz irytowały: rzęsy – widowisko, zbędnie luksusowa obwódka.

– Miło mi pana poznać – rzekła.

Z wdziękiem męża stanu Jutrzejszy Poranek położył nacisk na to, że ależ nie, cała przyjemność leży po jego stronie. Po czym uwolnił jej dłoń, Alma się wymówiła i Jutrzejszy Poranek wrócił do poświęcania całej uwagi wielebnemu Wellesowi – swemu uradowanemu, niczym elf filigranowemu, białemu ojcu.


Pozostał w zatoce Matavai przez dwa tygodnie.

Rzadko spuszczała z niego wzrok, skora poznawać – dzięki obserwacji z bliska – najwięcej, ile się dało. Dowiedziała się, całkiem szybko, że Jutrzejszy Poranek jest kochany przez wszystkich. To, jak go kochano, właściwie mogło wyprowadzić człowieka z równowagi. Zastanawiała się, czy jego kiedykolwiek wyprowadzało. Nigdy nie miał ani chwili dla siebie, choć Alma bardzo na taką czekała, by zamienić z nim parę słów na osobności. Ale najwyraźniej nie było na to szansy; zawsze stanowił centrum posiłków, spotkań, zebrań oraz uroczystości, o każdej porze. Nocował w chacie siostry Manu, wypełnionej gwarem ciągle zmieniających się gości. Tahitańska królowa 'Aimata Pōmare IV Vahine zaprosiła Jutrzejszego Poranka do swego pałacu w Papeete na herbatkę. Każdy pragnął usłyszeć – po angielsku, po tahitańsku albo w obu językach naraz – historię niezwykłego sukcesu Jutrzejszego Poranka w działalności misyjnej na Raiatei.

Z pewnością nie było nikogo, kto chciałby tego bardziej niż Alma. Podczas jego pobytu zdołała poskładać całą historię z relacji innych obserwatorów i słuchaczy Wielkiego Człowieka. Dowiedziała się, że ponieważ Raiatea jest kolebką polinezyjskiej mitologii, najmniej prawdopodobne, by przyjęła chrześcijaństwo. Na wyspie – wielkiej i nieregularnej – urodził się i mieszkał Oro, bóg wojny. W jego świątyniach składano ofiary z ludzi, dlatego były one usłane ludzkimi czaszkami. Raiatea to było miejsce poważne (siostra Manu używała określenia *ciężkie*). Górę Temehani pośrodku wyspy uważano za wieczną siedzibę wszystkich zmarłych z Polinezji. Powiadano, że najwyższy szczyt owej góry zawsze spowija całun mgieł, ponieważ zmarli stronią od światła słonecznego. Wyspiarze nie lubili się śmiać; to byli twardzi ludzie – lud krwi oraz dostojeństwa. Nie byli Tahitańczykami. Odrzucili angielski. Odrzucili francuski. Nie odrzucili Jutrzejszego Poranka. Przybył tam po raz pierwszy przed sześcioma laty, i to w nadzwyczajnym stylu: popłynął sam w kanoe, które porzucił, zbliżając się do wyspy. Pozbył się odzieży i przypłynął na brzeg nagi, a gdy z lekkością przecinał huczące wielkie fale, trzymał ponad głową Biblię i wyśpiewywał: „Śpiewam słowo Jehowy, jedynego Boga prawdziwego! Śpiewam słowo Jehowy, jedynego Boga prawdziwego!".

Raiateńczycy zauważyli.

Od tego czasu Jutrzejszy Poranek zbudował imperium ewangelizacji. Wzniósł na wyspie kościół – tuż obok jej głównej pogańskiej świątyni – który, gdyby nie był domem modlitwy, można byłoby pomylić z pałacem. Podtrzymywany przez czterdzieści sześć kolumn, wyciosanych z pni chlebowców oszlifowanych skórą rekina, stanowił największą budowlę Polinezji.

Nawróconych Jutrzejszego Poranka było około trzech i pół tysiąca dusz. Dopilnował, by lud nakarmił ogień swymi idolami. Dopilnował, by stare świątynie gruntownie przerobiono z miejsc odprawiania brutalnych obrzędów na nieszkodliwe spiętrzenia omszałych skał. Wcisnął Raiateńczyków w skromną odzież w europejskim stylu: mężczyzn w spodnie, kobiety w długie suknie oraz czepki. Chłopcy ustawiali się do niego w kolejce, by krótko i przyzwoicie ostrzygł im włosy. Nadzorował budowę osiedla schludnych białych domków. Uczył czytania i pisania ludzi, którzy przed jego przybyciem nigdy nie widzieli alfabetu. Każdego dnia do jego szkoły uczęszczało czterysta dzieci, aby się uczyć katechizmu. Jutrzejszy Poranek pilnował, by ludzie nie małpowali słów Ewangelii, ale aby rozumieli ich znaczenie. W takim duchu przyuczył siedmiu własnych misjonarzy, których wysłał niedawno na jeszcze odleglejsze wyspy; oni również mieli podpłynąć do brzegu z Biblią uniesioną wysoko, wyśpiewując imię Jehowy. Dni niepokojów oraz błędu i zabobonów odeszły w przeszłość. Skończyło się dzieciobójstwo. Skończyła się poligamia. Niektórzy zwali Jutrzejszego Poranka prorokiem; mówiono, że sam woli słowo *sługa*.

Alma się dowiedziała, że na Raiatei Jutrzejszy Poranek wziął sobie żonę, Temanavę, której imię znaczy „serdeczna". Miał tam również dwie małe córeczki, Frances oraz Edith, które otrzymały imiona po wielebnym oraz jego małżonce. Jest najbardziej zasłużonym człowiekiem Wysp Towarzystwa, jak mówiono Almie. Tyle razy to słyszała, że zaczęły męczyć ją te słowa.

– I pomyśleć – mówiła siostra Etini – że wywodzi się z naszej małej szkółki w zatoce Matavai!

Alma nie znalazła ani jednej chwili, by porozmawiać z Jutrzejszym Porankiem, aż do pewnego późnego wieczoru, dziesięć dni po jego przybyciu, kiedy spotkała go, gdy samotnie szedł od Etini, u której spożywał obiad, do domu siostry Manu, gdzie zamierzał się udać na spoczynek.

– Czy mogę zamienić z panem słowo? – zapytała.

– Oczywiście, siostro Whittaker – wyraził zgodę, bez trudu przypominając sobie jej miano. Nie okazał najmniejszego zdziwienia, widząc, jak wyłania się z ciemności.

– Czy jest jakieś spokojne miejsce, gdzie moglibyśmy porozmawiać? – zapytała. – To, co pragnę z panem poruszyć, chciałabym omawiać na osobności.

Roześmiał się swobodnie.

– Z całym szacunkiem, siostro Whittaker, znaleźć tutaj odosobnienie, w zatoce Matavai, jest niemożliwością. Cokolwiek pragnie mi pani powiedzieć, proszę mówić tutaj.

– W takim razie dobrze – odparła, ale nie mogła się powstrzymać, by nie rzucić okiem dookoła, czy nikt nie podsłuchuje. – Jutrzejszy Poranku – zaczęła – losy pana i moje są... jak sądzę... bardziej ze sobą związane, niż ktokolwiek mógłby przypuszczać. Przedstawiona panu zostałam jako siostra Whittaker, ale musi pan zrozumieć, że przez krótki czas znana byłam jako pani Pike.

– Proszę nie mówić nic więcej – rzekł łagodnie, podnosząc rękę. – Wiem, kim jesteś, Almo.

Patrzyli na siebie w milczeniu, które zdawało się ciągnąć bez końca.

– Więc to tak – odezwała się pierwsza.

– No właśnie – odrzekł.

I znowu zapadło długie milczenie.

– Ja też wiem, kim jesteś – oznajmiła wreszcie.

– Wiesz? – W najmniejszym stopniu nie wyglądał na zaniepokojonego. – W takim razie kim jestem?

Teraz, zmuszona zareagować, stwierdziła, że odpowiedź nie jest prosta. Musiała jednak coś powiedzieć.

– Dobrze znałeś mego męża.

– Rzeczywiście, dobrze. Co więcej, tęsknię za nim.

Wyznanie zaszokowało Almę, ale tak wolała: wstrząs był lepszy od sporu lub zaprzeczania. Wyobrażając sobie tę rozmowę podczas minionych dni, Alma obawiała się, że oszaleje, jeśli Jutrzejszy Poranek spróbuje oskarżyć ją o nikczemne kłamstwo lub będzie udawać, że nigdy nie słyszał o Ambrosie. On jednak najwyraźniej nie był skłonny przeciwstawiać się lub zaprzeczać. Spojrzała na niego uważniej, szukając w twarzy czegoś oprócz spokojnej pewności siebie, ale nie znalazła niczego niestosownego.

– Tęsknisz za nim – powtórzyła.

– I zawsze będę, ponieważ Ambrose Pike był najlepszym pośród ludzi.

– Wszyscy tak mówią – odparła Alma, czując z lekkim rozdrażnieniem, że daje się pokonać.

– Ponieważ tak było.

– Czy kochałeś go, Tamatoa Mare? – zapytała, znowu uważnie badając jego twarz i szukając w niej śladu pęknięcia niewzruszonego opanowania.

Chciała go zaskoczyć, tak jak on ją zaskoczył. Ale nie dostrzegła oznak najmniejszego niepokoju. Nawet nie mrugnął na dźwięk swego prawdziwego imienia.

– Każdy, kto go spotkał, kochał go – odpowiedział.

– Ale czy ty kochałeś go *szczególnie*?

Jutrzejszy Poranek wsadził ręce do kieszeni i podniósł wzrok na księżyc. Nie spieszył się z odpowiedzią. Dla całego świata mógłby wyglądać jak człowiek spokojnie czekający na pociąg. Po pewnym czasie przeniósł spojrzenie na twarz Almy. Zauważyła, że niewiele się różnią wzrostem. Jej ramiona także nie były dużo węższe od jego.

– Przypuszczam, że się nad tym zastanawiasz – odparł w odpowiedzi.

Czuła, że traci grunt pod nogami. Będzie musiała mówić jeszcze bardziej wprost.

– Jutrzejszy Poranku – rzekła. – Czy mogę mówić z tobą szczerze?

– Bardzo proszę – rzekł.

– Pozwól, że ci opowiem na swój temat coś, co być może pozwoli ci na większą otwartość. Otóż mam wbudowaną skłonność… choć nie zawsze uważam ją za zaletę czy błogosławieństwo... do dążenia do zrozumienia istoty rzeczy. Chciałabym się dowiedzieć, kim był mój mąż. Przebyłam cały ten kawał świata, aby go lepiej zrozumieć, ale jak dotąd bez efektu. Nieliczne informacje, które uzyskałam na temat Ambrose'a, wprawiły mnie w jeszcze większą dezorientację. Nasze małżeństwo z pewnością nie było ani typowe, ani długie, co wszak nie neguje miłości oraz zainteresowania, jakie mąż we mnie wzbudził. Nie jestem naiwna, Jutrzejszy Poranku. Nie potrzeba mnie chronić przed prawdą. Zrozum, proszę, że moim celem nie jest ani ciebie obwiniać, ani czynić sobie z ciebie wroga. Twoje tajemnice nie zostaną wyjawione, jeśli zechcesz mi je powierzyć. A mam powody, by podejrzewać, iż znasz tajemnice dotyczące mego zmarłego męża. Widziałam jego prace, na których przedstawiał ciebie. Te rysunki, jak sam z pewnością rozumiesz, zmuszają mnie do zadania pytania o prawdę twojej znajomości z Ambrose'em. Czy możesz uszanować prośbę wdowy i opowiedzieć, co wiesz? I nie musisz oszczędzać moich uczuć.

Jutrzejszy Poranek skinął głową.

– Czy masz jutro wolny dzień? – zapytał. – Być może do późnego wieczora?

Potwierdziła.

– Jak sprawne jest twoje ciało? – zapytał.

Pytanie oraz jego niestosowność zirytowały ją. Zauważył jej poruszenie i wyjaśnił:

– Chcę się upewnić, czy podołasz długiej wspinaczce. Przypuszczam, że jako przyrodniczka, jesteś sprawna i wytrzymała, ale i tak muszę cię zapytać. Chciałbym ci coś pokazać, ale nie chcę nadwerężyć twoich sił. Czy dasz radę się wspinać po stromym terenie?

– Przypuszczam, że tak – odpowiedziała z rozdrażnieniem w głosie Alma. – Przemierzyłam w ciągu ostatniego roku całą tę wyspę. Widziałam każdą rzecz, jaką można zobaczyć na Tahiti.

– Nie każdą, Almo – poprawił ją Jutrzejszy Poranek, uśmiechając się życzliwie. – Nie widziałaś ich wszystkich.


Wyruszyli nazajutrz, zaraz po wschodzie słońca. Jutrzejszy Poranek zapewnił na wyprawę kanoe. Nie małe, wywrotne kanoe, jak to, którym wielebny Welles zwykł odwiedzać koralowe ogrody, ale lepsze, solidne i porządnie wykonane.

– Udamy się do Tahiti-Iti – wyjaśnił. – Zajęłoby kilka dni, gdybyśmy poszli lądem, ale płynąc wzdłuż wybrzeża, dotrzemy na miejsce w ciągu pięciu lub sześciu godzin. Dobrze się czujesz na wodzie?

Skinęła głową. Miała kłopot, by orzec, czy to jest troska o nią, czy protekcjonalność. Zabrała ze sobą bambusową tubę, pełną świeżej wody, oraz kilka *poi* na lunch, zawiniętych w kwadratowy muślin, który mogła przywiązać sobie do paska. Włożyła najmocniej znoszoną sukienkę – tę najbardziej zmaltretowaną przez wyspę. Jutrzejszy Poranek zerknął na jej bose stopy, które po roku spędzonym na Tahiti były stwardniałe i pełne modzeli, jak u robotnika z plantacji. Nic nie powiedział, ale zauważyła, że dostrzegł. On również był na boso. Od kostek wzwyż przedstawiał jednak idealnego angielskiego dżentelmena. Miał na sobie jak zwykle czysty garnitur oraz białą koszulę, choć teraz zdjął marynarkę i starannie ją złożył, po czym podłożył jako poduszkę do siedzenia w kanoe.

Nie miała sensu rozmowa w drodze do Tahiti-Iti – małego, zaokrąglonego, postrzępionego i odległego półwyspu, położonego na przeciwległym krańcu wyspy. Jutrzejszy Poranek musiał uważać, Alma zaś nie miała ochoty odwracać się za każdym razem, kiedy miałaby coś powiedzieć. Posuwali się więc w milczeniu.

Wiosłowanie wzdłuż linii brzegowej w pewnych rejonach okazywało się niełatwe i Alma uznała, iż byłoby lepiej, gdyby Jutrzejszy Poranek zabrał i dla niej parę wioseł, by mogła czuć, że pomaga w podróży – choć, prawdę powiedziawszy, najwyraźniej dawał sobie bez niej radę. Pruł fale z pełną elegancji sprawnością, przemykając pomiędzy rafami i kanałami bez cienia wątpliwości, jak gdyby odbywał tę podróż setki razy – podejrzewała, że właśnie tak było. Kapeluszowi z szerokim rondem wdzięczna była za cień, ponieważ słońce mocno piekło, a blask bijący od wody mienił się jej w oczach.

Po pięciu godzinach po prawej ręce mieli klify Tahiti-Iti i Jutrzejszy Poranek powiosłował prosto w ich stronę. Czy mają się roztrzaskać o skały? – zaniepokoiła się. Czy wyprawa ma taki właśnie, makabryczny cel? Ale zaraz potem Alma zrozumiała – z przodu klifu zobaczyła łukowaty otwór, ciemną szczelinę wejścia do groty, położonej na linii morza. Jutrzejszy Poranek zgrał ruch kanoe z porywami dudniących fal i w pewnej chwili – ekscytująco i nieustraszenie – wstrzelił ich prosto w ową szczelinę. Alma była pewna, że cofająca się fala wyssie ich z powrotem na światło dzienne, ale on tak zaciekle wiosłował, prawie na stojąco, że zdołał pchnąć kanoe na mokry żwir skalistej plaży głęboko w grocie. Wyczyn graniczący z cudem. Uznała, że nawet oddział Hiro nie odważyłby się na taki manewr.

– Wyskakuj, proszę – nakazał i chociaż nie miał podniesionego głosu, pojęła, że trzeba polecenie wykonać szybko, zanim nadpłynie następna fala.

Przeskoczyła przez burtę i pobiegła ku najwyżej położonemu

miejscu – choć nie wydawało jej się wystarczająco wysokie. Jedna większa fala, pomyślała, i zmyje ich na zawsze. Jutrzejszy Poranek nie okazywał jednak niepokoju. Wyciągnął kanoe na piach.

– Czy mogłabyś mi pomóc? – zapytał grzecznie.

Wskazał na występ skalny ponad ich głowami, z czego wywnioskowała, że dla bezpieczeństwa chciałby umieścić tam kanoe. Pomogła mu unieść łódź i razem wcisnęli ją na skalną półkę, znacznie powyżej rozbijających się fal.

Usiadła, a on usiadł obok, ciężko oddychając.

– Dobrze się czujesz? – zapytał wreszcie.

– Tak – odpowiedziała.

– Teraz musimy poczekać. Kiedy przypływ całkiem się cofnie, zobaczysz wąskie przejście, którym będziemy mogli pójść wzdłuż klifu, a potem wspiąć się na górę, na płaskowyż. Stamtąd zaprowadzę cię do miejsca, które chcę ci pokazać. To znaczy, jeśli czujesz, że dasz radę...

– Dam radę – stwierdziła.

– To dobrze. Teraz możemy chwilę odpocząć.

Położył się, podkładając marynarkę pod głowę, rozprostował nogi i się rozluźnił. Kiedy nadpływały fale, nieomal dotykały jego stóp. Najwyraźniej musiał dobrze wiedzieć, jak morze się zachowuje w tej grocie. Wprost nadzwyczajne. Gdy spoglądała na Jutrzejszego Poranka wyciągniętego przed nią, zalało ją nagłe bolesne wspomnienie sposobu, w jaki Ambrose rozciągał się wygodnie gdziekolwiek – na trawie, otomanie bądź na podłodze w salonie w White Acre.

Dała Jutrzejszemu Porankowi około dziesięciu minut na odpoczynek, ale dłużej nie była w stanie się powstrzymać.

– Jak go poznałeś? – zapytała.

Woda pędziła w tę i z powrotem po skałach, wywołując przytłumione echo o wszelkich możliwych tonach, i grota nie stwarzała najlepszych warunków do rozmowy. Ale też w pospiesznym bębnieniu było coś, co dla żądania Almy oraz wyjawiania sekretów czyniło to miejsce najbezpieczniejszym na świecie. Kto ich usłyszy? Kto ich zobaczy? Oprócz duchów – nikt. Ich słowa wyrwie z groty przypływ i wywlecze na morze, gdzie rozrzucone między fale, zjedzone zostaną przez ryby.

Jutrzejszy Poranek odpowiedział, nie podnosząc się.

– W sierpniu 1850 roku wróciłem na Tahiti, by odwiedzić wielebnego Wellesa, a Ambrose po prostu tam był... tak jak ty jesteś teraz tutaj.

– Co o nim pomyślałeś?

– Pomyślałem, że jest aniołem – odpowiedział bez wahania, nie otworzywszy nawet oczu.

Odpowiada na pytania wręcz nazbyt szybko, pomyślała. Nie pragnęła odpowiedzi bez zająknienia; pożądała pełnej opowieści. Nie chciała słyszeć jedynie wyników; pragnęła poznać to, co nastąpiło pomiędzy. Chciała ujrzeć Jutrzejszego Poranka i Ambrose'a, jak się spotykają. Chciała patrzeć, jak się porozumiewają. Chciała poznać, co myśleli i co czuli. I bez wątpienia chciała się dowiedzieć, co ze sobą robili. Czekała, ale nic więcej z jego strony nie padło. Gdy minęła długa chwila ciszy, Alma dotknęła ramienia Jutrzejszego Poranka. Otworzył oczy.

– Proszę – powiedziała. – Mów dalej.

Usiadł i zwrócił ku niej twarz.

– Czy wielebny Welles opowiedział ci kiedykolwiek, w jaki sposób trafiłem na misję? – zapytał.

– Nie – odrzekła.

– Miałem zaledwie siedem lat – zaczął. – Może osiem. Najpierw zmarł mój ojciec, potem matka, a w końcu zmarło dwóch moich braci. Jedna z żon ojca zaopiekowała się mną, ale wkrótce i ona zmarła. Potem miałem jeszcze jedną matkę... kolejną żonę ojca... ale później ona też odeszła. W krótkim czasie zmarły wszystkie dzieci innych żon mojego ojca. Były też babcie, ale one również pomarły. – Przerwał, nad czymś się zastanawiając, po czym podjął wątek, korygując informacje. – Nie, Almo, pomyliłem kolejność, wybacz. To babki zmarły pierwsze, jako najsłabsze osoby w rodzinie. A więc to było tak, najpierw babcie pomarły, potem ojciec, a potem reszta, tak jak mówiłem. Ja również byłem krótko chory, ale nie umarłem... sama widzisz. Na Tahiti to normalne dzieje. Na pewno słyszałaś już takie historie?

Alma nie była pewna, co odpowiedzieć, więc nic nie rzekła. Wiedziała, że śmierć zebrała obfite żniwo w całej Polinezji w ciągu ostatnich pięćdziesięciu lat, ale nikt nie opowiedział jej dziejów osobistych strat.

– Zauważyłaś blizny na czole siostry Manu? – zapytał. – Czy ktoś wyjaśnił ci ich pochodzenie?

Potrząsnęła głową. Nie rozumiała, jaki to może mieć związek z Ambrose'em.

– To są żałobne blizny – rzekł. – Kiedy kobiety z Tahiti kogoś opłakują, tną sobie głowę zębem rekina. Wiem, to makabryczne dla Europejczyka, ale dla kobiet to jest sposób na komunikowanie oraz uwalnianie smutku. Siostra Manu ma blizn więcej niż inne kobiety, ponieważ straciła całą rodzinę, w tym wiele dzieci. Być może dlatego zawsze tak bardzo się lubiliśmy.

Almę uderzył dobór łagodnego słowa *lubić* na określenie relacji pomiędzy kobietą, która straciła wszystkie dzieci, oraz chłopcem, który utracił wszystkie matki. Wydawało się nie dosyć dobitne.

A potem przyszła Almie na myśl jeszcze jedna fizyczna anomalia siostry Manu.

– A jej palce? – zapytała, unosząc własne ręce. – Skąd brak ich koniuszków?

– To inne poświadczenie utraty. Ludzie obcinają tutaj czasami opuszki palców jako wyraz żałoby. Stało się to łatwiejsze, odkąd Europejczycy przywieźli żelazo i stal. – Uśmiechnął się smutno.

Alma nie odpowiedziała uśmiechem; było to nazbyt potworne.

– Jeżeli chodzi o mojego dziadka – kontynuował – o którym jeszcze nie wspomniałem, to był on *rauti*. Wiesz coś o *rauti*? Wielebny Welles przez lata próbował angażować mnie do szukania odpowiednika tego słowa, ale przekład jest trudny. Mój chrzestny ojciec używał słowa „kaznodzieja", lecz to nie oddaje dostojeństwa owej funkcji. „Historyk" jest bliżej, ale też nie jest dosyć dokładne. Zadaniem *rauti* jest biec obok mężczyzn szarżujących na wroga i zagrzewać ich do walki, przypominając im, kim są. *Rauti* intonuje rodowód i pochodzenie każdego z nich, przypominając wojownikom chwałę ich rodzinnych dziejów. Dzięki niemu nie ginie pamięć o bohaterstwie przodków. *Rauti* zna genealogię każdego człowieka na wyspie, całą wstecz, aż do boskich korzeni, i wyśpiewuje im ich odwagę. Gdyby nazwać to rodzajem mszy, byłaby to msza gwałtowna.

– Jak brzmiały zwrotki? – zapytała Alma, przyjmując nadmiernie długą historię nie na temat z dobrą wolą. Przywiózł ją tutaj w określonym celu i przypuszczała, że opowiadanie musi mieć powód.

Jutrzejszy Poranek zwrócił wzrok ku wylotowi groty i przez chwilę się zastanawiał.

– Po angielsku? Nie będzie miało tej samej mocy, ale byłoby to mniej więcej tak: *Wzmóż swoją czujność, dopóki nie złamiesz ich woli! Zawiśnij nad nimi niczym błyskawica! Tyś jest Arava, syn Hoaniego, wnuk Paruto, który zrodził się z Pariti, poczętego przez Tapunuiego, który zdobył głowę potężnego Anapy, ojca piskorzy... jesteś mężczyzną! Zagarnij ich na podobieństwo morza!*

Jutrzejszy Poranek grzmiał, a słowa odbijały się od kamieni i tonęły w falach. Odwrócił się ku Almie – której ramiona pokryła gęsia skórka i która nie mogła wyobrazić sobie, jakie wrażenie te słowa wywierały po tahitańsku, skoro po angielsku tak nią wstrząsnęły – po czym wrócił do zwykłego tonu.

– Kobiety też czasami walczyły.

– Dziękuję – powiedziała, choć nie wiedziała, czemu to mówi. – Co się stało z twoim dziadkiem?

– Zmarł razem z innymi. Kiedy rodzina mi wymarła, stałem się samotnym dzieckiem. Na Tahiti to nie jest tak ciężki los, jak zapewne byłby dla dziecka w Londynie lub Filadelfii. Dzieci są tu zostawiane same sobie, a każdy, kto potrafi wspiąć się na drzewo lub zarzucić linę, jest w stanie się wyżywić. Nikt nie zamarznie na śmierć w nocy. Byłem podobny do tych chłopców, których widujesz w zatoce Matavai, oni też nie mają rodzin, choć ja prawdopodobnie nie byłem taki radosny, na jakich oni wyglądają, ponieważ nie miałem bandy towarzyszy. Moim problemem nie był głód odczuwany przez ciało, ale głód odczuwany przez duszę, rozumiesz?

– Tak – odpowiedziała Alma.

– Znalazłem więc drogę do zatoki Matavai, gdzie była ludzka osada. Przez wiele tygodni obserwowałem misję. Zobaczyłem, że choć żyją nader skromnie, i tak mają lepsze warunki niż gdziekolwiek indziej na wyspie. Mieli ostre noże, za pomocą których można było jednym ruchem zabić świnię, oraz siekiery, którymi dawało się łatwo powalić drzewo. Ich chaty stanowiły w moich oczach luksus. Obserwowałem wielebnego Wellesa, który był tak biały, iż jawił mi się niczym duch, choć nie nieprzychylny duch. Owszem, mówił w języku duchów, ale trochę mówił też w moim języku. Obserwowałem, jak udziela chrztów, co było dla wszystkich świetną rozrywką. Siostra Etini prowadziła już wtedy szkołę, przy pomocy pani Welles, i widziałem, jak dzieci wchodzą do niej i wychodzą. Kładłem się pod oknami i słuchałem lekcji. Bo widzisz, nie byłem zupełnym nieukiem. Potrafiłem nazwać sto pięćdziesiąt gatunków ryb i umiałem narysować na piasku mapę nieba, ale w europejskich kategoriach byłem nieuczony. Niektóre z tamtych dzieci używały tabliczek podczas lekcji. Próbowałem także skonstruować sobie taką tabliczkę z łupku skamieniałej lawy, który wypolerowałem do gładka piaskiem. Ufarbowałem swoją tabliczkę na jeszcze bardziej czarny kolor sokiem z górskiego plantanu, a potem za pomocą białego koralu postawiłem na niej kilka kresek. Wynalazek był prawie udany... chociaż niestety moich kresek nie dawało się zetrzeć!

Uśmiechnął się do tego wspomnienia.

– Rozumiem, że jako dziecko miałaś sporą bibliotekę? Ambrose mi też opowiadał, że od małego znasz wiele języków.

Alma przytaknęła. Więc Ambrose o niej opowiadał! Odczuła dreszcz przyjemności na tę wiadomość (*nie zapomniał jej!*), ale i trwogę zarazem: co jeszcze Jutrzejszy Poranek o niej wie? I tak najwyraźniej wie znacznie więcej niż ona o nim.

– Zawsze marzyłem, by pewnego dnia zobaczyć bibliotekę – powiedział. – Chciałbym także zobaczyć witraż. W każdym razie któregoś dnia wielebny Welles mnie wyśledził i podszedł do mnie. Był miły. Jestem pewien, Almo, że nie musisz się wysilać, by sobie wyobrazić, jak był miły, bo sama go poznałaś. Dał mi zadanie. Musiał dostarczyć wiadomość do misji w Papeete. Zapytał, czy nie mógłbym zanieść tej wiadomości do jego przyjaciela. Naturalnie zgodziłem się. Zapytałem więc: „Co to za wiadomość?". A on po prostu podał mi tabliczkę pokrytą kreskami i po tahitańsku odpowiedział: „To jest wiadomość". Byłem podejrzliwy, ale ruszyłem biegiem. Po wielu godzinach znalazłem tamtego misjonarza przy kościele w dokach. Nie mówił w ogóle po tahitańsku. Nie miałem pojęcia, jak zdołam przekazać mu wiadomość, kiedy nawet nie wiedziałem, o czym ona jest, i gdy nie mogliśmy się porozumieć! Ale podałem mu tabliczkę. Popatrzył na nią, po czym wszedł do kościoła. Kiedy wrócił, podał mi niewielki plik papieru do pisania. Pierwszy raz w życiu zobaczyłem wówczas papier, Almo, i pomyślałem, że to jest najświetniejsze i najbardziej białe płótno tapa, jakie kiedykolwiek widziałem… choć nie rozumiałem, jakie ubranie można by było zrobić z tak małych kawałków. Ale przypuszczałem, że da się to razem zeszyć w jakiś rodzaj ubrania.

Pospieszyłem z powrotem do zatoki Matavai, biegnąc przez całe siedem mil, i podałem papier wielebnemu Wellesowi, który był zachwycony, ponieważ… jak mi wyjaśnił… to była właśnie jego wiadomość: pragnie pożyczyć trochę papieru do pisania. Byłem, Almo, tahitańskim dzieckiem, co znaczy, że znałem magię i cuda… ale magii tej sztuczki nie rozumiałem. Wynikało z niej, że wielebny Welles musiał jakoś przekonać tabliczkę, aby *coś powiedziała* drugiemu misjonarzowi. Musiał rozkazać tabliczce mówić w jego imieniu i to dlatego spełnione zostało jego życzenie! Och, bardzo pragnąłem poznać tę magię! Wyszeptałem rozkaz mojej marnej imitacji tabliczki i nabazgrałem koralem na niej jakieś kreski. Mój rozkaz brzmiał: „Przywróć mi brata ze świata zmarłych". Stanowi dzisiaj dla mnie zagadkę, dlaczego nie poprosiłem o matkę, ale w owym czasie musiało mi widocznie bardziej brakować brata. Być może dlatego, że był opiekuńczy. Zawsze podziwiałem brata, który był znacznie bardziej odważny ode mnie. Nie zaskoczę cię, Almo, jeśli dodam, że moje próby zaklęć nie działały. Jednak kiedy wielebny Welles zauważył, co robię, usiadł obok, aby porozmawiać, i tak rozpoczęła się moja nowa edukacja.

– Czego cię uczył? – zapytała Alma.

– Po pierwsze, miłosierdzia Chrystusa, po drugie, angielskiego, i wreszcie czytania. – Po długiej przerwie odezwał się znowu. – Byłem dobrym uczniem. Rozumiem, że ty też byłaś dobrą uczennicą?

– Tak, zawsze – odpowiedziała Alma.

– Rozumowanie nigdy nie sprawiało mi trudności, jak pewnie i tobie?

– Tak – rzekła Alma.

O czym jeszcze opowiedział mu Ambrose?

– Wielebny Welles został moim ojcem i od tego czasu zawsze byłem jego ulubieńcem. Śmiem twierdzić, że kocha mnie bardziej niż własną córkę oraz własną żonę. Z pewnością kocha mnie bardziej niż innych zaadoptowanych synów. Ze słów Ambrose'a wnioskuję, że ty także byłaś ulubienicą ojca... że Henry kochał ciebie być może nawet bardziej niż własną żonę.

Alma drgnęła. Szokujące twierdzenie. Była niezdolna do odpowiedzi. Jak wielką lojalność musiała odczuwać wobec matki i Prudence przez te wszystkie lata oraz tyle mil – a nawet poprzez dział śmierci – że nie potrafiła się zmusić do uczciwej odpowiedzi na to pytanie?

– Ale człowiek wie, kiedy jest ulubieńcem ojca, prawda, Almo? – pytał Jutrzejszy Poranek, nieco delikatniej sondując. – Przekazuje nam to wyjątkową moc, nieprawdaż? Jeśli osoba o największym znaczeniu na całym świecie wybrała nas, nam dając pierwszeństwo przed wszystkimi innymi, wówczas przyzwyczajamy się mieć zawsze to, czego pragniemy. Czy to nie był także twój przypadek? Jakże moglibyśmy nie czuć własnej mocy... ludzie tacy jak ty i ja?

Alma spojrzała w głąb siebie, aby ustalić, czy to prawda.

I, oczywiście, to była prawda.

Ojciec wszystko – cały majątek – jej przekazał, wykluczając wszystkich innych. Nigdy nie pozwolił, by zostawiła White Acre, nie tylko dlatego, że jej potrzebował, ale także, nagle to zrozumiała, ponieważ ją kochał. Alma przypomniała sobie, jak brał ją na kolana, kiedy była mała, i opowiadał fantastyczne historie. Pamiętała, jak mówił: „Moim zdaniem ta pospolita jest warta co najmniej dziesięć tych ślicznych". Pamiętała noc balu w White Acre, w 1808 roku, kiedy włoski astronom ustawił z gości *tableau vivant* nieboskłonu i poprowadził ich do wspaniałego tańca. Jej ojciec – Słońce, centrum wszystkiego – zawołał poprzez wszechświat: „Wyznacz dziewczynce *miejsce*!", i zachęcił Almę, by pobiegła. Po raz pierwszy w życiu przyszło jej na myśl, że to musiał być on, Henry, ten ktoś, kto wsadził jej do rąk pochodnię owej nocy, powierzając jej ogień, wypuszczając ją jak prometejską kometę na trawnik i na szeroko otwarty świat. Nikt inny nie miałby prawa powierzyć dziecku ognia. Nikt inny nie podarowałby Almie prawa do posiadania *miejsca*.

Jutrzejszy Poranek mówił dalej.

– Wiesz, mój ojciec zawsze uważał mnie za kogoś w rodzaju proroka.

– A ty uważasz się za niego? – zapytała.

– Nie – odpowiedział. – Wiem, kim jestem. Po pierwsze, jestem *rauti*. Jestem kaznodzieją, jak mój dziadek był przede mną. Idę do ludzi i ośmielam ich śpiewem. Moi ludzie wiele wycierpieli, a ja nakłaniam ich, by byli znów silni... lecz w imię Jehowy, ponieważ nowy Bóg jest potężniejszy od naszych starych bogów. Gdyby tak nie było, Almo, wszyscy z mojego ludu nadal by żyli. Oto jak sobie radzę: z siłą. Jestem przekonany, że na tych wyspach nowina o Stwórcy oraz Jezusie Chrystusie oznajmiana musi być nie łagodnością i perswazją, lecz za pomocą siły. To dlatego odniosłem sukces tam, gdzie innym się nie powiodło.

Wyjawiał to Almie całkiem normalnie. Wyznanie strząsnął z siebie jak kroplę wody.

– Ale jest jeszcze coś – powiedział. – Dawne rozumowanie zakładało istnienie pośredników... jak gdyby posłańców pomiędzy bogami i ludźmi.

– Jakby księży? – zapytała Alma.

– Masz na myśli, jak wielebny Welles? – Jutrzejszy Poranek się uśmiechnął i znowu spojrzał ku wylotowi groty. – Nie. Mój ojciec jest dobrym człowiekiem, ale nie o takiego typu istotę mi chodzi. On nie jest boskim posłańcem. Myślę o kimś innym niż ksiądz. Należałoby go określić... jak brzmi to słowo? *Emisariuszem*. W naszym dawnym rozumowaniu wierzyliśmy, że każdy bóg ma własnego emisariusza. W nagłej potrzebie tahitański lud modlił się do owych emisariuszy o wybawienie. „Przybądź do naszego świata", wołali. „Przybądź do światła i pomóż nam, bo panuje wojna i głód, i strach, a my cierpimy". Emisariusze nie należeli ani do tego, ani do tamtego świata, lecz poruszali się pomiędzy nimi.

– I ty siebie za takiego uważasz? – znowu zapytała Alma.

– Nie – odpowiedział. – Za takiego uważam Ambrose'a Pike'a.

Natychmiast po tych słowach odwrócił się ku niej, a jego twarz – na okamgnienie – skurczyła się z bólu. Jej serce się ścisnęło i musiała mocno zebrać siły, by zapanować nad sobą.

– Czy też widziałaś go w taki sposób? – zapytał, poszukując w jej twarzy odpowiedzi.

– Tak – odparła.

Wreszcie do tego doszli. Wreszcie doszli do Ambrose'a.

Jutrzejszy Poranek skinął głową z ulgą.

– Wiesz, on potrafił słyszeć moje myśli – powiedział.

– Tak – odrzekła Alma. – Potrafił to.

– Chciał, żebym słuchał jego myśli – mówił Jutrzejszy Poranek. – Ale ja nie mam takiej umiejętności.

– Rozumiem – powiedziała Alma. – Ja też nie.

– Potrafił zobaczyć zło… jak zbiera się w grona. W taki sposób wyjaśniał mi zło, grona złowrogiego koloru. Potrafił widzieć potępienie. Potrafił zobaczyć również dobro. Kłęby dobra, otaczające niektórych ludzi.

– Wiem.

– Słyszał głosy zmarłych. Almo, on słyszał głos mojego brata.

– Tak.

– Powiedział mi, że jednej nocy usłyszał blask gwiazd… ale tylko podczas tej jednej nocy. Był smutny, że nie udaje mu się więcej go usłyszeć. Sądził, że gdybyśmy razem, on i ja, spróbowali słuchać, gdybyśmy zestroili nasze umysły, moglibyśmy otrzymać przesłanie.

– Tak.

– Był samotny na ziemi, Almo, bo nie istniał nikt podobny do niego. Nie mógł znaleźć swego domu.

Jej serce znowu się ścisnęło – chwyciły je kleszcze wstydu, poczucia winy i żalu. Zwinęła dłonie w pięści i przycisnęła do oczu. Chciała nie płakać. Gdy opuściła ręce i podniosła wzrok, Jutrzejszy Poranek ją obserwował, jak gdyby czekając na znak, czy ma przestać mówić. Ale jedyne, czego pragnęła, to aby kontynuował.

– Czego pragnął, z tobą? – zapytała Alma.

– Potrzebował towarzysza – powiedział Jutrzejszy Poranek. – Chciał mieć bliźniaka. Chciał, żebyśmy byli tacy sami. Pomylił się co do mnie, rozumiesz. Myślał, że jestem lepszy, niż jestem.

– Co do mnie też się pomylił – oznajmiła Alma.

– Więc wiesz, jak to jest.

– Czego ty pragnąłeś, z nim?

– Chciałem się z nim kochać, Almo – odpowiedział Jutrzejszy Poranek ponuro, lecz głos mu nie drgnął.

– Tak jak ja – rzekła.

– Jesteśmy więc tacy sami – odparł Jutrzejszy Poranek, ale nie było widać, aby ta myśl przyniosła mu ulgę.

Jej także nie było lżej.

– Czy *kochałeś* się z nim? – zapytała.

Jutrzejszy Poranek westchnął.

– Pozwoliłem mu uwierzyć, że ja też jestem niewinny. Myślę, że widział we mnie Pierwszego Człowieka, nowy rodzaj Adama, a ja pozwoliłem mu tak mnie widzieć. Pozwalałem mu rysować mnie… nie, *zachęcałem* go, by mnie rysował… ponieważ jestem próżny. Mówiłem mu, by rysował mnie tak, jak rysuje orchideę, w nieskalanej nagości. Jakaż jest bowiem różnica w oczach Boga pomiędzy nagim mężczyzną a kwiatem? Tak mu mówiłem. I w taki sposób zbliżyłem go do siebie.

– Ale czy się z nim kochałeś? – powtórzyła, przygotowując się na bardziej jednoznaczną odpowiedź.

– Almo – rzekł – wyjawiłaś mi, jaką jesteś osobą. Wyjaśniłaś, że rządzi tobą pragnienie zrozumienia. Pozwól, że teraz ja ci przedstawię, kim jestem: jestem zdobywcą. Nie mówię, by się chwalić. Po prostu taka jest moja natura. Być może nigdy przedtem nie spotkałaś zdobywcy, więc trudno będzie ci to pojąć.

– Mój ojciec był zdobywcą – odparła. – Rozumiem więcej, niż mógłbyś przypuszczać.

Jutrzejszy Poranek skinął głową, przyznając jej rację.

– Henry Whittaker. Ze wszech miar, rzeczywiście. Zapewne masz rację. Być może w takim razie potrafisz mnie zrozumieć. W naturze zdobywcy leży, jak oczywiście wiesz, zdobywać wszystko, cokolwiek zapragnie zdobyć.

Po tych słowach przez długą chwilę nic nie mówili. Alma miała jeszcze jedno pytanie, ale ledwo śmiała je zadać. Jeśli jednak nie zada go teraz, nigdy się nie dowie, a wtedy pytanie do końca życia będzie w niej wypalać dziury. Ponownie więc zebrała się na odwagę.

– W jaki sposób zmarł Ambrose?

Gdy minęła chwila, w czasie której nie padła odpowiedź, dodała:

– Wielebny Welles poinformował mnie, że umarł na infekcję.

– Umarł na infekcję, tak sądzę… ostatecznie. Tak powiedziałby doktor.

– Ale jak zmarł naprawdę?

– Nie jest przyjemnie o tym opowiadać – odrzekł Jutrzejszy Poranek. – Zmarł z żałoby.

– Co masz na myśli… z żałoby? Czyli konkretnie wskutek czego? – nie dawała za wygraną Alma. – Musisz mi powiedzieć. Nie przyjechałam tutaj dla przyjemnej wymiany zdań i zapewniam cię, że jestem w stanie znieść wszystko, cokolwiek bym usłyszała. Powiedz mi… co się stało?

Jutrzejszy Poranek westchnął.

– Ambrose na kilka dni przed śmiercią zadał sobie rany, dosyć poważne. Pamiętasz, jak ci opowiadałem o tutejszych kobietach, że kiedy utracą kogoś kochanego, biorą do rąk ząb rekina? One jednak są Tahitankami, i to jest, Almo, tahitański obyczaj. Tutejsze kobiety wiedzą, jak uczynić sobie tę straszną rzecz w bezpieczny sposób. Dobrze wiedzą, jak głęboko ciąć, by wykrwawił się ból, lecz by im samym nie stała się zgubna krzywda. A potem natychmiast opatrują rany. Ambrose nie był doświadczony w samookaleczeniu. Cierpiał. Świat go zawiódł. Ja go zawiodłem. Ale, jak sądzę, najgorsze jest to, że zawiódł sam siebie. I nie powstrzymał swej ręki. Kiedy znaleźliśmy go w jego *fare*, było już za późno na ratunek.

Alma zamknęła oczy i ujrzała swą miłość, swego Ambrose'a – jego dobrą i piękną głowę – zanurzoną we krwi samoumartwienia. Ona także zawiodła Ambrose'a. On pragnął jedynie czystości, a ona – tylko przyjemności. Zesłała go do tego samotnego miejsca i tu zmarł, tak straszliwie.

Poczuła, że Jutrzejszy Poranek dotyka jej ramienia, i otworzyła oczy.

– Nie cierp – powiedział spokojnie. – Nie mogłaś powstrzymać biegu wydarzeń. Nie powiodłaś go na śmierć. Jeśli ktokolwiek doprowadził go do śmierci, to byłem to ja.

Wciąż nie mogła mówić. Ale wtedy nadeszło jeszcze jedno okropne pytanie. Nie miała wyboru, musiała je zadać.

– Czy obciął sobie też opuszki? Tak jak siostra Manu?

– Nie wszystkie – odpowiedział Jutrzejszy Poranek z godnym pochwały taktem.

Alma znowu zamknęła oczy. Te ręce artysty! Pamiętała – choć nie chciała pamiętać – chwilę, kiedy włożyła sobie jego palce do ust, pragnąc wziąć całego w siebie. Ambrose cofnął je z lękiem i się wzdrygnął. Był taki kruchy. Jakim sposobem zdołał zadać sobie okrutny gwałt? Poczuła mdłości.

– To moje brzemię, Almo – rzekł Jutrzejszy Poranek. – I starczy mi na to brzemię sił. Pozwól mi je dźwigać.

Kiedy odzyskała głos, powiedziała:

– Ambrose odebrał sobie życie. A jednak wielebny Welles wyprawił mu porządny chrześcijański pochówek.

To nie było pytanie, lecz wyraz zdumienia.

– Ambrose był przykładnym chrześcijaninem – odparł Jutrzejszy Poranek. – Mój ojciec zaś, niech Bóg ma go w swej opiece, jest człowiekiem niezwykłego miłosierdzia oraz wspaniałomyślności.

Powoli Alma składała coraz więcej części całej historii.

– Czy twój ojciec wie, kim jestem? – zapytała.

– Należy przypuszczać, że wie – odpowiedział Jutrzejszy Poranek. – Mój dobry ojciec wie o wszystkim, co się dzieje na wyspie.

– A jednak jest dla mnie taki dobry. Nigdy nie próbował nic ze mnie wyciągnąć, nigdy nie wypytywał…

– Nie powinno to być dla ciebie zaskoczeniem, Almo. Ojciec jest wcieleniem dobroci.

Przez długą chwilę panowała cisza.

– Czy to znaczy, że wie o tobie, Jutrzejszy Poranku? Czy wie, co się wydarzyło między tobą a moim zmarłym mężem?

– Należy w równie uzasadnionym stopniu przypuszczać, że wie.

– A jednak nadal uwielbia…

Nie potrafiła dokończyć zdania. Jutrzejszy Poranek zaś nie podjął trudu udzielenia odpowiedzi i Alma siedziała dobrą chwilę w pełnym zadziwienia milczeniu. Najwyraźniej żadna logika ani nawet słowa nie przystawały do wielkiej pojemności współczucia oraz wybaczenia wielebnego Wellesa.

Ostatecznie zrodziło się jednak w jej głowie jeszcze jedno koszmarne pytanie. Za jego sprawą poczuła się starą zrzędą, nieco obłąkaną, ale musiała – jeszcze raz – się dowiedzieć.

– Czy zmusiłeś Ambrose'a? – zapytała. – Czy doznał przez ciebie obrażeń?

Jutrzejszy Poranek nie okazał urazy za suponowane oskarżenie, ale na oczach się postarzał.

– Och, Almo – rzekł smutnym głosem. – Widać, że jednak nie całkiem rozumiesz naturę zdobywcy. Nie ma potrzeby, abym stosował siłę... jeśli coś zadecyduję, inni nie mają wyboru. Nie możesz tego zrozumieć? Czy zmusiłem wielebnego Wellesa, aby zaadoptował mnie jako syna i kochał nawet bardziej, niż kocha swoją rodzinę z krwi i kości? Czy wymusiłem na wyspie Raiatea, aby przyjęła Jehowę? Jesteś inteligentną kobietą, Almo. Spróbuj to pojąć.

Alma powtórnie przycisnęła pięści do oczu. Powstrzymała się od szlochu, ale teraz zrozumiała potworną prawdę: Ambrose zezwolił Jutrzejszemu Porankowi się dotknąć, podczas gdy od niej odsunął się ze wstrętem. Na tę wiadomość poczuła się prawdopodobnie gorzej niż po usłyszeniu czegokolwiek innego, o czym się dzisiaj dowiedziała. Wstyd jej było, że jest w stanie się przejąć tak małostkową i egoistyczną sprawą po usłyszeniu wszystkich owych okropności, ale nic nie mogła na to poradzić.

– Co ci? – zapytał Jutrzejszy Poranek, widząc jej zmienioną twarz.

– Także pragnęłam pójść z nim do łóżka – w końcu wyznała – ale on mnie nie chciał.

Jutrzejszy Poranek popatrzył na nią z nieskończoną czułością.

– A więc tym jednym się różnimy, ty i ja – powiedział. – Ty ustąpiłaś.


Przypływ nareszcie się cofnął.

– Chodźmy szybko – zadecydował Jutrzejszy Poranek – nareszcie jest sposobność. Jeśli w ogóle mamy to zrobić, musimy ruszyć teraz.

Zostawili kanoe na wysoko położonej półce skalnej i wyszli z groty. Wzdłuż podstawy klifu wiodła wąska ścieżka, którą można było bezpiecznie przejść, tak jak obiecał. Po kilkuset jardach zaczęli wspinaczkę. Z kanoe klif wyglądał stromo, pionowo i nie do zdobycia, ale teraz, kiedy podążała za Jutrzejszym Porankiem, opierając stopy i dłonie w tych samych miejscach co on, dostrzegła, że do góry pnie się ścieżka. Nieomal schody z precyzyjnie jakby wyciętymi podparciami dla stóp i rąk w miejscach, gdzie będą potrzebne. Nie spoglądała do tyłu, na fale w dole, lecz zaufała – jak nauczyła się ufać drużynie Hiro – umiejętnościom przewodnika oraz stabilności własnych stóp.

Mniej więcej po piętnastu metrach dotarli na grań. Za nią weszli w gęsty pas dżungli, wdrapując się dalej na strome zbocze pośród wilgotnych korzeni oraz lian. Dzięki tygodniom spędzonym z drużyną Hiro Alma była sprawniejsza, w dobrej formie do wspinaczki, do tego biło w niej serce górskiego kuca, ale mimo to szlak okazywał się szalenie trudny i zdradziecki. Na mokrych liściach ślizgała się niebezpiecznie i nawet bosą stopą trudno było wymacać punkt podparcia. Ogarniało ją wyczerpanie. Nie widziała śladu ścieżki. Nie miała pojęcia, skąd Jutrzejszy Poranek wie, którędy iść.

– Uważaj – rzucił przez ramię. – *C'est glissant.*

Zdała sobie sprawę, że on też musi być zmęczony, skoro nawet nie zauważył, że odzywa się do niej po francusku. Zaskoczyło ją, że zna francuski. Co on jeszcze ma w tej swojej głowie? – zadziwiła się. Nieźle, jak na sierotę. Pochyłość trochę złagodniała i szli teraz wzdłuż strumienia. Wkrótce posłyszała odległe, niewyraźne dudnienie. Przez chwilę odgłos był zaledwie szmerem, ale kiedy okrążyli przełom, ujrzała go – wodospad wysoki na prawie dwadzieścia jardów, wstęga białej kipieli, która z hukiem wpadała do pieniącego się stawu. Siła spadającej wody tworzyła podmuchy wiatru, a wodny pył nadawał im postać niczym widzialnym duchom. Alma myślała, że się zatrzymają, ale wodospad nie stanowił celu Jutrzejszego Poranka, który pochylił się ku niej, by go lepiej słyszała, wskazał na niebo i zawołał: „Pójdziemy teraz znowu do góry".

Chwyt za chwytem, wspinali się pionowo obok wodospadu. Wkrótce suknia Almy była całkowicie przemoczona. Dla utrzymania równowagi sięgała po rosłe kępy górskiego plantanu oraz pędów bambusowych, modląc się, by ich nie wyrwać z korzeniami. Niedaleko szczytu wodospadu pojawiło się wygodne, łagodne wzniesienie z gładkiego kamienia i wysokich traw, a obok rumowisko głazów. Alma wyczuła, że to musi być plateau, o którym mówił – ich cel – chociaż zrazu nie rozpoznała, co miałoby być tak szczególnego w owym miejscu. Jutrzejszy Poranek postąpił za największy głaz, ruszyła więc za nim. A tam, niespodziewanie, ukazało się wejście do niewielkiej skalnej pieczary – zgrabnie wydrążonej w klifie niczym pokój w domu, z ponaddwujardowymi ścianami z każdej strony. W pieczarze było chłodno i cicho i pachniało minerałami oraz glebą. I była ona pokryta – niczym dywanem – najbogatszą powłoką mchów, jaką Alma kiedykolwiek w życiu widziała.

Pieczara nie była zwyczajnie omszała; ona wręcz pulsowała mchem. Nie była zwyczajnie zielona, była frenetycznie zielona. Zieleń była tak żywa, że wręcz zdawała się mówić, jak gdyby – roztrącając widzialny świat – chciała się przedostać do świata dźwięku. Mech był grubą, żywą skórą, przekształcającą każdą skalną powierzchnię w mityczną uśpioną bestię. Najgłębsze kąty pieczary w nieprawdopodobny sposób lśniły najbardziej; Alma uzmysłowiła sobie, że są wprost usiane biżuteryjnym filigranem *Schistostega pennata*.

Złoto goblinów, smocze złoto, złoto elfie – *Schistostega pennata* jest najrzadszym z mchów jaskiniowych, fałszywy klejnot, połyskujący niczym kocie oczy spośród wiecznego półmroku geologicznego cienia, owa nieziemsko połyskująca roślina, która każdego dnia potrzebuje ledwie pojedynczego dotknięcia srebrem dziennego światła, by mienić się wiecznie niczym aureola, ta sprytna oszustka, której połyskliwe fasety przez wieki nabierały wielu podróżników, przekonanych, że się natknęli na ukryty skarb. Ale dla Almy to *był* skarb, bardziej oszałamiający od rzeczywistych bogactw, ponieważ udekorował całą pieczarę niesamowitym, skrzącym się szmaragdowym blaskiem, który dotychczas widziała jedynie w miniaturze, w połyskiwaniu mchu oglądanego przez mikroskop… a teraz cała stała wewnątrz niego.

Jej pierwszą reakcją po wkroczeniu do tak cudownego miejsca było zamknięcie oczu na ogrom piękna, które było nie do zniesienia. Czuła się tak, jak gdyby nie wolno było tego oglądać bez specjalnego zezwolenia, bez jakiejś religijnej dyspensy. Czuła, że nie zasługuje. Zamknęła więc oczy i rozluźniła się nieco, pozwalając sobie roić, że cud się jej tylko przyśnił. Kiedy odważyła się je znowu otworzyć, wciąż jednak tam był. Pieczara była tak piękna, że poczuła w żyłach ból tęsknoty. Dotychczas nigdy nie pożądała niczego tak bardzo, jak teraz pożądała tego migotliwego widowiska mchów. Pragnęła, by ją połknęły. Od razu – chociaż wciąż tam stała – zaczęła tęsknić za tym miejscem. Wiedziała, że do końca swych dni będzie odczuwała jego brak.

– Ambrose zawsze uważał, że tobie by się tutaj podobało – powiedział Jutrzejszy Poranek.

Dopiero wtedy zaczęła szlochać. Szlochała tak rozdzierająco, że aż nie wydawała żadnego dźwięku – nie była w stanie wydać dźwięku – i twarz zniekształciła jej tragiczna maska. Coś w jej środku się strzaskało, rozłupując serce i płuca. Rzuciła się ku Jutrzejszemu Porankowi w sposób, w jaki postrzelony żołnierz pada w ramiona towarzysza. Podtrzymał ją. Trzęsła się niczym rozklekotany kościotrup. Szloch nie ustawał. Uczepiła się go z taką mocą, że połamałaby mu żebra, gdyby był mniejszym mężczyzną. Pragnęła wcisnąć się w niego i wyjść po drugiej stronie – albo, jeszcze lepiej, żeby ją zmazał, wchłonął w swe trzewia, skreślił, anulował.

W paroksyzmie bólu w pierwszej chwili tego nie poczuła, ale w końcu dostrzegła, że i on łka – nie mocno wstrząsającym szlochem, lecz powoli płynącymi łzami. Podtrzymywała go w takim samym stopniu, w jakim on ją podtrzymywał. I tak stali razem wewnątrz tabernakulum mchu i łkali jego imię.

*O, Ambrose*, zawodzili. *Ambrose*.

Nigdy nie wrócisz.

Wreszcie opadli na glebę, jak podcięte drzewa. Ich ubrania ociekały wodą i zęby szczękały im z chłodu i zmęczenia. Bez słowa i bez onieśmielenia zdjęli mokre ubrania. Musieli to zrobić, inaczej umarliby z zimna. Teraz byli nie tylko wyczerpani i przemoczeni, ale do tego leżeli nadzy. Leżeli na mchu i patrzyli na siebie. Nie szacowali się. Nie kusili. Jutrzejszy Poranek kształty miał piękne – ale to było oczywiste, ewidentne, bezdyskusyjne oraz w tamtej chwili nieistotne. Alma kształtów nie miała pięknych – ale to również było oczywiste, ewidentne, bezdyskusyjne oraz w tamtej chwili nieistotne.

Sięgnęła po jego dłoń. Włożyła sobie jego palce do ust, jak dziecko. Pozwolił. Nie odsunął się. Potem sięgnęła po jego członek, który – jak członek każdego tahitańskiego chłopca – został w dzieciństwie obrzezany zębem rekina. Potrzebowała takiego dotyku, intymnego; był jedynym człowiekiem, który kiedykolwiek dotknął Ambrose'a. Nie musiała prosić Jutrzejszego Poranka o pozwolenie na ów dotyk, mężczyzna pozwolenia bowiem już udzielił, bezgłośnie. Rozumieli się. Przesunęła się wzdłuż jego wielkiego, ciepłego ciała i objęła jego członek ustami.

Ów akt był jedyną rzeczą w życiu, którą zawsze naprawdę pragnęła zrobić. Z tylu innych zrezygnowała i nigdy nie narzekała – ale czy nie mogłaby, chociaż raz, mieć tego jednego? Nie potrzebuje do tego małżeństwa. Nie potrzebuje być piękna ani pożądana przez mężczyzn. Nie musi być otoczona przez przyjaciół i oddana swawolom. Nie potrzebuje posiadłości, biblioteki, majątku. Tak wiele rzeczy nie jest jej potrzebnych. Nie potrzebuje nawet, by przekopano wreszcie, w nudnym wieku pięćdziesięciu trzech lat, teren jej leciwego dziewictwa – choć wiedziała, że Jutrzejszy Poranek wyświadczyłby jej tę przysługę, gdyby go poprosiła.

Ale – choćby przez jedną w życiu chwilę – potrzebowała *tego*. Jutrzejszy Poranek się ani nie wahał, ani jej nie przynaglał. Pozwolił, by go badała i eksperymentowała, ile może z niego zmieścić w ustach. Pozwolił jej siebie ssać, jak gdyby chciała wciągnąć poprzez niego oddech – jak gdyby była pod wodą, a on stanowił jej jedyne źródło powietrza. Z kolanami we mchu i twarzą w jego tajemnym gniazdku czuła, jak Jutrzejszy Poranek w jej ustach narasta, jak się staje cieplejszy i jeszcze bardziej przyzwalający.

Było tak, jak zawsze sobie wyobrażała, że będzie. Nie, to było więcej, niż zawsze sobie wyobrażała, że będzie. A potem wylał się w jej usta, a ona przyjęła to niczym podarunek z dedykacją, niczym jałmużnę.

Czuła wdzięczność.

I już więcej nie łkali.


Spędzili razem noc, w owej wysokiej pieczarze mchów. Zdecydowanie byłoby zbyt niebezpieczne wracać do zatoki Matavai w ciemnościach. Jutrzejszy Poranek mógł wiosłować w nocy (a nawet utrzymywał, że tak by wolał, ze względu na chłodniejsze powietrze), ale uznał za groźne schodzenie bez światła wzdłuż wodospadu oraz klifu. Znał dobrze wyspę i musiał od początku zdawać sobie sprawę, że spędzą tutaj noc. Ale ona nie miała nic przeciw temu.

Nocowanie na wolnym powietrzu nie zapewnia wygody ani dobrego snu, ale starali się urządzić wszystko jak najlepiej. Zrobili na palenisko mały dół wyłożony kamieniami wielkości kul bilardowych. Zebrali uschłe kwiaty hibiskusa, które Jutrzejszy Poranek zdołał w ciągu kilku minut zająć ogniem. Alma nazbierała strąków z drzewa chlebowego, które zawinęła w liście bananowca i piekła, aż skruszałe się otworzyły. Posłanie uczynili z łodyg górskiego plantanowca, które wymłócili kamieniami, aż się stały miękkie niczym włókna. Spali razem pod takim prymitywnym przykryciem, przyciśnięci do siebie w pragnieniu ciepła. Pościel była wilgotna, ale do zniesienia. Umościli się w tym legowisku jak lisie rodzeństwo. Rano Alma po zbudzeniu spostrzegła, że sok z plantanowych łodyg pozostawił ciemne, granatowe plamy na jej skórze – choć też zauważyła, że nie zabarwił skóry Jutrzejszego Poranka. Jego skóra wchłonęła plamy a jej, jaśniejsza, wyraźnie je eksponowała.

Każde uznało, że mądrze będzie nie rozmawiać o wydarzeniach poprzedniego wieczoru. Milczeli na ten temat nie ze wstydu, ale raczej z szacunku. Poza tym byli wyczerpani. Ubrali się, zjedli resztkę owoców chlebowca, zeszli wzdłuż wodospadu, ostrożnie pokonali drogę w dół klifu, wrócili do groty, odnaleźli wysoko umieszczone suche kanoe i ruszyli w powrotną drogę do zatoki Matavai.

Sześć godzin później, gdy w polu widzenia pojawiła się znajoma czarna plaża osady misyjnej, Alma odwróciła się do Jutrzejszego Poranka i położyła mu dłoń na kolanie. Przestał wiosłować.

– Wybacz – powiedziała – ale czy mogę prosić cię o odpowiedź na jedno, ostatnie pytanie?

Była bowiem jeszcze jedna, ostatnia rzecz, którą musiała wiedzieć, i – ponieważ nie miała pewności, czy kiedykolwiek się znowu spotkają – musiała zapytać o nią teraz. Skinął głową z szacunkiem, zachęcając, by kontynuowała.

– Niedługo minie rok, odkąd walizka Ambrose'a… wypełniona jego rysunkami, przedstawiającymi ciebie… stoi w mojej *fare* na plaży. Każdy mógłby ją wziąć. Każdy mógłby wszędzie rozdać obrazki. Jednak nikt na wyspie nie odważył się jej dotknąć. Dlaczego?

– Och, na to odpowiedź jest prosta – powiedział lekko Jutrzejszy Poranek. – Jest tak, ponieważ oni wszyscy strasznie się mnie boją.

I z powrotem ujął wiosła, kierując się ku plaży. Nadchodził czas wieczornej mszy. Przywitano ich w domu ciepło i z radością. On wygłosił piękne kazanie.

Ani jedna osoba nie śmiała zadać pytania, gdzie byli.

# ROZDZIAŁ DWUDZIESTY SZÓSTY

Jutrzejszy Poranek opuścił Tahiti trzy dni później, by wrócić na własną misję na wyspie Raiatea – oraz do żony i dzieci. Przez te dni Alma większość czasu trzymała się na uboczu. Przebywała głównie w *fare*, jedynie w towarzystwie psa Rogera, rozmyślając o tym, czego się dowiedziała. Czuła się zarówno uwolniona, jak i przytłoczona: uwolniona od dawnych pytań, przytłoczona odpowiedziami.

Rano nie chodziła do rzeki kąpać się z siostrą Manu oraz innymi kobietami, nie chciała bowiem, żeby zobaczyły niebieską farbę, która wciąż delikatnie plamiła jej skórę. Przychodziła do kościoła na msze, ale zajmowała miejsce przy skraju tłumu i starała się nie zwracać na siebie uwagi. Nie spędzili już więcej żadnej chwili sam na sam z Jutrzejszym Porankiem. Prawdę powiedziawszy, wedle jej obserwacji, on sam dla siebie też nie miał czasu. To cud, że w ogóle dane jej było znaleźć wspólnie z nim odosobnienie.

Na dzień przed wyjazdem Jutrzejszego Poranka odbyła się na jego cześć kolejna uroczystość – powtórzenie niezwykłego świętowania sprzed dwóch tygodni. Znowu tańce i uczta. Muzycy oraz zapasy i walki kogutów. Paleniska i zarżnięte świnie. Alma widziała teraz wyraźniej, jak bardzo czczono Jutrzejszego Poranka, bardziej nawet, niźli kochano. Widziała także, jak wielka jest jego odpowiedzialność i jak umiejętnie radzi sobie z tym ciężarem. Ludzie wieszali mu na szyi niezliczone girlandy kwiatów; kwiaty wisiały na nim ciężko, niczym łańcuchy. Zniesiono dla niego podarki: parę zielonych gołębi w klatce, trzodę protestujących warchlaków, zdobny osiemnastowieczny holenderski pistolet, który już nie strzelał, Biblię oprawną w koźlą skórę, biżuterię dla żony, bele perkalu, worki cukru oraz herbaty, znakomity żelazny dzwon do jego kościoła. Ludzie składali dary u jego stóp, a on z wdziękiem je przyjmował.

O świcie nad brzeg przyszły kobiety z miotłami i zaczęły zamiatać plażę do czysta, szykując ją do gry w *haru raa puu*. Alma znała grę z opowieści wielebnego Wellesa. Jej nazwę tłumaczy się mniej więcej na „łapanie piłki" – i, wedle tradycji, odbywa się między dwiema kobiecymi drużynami, które na kawałku plaży długości mniej więcej trzydziestu metrów rozgrywają mecz. Po każdej stronie tego ad hoc wyznaczonego pola stawia się najpierw na piachu kreskę, by oznaczyć cel. Rolę piłki pełni ciasno skręcony kłąb liści plantanowca, o średnicy zbliżonej do dyni, choć jest znacznie lżejszy. Cel gry to, wedle tego, czego się dowiedziała Alma, przechwycić piłkę od przeciwnej drużyny i pobiec ku przeciwnemu końcowi pola, do owej linii, nie dając się zatrzymać przeciwnikom. Jeśli piłka wpadnie do morza, gra się toczy w wodzie. Uczestniczce wolno zrobić absolutnie wszystko, by powstrzymać przeciwniczkę przed zdobyciem punktu.

*Haru raa puu* uznana została przez angielskich misjonarzy za grę niestosowną dla kobiet oraz nazbyt pobudzającą i w związku z tym w innych osadach zakazano jej praktykowania. Trzeba oddać misjonarzom, iż gra rzeczywiście nie bardzo przystawała kobietom. Zawodniczki zwykle wychodziły z niej ranne – z połamanymi kończynami, zgruchotanymi czaszkami i rozlaną krwią. Był to, jak wielebny Welles określił z zachwytem, „oszałamiający pokaz dzikości". Przemoc stanowiła jego istotę. Dawniej kobiety praktykowały *haru raa puu*, gdy mężczyźni szykowali się na wojnę. Tym sposobem również niewiasty były przygotowane na wypadek, gdyby trzeba walczyć. Dlaczego w takim razie wielebny Welles w dalszym ciągu pozwalał na *haru raa puu*, w czasie kiedy inni misjonarze zakazali gry, jako niechrześcijańskiego wyrazu czystej dzikości? Cóż, jak zawsze dla tego samego powodu: po prostu nie widział w niej nic złego.

Kiedy gra się rozpoczęła, Alma nie mogła jednak stłumić spostrzeżenia, że wielebny Welles robi poważny błąd w tej materii: podczas meczu *haru raa puu* zawodniczki mogły wyrządzić sobie wzajem wielką krzywdę. Z chwilą, gdy piłka weszła do gry, kobiety przemieniły się w stworzenia tyleż budzące respekt, co przerażające. Uprzejme i gościnne tahitańskie damy – których ciała Alma oglądała podczas porannych kąpieli, których jedzenie spożywała, których niemowlęta bujała na kolanie, w których głosach słyszała uniesienie podczas szczerej modlitwy i których włosy ślicznie ozdobione kwiatami podziwiała – w jednej chwili przemieniały się we wrogie bataliony diabelskich sekutnic. Alma nie potrafiła określić, czy istotą gry jest faktycznie zdobycie piłki, czy powyrywanie kończyn przeciwniczkom – czy może kombinacja obu. Zobaczyła, jak słodka siostra Etini (*siostra Etini*!) łapie inną kobietę za włosy i ciska nią o ziemię – a owa przeciwniczka nawet się nie zbliżyła do piłki!

Tłum na plaży ryczał z zachwytu i krzyczał dla zachęty. Wielebny Welles też podnosił okrzyki i Alma po raz pierwszy dostrzegła w nim opryszka z kornwalijskiego nabrzeża, którym był, zanim Chrystus i pani Welles sprowadzili go z owych manowców. Kiedy wielebny Welles kibicował kobietom atakującym piłkę oraz siebie nawzajem, wcale nie wyglądał jak nieszkodliwy mały elf; bardziej przypominał nieustraszonego małego teriera na szczury.

Wtem po Almie, nagle i nie wiadomo skąd, przekłusował koń.

To znaczy tak to odczuła. Tym, co powaliło ją na ziemię, nie był wszakże koń; była to siostra Manu, która przypędziła z pola i z pełną siłą zaatakowała Almę, a potem chwyciła ją za ramię i zawlokła na pole gry. Tłum zawył z uciechy. Wrzawa rosła. Alma dostrzegła wielebnego Wellesa, o twarzy pojaśniałej z emocji na widok takiego nieoczekiwanego biegu wypadków i krzyczącego z zachwytu. Zerknęła w kierunku Jutrzejszego Poranka, którego zachowanie było uprzejme i pełne rezerwy. Był nazbyt majestatyczną figurą, by się śmiać z takich pokazów, ale też nie okazywał dezaprobaty.

Alma nie chciała brać udziału w grze *haru raa puu*, ale nikt tego z nią nie skonsultował. Weszła do gry, zanim zdążyła się zorientować, że to nastąpiło. Czuła się tak, jakby ze wszystkich stron została zaatakowana, zapewne dlatego, że *została* zaatakowana ze wszystkich stron. Ktoś wcisnął jej piłkę do rąk i pchnął ją. Była to siostra Etini.

– BIEGNIJ! – krzyknęła.

Alma pobiegła. Nie zdążyła wiele ubiec, kiedy znowu powalono ją na ziemię. Ktoś zadał jej cios ramieniem prosto w gardło i poleciała na plecy. Upadając, ugryzła się w język i poczuła smak krwi. Chciała po prostu już tam zostać, na piasku, by uniknąć dalszych obrażeń, ale się przestraszyła, że bezlitosna horda mogłaby stratować ją na śmierć. Wstała. Publiczność znowu wiwatowała w dopingu. Nie miała czasu na myślenie. Kobiety wciągnęły ją w swoją bijatykę i była bez wyjścia, musiała poruszać się tam gdzie one. Nie miała najmniejszego pojęcia, gdzie się znajduje piłka. Nie pojmowała, skąd ktokolwiek mógłby to wiedzieć. W następnej chwili spostrzegła, że jest w wodzie. Znowu ją przewrócono. Podniosła się, chwytając haustami powietrze i czując sól pod powiekami oraz w gardle. Ktoś ją pchnął dalej, na głębszą wodę.

Teraz naprawdę poczuła lęk. Te kobiety, jak wszystkie Tahitanki, nauczyły się pływać wcześniej, niż umiały chodzić, Alma jednak nie była w wodzie ani pewna, ani sprawna. Nasączone spódnice stały się ciężkie, co jeszcze bardziej ją przerażało. Fale nie były ogromne, ale co chwila się nad nią piętrzyły. Piłka uderzyła ją w ucho; nie widziała, kto ją rzucił. Ktoś zawołał na nią *poreito* – co w dokładnym tłumaczeniu oznacza skorupiaka, mięczaka, ale w miejscowym dialekcie było to dość wulgarne określenie na kobiece genitalia. Co takiego Alma zrobiła, że zasłużyła na obelżywe *poreito*?

A potem znowu znalazła się pod wodą, powalona przez trzy kobiety, które próbowały po niej przebiec. Udało im się. Jedna z nich odbiła się stopą od jej mostka – używając ciała Almy niczym podstawy do wydźwignięcia się, tak jak można byłoby użyć kamienia w stawie. Inna kopnęła ją w twarz i Alma była prawie pewna, że ma złamany nos. Znowu spróbowała wydostać się na powierzchnię, walcząc o powietrze i wypluwając krew. Usłyszała, jak ktoś woła na nią *pua'a* – wieprz. Znowu popchnięto ją w dół. Tym razem była pewna, że celowo; od tyłu przygięły jej głowę do dołu, ku wodzie, dwie silne ręce. Jeszcze raz wydostała się na powierzchnię i zauważyła przelatującą piłkę. Jak przez mgłę słyszała wiwaty tłumu. Znowu została stratowana. Znów poszła na dno. Kiedy tym razem próbowała się wydostać nad wodę, nie była w stanie, ktoś bowiem na niej usiadł.

A potem nastąpiła rzecz niemożliwa: całkowite zatrzymanie czasu. Oczy mając otwarte, usta otwarte, nos cieknący krwią prosto do zatoki Matavai, unieruchomiona pod wodą i bezbronna Alma zdała sobie sprawę, że zaraz umrze. I to ją, o dziwo, rozluźniło. Nie jest tak źle, pomyślała. W rzeczywistości to będzie bardzo proste. Śmierć – której ludzie się boją i unikają – jest, gdy już staniesz z nią twarzą w twarz, najprostszą rzeczą pod słońcem. Aby umrzeć, trzeba po prostu przestać usiłować żyć. Trzeba się po prostu pogodzić z odejściem. Jeśli Alma zwyczajnie znieruchomieje, przygwożdżona cielskiem nieznanej przeciwniczki, zostanie bez wysiłku usunięta. Ze śmiercią skończy się wszelkie cierpienie. Zakończą się wątpliwości. Skończą się wstyd i poczucie winy. Skończą się jej wszystkie pytania. To będzie koniec – najlitościwiej ze wszystkiego – pamięci. Może cicho wymówić się od życia. Ambrose przecież się wymówił. Jakaż to musiała być dla niego ulga! Współczuła Ambrose'owi samobójstwa, ale jakież musiał czuć upragnione wyzwolenie! Powinna mu raczej zazdrościć! Mogłaby pójść teraz prosto za nim, prosto w śmierć. Jaki ma powód, by łapać powietrze? Jaki jest sens walczyć?

Jeszcze bardziej się rozluźniła.

Dostrzegła słabe światło.

Poczuła, że coś zachwycającego ją zaprasza. Poczuła, że jest wzywana. Przypomniała sobie słowa umierającej matki: *Het is fijn*. To jest przyjemne.

I wtedy – w ostatnich sekundach, jakie pozostały, nim zrobiłoby się za późno, aby odwrócić bieg wypadków – Alma nagle pojęła, że o czymś wie. Wiedziała to każdą komórką swego jestestwa, i była to niezbywalna wiedza: wiedziała, że ona, córka Henry'ego i Beatrix Whittakerów, nie została powołana na ten świat, by się topić pod pięcioma stopami wody. Wiedziała także to: jeśli będzie musiała kogoś zabić, aby ocalić życie, zrobi to bez wahania. Na koniec wiedziała jeszcze jedną rzecz, i było to uświadomienie sobie rzeczy najważniejszej ze wszystkich: wiedziała, że świat jest w prosty sposób podzielony na tych, którzy toczą nieustającą bitwę, by żyć, oraz na tych, którzy poddają się i umierają. Proste stwierdzenie. Stwierdzenie jest prawdziwe nie tylko w odniesieniu do istot ludzkich; jest prawdziwe również w odniesieniu do każdego żywego istnienia na globie, od największych stworzeń po najskromniejsze. Prawdziwe nawet w odniesieniu do mchów. To właśnie ów fakt stanowi mechanizm natury – siłę napędową każdego bytu, ukrytą za każdą transmutacją, za każdym zróżnicowaniem – i wyjaśnia cały świat. Jest wyjaśnieniem, którego Alma zawsze poszukiwała.

Podniosła się z wody. Odrzuciła obce ciało, które miała na sobie, jak gdyby było niczym. Z nosem ciekrącym krwią, szczypiącymi oczyma, naderwanym nadgarstkiem, posiniaczoną klatką piersiową wynurzyła się nad powierzchnię i wciągnęła powietrze. Rozejrzała się w poszukiwaniu kobiety, która trzymała ją pod wodą. Była to jej droga przyjaciółka, owa nieulękła olbrzymka, siostra Manu, której czaszka poryta była bliznami po najróżniejszych strasznych bitwach jej własnego życia. Manu się roześmiała na widok wyrazu twarzy Almy. Śmiech był czuły – może nawet siostrzany – ale był to jednak śmiech. Alma schwyciła Manu za szyję. Zacisnęła na niej palce, jak gdyby chciała zmiażdżyć gardło przyjaciółki. I najbardziej pełnym głosem zagrzmiała, właśnie tak, jak uczyła ją drużyna Hiro:

*OVAU TEIE!*
*TOA HAU A'E TAU METUA I TA 'OE!*
*E 'ORE TAU 'SOMORE E MAE QE IA 'EO!*

*OTOM JA!*
*MÓJ OJCIEC WIĘKSZYM BYŁ WOJOWNIKIEM*
*NIŹLI OJCIEC TWÓJ!*
*NIE ZDOŁASZ NAWET PODŹWIGNĄĆ MEJ DZIDY!*

A potem Alma zwolniła uścisk na szyi siostry Manu. Bez chwili wahania Manu rzuciła jej prosto w twarz wspaniały ryk uznania.

Alma pomaszerowała w kierunku plaży.

Zatopiona w sobie, nieświadoma była nikogo i niczego. Jeśli ktokolwiek na plaży wiwatowałby na jej cześć albo wył przeciwko niej, nic by nie zauważyła.

Wyszła silnym krokiem z morza, jak gdyby ją właśnie zrodziło.

CZĘŚĆ PIĄTA

*Nadzorca mchów*

# ROZDZIAŁ DWUDZIESTY SIÓDMY

Alma Whittaker przybyła do Holandii w połowie lipca 1854 roku.

Na morzu spędziła ponad rok. Była to niedorzeczna podróż – czy raczej, *seria* niedorzecznych podróży. Tahiti opuściła w połowie kwietnia roku poprzedniego na pokładzie francuskiego okrętu towarowego płynącego do Nowej Zelandii. Potem musiała czekać dwa miesiące w Auckland, nim znalazła holenderski statek handlowy, który zgodził się zabrać ją jako pasażera na Madagaskar i na którym podróżowała w towarzystwie wielkiego transportu owiec oraz bydła. Stamtąd pożeglowała do Kapsztadu na nader staroświeckim holenderskim *fluyt* – statku stanowiącym przykład najświetniejszej technologii marynistycznej w siedemnastowiecznym wydaniu. (I był to jedyny odcinek podróży, kiedy rzeczywiście się bała, czy przeżyje). Z Kapsztadu posuwała się wolno ku górze wzdłuż zachodniego wybrzeża kontynentu afrykańskiego, zmieniając statki w portach Akry oraz Dakaru. Tam znalazła kolejny handlowy statek holenderski, kierujący się najpierw na Maderę, potem do Lizbony, następnie do Zatoki Biskajskiej i przez kanał La Manche do Rotterdamu. W Rotterdamie kupiła bilet na pasażerski parostatek (pierwszy, jakim w życiu płynęła), który powiózł ją w górę wokół holenderskiego wybrzeża, kierując się przez Zuiderzee do Amsterdamu. Tam, 18 lipca 1854 roku, wreszcie zeszła z pokładu.

Podróż mogła być szybsza i lżejsza, gdyby nie miała ze sobą psa Rogera. Ale towarzyszył jej, ponieważ kiedy nadszedł czas, aby opuścić Tahiti, stwierdziła, że nie ma dość moralnej siły, żeby go zostawić. Kto by się zajął niełatwym do pokochania Rogerem, kiedy jej nie będzie? Kto by ryzykował pogryzienie podczas karmienia? Nie miała też pewności, czy drużyna Hiro nie zjadłaby psa po jej wyjeździe. (Roger nie dostarczyłby sutego posiłku; niemniej nie mogła znieść wizji, że się kręci na rożnie). A co najistotniejsze, był ostatnim namacalnym łącznikiem z mężem. Roger najprawdopodobniej przebywał w *fare*, kiedy Ambrose umierał. Alma wyobrażała sobie małego psa, jak trzyma nieprzerwaną wartę w kącie pokoju podczas ostatnich godzin Ambrose'a i chroni go warczeniem przed duchami i demonami oraz całą czyhającą zgrozą niezwykłej rozpaczy. Choćby wyłącznie z tego powodu miała honorowy obowiązek zatrzymać go.

Niestety, niewielu kapitanów przychylnie witało na pokładzie obecność nieszczęsnego, garbatego, nieprzyjaznego małego wyspiarskiego pieska. Większość po prostu odmawiała zabrania Rogera i odbijali od brzegu bez Almy, co znacznie wydłużało jej podróż. Nawet jeśli nie odmawiali, Alma musiała czasami płacić podwójną stawkę za przywilej towarzystwa Rogera. Płaciła. Rozcinała coraz bardziej ukryte kieszonki w obrębku sukni podróżnych i wyjmowała coraz więcej złota, moneta po monecie. Każdy musiał dostać łapówkę.

Almie wcale nie przeszkadzała uciążliwa długość podróży. W rzeczywistości potrzebowała jej każdej godziny i z wdzięcznością witała długie miesiące odosobnienia na dziwnych statkach i w obcych portach. Od chwili, kiedy była bliska utonięcia w zatoce Matavai podczas jazgotliwej gry w *haru raa puu*, Alma balansowała na ostrzu noża myśli. Nigdy dotychczas nie doświadczyła czegoś podobnego i pragnęła, by nic nie zakłócało jej rozumowania. Myśl, która z taką mocą uderzyła w nią pod wodą, teraz ją przenikała i nie należało jej strząsać. Nie zawsze potrafiła rozróżnić, czy to idea ściga ją, czy raczej odwrotnie. Czasami idea przypominała stworzenie, które się chowa po kątach snu – to podchodzi, to znika, to pojawia się znowu. Goniła ideę, gryzmoląc całymi dniami – strona za stroną pełnych zapału notatek. Nawet w nocy jej mózg bez wytchnienia tropił ślady idei, tak że co kilka godzin budziła ją potrzeba, żeby usiąść w łóżku i pisać dalej.

Trzeba tu powiedzieć, że to nie pióro ujawniało najmocniejszą stronę Almy, chociaż była autorką dwóch – prawie trzech – książek. Nigdy nie przyznawała się do talentu literackiego. Nikt nie czytałby jej książek o mchach dla przyjemności, dla ludzi spoza wąskiego kręgu briologów nie należały bowiem do szczególnie lekkich w czytaniu. Wyróżniała się natomiast jako taksonomista, wyposażony w pamięć do międzygatunkowych różnic wręcz niepojętą, o nieograniczonej pojemności na najdrobniejsze szczegóły. Zdecydowanie nie była gawędziarzem. Teraz jednak, od chwili, gdy musiała walczyć o wydostanie się na powierzchnię wody tamtego popołudnia w zatoce Matavai, Alma uznała, że ma historię do opowiedzenia – gigantyczną historię. Nie była to historia budująca, ale wyjaśniała bardzo wiele ze świata natury. Zaiste, wierzyła, że wyjaśnia wszystko.

A oto historia, którą Alma chciała opowiedzieć: Świat natury to miejsce morderczej brutalności, w którym gatunki małe i duże konkurują ze sobą, aby przetrwać. W tej walce o byt wygrywają silni; słabi są eliminowani.

Myśl ta oczywiście nie była oryginalna. Od wielu dziesięcioleci naukowcy stosowali określenie „walka o przetrwanie". Thomas Malthus użył go do opisu sił powodujących gwałtowne wzrosty i spadki wysokości populacji na przestrzeni historii. Używali go także Owen i Lyell w dziele dotyczącym ginięcia gatunków oraz geologii. Walka o przetrwanie była czymś co najmniej oczywistym. Ujęcie Almy wnosiło jednak coś nowego. Stawiało hipotezę, w której słuszność sama święcie wierzyła, że walka o przetrwanie – gdy toczy się w niezmierzenie długim czasie – nie tylko *kształtowała* życie na Ziemi; ona *stwarzała* życie na Ziemi. I z całą pewnością stworzyła oszałamiającą różnorodność życia na naszej planecie. Mechanizm tego stanowiła walka. Wyjaśniała wszystkie najbardziej problematyczne tajemnice biologii: zróżnicowania, zanikania gatunków oraz ich przemiany. Walka wyjaśniała wszystko.

Planeta rozporządza skończonymi zasobami. Rywalizacja w dostępie do nich jest zaciekła i ustawiczna. Jednostki, które w życiu zdołały przetrwać wszelkie próby, zawdzięczają to ogólnie tym cechom lub mutacjom, które uczyniły je odporniejszymi, sprytniejszymi i bardziej pomysłowymi od innych. Kiedy owo korzystne wyróżnienie zostało osiągnięte, żyjące jednostki były w stanie przekazać zbawienne cechy potomstwu, które dzięki temu mogło się cieszyć przywilejem dominacji – to znaczy dopóki się nie pojawił inny, doskonalszy konkurent albo nie wyczerpały potrzebne zasoby. Podczas niemającej końca bitwy o przetrwanie cechy gatunków w nieunikniony sposób się zmieniały.

Alma dostrzegała coś, co przypominało to, co astronom William Herschel nazwał „ustawicznym procesem stwarzania" – procesem rozwijającym się i wiecznym zarazem. Herschel jednak wierzył, że stwarzanie jest możliwe jako proces ciągły jedynie w wymiarze kosmicznym, tymczasem Alma nabrała przeświadczenia, że stwarzanie odbywa się ustawicznie wszędzie, we wszystkich wymiarach życia – nawet mikroskopowym, nawet ludzkim. Wyzwania są wszechobecne i z każdą chwilą zmieniają się warunki życia. Zdobywano przewagę i tracono ją. Następowały okresy obfitości, a po nich okresy *hia'ia* – czas łaknienia. Przy niesprzyjających okolicznościach wszystko narażone było na wyginięcie. Ale w sprzyjających warunkach wszystko miało szansę na transmutację. Wyginięcie i transmutacja działy się od zarania życia, dzieją się wciąż i będą się działy po kres czasu – i jeśli nie to stanowi „ustawiczny proces stwarzania", to Alma nie wiedziała, co go stanowi.

Walka o przetrwanie, była tego pewna, ukształtowała także ludzką naturę oraz przeznaczenie. Nie mogło być lepszego przykładu, pomyślała Alma, od Jutrzejszego Poranka, którego całą rodzinę zabrała nieznana choroba, przyniesiona przez Europejczyków na Tahiti. Jego krew została *nieomal* zagrożona wymarciem, ale z jakichś powodów sam Jutrzejszy Poranek nie umarł. Coś w jego konstytucji pozwoliło mu przetrwać nawet wówczas, gdy śmierć zbierała obfite żniwo, kosząc wszystkich dookoła niego. Jutrzejszy Poranek jednak przetrwał i wydał potomków, którzy mogli odziedziczyć po nim siłę i niezwykłą odporność na choroby. Właśnie takie wydarzenia kształtują gatunki.

Co więcej, pomyślała Alma, walka o byt ukształtowała także *wewnętrzne życie* istoty ludzkiej. Jutrzejszy Poranek był poganinem, który przemienił się w pobożnego chrześcijanina – ponieważ jest sprytny i zapobiegawczy i dostrzegł kierunek, jaki obiera świat.

Wybrał przyszłość, nie przeszłość. Dzięki jego przewidywaniu dzieci Jutrzejszego Poranka będą prosperować w nowym życiu, w którym ich ojciec był czczony i posiadał władzę. (Albo jego dzieciom będzie się powodzić przynajmniej dopóty, dopóki przed nimi nie pojawią się kolejne wyzwania. Wtedy będą musiały same wybrać własną drogę. To będzie ich bitwa i nikt ich przed nią nie uchroni).

Z drugiej zaś strony był Ambrose Pike, człowiek, którego Bóg w czwórnasób pobłogosławił geniuszem, oryginalnością, urodą i wdziękiem – ale który po prostu nie miał daru przetrwania. Ambrose mylnie odczytywał świat. Pragnął, by świat się okazał rajem, gdy on tymczasem jest polem bitewnym. Życie strawił na tęsknocie za wiecznym, stałym i czystym. Pragnął powietrznego zakonu aniołów, lecz podporządkowany był – jak jest każdy i wszystko – twardym prawom natury. Co więcej, Alma dobrze wiedziała, że nie zawsze najpiękniejsi, najbystrzejsi czy najwdzięczniejsi wychodzą cało z walki o przetrwanie; czasem dokonywali tego najbezwzględniejsi albo najwięksi szczęśliwcy lub po prostu najbardziej uparci.

Za każdym razem chwyt polegał na tym, aby jak najdłużej przetrzymać próbę życia. Szanse na przeżycie były brutalnie znikome, ponieważ świat to nic innego prócz szkoły klęski i bez końca płonące palenisko udręki. Ci jednak, którzy świat przetrwają, kształtują go – nawet jeśli świat, równocześnie, kształtuje ich.

Alma nazwała swoją koncepcję „teorią rywalizujących przekształceń" i miała przeświadczenie, że może ją udowodnić. Naturalnie nie może tego zrobić, opierając się na przykładzie Jutrzejszego Poranka i Ambrose'a Pike'a – choć na zawsze będą żyć w jej pamięci jako wyolbrzymione, romantyczne, modelowe postaci. Nawet napomknienie na ich temat byłoby wielce nienaukowe.

Może wszak udowodnić ją na przykładzie mchów.


Alma pisała szybko i dużo. Nie zatrzymywała się, by poprawiać, najwyżej darła tekst i pisała go od początku, i tak nieomal codziennie. Nie potrafiła zwolnić; nie miała ochoty zwalniać. Jak zamroczony pijak – który może biec bez upadku, ale który nie potrafi iść, nie upadając – Alma mogła wyłącznie mknąć na oślep wskroś własnej idei. Bała się zwolnić i pisać uważniej, gdyż się obawiała, że upadnie i straci odwagę albo – co gorsza! – ideę.

By opowiedzieć swoją historię – historię transmutacji gatunków, ukazaną poprzez stopniową metastazę mchów – Alma nie potrzebowała ani notatek, ani dostępu do starej biblioteki w White Acre bądź do swego dawnego herbarium. Żadnej z tych rzeczy nie potrzebowała, ponieważ ogromna znajomość taksonomii mchów wypełniała każdy zakątek jej czaszki dobrze zapamiętanymi faktami i szczegółami. Miała także w zasięgu ręki (czy raczej w zasięgu ręki mózgu) wszystkie koncepcje, które w ciągu ostatniego stulecia zapisano na temat przemiany gatunków oraz ewolucji geologicznej. Jej umysł przypominał niesamowity magazyn o półkach ciągnących się bez końca, zastawionych piętrzącymi się nieprzeliczalnymi tysiącami książek i pudeł, alfabetycznie uporządkowanych w nieskończone zasoby danych.

Nie potrzebowała biblioteki; sama *była* biblioteką.

Podczas kilku pierwszych miesięcy podróży pisała i zmieniając, zapisywała ponownie podstawowe założenia swej teorii. Wreszcie poczuła, że ujęła je poprawnie, i wypreparowała niepodlegające dalszej redukcji najważniejsze dziewięć:

Że rozkład lądu oraz wody na powierzchni Ziemi nie zawsze pokrywał się ze współczesnym.

Że, wedle wyników kopalnych odkryć i badań skamielin, wygląda na to, iż mchy przetrwały wszystkie epoki geologicznego rozwoju planety, od chwili powstania życia.

Że mchy przetrwały owe różnorodne geologiczne ery dzięki procesowi adaptacji.

Że mchy potrafią wpływać na swój los poprzez modyfikację własnego położenia (przenosząc się do bardziej przychylnego klimatu) lub własnej struktury wewnętrznej (tzn. przez transmutację).

Że transmutacja mchów wyraża się wraz z upływem czasu w nieomal nieskończonym przywłaszczaniu oraz porzucaniu pozwalających osiągnąć ową adaptację cech, takich jak: wzrost odporności na wysychanie, spadek zapotrzebowania na bezpośrednio padające światło słoneczne oraz umiejętność powrotu do życia po latach zaschnięcia.

Że tempo zmian w koloniach mchów oraz ich zasięg są tak dramatyczne, iż najprawdopodobniej zachodzą one nieustannie.

Że mech prawie na pewno był innym bytem (najprawdopodobniej algą), zanim się stał mchem.

Że mech – wraz ze zmieniającym się światem – sam może ostatecznie stać się innym bytem.

Że wszystko, co jest prawdą w odniesieniu do mchów, musi być prawdą dla wszystkiego, co żyje.

Teoria Almy była odważna i niebezpieczna, nawet ona tak o niej myślała. Wiedziała, że wkracza na grząski teren – nie tylko z punktu widzenia religii (tym się nie przejmowała), ale także nauki. Kiedy niczym alpinista zdążała ku konkluzji, zdawała sobie sprawę z niebezpieczeństwa pułapki, jaka na przestrzeni wieków pochwyciła tak wielu ambitnych uczonych francuskich – a mianowicie pułapki *l'esprit de système*, kiedy człowieka ogarnia marzenie o gigantycznym i porywająco uniwersalnym wyjaśnieniu i próbuje nagiąć wszystkie fakty, i skłonić rozum ku temu wyjaśnieniu, nie zważając, czy ma to w ogóle sens. Alma była jednak pewna, że jej teoria *ma* sens. Sztuką będzie udowodnić to na piśmie.

Na statku pisało się równie dobrze jak gdziekolwiek indziej – a na wielu statkach, jednym po drugim, mozolnie przemierzających puste morza, jeszcze lepiej. Nikt Almie nie przeszkadzał. Pies Roger leżał w kącie kajuty i obserwował ją przy pracy; wzdychał i drapał się, i często wyglądał na okropnie zawiedzionego życiem, ale robiłby to samo, gdziekolwiek na świecie by był. W nocy wskakiwał czasami na jej koję i zwijał się w zgięciu nóg. Czasami budził Almę cichym skowytem.

W nocy zdarzało się też Almie wydawać czasami cichy skowyt. Tak jak podczas swej pierwszej morskiej podróży, odkryła, że ma żywe i pełne mocy sny. Tamte były pełne obecności Ambrose'a Pike'a, ale teraz pojawiał się w nich również Jutrzejszy Poranek – czasem nawet zlewał się z Ambrose'em w dziwną, zmysłową chimerę: głowa Ambrose'a na ciele Jutrzejszego Poranka; głos Jutrzejszego Poranka wydobywający się z gardła Ambrose'a; jeden mężczyzna podczas seksualnego złączenia z Almą przeistaczający się nagle w drugiego. Ale nie tylko Ambrose i Jutrzejszy Poranek przemieniali się w tych dziwnych snach – wszystko zdawało się zlewać ze sobą. W najbardziej poruszających nocnych wizjach Almy stary składzik introligatorski w White Acre dzięki metamorfozie stawał się grotą mchów; jej powozownia przemieniała się w pokój w Zakładzie Griffona; słodko pachnące łąki Filadelfii przekształcały się w pola ciepłego czarnego piasku; Prudence pojawiała się nagle w sukniach Hanneke; siostra Manu doglądała bukszpanów w euklidesowym ogrodzie Beatrix Whittaker; Henry Whittaker wiosłował w górę rzeki Schuylkill w malutkim polinezyjskim kanoe.

Żaden z tych snów, niezależnie od tego, jak bardzo był wstrząsający, z jakiegoś powodu Almie nie przeszkadzał. Raczej napełniał ją zdumiewającym poczuciem syntezy – jak gdyby wszystkie najbardziej oddzielne elementy jej biografii zaczęły się nareszcie splatać. Wszystko na świecie, co kiedykolwiek poznała i pokochała, zszywało się w *jedno*. Dzięki takiej świadomości czuła się wolna, ale też zwycięska. Znowu ogarniało ją to samo uczucie – doświadczyła dotychczas tylko jeden raz czegoś podobnego, podczas tygodni bezpośrednio poprzedzających ślub z Ambrose'em – uczucie, że jest w najbardziej spektakularny sposób wewnętrznie żywa. Nie po prostu żywa, ale wyposażona w umysł, który pracuje na najwyższych obrotach, do jakich jest zdolny – umysł, który wszystko widzi i wszystko rozumie, jak gdyby oglądał świat z najwyższego szczytu, jaki można sobie wyobrazić.

Budziła się, chwytała oddech i natychmiast siadała do pisania.

Ułożywszy zasady kardynalne śmiałej teorii, Alma skupiła swe pełne gorliwego entuzjazmu wysiłki na spisaniu historii Wojen Mchów z White Acre. Opisała dwadzieścia sześć lat, jakie spędziła na obserwacji postępu oraz rejterady rywalizujących kolonii mchów na obszarze jednego głazu narzutowego u skraju lasu. Skoncentrowała uwagę głównie na gatunku *Dicranum*, ponieważ prezentował najbardziej rozwinięte zróżnicowanie odmian w jednej rodzinie. Alma znała odmiany *Dicranum*, które były krótkie i proste, i inne, które przystroiły się w egzotyczne frędzle. Odmiany, które miały liście proste, i inne, poskręcane, jeszcze inne, które żyły wyłącznie na gnijących pniach pod kamieniami, i kolejne, które zajmowały najbardziej nasłonecznione grzbiety wysokich głazów, takie, które rozprzestrzeniały się w kałużach, i takie, które pleniły się najagresywniej w pobliżu odchodów jeleni wirginijskich.

Podczas trwających dziesięciolecia badań Alma spostrzegła, że najbardziej podobne są te odmiany *Dicranum*, które żyją obok siebie. Dowodziła, że to nie jest przypadek – że trudy rywalizacji o słońce, glebę i wodę przez tysiąclecia zmuszały rośliny do bardzo małych zmian, które dawałyby im choćby najmniejszą przewagę nad sąsiadami. Dlatego trzy lub cztery odmiany *Dicranum* mogły koegzystować na jednym głazie: każda znajdowała własną niszę we wspólnym, niewielkim środowisku i zaczynała bronić własnego terytorium za pomocą drobnych adaptacji. To przystosowanie nie musiało być wyjątkowe (mchy nie musiały wytworzyć kwiatów, owoców ani skrzydeł); musiały po prostu być *wystarczająco* inne, by pokonać rywali – a nie ma na świecie groźniejszych rywali niż ci, którzy na co dzień ocierają się o ciebie. Najbardziej gwałtowną wojną jest zawsze ta, która się toczy w domu.

Alma relacjonowała bitwy drobiazgowo, a ich zwycięstwa bądź przegrane mierzyła calami i dekadami. Opowiadała, jak wahania klimatu dały na przestrzeni owych dziesięcioleci przewagę jednej odmianie nad inną, w jaki sposób ptaki wpływały na los mchów i jak – gdy padł stary dąb za ogrodzeniem pastwiska, co w ciągu jednej nocy całkowicie zmieniło rozkład cienia – cały kosmos skalnego poletka zmienił się wraz z nim.

Pisała: „Jak się zdaje, im większe zagrożenie, tym szybciej postępująca ewolucja".

Pisała: „Wygląda na to, że wszystkie transformacje wynikają z desperacji oraz zagrożenia".

Pisała: „Piękno i różnorodność świata naturalnego to jedynie widzialny spadek po walce bez końca".

Pisała: „Zwycięzca zwycięża – ale tylko dopóty, dopóki pozostaje zwycięzcą".

Pisała: „Życie to wstępny i trudny eksperyment. Czasami po cierpieniu nadchodzi zwycięstwo – ale nic nie jest obiecane. Najbardziej szlachetna czy urodziwa istota może nie być najsilniejszą. Walka w przyrodzie nie jest skażona złem, lecz jedynym, potężnym i bezstronnym prawem naturalnym: po prostu jest zbyt wiele form życia i niewystarczające dla wszystkich zasoby potrzebne do przetrwania".

Pisała: „Walka pomiędzy gatunkami oraz pośród gatunków jest nieunikniona, tak samo jak strata i jak modyfikacja biologiczna. Ewolucja to bezwzględna matematyka; długą drogę życia zaśmiecają skamieniałe pozostałości po nieoczekiwanie nieudanych eksperymentach".

Pisała: „Ci, którzy są źle przygotowani do bitwy o przetrwanie, być może w pierwszym rzędzie nie powinni w ogóle starać się żyć. Jedyną niewybaczalną zbrodnią jest przerwać samemu eksperyment własnego życia przed jego naturalnym końcem. Czyn taki wynika ze słabości i żalu – ale eksperyment życia sam się zakończy wystarczająco szybko, we wszystkich naszych przypadkach, i można byłoby równie dobrze mieć odwagę i ciekawość, by pozostać na polu bitewnym do ostatecznego i nieuchronnego końca. Wszystko, co mniejsze od walki o przetrwanie, jest tchórzostwem. Wszystko, co mniejsze od walki o przetrwanie, jest odrzuceniem wielkiego paktu z życiem".

Czasami musiała przekreślić całą stronę, kiedy podnosiła głowę znad kartki i stwierdzała, że minęły godziny, odkąd nieprzerwanie gryzmoli, i że tak naprawdę już nie omawia mchów.

Wtedy szła na żwawe okrążenie pokładu, jakikolwiek by to był statek – z psem Rogerem wlokącym się trop w trop za nią. Ręce jej drżały i serce gnało z emocji. Przewietrzała głowę i płuca i rewidowała poglądy. Potem wracała do kajuty, siadała przed nową kartką papieru i zaczynała wszystko od nowa.

Powtarzała takie ćwiczenie setki razy blisko czternaście miesięcy.

Do czasu przybycia do Rotterdamu jej dysertacja była prawie ukończona. Sama nie uważała jej za całkowicie skończoną, ponieważ nadal czegoś w niej brakowało. Stworzenie z kąta ze snu wciąż miało wlepione w nią oczy, niezadowolone i niespokojne. Poczucie niepełności gryzło ją i postanowiła trzymać się idei, dopóki jej nie pokona. Stwierdziwszy to, poczuła, że większość jej teorii jest niepodważalnie słuszna. Jeśli myśli poprawnie, trzyma oto w ręku całkiem rewolucyjny czterdziestostronicowy dokument naukowy. A jeśli, odwrotnie, myśli niepoprawnie? Cóż, w takim wypadku stworzyła – co najmniej – najbardziej szczegółowy opis życia i śmierci filadelfijskiej kolonii mchów, jaki kiedykolwiek widział świat naukowy.

W Rotterdamie odpoczęła kilka dni w hotelu, jedynym, jaki zaakceptował obecność Rogera. Razem z psem przez większość popołudnia obchodziła miasto w daremnym poszukiwaniu zakwaterowania. Podczas tej marszruty coraz bardziej irytowały ją pełne żółci spojrzenia, jakie im rzucał personel różnych hoteli. Nie mogła się powstrzymać od myśli, że gdyby Roger był ładniejszym psem, psem z większym wdziękiem, nie miałaby tyle kłopotu ze znalezieniem pokoju. Tak wielka niesprawiedliwość uderzyła ją, przyzwyczaiła się bowiem uważać małego pomarańczowego kundla za – na swój sposób – szlachetnego. Czyż właśnie nie przemierzył świata? Iluż pyszałkowatych pracowników hoteli mogło powiedzieć to samo o sobie? Przypuszczała jednak, że to taki styl życia – uprzedzenia, upokorzenia i inne tego typu żałosne upodobania.

Hotel, który ich przyjął, był nędznym miejscem, prowadzonym przez zreumatyzowaną staruszkę, która zerknęła na Rogera znad biurka i powiedziała:

– Miałam kiedyś kota, który wyglądał tak samo jak on.

*Dobry Boże!* – westchnęła w duszy Alma, na myśl o takim smutnym potworku.

– Nie jesteś kurwą, prawda? – zapytała dla pewności kobieta. Tym razem Alma wykrzyknęła swoje „Dobry Boże!". Po prostu nie znalazła innej odpowiedzi. Ale to zadowoliło właścicielkę.

Zmatowiałe lustro w pokoju hotelowym uświadomiło Almie, że nie wygląda o wiele bardziej cywilizowanie niż Roger. Nie może jechać do Amsterdamu w takim stanie. Garderobę miała w ruinie, całkowicie zniszczoną. Włosy znacznie posiwiały i zmatowiały. Z włosami nic nie można zrobić, ale w ciągu najbliższych dni dała do uszycia kilka sukienek. Niewykwintne (wzorowała je na oryginalnym, praktycznym modelu Hanneke), ale były przynajmniej nowe i czyste. Kupiła buty. Usiadła w parku i napisała długie listy do Prudence i do Hanneke, powiadamiając je, że przybyła do Holandii i że zamierza tu pozostać na czas nieokreślony.

Była prawie bez pieniędzy. Wciąż posiadała trochę złota, zaszytego w postrzępiony obrębek, ale nie było tego dużo. Zatrzymała odrobinę kosztowności ze spadku po ojcu na dobry początek i teraz – po kilku latach podróżowania – lwia część skromnego patrymonium została wydana, cenna moneta za monetą. Pozostała z sumą ledwo wystarczającą na pokrycie najprostszych potrzeb. Oczywiście wiedziała, że zawsze może się postarać o pieniądze, gdyby zaszła wyjątkowa konieczność. Przypuszczała, że może wejść do jakiegokolwiek biura rachunkowego w rotterdamskich dokach i – przywołując nazwisko Dicka Yanceya oraz fakt, że otrzymała spadek po ojcu – z łatwością zaciągnąć pożyczkę, za rękojmię podając majątek Whittakerów. Ale tego nie chciała robić. Nie czuła, by fortuna słusznie się jej należała. Wręcz uderzyło ją, że odczuwa jako rzecz najwyższej osobistej wagi, by – od teraz – całkowicie samodzielnie zmierzać przez życie.

Po wysłaniu listów i obstalowaniu nowej garderoby Alma i Roger opuścili Rotterdam, zmierzając na parostatku do portu w Amsterdamie – i był to zdecydowanie najłatwiejszy odcinek podróży. Już na miejscu Alma zostawiła bagaż w skromnym hotelu nieopodal doków i zawołała na dorożkarza (który, za dodatkową opłatą dwudziestu stuiverów, dał się ostatecznie przekonać i zabrał Rogera jako pasażera). Dorożka powiozła ich ku przedmieściom i poprzez spokojną dzielnicę Plantage wprost pod bramę Hortus Botanicus, Ogrodu Botanicznego.

Gdy Alma wysiadła, wczesnopopołudniowe słońce padało ukośnie zza otaczającego ogród wysokiego ceglanego muru. U swego boku miała Rogera, pod pachą paczkę owiniętą w gładki brązowy papier. Przy bramie stał młody mężczyzna w schludnym mundurze strażnika. Alma podeszła i zapytała swobodnie po niderlandzku, czy dyrektor jest w dzisiejszym dniu na miejscu. Strażnik potwierdził, że dyrektor w rzeczy samej jest na miejscu, albowiem dyrektor przychodzi do pracy codziennie przez okrągły rok.

Alma się uśmiechnęła. Jasne, że przychodzi, pomyślała.

– Czy mogłabym z nim porozmawiać? – zapytała.

– A mogę zapytać, kim pani jest i jaką ma pani sprawę? – odpowiedział pytaniem młody człowiek, kierując na nią i na Rogera nieprzychylny wzrok.

Z pytaniem Alma mogła się zgodzić, z tonem głosu zdecydowanie nie.

– Nazywam się Alma Whittaker i mam sprawę związaną z badaniem mchów oraz przemianą gatunków – odparła.

– A czemu dyrektor miałby chcieć panią zobaczyć? – ciągnął strażnik.

Wyprostowała się, prezentując budzący respekt wzrost, i niczym *rauti* rozpoczęła imponującą recytację własnego rodowodu.

– Ojcem moim był Henry Whittaker, ten, którego w waszym kraju nazywano „Księciem Peru”. Moim dziadem od strony ojca był Jabłeczny Mag w służbie Jego Królewskiej Mości Jerzego III, króla Anglii. Moim dziadem ze strony matki był Jacob van Devender, mistrz ozdobnego aloesu i dyrektor tych ogrodów przez lat trzydzieści-ileś-tam… a stanowisko odziedziczył po swym ojcu, który z kolei odziedziczył je po *swoim* ojcu, i tak dalej, aż do początków i ufundowania tejże instytucji w 1638 roku. Pana obecnym dyrektorem jest, jak sądzę, doktor Dees van Devender. To mój wuj. Jego starsza siostra nosiła imię Beatrix van Devender. Była moja matką oraz mistrzynią botaniki euklidesowej. Moja matka urodzona została, o ile się nie mylę, tuż za rogiem, obok którego w tej chwili stoimy, w domu prywatnym, położonym poza obrębem murów ogrodu… tym samym, w którym rodzili się wszyscy Devenderowie od połowy siedemnastego wieku.

Strażnik wytrzeszczał na nią oczy.

– Jeśli to dla pana, młody człowieku, nazbyt wiele do zapamiętania, może pan po prostu powiedzieć memu wujowi Deesowi, że przyjechała jego siostrzenica z Ameryki i bardzo chce się z nim spotkać – podsumowała.

# ROZDZIAŁ DWUDZIESTY ÓSMY

D ees van Devender przypatrywał się Almie ponad zagraconym stołem w swym biurze. Alma pozwalała mu patrzeć. Wuj nie odezwał się jeszcze ani słowem, odkąd parę minut wcześniej wprowadzono ją do jego pokoi, nawet nie zaprosił, by usiadła. Nie oznaczało to niegrzeczności; po prostu był Holendrem i stąd ostrożność. Lustrował ją. Roger usiadł przy Almie i wyglądał jak garbata mała hiena. Wuj Dees psa też taksował wzrokiem. Zazwyczaj kiedy obcy gapili się na Rogera, pies odwracał się do nich tyłem, zwieszał głowę i smętnie wzdychał. Teraz zrobił nagle dziwną rzecz. Odszedł od Almy, wszedł pod stół i położywszy się, oparł głowę na stopach doktora van Devendera. Alma nigdy nie widziała czegoś podobnego. Miała właśnie to skomentować, ale jej wuj – nie zwracając uwagi na parszywego kundla na butach – przemówił pierwszy.

– *Je lijkt niet op je moeder* – powiedział.
Nie wyglądasz jak twoja matka.
– Wiem – odpowiedziała Alma w jego języku.
– Wyglądasz dokładnie jak ten twój ojciec – kontynuował.
Alma skinęła głową. Łatwo mogła wywnioskować z tonu głosu, że to nie był dla niej korzystny punkt, podobieństwo do Henry'ego Whittakera. Ale przecież nigdy nie był.
Dalej się jej przyglądał. Odpowiedziała tym samym. Jego twarz przykuwała jej uwagę. Alma nie wyglądała jak Beatrix Whittaker, ale za to ten mężczyzna zdecydowanie *tak*. Podobieństwo było wyraźnie zaznaczone – replika twarzy jej matki, tylko starsza, męska,

z brodą i akurat w tym momencie pełna podejrzliwości. (Szczerze mówiąc, podejrzliwość tylko wzmocniła podobieństwo do Beatrix). – Co się działo z moją siostrą? – zapytał. – Słyszeliśmy, jak potężny stał się twój ojciec... każdy w europejskiej botanice słyszał... ale nigdy nie mieliśmy wieści od Beatrix.

Ani ona od was, pomyślała Alma, lecz nie powiedziała tego na głos. Nie winiła nikogo w Amsterdamie za brak próby porozumienia z Beatrix od – kiedy to było? – 1792 roku. Wiedziała, jacy są van Devenderowie: uparci. Nigdy nic by z tego nie wyszło. Jej matka nigdy by się nie poddała.

– Matka wiodła dostatnie życie – odpowiedziała Alma. – Była zadowolona. Stworzyła najbardziej niezwykły ogród klasyczny, podziwiany w całej Filadelfii. Pracowała razem z ojcem w przemyśle roślinnym do samej śmierci.

– Która nastąpiła kiedy? – zapytał tonem oficera policji.

– W sierpniu 1820 roku – odpowiedziała.

Wiadomość wywołała grymas na twarzy wuja.

– Tak dawno – rzekł. – Za wcześnie.

– Śmierć była nagła – skłamała Alma. – Nie cierpiała.

Rzucił jej długie spojrzenie, a potem bez pośpiechu wziął łyk kawy i sięgając do talerzyka stojącego przed nim, poczęstował się kęsem *wentelteefje*. Najwyraźniej przerwała mu podwieczorek. Prawie wszystko by dała za smak tej *wentelteefje*. Wyglądała i pachniała wspaniale. Kiedy jadła ostatni raz grzankę cynamonową? Prawdopodobnie wtedy, kiedy Hanneke zrobiła ją dla niej po raz ostatni. Od tego zapachu ogarnęła ją wręcz słabość z nostalgii. Lecz wuj Dees nie poczęstował jej kawą ani z całą pewnością nie poczęstował tymi pięknymi, złotymi, maślanymi *wentelteefjes*.

– Może opowiem o życiu pańskiej siostry – odezwała się wreszcie Alma. – Wnoszę, że pańskie o niej wspomnienia są wspomnieniami dziecka. Mogę wiele opowiedzieć, jeśli pan ma życzenie.

Nie odpowiedział. Próbowała wyobrazić go sobie wedle tego, jak zawsze opisywała go Hanneke – jako łagodnego dziesięcioletniego chłopca, opłakującego ucieczkę starszej siostry do Ameryki. Hanneke wiele razy opowiadała Almie, jak Dees uczepił się spódnicy Beatrix, aż musiała odczepić siłą jego ręce. Opisywała też,

jak Beatrix napomniała braciszka, by nigdy więcej nie pokazywał
światu swoich łez. Trudno było to sobie wyobrazić. Wyglądał teraz
strasznie staro i poważnie.

– Rosłam w otoczeniu holenderskich tulipanów... potomków
cebulek, które matka zabrała stąd ze sobą do Filadelfii – zaczęła
opowieść.

Wciąż nic nie mówił. Roger westchnął, podniósł się i z powrotem zwinął na nogach Deesa, jeszcze bliżej.

Upłynęła chwila i Alma zmieniła taktykę.

– Powinnam także pana poinformować, że Hanneke de Groot
wciąż żyje. Mniemam, że dawno temu pan ją znał.

Nowy wyraz zagościł na twarzy starego mężczyzny: zadziwienie.

– Hanneke de Groot – rzekł zdumiony. – Od lat o niej nie myślałem. Hanneke de Groot? Wyobrazić sobie…

– Hanneke jest silna i zdrowa, co donoszę z radością – powiedziała Alma.

Było w tym stwierdzeniu trochę pobożnego życzenia, ponieważ
nie widziała Hanneke prawie od trzech lat.

– Jest nadal zarządczynią posiadłości mego zmarłego ojca.

– Hanneke była pokojówką siostry – rzekł Dees. – Przyszła do
nas w bardzo młodym wieku. Była także kimś w rodzaju niani dla
mnie.

– Tak – odparła Alma – dla mnie też była kimś w rodzaju niani.

– A więc obydwoje mieliśmy szczęście – stwierdził.

– Zgadzam się. Uważam to za jedno ze wspanialszych błogosławieństw mego życia, że dane mi było przeżyć młodość pod opieką
Hanneke. Ukształtowała mnie niemal na równi z rodzicami.

Powróciło przyglądanie się. Tym razem Alma pozwoliła milczeniu trwać. Obserwowała, jak wuj bierze widelec ze sporym ka-
wałkiem cynamonowej grzanki i macza ją w kawie. Smakował kęs
niespiesznie, nie upuszczając ani okruszka. Musi zasięgnąć języka,
skąd się bierze takie wyborne grzanki.

Na koniec Dees otarł usta chusteczką.

– Twój niderlandzki nie jest taki straszny.

– Dziękuję – odpowiedziała. – Często go używałam w dzieciństwie.

– W jakim stanie masz zęby?

– Całkiem dobrym, dziękuję – rzekła Alma.

Nie miała nic do ukrycia przed tym mężczyzną.

Skinął głową.

– Wszyscy van Devenderowie mają dobre zęby.

– Szczęśliwe dziedzictwo.

– Czy siostra miała inne dzieci, oprócz ciebie?

– Miała jeszcze jedną córkę… adoptowaną. Moją siostrę Prudence, która prowadzi teraz szkołę na terenie dawnej posiadłości ojca.

– Adoptowaną – powtórzył obojętnym tonem.

– Matka nie była obdarzona płodnością – wyjaśniła Alma.

– A ty? – zapytał. – Masz dzieci?

– Ja, tak jak i matka, także nie zostałam pobłogosławiona płodnością – rzekła.

Sytuację opisała ze zbyt wielką powściągliwością, ale przynajmniej dała jakąś odpowiedź.

– A mąż? – zapytał.

– Niestety, zmarł.

Wuj Dees pokiwał głową, ale nie złożył kondolencji. To rozbawiło Almę; matka zachowałaby się tak samo. Fakty są faktami. Śmierć jest śmiercią.

– A pan, sir? – Zebrała się na odwagę. – Czy istnieje pani van Devender?

– Cóż, martwa.

Pokiwała głową tak samo jak on. Była w tym pewna przekora, ale w ich szczerej, bezceremonialnej, zdawkowej konwersacji podobało jej się wszystko. Nie mając pojęcia, kiedy i dokąd może ją to zaprowadzić ani czy jej przeznaczeniem jest lub nie jest spleść losy z losami tego starego człowieka, czuła, że jest na swojskim gruncie – gruncie holenderskim, gruncie van Devenderów. Od wieków nie czuła się tak bardzo u siebie.

– Jak długo zamierzasz pozostać w Amsterdamie? – zapytał Dees.

– Bezterminowo – odpowiedziała Alma.

To go skonsternowało.

– Jeśli przyszłaś po zapomogę – odparł – to nie mamy nic do zaoferowania.

Uśmiechnęła się. Och, Beatrix, pomyślała, jakże brakowało mi ciebie przez te wszystkie lata.

– Nie jest mi potrzebna zapomoga – rzekła. – Ojciec dobrze mnie zabezpieczył.

– Jaki jest więc powód twego pozostania w Amsterdamie? – zapytał z nieukrywaną nieufnością.

– Chciałabym się tutaj zatrudnić, w Ogrodzie Botanicznym.

Teraz był autentycznie przerażony.

– Wielkie nieba! – powiedział. – W jakiej mianowicie roli?

– Jako botanik. A dokładniej, jako briolog.

– *Briolog*? Ale cóż ty, na Boga, wiesz o mchach?

Alma nie zdołała się powstrzymać od śmiechu. Cudownie było się tak śmiać. Nie mogła sobie przypomnieć, kiedy się ostatnio śmiała. A teraz śmiała się tak bardzo, że musiała na chwilę zasłonić twarz dłońmi, by ukryć rozbawienie. To widowisko jeszcze mocniej wytrąciło z równowagi biednego starego wuja. Nie pomagała swojej sprawie.

Czemu przypuszczała, że jej skromna sława może ją wyprzedzić? Och, jakże głupia jest pycha!

Gdy już się pozbierała, przetarła oczy i uśmiechnęła się do niego.

– Wiem, że wujka zaskoczyłam, wuju Dees – powiedziała, w naturalny sposób przechodząc na cieplejszy i bardziej osobisty ton. – Proszę mi wybaczyć. Chciałabym, żeby wuj zrozumiał, że jestem kobietą niezależną i nie przybywam tutaj, aby w jakikolwiek sposób zakłócać jego życie. Jednakże trzeba też zaznaczyć, że mam określone uzdolnienia… jako badacz oraz taksonomista… które mogą przydać się takiej instytucji jak należące do wuja ogrody. Mogę powiedzieć bez najmniejszej wątpliwości, że sprawiłoby mi ogromną przyjemność i satysfakcję, gdybym mogła spędzić resztę zawodowego życia tutaj, poświęcając czas i energię instytucji, która zajmuje tak poczesne miejsce zarówno w historii botaniki, jak i mej własnej rodziny.

Wyjęła spod pachy brązowo opakowaną paczkę i umieściła ją na brzegu stołu.

– Nie proszę, żeby wujek wierzył mi na słowo co do moich umiejętności – powiedziała. – Ta paczuszka zawiera teorię, którą niedawno rozwinęłam w oparciu o badania, jakie prowadziłam przez ostatnie trzydzieści lat. Niektóre z idei mogą uderzyć wuja jako raczej odważne, ale proszę wyłącznie o to, aby wuj przeczytał to bez uprzedzeń… i, rzecz jasna, zachował dla siebie, co tam znajdzie. Nawet jeśli wuj nie zgodzi się z moimi wnioskami, sądzę, że otrzyma jakieś wyobrażenie na temat moich uzdolnień naukowych. Proszę wuja o traktowanie tego dokumentu z szacunkiem, bo jest on wszystkim, co mam i czym jestem.

Do niczego się nie zobowiązał.

– Przypuszczam, że wujek czyta po angielsku? – zapytała jeszcze.

Uniósł jedną białą brew, jak gdyby chciał powiedzieć: *Szczerze, kobieto – trochę więcej szacunku.*

Nim przekazała wujowi paczkę, sięgnęła do jego biurka po ołówek i zapytała: „Mogę?".

Gdy skinął głową, napisała coś na paczce.

– To jest nazwa oraz adres hotelu, w którym się zatrzymałam, niedaleko portu. Proszę się nie spieszyć z czytaniem i proszę dać znać, gdyby zechciał wujek ze mną porozmawiać. Jeśli nie otrzymam od wujka żadnej wiadomości w ciągu tygodnia, wrócę tutaj, zabiorę rozprawę, pożegnam się i pójdę swoją drogą. I obiecuję, że potem już nie będę niepokoić ani wujka, ani nikogo z rodziny.

Mówiąc to, Alma obserwowała, jak wuj nadziewa na widelec kolejny kęs *wentelteefje*. Ale zamiast podnieść go do ust, przesunął się na bok w krześle i powoli opuścił rękę, by podać jedzenie psu Rogerowi – choć nie spuszczał z Almy wzroku, udając, że słucha jej z całą uwagą.

– Och, proszę uważać…

Alma pochyliła się nad stołem zmartwiona. Chciała go ostrzec, że ten pies ma straszny zwyczaj gryzienia każdego, kto próbuje go karmić, ale zanim zdążyła się odezwać, Roger podniósł swą zdeformowaną główkę i – tak delikatnie jak dobrze wychowana dama – zdjął cynamonową grzankę z zębów widelca.

– No niech mnie…

Zdumiona Alma się cofnęła.

Wuj wciąż nie nawiązał otwarcie do psa, więc Alma nie powiedziała nic więcej na jego temat. Wygładziła spódnice i zebrała się w sobie.

– To była najprawdziwsza przyjemność poznać wuja – powiedziała. – To spotkanie znaczy dla mnie więcej, sir, niż może pan podejrzewać. Nigdy wcześniej nie miałam okazji znać żadnego wujka, proszę mnie zrozumieć. Mam nadzieję, że spodoba się wujowi mój artykuł i że za bardzo go nie zaszokuje. A więc do widzenia.

W odpowiedzi jedynie skinął głową.

Alma ruszyła w kierunku drzwi. „Chodź, Roger", powiedziała, nie odwracając głowy. Poczekała, trzymając drzwi otwarte, ale pies się nie poruszył.

– Roger – powiedziała bardziej stanowczo i tym razem się odwróciła, by na niego spojrzeć. – Chodź tutaj.

A jednak pies nadal nie schodził ze stóp wuja Deesa.

– Idźże, piesku – odezwał się Dees, bez przekonania i bez najmniejszego poruszenia.

– Roger! – zażądała Alma, pochylając się, by lepiej zobaczyć go pod stołem. – Chodź tutaj, nie wygłupiaj się!

Nigdy dotychczas nie musiała go wołać; zawsze po prostu za nią szedł. Teraz Roger położył po sobie uszy i nie ustępował. Nie zamierzał nigdzie iść.

– Nigdy się tak nie zachowywał – przepraszała Alma. – Wyniosę go.

Ale wuj podniósł rękę.

– Może malec mógłby tutaj zostać na noc albo dwie – zaproponował niezobowiązująco, jak gdyby, tak czy inaczej, nie miało to dla niego znaczenia.

Nawet nie patrzył Almie w oczy, kiedy to mówił. Wyglądał – przez chwilę – jak chłopiec próbujący przekonać matkę, by pozwoliła mu zatrzymać przybłędę.

Och, wujku Dees, pomyślała. Teraz cię rozumiem.

– Oczywiście – odpowiedziała. – Czy jest wuj całkowicie pewien, że to nie będzie kłopot.

Dees wzruszył ramionami, najbardziej nonszalancko jak potrafił, i nadział kolejny kawałek *wentelteefje*.

– Damy sobie radę – rzekł wujek Deeds i znowu nakarmił psa, prosto z widelca.

Alma w powrotnej drodze dziarsko maszerowała, kierując się w stronę portu. Nie chciała brać fiakra; zbyt się czuła pobudzona, aby siedzieć w dorożce. Odchodziła z pustymi rękami, ale była radosna i w pewien sposób poruszona oraz bardzo ożywiona. A także głodna. Z przyzwyczajenia wciąż odwracała głowę, szukając Rogera, ale nie powłóczył za nią nogami. Dobry Boże, właśnie zostawiła i swojego psa, i pracę swego życia w biurze tego człowieka, zaledwie po piętnastominutowej rozmowie!

Co za spotkanie! Co za ryzyko!

Lecz było to ryzyko, które należało podjąć, ponieważ to właśnie tutaj Alma pragnęła być – jeśli nie w Ogrodzie Botanicznym, to w Amsterdamie albo przynajmniej w Europie. Kiedy przebywała na morzach południowych, ogromnie tęskniła do północy. Tęskniła do zmiany pór roku i ostrego, jasnego, orzeźwiającego, zimowego światła słonecznego. Brakowało jej surowości zimnego klimatu, a także surowości umysłu. Po prostu nie była stworzona do tropików – ani jej cera, ani usposobienie. Byli tacy, którzy kochali Tahiti, ponieważ czuli się na niej jak w raju – niczym u początku historii – Alma jednak nie chciała żyć u zarania historii; pragnęła żyć w najbardziej bieżącym momencie ludzkości, u samego zawiązka inwencji i postępu. Nie chciała zamieszkiwać lądu duchów i zjaw; pragnęła świata telegrafu, pociągów, udoskonaleń, teorii i nauki, gdzie rzeczy zmieniały się z dnia na dzień. Tęskniła do powrotu do pracy w produktywnym i poważnym środowisku, w otoczeniu produktywnych i poważnych ludzi. Pożądała wygody zapchanej biblioteczki, słoi do przechowywania eksponatów, papieru, którego nie pożre pleśń, i mikroskopów, które nie znikną w ciągu nocy. Tęskniła do dostępu do najnowszych czasopism naukowych. Tęskniła do równych sobie.

Ale najbardziej z wszystkiego tęskniła do rodziny – do takiej, w jakiej była wychowana: ostrej, dociekliwej, rzucającej wyzwania i inteligentnej. Pragnęła znowu poczuć się jak Whittakerówna, otoczona przez Whittakerów. Ale ponieważ na świecie już nie było Whittakerów (abstrahując od Prudence Whittaker Dixon, zajętej swoją szkołą, oraz tych członków okropnego i nieznanego klanu ojca, którzy jeszcze nie scześli w angielskich więzieniach), pragnęła żyć wśród van Devenderów.

Jeśli ją zechcą.

Lecz co będzie, jeśli jej nie zechcą? Cóż, ryzykuje. Van Devenderowie – ci, którzy z nich pozostali – mogą nie tęsknić do jej towarzystwa tak bardzo jak ona. Mogą nie przyjąć z ochotą wkładu do ogrodu, jaki zaproponowała. Mogą ujrzeć w niej jedynie amatorskiego intruza. To była niebezpieczna gra, zostawić wujowi Deesowi swój traktat. Jego reakcja może się okazać wszystkim – od nudy (*mchy Filadelfii?*), przez religijną urazę (*ustawiczny proces stwarzania?*), po naukowe przerażenie (*teoria obejmująca cały naturalny świat?*). Alma wiedziała, że jej artykuł pociąga za sobą niebezpieczeństwo, iż zacznie wyglądać na osobę lekkomyślną, arogancką, naiwną, anarchistyczną, zepsutą, a nawet troszeczkę francuską. Ale artykuł ten był także – bardziej niż czymkolwiek innym – portretem jej potencjału, a ona pragnęła, by rodzina poznała jej możliwości, jeśli w ogóle ma poznać ją samą.

Jeśli zaś van Devenderowie i ich Hortus Botanicus ją odprawią, postanowiła, że się wyprostuje i pójdzie dalej. Może bez względu na wszystko zamieszka w Amsterdamie, a może wróci do Rotterdamu albo przeniesie się do Lejdy i zamieszka obok uniwersytetu. Jeśli nie Holandia, to jest jeszcze zawsze Francja, są Niemcy. Wszędzie może znaleźć pracę, może nawet w jakimś ogrodzie botanicznym. Kobieta ma trudniej, ale to jest możliwe – zwłaszcza kiedy własną wiarygodność może oprzeć na nazwisku ojca i wpływach Dicka Yanceya. Znała w Europie wszystkich wybitnych profesorów briologów; z wieloma z nich przez lata korespondowała. Może ich odnaleźć i zgłosić się na czyjąś asystentkę. A jak nie, to może uczyć – nie na poziomie uniwersyteckim, ale zawsze da się znaleźć posadę guwernantki przy jakiejś zamożnej rodzinie. Jeśli nie botaniki, może uczyć języków. Dobre nieba, ma ich w głowie wystarczająco.

Godzinami chodziła po mieście. Nie była gotowa wracać do hotelu. Nie wyobrażała sobie, aby mogła zasnąć. To tęskniła za Rogerem, to się czuła uwolniona od jego dreptania tuż za nią. Jeszcze nie pojęła topografii Amsterdamu, więc się włóczyła, to gubiąc, to odnajdując drogę w dziwnej zawiłości miasta – klucząc dookoła jego półłuku z pięcioma ogromnymi, zaokrąglonymi kanałami. Wciąż przechodziła ponad wodą po dziesiątkach mostów o nieznanych nazwach. Szła wzdłuż Herengracht, podziwiając ładne domy z rozwidlonymi kominami i wykuszami na ścianach szczytowych. Minęła pałac. Natrafiła na pocztę główną. Znalazła kawiarnię, gdzie mogła w końcu zamówić talerz własnych *wentelteefjes*. Jadła je z przyjemnością nieporównywalną do żadnej innej, płynącej z jakiegokolwiek posiłku, który zdolna była sobie przypomnieć, czytając stary egzemplarz „Lloyd's Weekly Newspaper", zapewne pozostawiony przez jakiegoś uprzejmego brytyjskiego turystę.

Zapadła noc, ona jednak wciąż wędrowała. Mijała stare kościoły i nowe teatry. Widziała tawerny i sklepy z ginem, i pasaże, i gorsze rzeczy. Zobaczyła starych purytan w krótkich płaszczach i w krezach, jak gdyby właśnie pojawili się z czasów Karola I. Widziała młode kobiety o odkrytych ramionach, zapraszające mężczyzn ku ciemnym przedsionkom. Widziała – i czuła – przedsiębiorstwa zajmujące się pakowaniem śledzi. Zobaczyła wzdłuż kanałów mieszkalne barki i ich rozkwitłe ogrody w donicach oraz grasujące koty. Przeszła przez żydowską dzielnicę i zobaczyła warsztaty szlifierzy diamentów. Widziała szpitale i sierocińce dla podrzutków; widziała drukarnie i banki, i biura rachunkowe; zobaczyła fantastyczny główny targ kwiatowy, zamknięty na noc. Wszędzie dookoła – nawet o tak późnej porze – czuła tętno handlu.

Amsterdam – wybudowany na palach w mule, zabezpieczany i utrzymywany przez pompy, śluzy, zawory, bagry i groble – zrobił na Almie wrażenie nie tyle jako miasto, lecz jako *machina*, triumf ludzkiej pracowitości. Stanowił najbardziej nienaturalne miejsce, jakie można było sobie wyobrazić. Był sumą ludzkiej inteligencji. Był doskonały. Chciała zostać w nim na zawsze.

Do hotelu wróciła dobrze po północy. Od nowych butów nabawiła się pęcherzy na stopach. Właścicielka zareagowała bez uprzejmości na jej późne pukanie do drzwi.

– A gdzie twój pies? – zażądała informacji.

– Zostawiłam go u przyjaciela.

– Hm – mruknęła kobieta.

Nie wyglądałaby bardziej karcąco, gdyby Alma powiedziała „Sprzedałam go Cyganom".

Podała klucz.

– Pamiętaj, dzisiaj w nocy żadnych mężczyzn w pokoju.

Ani dzisiaj, ani którejkolwiek innej nocy, moja droga, pomyślała Alma. Ale dziękuję, że w ogóle przyszło ci to na myśl.


Następnego dnia rano obudziło Almę walenie w drzwi. Była to stara dobra znajoma, opryskliwa właścicielka hotelu.

– Pani, powóz czeka na dole! – wrzasnęła głosem czystym niczym smoła.

Alma podeszła chwiejnym z rozespania krokiem.

– Nie oczekuję powozu – powiedziała zza drzwi.

– Ale on oczekuje ciebie, pani! – wrzeszczała kobieta. – Ubierać się. Mężczyzna mówi, że sam nie odjedzie. Mówi, żeby brać torby. Zapłacił już za pokój. Nie wiem, skąd tym ludziom przychodzi do głowy pomysł, że jestem gońcem.

Otumaniona Alma ubrała się i spakowała dwie małe torby. Poświęciła chwilę na posłanie łóżka, może z sumienności, a może grając na zwłokę. Jaki powóz? Czy jest aresztowana? Wydalana? Czy to jakieś bzdury, sposób na turystów? Ale ona nie jest turystką.

Zeszła na dół. Obok skromnego prywatnego powozu czekał na nią woźnica w liberii.

– Dzień dobry, panno Whittaker – powiedział, zdejmując kapelusz.

Wrzucił jej torby obok swego siedzenia z przodu. Miała okropne przeczucie, że chcą wsadzić ją do pociągu.

– Przepraszam – powiedziała. – Nie wydaje mi się, abym zamawiała powóz.

– Przysłał mnie doktor van Devender – odrzekł, otwierając przed nią drzwiczki. – Proszę zaraz wsiadać… on czeka i pilnie chce się z panią zobaczyć.

Prawie godzinę im zajęło kluczenie przez miasto z powrotem

ku Hortus Botanicus. Alma pomyślała, że o wiele szybciej byłoby pójść na piechotę. Szybki marsz podziałałby uspokajająco. W końcu woźnica ją dowiózł pod piękny ceglany dom tuż obok ogrodów, przy Plantage Parklaan.

– Proszę iść – rzucił przez ramię, marudząc z jej torbami. – Proszę wchodzić… drzwi są otwarte. Mówiłem, że on czeka na panią.

Alma czuła lekki niepokój, wchodząc bez zapowiedzi do prywatnego domu, ale zrobiła, jak powiedział. Zresztą ten dom nie był tak całkowicie obcy. Jeśli nie popełnia błędu, tutaj przyszła na świat jej matka.

Zajrzała do środka przez jedyne otwarte w recepcyjnym hallu drzwi. Za nimi znajdował się salonik. Spostrzegła na sofie wuja. Czekał na nią.

Pierwszą rzeczą, na jaką zwróciła uwagę, był pies Roger – nie do wiary! – zwinięty u niego na kolanach.

Drugą był jej traktat w prawej ręce wuja Deesa, spoczywającej lekko na grzbiecie Rogera, jak gdyby pies był przenośnym blatem do pisania.

Na końcu dopiero zauważyła, że twarz wuja jest mokra od łez. I kołnierz jego koszuli. Mokra broda mu drżała, oczy miał przerażająco czerwone. Wyglądał, jak gdyby płakał przez kilka godzin.

– Wujku Deesie! – Podbiegła do niego. – O co chodzi?

Stary mężczyzna przełknął i ujął jej dłoń. Rękę miał gorącą i wilgotną. Przez chwilę nie mógł nic mówić. Mocno ściskał jej palce. Nie zamierzał jej puszczać.

W końcu uniósł trzymany w drugiej ręce traktat.

– Och, Almo – powiedział i nawet nie zawracał sobie głowy ocieraniem łez. – Niech Bóg cię błogosławi, dziecko. Masz umysł twej matki.

# ROZDZIAŁ DWUDZIESTY DZIEWIĄTY

M inęły cztery lata.
Dla Almy były to lata szczęśliwe, bo czemuż by miały nie
być? Posiadała dom (wuj natychmiast zarządził jej przeprowadzkę do van Devenderów); miała rodzinę (czterech synów wuja, ich
urocze żony oraz stadko ich dorastających dzieci); mogła się regu-
larnie kontaktować z Prudence i Hanneke, pozostającymi w Filadelfii, dzięki korespondencji; a do tego zajmowała odpowiedzialne
stanowisko w Hortus Botanicus. Nosiła oficjalny tytuł *Curator van
Mossen* – nadzorca mchów. Otrzymała własne biuro na drugim
piętrze ładnego budynku, oddalonego od rezydencji van Devenderów o zaledwie dwie kamienice w dół ulicy.

Posłała po wszystkie swoje stare książki oraz notatki przecho-
wywane w powozowni w White Acre, a także po herbarium. Tego
tygodnia, kiedy przybył transport, czuła się, jakby nastało święto;
następne dni minęły jej na zatopieniu w nostalgii, która ją ogarnęła podczas rozpakowywania. Tęskniła za każdym przedmiotem
i tomem. Aż dostała rumieńców, tak ją rozbawiło odkrycie na dnie
skrzyń z książkami wszystkich starych frywolnych lektur. Postanowiła zatrzymać wszystkie – dobrze schowane. Po pierwsze nie
wiedziałaby, jak w przyzwoity sposób się pozbyć tak skandalicz-
nych tekstów. Z drugiej strony, te książki wciąż miały pobudzającą
moc. Nawet w tak zaawansowanym wieku w jej ciele utrzymywały
się uparte zrywy bezwstydnego pożądania i wciąż wymagały troski
w co poniektóre noce, kiedy odwiedzała, pod kapą, znaną starą
waginę, kolejny raz przypominając sobie smak Jutrzejszego Poranka, zapach Ambrose'a i pośpiech najbardziej natarczywej i niesłab-

nącej potrzeby. Nawet nie próbowała walczyć z tymi pragnieniami; teraz było już oczywiste, że są częścią niej.

Zarabiała godziwą pensję – pierwszą w życiu – w ogrodzie botanicznym i miała tego samego asystenta i kancelistę co dyrektor od mykologii oraz nadzorca paproci (a wszyscy stali się jej serdecznymi przyjaciółmi – jej pierwszymi w życiu naukowymi przyjaciółmi). Po pewnym czasie wyrobiła sobie reputację nie tylko wybitnego taksonomisty, ale także dobrej kuzynki. Niemało Almę zdumiewało i bardzo radowało, że tak swobodnie się adaptowała do rodzinnej krzątaniny i zgiełku, szczególnie że zawsze wiodła samotnicze życie. Uwielbiała cięte dialogi dzieci i wnucząt Deesa przy stole i była dumna z ich wielu osiągnięć oraz talentów. Czuła się zaszczycona, kiedy dziewczęta przychodziły do niej po radę albo pocieszenie w sprawach własnych, porywających lub przerażających romantycznych niepokojów. W ich podnieceniu odnajdywała cząstkę Retty; cząstkę Prudence w ich powściągliwości; cząstkę samej siebie w chwilach ich zwątpienia.

Po pewnym czasie wszyscy van Devenderowie zaczęli uważać Almę za godny szacunku nabytek zarówno dla ogrodu, jak i rodziny – te dwie jednostki i tak były całkowicie nie do rozróżnienia. Wuj Almy przekazał jej mały, zacieniony kąt w palmiarni i poprosił, by urządziła tam stałą ekspozycję o nazwie Grota Mchów. Było to zadanie trudne, ale też niosące zadowolenie. Mchy nie lubią rosnąć tam, gdzie się nie narodziły, i Alma miała problem z aranżacją wymaganych warunków (właściwa wilgotność, właściwa kombinacja światła i cienia, odpowiednie kamienie, żwir i kłody jako podłoże), dokładnie takich, które zachęciłyby kolonie mchów do rozwoju w sztucznym środowisku. Wyczyn się udał i wkrótce grota rozkwitała gatunkami mchów z całego świata. Utrzymanie ekspozycji stanowiło zadanie na całe życie, wymagało bowiem ustawicznego rozpylania wody (osiąganego za pomocą silników parowych), chłodzenia za pomocą izolowanych ścian i ciągłej ochrony przed bezpośrednim nasłonecznieniem. Agresywne i szybko rosnące mchy trzeba było trzymać pod ścisłą kontrolą, aby rzadsze i mniejsze gatunki mogły się też rozwinąć. Alma przeczytała o japońskich mnichach, którzy utrzymywali ogrody mchów, pieląc je malutkimi szczypcami, i też zaczęła tak robić. Każdego ranka można było ją widzieć w Grocie Mchów, jak wyciąga po jednym maleńkim źdźble przy świetle latarni górniczej, używając do tego własnej stalowej pęsety. Pragnęła, by jej grota była doskonała, by połyskiwała jak szmaragdowy ogień – jak lata temu, na Tahiti, tamta niezwykła grota skrzyła się dla niej i dla Jutrzejszego Poranka.

Grota Mchów stała się popularnym miejscem w Hortus Botanicus, choć wyłącznie dla określonego typu osób: takich, które pragnęły chłodnego mroku, ciszy, zamyślenia. (Innymi słowy, dla takich osób, których nie interesowały krzykliwe kwiaty, gigantyczne liście lilii bądź tłumy wrzaskliwych rodzin). Alma lubiła przycupnąć w kącie i obserwować ludzi odwiedzających miejsce, które stworzyła. Widziała, jak głaszczą skórę mchu, i obserwowała ich zrelaksowane twarze oraz spokojne ruchy. Czuła z nimi pokrewieństwo – z ludźmi cichymi.

Podczas owych lat Alma spędziła także sporo czasu na pracy nad swą teorią rywalizujących przekształceń. Wuj Dees, kiedy przeczytał jej tekst w 1854 roku, nalegał, by opublikowała artykuł, Alma jednak stawiała opór tak wtedy, jak i cały czas potem. Co więcej, nie chciała mu pozwolić, by z kimkolwiek omawiał jej teorię. Jej opór wywoływał tylko frustrację dobrego wuja, który uważał teorię Almy za ważną oraz nader prawdopodobnie słuszną. Oskarżał ją o nadmierną nieśmiałość i zahamowanie. W szczególności oskarżał ją o lęk przed potępieniem religijnym, gdyby upubliczniła swój pogląd na ustawiczny proces stwarzania oraz przemianę gatunków.

– Po prostu nie masz odwagi uśmiercić Boga – mówił ów dobrotliwy holenderski protestant, który pobożnie chodził do kościoła w każdy dzień Pański swego życia. – Almo, daj spokój... czego się boisz? Pokaż trochę zuchwałości swego ojca, dziecko! Ruszaj i zawładnij światem! Zbudź całe stado szczekających psów kontrowersji, jeśli trzeba. Hortus będzie cię chronił! Sami możemy to wydać! Możemy to opublikować nawet pod moim nazwiskiem, jeśli lękasz się potępienia.

Alma wahała się jednak nie ze strachu przed Kościołem, lecz z powodu głębokiego przekonania, że jej teoria nie jest wystarczająco niezaprzeczalna naukowo. Miała pewność, że w rozumowaniu jest jakaś szczelina, i nie mogła wydedukować, czym ją zamknąć. Alma była perfekcjonistką i trochę więcej niż pedantką i z całą pewnością nie zamierzała dać się złapać na publikacji niedomkniętej teorii, nawet jeśli szczelina była niewielka. Nie obawiała się, że obrazi religię, co często powtarzała wujowi; obawiała się obrazić coś znacznie świętszego: *rozum*.

Bo tu właśnie pojawiała się szczelina w teorii Almy: nie potrafiła, za żadne skarby, zrozumieć ewolucyjnej przydatności altruizmu oraz poświęcenia. Jeśli świat naturalny jest rzeczywiście obszarem amoralnej i ustawicznej walki o przetrwanie, jakim się jawi, i jeśli prześcignięcie rywali stanowi klucz do dominacji, adaptacji oraz wytrzymałości – to czemu miałby służyć ktoś taki jak, dajmy na to, jej siostra Prudence?

Kiedykolwiek Alma przywoływała imię siostry w nawiązaniu do własnej teorii rywalizujących przekształceń, wuj zgrzytał zębami.

– Znowu, proszę nie! – mówił, pociągając się za brodę. – Almo, nikt nawet nie słyszał o Prudence! Ona nikogo nie obchodzi!

Ale ją obchodziła i „problem Prudence", jak zaczęła go nazywać, istotnie zajmował jej myśli, ponieważ zagrażał obaleniem całej teorii. Zajmował ją w szczególności dlatego, iż był osobisty. Akt wielkiej szczodrości i poświęcenia ze strony Prudence przed nieomal czterdziestu laty za zamierzonego beneficjenta miał przecież Almę i ona nigdy o tym nie zapomniała. Prudence w milczeniu zrezygnowała ze swej jedynej prawdziwej miłości – w nadziei, że George Hawkes ożeni się zamiast niej z Almą i Alma *skorzysta na tym małżeństwie*. To, że akt poświęcenia okazał się całkowicie daremny, w żaden sposób nie umniejszało jego szczerości.

Dlaczego człowiek robi coś takiego?

Alma potrafiła odpowiedzieć na pytanie z moralnego punktu widzenia (*ponieważ Prudence jest dobra i nieegoistyczna*), lecz nie umiała tego wyjaśnić z punktu widzenia biologicznego (*w jakim celu istnieje dobro i bezinteresowność?*). Alma, rzecz jasna, rozumiała, czemu wuj szarpie sobie brodę, kiedy tylko wspominała imię Prudence. Zdawała sobie sprawę, że – wobec ogromu historii ludzkiej oraz naturalnej – ów tragiczny trójkąt między Prudence, George'em i nią samą jest tak tyci i bez znaczenia, że stanowiło wręcz niedorzeczność w ogóle podnosić ten temat (do tego podczas... dysputy naukowej). Jednak pytanie nie znikało.

Dlaczego człowiek robi coś takiego?

Za każdym razem, gdy Alma myślała o Prudence, była zmuszona zadawać je sobie od nowa, a potem obserwować bezsilnie, jak teoria rywalizujących przekształceń rozpada się na jej oczach. Albowiem Prudence Whittaker Dixon nie stanowiła całkiem wyjątkowego przykładu. Dlaczego *ktokolwiek* kiedykolwiek wykraczał poza interesowność? Alma umiałaby przeprowadzić całkiem przekonujący wywód, czemu na przykład matki poświęcają się na rzecz dzieci (*ponieważ kontynuacja rodu jest korzystna*), ale nie potrafiła wytłumaczyć, dlaczego żołnierz biegnie prosto w kierunku bagnetów, chroniąc rannego towarzysza. Jakim sposobem taki czyn wzmacnia lub obdarza korzyścią odważnego żołnierza albo jego rodzinę? Otóż wcale nie wzmacniał: za sprawą takiego poświęcenia żołnierz, który w następnej chwili ginął, odrzucał nie tylko własną przyszłość, ale także kontynuację rodu.

Ani też nie umiała Alma wyjaśnić, dlaczego głodny więzień oddaje jedzenie współwięźniowi.

Ani czemu dama rzuca się do kanału, by uratować niemowlę innej damy, wskutek czego się topi – który to tragiczny wypadek wydarzył się niedawno w pobliżu Hortus Botanicus.

Alma nie wiedziała, czy sama postawiona w takiej sytuacji zachowałaby się równie szlachetnie, inni jednak bezdyskusyjnie tak robili – i to, biorąc wszystko pod uwagę, całkiem powszechnie. Alma nie wątpiła, że siostra oraz wielebny Welles (kolejny przykład nadzwyczajnej dobroci) bez wahania odjęliby sobie jedzenie od ust, by uratować czyjeś życie, i równie stanowczo daliby się zranić albo ponieśliby śmierć, by uratować czyjeś niemowlę lub nawet czyjegoś kota.

Co więcej, w przyrodzie poza ludźmi nie istniała analogia do tak krańcowych przykładów poświęcenia – przynajmniej ona dotychczas ich nie zaobserwowała. Tak, w roju pszczół, w watasze wilków, stadzie ptaków czy nawet kolonii mchu czasami dla dobra ogółu ginie jednostka. Ale nikt nigdy nie widział wilka ratującego życie pszczole. Nikt nie widział, żeby pojedyncze włókno mchu wybrało śmierć, oddając w geście bezinteresownej dobroczynności swą cenną porcję wody mrówce!

Tego typu argumenty doprowadzały jej wuja do rozpaczy, kiedy siedzieli razem do późnego wieczoru, rok w rok, debatując nad tym zagadnieniem. Była już wczesna wiosna roku 1858, a oni wciąż debatowali.

– Nie bądź taką irytującą sofistką – powiedział Dees. – Ogłoś drukiem, jak jest.

– Nic nie poradzę, że taka jestem, wujku – odpowiedziała z uśmiechem. – Pamiętaj, mam umysł swojej matki.

– Wystawiasz na próbę moją cierpliwość, siostrzenico – odparł. – Opublikuj referat, pozwól, żeby świat zaczął dyskutować nad tematem, i daj nam odpocząć od tego wyczerpującego szukania dziury w całym.

Ale jej to nie przekonywało.

– Jeśli ja widzę w moim rozumowaniu tę szczelinę, to inni, wujku, też z pewnością ją dostrzegą i moja praca nie spotka się z poważnym przyjęciem. Jeśli teoria rywalizujących przekształceń jest słuszna, to musi być słuszna dla całości przyrody... włączając w to człowieka.

– Zrób dla ludzi wyjątek – sugerował wuj, wzruszając ramionami. – Arystoteles zrobił.

– Nie zajmuję się Wielkim Łańcuchem Bytu, wujku. Nie interesują mnie etyczne i filozoficzne argumenty, interesuje mnie teoria biologiczna. Prawa natury nie mogą dopuszczać wyjątków, inaczej nie byłyby prawami. Prudence nie jest wyjątkiem od grawitacji; w związku z tym nie może być wyjątkiem w teorii rywalizujących przekształceń, jeśli ta teoria ma rzeczywiście być prawdziwa. Jeśli zaś jest w niej wyjątkiem, to teoria nie jest prawdziwa.

– Grawitacji? – Przewrócił oczami. – Dobry Boże, dziecko, posłuchaj sama siebie. Teraz chcesz być Newtonem!

– Chcę być poprawna – uściśliła Alma.

W mniej poważnych chwilach uważała „problem Prudence" za niemal komiczny. Przez całą młodość siostra stanowiła dla Almy problem, a teraz – kiedy nauczyła się ją niezmiernie kochać, podziwiać i szanować – Prudence *nadal* potrafi stanowić problem.

– Czasami myślę, że wolałbym nigdy więcej nie słyszeć w tym domu imienia Prudence – powiedział wuj Dees. – Poznałem i wystarczy, już dość tej Prudence.

– To wytłumacz mi ją – nalegała Alma. – Dlaczego adoptuje sieroty po murzyńskich niewolnikach? Dlaczego oddaje ostatni grosz ubogim? Jaką jej to daje przewagę? Jaką daje to przewagę jej własnym potomkom? Wyjaśnij mi to!

– To jej daje przewagę, Almo, ponieważ ona jest chrześcijańskim męczennikiem i każdego dnia rozkoszuje się odrobiną ukrzyżowania. Znam ten typ, moja droga. Istnieją ludzie, z czego na pewno zdajesz sobie sprawę, którzy znajdują co do grama tyle samo przyjemności w posłudze i poświęceniu, co inni w grabieży oraz morderstwie. Tak drastyczne przykłady są rzadkie, ale zdecydowanie istnieją.

– Ale tutaj znowu dotykamy istoty naszego problemu! – odparowała Alma. – Jeśli moje teoria jest poprawna, nie powinno w ogóle być takich ludzi. Pamiętaj, wujku... moja dysertacja nie nosi tytułu „teoria przyjemności płynących z poświęcenia".

– Wydaj ją, Almo – powiedział ze znużeniem. – To porcja dobrego myślenia, i to w jednym kawałku. Wydaj tak, jak jest, i pozwól, żeby świat podjął dyskusję.

– Nie mogę tego opublikować – trwała w uporze – dopóki ta idea nie stanie się *bezdyskusyjna*.

I tak to toczyła się rozmowa i zataczała kręgi, kończąc zawsze w tym samym punkcie, zapędzona zawsze w ten sam frustrujący róg. Wuj Dees spojrzał na psa Rogera, zwiniętego u niego na podołku.

– Ty byś mnie ratował, gdybym się zaczął topić w kanale, prawda, przyjacielu?

Roger zaczął wywijać swoistą odmianą ogona w odpowiedzi.

Alma musiała przyznać: jest prawdopodobne, że Roger uratowałby wuja Deesa, gdyby ten tonął w kanale albo gdyby dostał się w pułapkę pożaru, albo głodowałby w więzieniu lub przygwoździłby go zawalony budynek – a Dees z pewnością zrobiłby to samo dla niego. Wzajemna miłość wuja Deesa i psa Rogera była w każdym calu tak samo trwała, jak nagła. Od chwili, kiedy się poznali, nigdy nie widziano ich oddzielnie, człowieka i psa. Po przybyciu do Amsterdamu przed czterema laty Roger bardzo szybko dał Almie do zrozumienia, że przestał być jej psem – że, prawdę powiedziawszy, nigdy nie był *jej* psem, tak jak nigdy nie był psem Ambrose'a, lecz że przez cały ten czas był psem Deesa, mocą czystego i prostego przeznaczenia. Fakt, że Roger urodził się na dalekiej Tahiti, podczas gdy Dees van Devender wzrastał w Holandii, był rezultatem, jak prawdopodobnie wierzył Roger, niefortunnego urzędniczego błędu, teraz szczęśliwie naprawionego.

Jeśli zaś chodzi o rolę Almy w życiu Rogera, wypełniała zadanie zaledwie posłańca, odpowiedzialnego za transport niespokojnego małego pomarańczowego gościa przez połowę świata, aby złączyć psa i człowieka wieczną i oddaną miłością, im przypisaną.

Wieczną i oddaną miłością.

*Dlaczego?*

Roger był następnym, którego Alma nie potrafiła rozgryźć.

Obydwoje, Roger i Prudence.


Nadeszło lato 1858 roku, a razem z nim niespodziewany sezon śmierci. Smutek przybył ostatniego dnia czerwca wraz z listem, w którym siostra przekazywała Almie ciąg złych wiadomości.

„Muszę Cię poinformować o trzech zgonach", ostrzegła Prudence w pierwszej linijce. „Być może, Siostro, lepiej, abyś usiadła, zanim przeczytasz dalej".

Alma nie usiadła. Stała w progu rezydencji van Devenderów przy Plantage Parklaan i czytała bolesną korespondencję z dalekiej Filadelfii. Ręce jej drżały z bólu.

Najpierw, relacjonowała Prudence, zmarła Hanneke de Groot w wieku osiemdziesięciu siedmiu lat. Stara zarządczyni odeszła we własnej kwaterze w suterenie White Acre, bezpieczna za kratą prywatnego skarbca. Zmarła we śnie, nie cierpiała.

„Nie umiemy sobie wyobrazić, jak pociągniemy dalej bez niej", pisała Prudence. „Nie trzeba Ci przypominać jej dobroci oraz znaczenia. Była dla mnie niczym matka, jak wiem, że była też dla Ciebie".

Ledwo znaleziono ciało Hanneke, pisała dalej Prudence, kiedy do White Acre nadbiegł chłopak z wiadomością od George'a Hawkesa, że Retta – „za sprawą szaleństwa zmieniona przez ostatnie lata nie do poznania" – wydała ostatnie tchnienie we własnym pokoju w Zakładzie dla Umysłowo Chorych Griffona.

Prudence pisała: „To prowokuje pytanie, co powinno ścisnąć serce większym żalem: śmierć Retty czy smutne okoliczności jej życia. Usiłuję pamiętać Rettę z dawnych czasów, wesołą i beztroską. I ledwo umiem przywołać obraz dziewczyny, jaką była do czasu, kiedy jej umysł się tak potwornie zmącił... bo to było dawno temu, gdyśmy wszyscy byli bardzo młodzi".

A potem nadeszła najbardziej wstrząsająca wiadomość. Niespełna dwa dni po śmierci Retty, relacjonowała Prudence, zmarł sam George Hawkes. Właśnie wrócił od Griffona, prosto po ustaleniu szczegółów pogrzebu żony, kiedy upadł na ulicy przed swoją drukarnią. Miał sześćdziesiąt siedem lat.

„Przepraszam, że wzięłam się do sporządzenia tego nieszczęsnego listu po upływie tygodnia", kończyła Prudence, „ale umysł mój nęka tak wiele myśli oraz zgryzot, że trudno mi się było zabrać. Od tego miesza się człowiekowi w głowie. Jesteśmy tutaj wszyscy mocno wstrząśnięci. Być może tak długo odkładałam napisanie listu, ponieważ nie mogłam przestać myśleć: Każdy dzień, w którym nie powiadamiam mojej biednej Siostry, jest dniem, w którym nie musi tego znosić. Szukałam dla Ciebie w sercu pocieszenia wielkości choćby ziarnka, ale miałam trudność, żeby na cokolwiek trafić. Dla siebie samej też trudno mi znaleźć pocieszenie. Niech Pan przyjmie ich wszystkich i chroni. Nie znajduję więcej słów, proszę, wybacz. Szkoła idzie dobrze. Uczniowie robią postępy. Pan Dixon oraz dzieci przesyłają wyrazy nieprzemijającego oddania – z największym szacunkiem, Prudence".

Teraz Alma usiadła i odłożyła list.

Hanneke, Retta, George – odeszli, za jednym zamachem.

– Biedna Prudence – mruknęła na głos.

Rzeczywiście, biedna Prudence, utracić na zawsze George'a Hawkesa. Oczywiście, Prudence straciła George'a dawno temu, ale teraz straciła go powtórnie, i tym razem rzeczywiście na zawsze. Prudence nigdy nie przestała kochać George'a ani on jej – tak przynajmniej mówiła Almie Hanneke. Ale George podążył do grobu za biedną Rettą, po wsze czasy związany z losem tragicznej malutkiej żony, której nigdy nie kochał. Wszystkie szanse ich młodości, pomyślała Alma, strwonione. Po raz pierwszy spostrzegła, jak podobnie się potoczyły losy jej oraz siostry – obie zostały skazane na pokochanie mężczyzn, których nie mogły mieć, i pomimo to obie postanowiły dzielnie dać sobie radę. Człowiek stara się jak może, oczywiście, i w stoicyzmie znaleźć można godność, ale naprawdę zdarzają się chwile, kiedy ledwo się da wytrzymać cały smutek tego świata, myślała Alma, i okrucieństwo miłości bywa czasem najbardziej bezlitosnym z wszelkich okrucieństw.

Pierwszym odruchem było jak najprędzej wracać do domu. Ale White Acre już nie była jej domem i samo wyobrażenie starej posiadłości bez twarzy Hanneke de Groot przyprawiło Almę o mdłości i poczucie zagubienia. Zamiast tego poszła do biura i napisała odpowiedź, szukając teraz we własnym sercu ziarnka pocieszenia i niewiele znajdując. Nietypowo dla siebie, zwróciła się do Biblii, do psalmów. Napisała do siostry: „Bliski jest Pan tym, którzy są utrapionego serca: i zbawi pokorne w duchu". Spędziła cały dzień za zamkniętymi drzwiami, w milczeniu zgięta wpół z rozpaczy. Nie martwiła wuja żadną z owych smutnych wieści. Tak się cieszył, że jego ukochana niania Hanneke de Groot nadal żyje; nie zniosłaby przekazywania mu wiadomości o jej śmierci ani o śmierci innych. Nie chciała martwić jego dobrego i pogodnego ducha.


Zaledwie dwa tygodnie później w dwójnasób cieszyła się z decyzji. Wuj Dees dostał gorączki i położył się do łóżka, i w ciągu jednego dnia zmarł. Była to jedna z owych fal gorączki, które latem nawiedzały Amsterdam, gdy kanały stawały się nieświeże i cuchnące. Jednego poranka Dees, Alma i Roger spożywali wspólnie śniadanie, a przy następnym śniadaniu Deesa już nie było. Miał siedemdziesiąt sześć lat. Alma była załamana tą stratą – zaraz po tamtych – do tego stopnia, że nie wiedziała, jak się opanować. Nocami krążyła po swoich pokojach, jedną ręką przyciskając do piersi z lęku, że pękną jej żebra i się otworzą, a serce wypadnie na ziemię. Czuła, że tak krótko znała wuja – zupełnie niewystarczająco! Dlaczego nigdy nie starcza czasu? Jednego dnia tutaj był, a potem następnego, powołany gdzie indziej. Oni wszyscy zostali powołani gdzie indziej.

Wyglądało na to, że na pogrzeb doktora Deesa van Devendera przybyła połowa Amsterdamu. Czterech synów oraz dwóch najstarszych wnuków zaniosło trumnę z domu przy Plantage Parklaan do kościoła za rogiem. Mnogość synowych i wnuków szlochała, wczepiwszy się w siebie nawzajem; wciągnęli w swój krąg Almę, która doznała niejakiego pocieszenia od tej rodzinnej bliskości. Dees był powszechnie uwielbiany. Wszyscy się czuli opuszczeni. Co więcej, rodzinny pastor wyjawił, że doktor van Devender był przez całe życie skrytym i niedościgłym wzorem działalności dobroczynnej; w opłakującym go tłumie znajdowało się wielu, którym pomógł lub których wręcz uratował.

Ironia tego ujawnienia – w świetle niemających końca nocnych debat Almy i Deesa – wywołała u niej płacz i śmiech zarazem. Jego anonimowa szczodrość z pewnością plasuje jego życie wysoko na drabinie Majmonidesa, pomyślała, ale powinien był napomknąć mi o tym w jakimś momencie! Jakże mógł tak siedzieć, rok za rokiem, odrzucając naukową wagę altruizmu i zarazem w tajemnicy całkiem pracowicie się mu poświęcać? Zdumiewał Almę. Tęskniła do niego. Pragnęła zadawać mu pytania i się z nim przekomarzać – ale jego już nie było.

Po pogrzebie najstarszy syn Deesa, Elbert, który miał teraz przejąć funkcję dyrektora Hortus Botanicus, podszedł do Almy i taktownie zapewnił ją, że może być całkowicie spokojna o swoje miejsce, zarówno w rodzinie, jak i w ogrodzie.

– Nie musisz się martwić o przyszłość – powiedział. – Wszyscy pragniemy, abyś została.

– Dziękuję ci, Elbercie. – To było wszystko, co zdołała rzec.

Dwoje kuzynów się objęło.

– Dobrze jest wiedzieć, że równie mocno go kochałaś jak my wszyscy – powiedział Elbert.

Ale nikt nie kochał Deesa tak jak pies Roger. Od pierwszej chwili jego choroby mały pomarańczowy kundel nie ruszał się z łóżka pana; nie poruszył się także, kiedy zabrano ciało. Zapuścił korzenie w zimne prześcieradła i ani drgnął. Nie przyjmował jedzenia – nawet *wentelteefjes*, które Alma sama dla niego przygotowała i którymi wśród łez próbowała go karmić własną ręką. Odwrócił głowę do ściany i zamknął oczy. Głaskała go, mówiła do niego po tahitańsku i przypomniała mu jego szlachetny rodowód, ale on w żaden sposób nie reagował. Po kilku dniach Roger też odszedł.

Gdyby nie czarna chmura śmierci nad krajobrazem życia Almy tamtego lata 1858 roku, prawie na pewno usłyszałaby o obradach Towarzystwa Linneuszowskiego w Londynie z 1 lipca. Zwykle przestrzegała lektury notatek z wszystkich ważniejszych naukowych posiedzeń w Europie oraz Ameryce. Jednak tamtego lata jej umysł był – ze zrozumiałych przyczyn – wyjątkowo rozproszony. Oddawała się rozpaczy i żałobie, a na biurku piętrzyły się nieprzeczytane pisma fachowe. Opieka nad Grotą Mchów w całości pochłaniała tę odrobinę energii, którą dawała radę zmobilizować. Większość pozostałych spraw leżała odłogiem.

Tym sposobem rzecz przegapiła.

Prawdę powiedziawszy, nie dowie się niczego aż do pewnego poranka pod koniec grudnia roku następnego, kiedy otworzy bieżący numer zaprenumerowanego „The Times" i przeczyta recenzję nowej książki, którą autor, pan Karol Darwin, zatytułował *O powstawaniu gatunków drogą doboru naturalnego, czyli o utrzymywaniu się doskonalszych ras w walce o byt.*

# ROZDZIAŁ TRZYDZIESTY

O czywiście Alma słyszała o Karolu Darwinie; każdy słyszał. W 1839 roku opublikował dosyć popularną książkę podróżniczą z wyprawy na wyspy Galapagos. Ta urokliwa relacja zyskała mu w swoim czasie sporą popularność. Darwin miał lekkie pióro i zdołał przenieść na papier zachwyt nad przyrodą w swobodnym oraz przyjaznym tonie, który zachęcał czytelników z wszelkich środowisk. Alma pamiętała swoje uznanie dla owego talentu Darwina, sama bowiem nigdy nie potrafiła nawet się zbliżyć do pisania tak zajmującej, demokratycznej prozy.

Sięgając pamięcią do lektury *Wyprawa „Beagle'a"*, najlepiej przypominała sobie opis pingwinów pływających nocą w fosforyzujących wodach i pozostawiających za sobą w ciemności, jak pisał Darwin, „płomienny ślad". *Płomienny ślad!* Alma doceniała taki opis i przechowała go w pamięci przez ostatnie dwadzieścia lat. Zwrot przyszedł jej nawet na myśl podczas podróży na Tahiti, owej cudownej nocy na *Elliocie*, kiedy sama była świadkiem fosforyzacji oceanu. Jednak nie pamiętała z książki Darwina prawie nic więcej i on sam nie wyróżnił się od tamtego czasu w jakimś nadzwyczajnym stopniu. Porzucił podróże na rzecz bardziej naukowych celów – starannych i świetnych badań nad wąsonogami, jeśli Alma dobrze pamiętała. Z pewnością nigdy nie uważała go za głównego przyrodnika swego pokolenia.

Teraz jednakże, po przeczytaniu recenzji jego nowej i zdumiewającej książki, Alma odkryła, że Karol Darwin – ów wygadany entuzjasta wąsonogów, łagodny wielbiciel pingwinów – trzymał karty w ukryciu. Jak się okazało, miał do zaoferowania światu coś całkiem doniosłego.

Alma odłożyła gazetę i oparła głowę na dłoniach.

Płomienny ślad, faktycznie.

Prawie tydzień zajęło sprowadzenie egzemplarza książki z Anglii. Alma przebrnęła przez te dni jak w transie. Czuła, że nie stać jej na adekwatną reakcję na taki zwrot w biegu wypadków, dopóki nie będzie mogła przeczytać – słowo po słowie – raczej co sam Darwin ma do powiedzenia, niż co powiedziano na jego temat.

Książka nadeszła 5 stycznia – w jej sześćdziesiąte urodziny. Alma udała się do biura, zabierając dość jedzenia i picia, by spędzić tam tyle czasu, ile będzie potrzeba, i zamknęła się w środku. Następnie otworzyła *O powstawaniu gatunków* na pierwszej stronie i rozpoczęła lekturę cudownej prozy Darwina. Od pierwszej chwili wpadła do głębokiej pieczary, która z każdej strony niosła się echem jej własnych koncepcji.

Nie trzeba dodawać, że nie ukradł jej teorii. Nawet przez chwilę nie postała jej w głowie taka absurdalna myśl – albowiem Karol Darwin nigdy nie słyszał o Almie Whittaker, zresztą skąd. Lecz niczym dwóch poszukiwaczy tego samego skarbu, nadchodzących z dwóch różnych stron, obydwoje z Darwinem potknęli się o identyczną skrzynię skarbów. Co ona wydedukowała na podstawie mchów, on wydedukował na podstawie zięb. Co ona obserwowała na polu głazów narzutowych w White Acre, on oglądał powtórzone na wyspach Galapagos, zwanych Archipelagiem Kolumba. Jej głaz narzutowy był niczym innym jak przedstawionym w miniaturze archipelagiem. W końcu wyspa to wyspa – czy ma trzy stopy, czy trzy mile szerokości – i wszystkie najbardziej dramatyczne wydarzenia w przyrodzie odbywają się na takim dzikim, pełnym rywalizacji malutkim polu bitewnym każdej wysepki.

Książka była piękna. Podczas czytania Alma nie mogła wybrać pomiędzy rozpaczą a radością potwierdzenia, pomiędzy żalem a zachwytem.

Darwin pisał: „Rodzi się więcej osobników, aniżeli może zachować się przy życiu. Jeden gran przewagi może stanowić o tem, jakie osobniki żyć mają dalej, jakie zaś wyginąć"*.

---

* Wszystkie cytaty z Darwina w przekł. Szymona Dicksteina i Józefa Nusbauma, wg wyd.: Karol Darwin, *O powstawaniu gatunków drogą doboru naturalnego, czyli o utrzymywaniu się doskonalszych ras w walce o byt*, Warszawa 1884–1885.

Darwin pisał: „Jednym słowem owo wspaniałe przystosowanie najwyraźniej widzimy wszędzie, we wszystkich działach świata organicznego".

Czuła, że przytłaczają ją wezbrane emocje tak gęste, iż miała wrażenie, że zemdleje. Książka uderzyła w nią jak dmuch z wielkiego pieca: miała rację.

*Miała rację!*

W jej głowie kotłowały się ustawiczne i sprzeczne myśli o wuju Deesie, nawet podczas czytania. Gdyby tego dożył! Dzięki Bogu, że tego nie dożył! Jakże byłby dumny i wściekły zarazem! Nie byłoby końca stwierdzaniu: „Widzisz, *mówiłem* ci, opublikuj!". Ale też świętowałby owo wielkie, potwierdzające poświadczenie słuszności pracy siostrzenicy. Nie wiedziała, jak przetrawić bez niego tę sytuację. Okropnie za nim tęskniła. Z radością znosiłaby jego łajanie za odrobinę pocieszenia. Żałowała także, że ojciec nie dożył, aby to zobaczyć. Żałowała, że matka nie dożyła, aby to zobaczyć. A także że Ambrose. Było jej żal, że sama tego nie opublikowała. Nie wiedziała, co myśleć.

Dlaczego nie opublikowała swojej pracy?

Pytanie kłuło ją – a jednak kiedy czytała arcydzieło Darwina (a było to w oczywisty sposób arcydzieło), wiedziała, że ta teoria należy do niego i że musi należeć do niego. Nawet gdyby ona wypowiedziała ją pierwsza, nigdy nie powiedziałaby lepiej. Możliwe, że nikt by nawet jej nie słuchał, gdyby opublikowała tę teorię – nie dlatego, że jest kobietą albo że jest mało znana (choć te czynniki by jej nie pomogły), ale zwyczajnie dlatego, że nie umiałaby przekonać świata tak elokwentnie jak Darwin. Jej naukowość była doskonała, ale pisarstwo nie. Dysertacja Almy miała czterdzieści stron, a *O powstawaniu gatunków* ponad pięćset, ale nie miała najmniejszej wątpliwości, że Darwina czyta się o wiele lepiej. Jego książka była pomysłowa. Osobista. Żartobliwa. Czytało się ją jak powieść.

Swoją teorię nazwał „doborem naturalnym". Był to błyskotliwie zwięzły termin, prostszy i lepszy niż nieporęczna „teoria rywalizujących przekształceń" Almy. Budując cierpliwie swe argumenty za naturalną selekcją, Darwin nigdy nie był ani natarczywy, ani defensywny. Sprawiał wrażenie sympatycznego sąsiada czytelnika. Pisał o tym samym mrocznym i pełnym przemocy świecie, który Alma postrzegała – świat niekończącego się zabijania i umierania – ale jego język nie zawierał żadnej przemocy. Alma nie odważyłaby się pisać tak łagodnym piórem; nie umiałaby. Jej proza to był młot; Darwina – psalm. Przyszedł, niosąc nie miecz, lecz świeczkę. Co więcej, na wszystkich stronach sugerował istnienie ducha boskości – nigdy nie przywołując Stwórcy! Wywoływał poczucie cudu poprzez swe rapsodie na temat siły samego czasu. Pisał: „Jakże nieskończona liczba pokoleń, której umysł pojąć niezdolny, musiała nastąpić po sobie w długim ciągu lat!". Zachwycał się „piękną konsekwencją" przemian. Dzielił się wspaniałą obserwacją, że cud przystosowania uczynił każde stworzenie na planecie – nawet najskromniejszego żuka – drogocennym, zdumiewającym oraz „nobilitowanym".

Pytał: „Gdzie leży kres owych mocy?".

Pisał: „Spoglądamy na błyszczące z radości oblicze natury...".

Sumował: „Dostojność płynie z takiego obrazu życia".

Skończyła książkę i pozwoliła sobie na szloch.

Nic innego nie mogła zrobić wobec osiągnięcia doskonałego i tak druzgocącego.


W 1860 roku każdy czytał *O powstawaniu gatunków* i każdy dyskutował na ten temat, ale nikt nie czytał dzieła uważniej niż Alma Whittaker. Podczas wszystkich salonowych debat na temat doboru naturalnego nie otwierała jednak ust – nawet gdy jej własna holenderska rodzina podjęła wątek – słuchała jednak każdego słowa. Uczęszczała pilnie na każdy poświęcony mu wykład i czytała każdą recenzję, każdy atak, każdą krytykę. Co więcej, wracała ciągle do książki powodowana tak wnikliwością, jak i zachwytem. Była naukowcem i pragnęła teorię Darwina wziąć pod mikroskop. Pragnęła wypróbowywać na jego teorii własną.

Oczywiście, najważniejszym dla niej pytaniem było, w jaki sposób Darwin zdołał rozwiązać „problem Prudence".

Odpowiedź nadeszła szybko: nie zdołał.

Darwin go nie rozwiązał, ponieważ – całkiem sprytnie – unikał w książce tematu istot ludzkich. *O powstawaniu gatunków* dotyczyło przyrody, ale nie zawierało otwartego nawiązania do człowieka. Darwin zważał na pióro w tym względzie. Pisał o ewolucji zięb, gołębi, włoskich chartów, koni wyścigowych oraz wąsonogów – ale nigdy nie napomykał o istotach ludzkich. Pisał: „Ci, którzy są dynamiczni, zdrowi i szczęśliwi, przeżywają oraz się mnożą", ale nigdy nie dodał: „My także jesteśmy częścią systemu". Zainteresowani nauką czytelnicy sami dojdą do takiej konkluzji – i Darwin dobrze o tym wiedział. Czytelnicy zainteresowani religią również dojdą do takiej konkluzji i uznają ją za irytujące świętokradztwo – ale Darwin *przecież tego nie powiedział*. W ten sposób osłaniał siebie. Mógł sobie siedzieć w cichym domu w Kent, niewinny wobec publicznego oburzenia: *Jakże może być szkodliwa zwykła dyskusja o ziębach i wąsonogach?*

Jeśli chodzi o Almę, to uznała, że taka strategia stanowi największy przebłysk geniuszu Darwina: nie podjął *całości* zagadnienia. Być może podejmie później, ale teraz tego nie uczynił, nie tutaj, w tej ostrożnej, wstępnej rozprawie na temat ewolucji. To spostrzeżenie poraziło Almę, niemal się klepnęła w czoło w osłupiałym zadziwieniu; nigdy by jej nie przyszło do głowy, że porządny uczony nie musi traktować od razu o całości problemu – niezależnie od przedmiotu! W zasadzie Darwin zrobił to, do czego wuj Dees próbował nakłonić Almę: opublikował piękną teorię ewolucji, lecz wyłącznie w królestwie botaniki oraz zoologii, zostawiając ludziom debatę nad ich własnym pochodzeniem.

Pragnęła porozmawiać z Darwinem. Chciałaby móc pospieszyć przez La Manche do Anglii, wziąć pociąg do Kentu, zapukać do drzwi Darwina i zadać mu pytanie: „W jaki sposób wyjaśni pan postawę poświęcenia mojej siostry Prudence w kontekście przytłaczających dowodów na nieustanną biologiczną walkę?". Ale w tamtych dniach każdy chciał rozmawiać z Darwinem, a Alma nie posiadała niezbędnych wpływów, aby zaaranżować spotkanie z najbardziej pożądanym uczonym owych dni.

Z upływem czasu zebrała nieco więcej informacji, by lepiej rozeznać się w tym panu Karolu Darwinie, i zrozumiała, że dżentelmen nie należy do rozmiłowanych w dyskutowaniu. I prawdopodobnie nie przywitałby z otwartymi ramionami okazji do dysputy z jakąś nieznaną amerykańską briolożką. Prawdopodobnie uśmiechnąłby się uprzejmie i jeszcze w drzwiach rzekł: „A co *pani* o tym sądzi, madame?".

Rzeczywiście, podczas gdy cały uczony świat się zmagał z zajęciem stanowiska wobec Darwina, on sam pozostawał zdumiewająco milczący. Kiedy w seminarium teologicznym w Princeton Charles Hodge zarzucił Darwinowi ateizm, ten się nie bronił. Kiedy lord Kelvin odmówił przyjęcia teorii (co Alma uznała za niekorzystne, albowiem poparcie Kelvina byłoby bardzo uwiarygodniające), Darwin nie protestował. Nie przyłączał się także do swoich zwolenników. Gdy George Searle – znaczący katolicki astronom – napisał, że teoria doboru naturalnego wydaje mu się całkiem logiczna i nie stanowi zagrożenia dla Kościoła katolickiego, Darwin nie odpowiedział. Gdy anglikański hierarcha oraz powieściopisarz Charles Kingsley ogłosił, że jemu również jest po drodze z Bogiem, który „stworzył formy pierwotne zdolne do samorozwoju", Darwin nie wygłosił ani słowa. Gdy teolog Henry Drummond próbował skonstruować biblijną obronę teorii ewolucji, Darwin całkowicie unikał dyskusji.

Alma obserwowała, jak liberalni duchowni uciekają się do metafor (utrzymywali, że siedem dni stworzenia, jak opisywane w Biblii, było w rzeczywistości siedmioma *epokami geologicznymi*), podczas gdy konserwatywnym paleontologom, takim jak na przykład Louis Agassiz, oczy nabiegały krwią z wściekłości i oskarżali Darwina i jego zwolenników o nikczemne odstępstwo od wiary. To inni toczyli dla niego „wojnę o Darwina" – potężny Thomas Huxley w Anglii; wygadany Asa Gray w Ameryce. Ale sam Darwin po dżentelmeńsku trzymał się z daleka od całej debaty.

Alma z kolei każdy atak na dobór naturalny odbierała osobiście, tak jak każde poparcie podtrzymywało ją sekretnie na duchu – analizowana myśl nie była bowiem wyłącznie *Darwinowa*; była *jej*. Nadchodziły chwile, w których podejrzewała, że debata wywołuje w niej większe zdenerwowanie oraz podniecenie niż w samym Darwinie (być może kolejny powód, dla którego lepszy był z niego ambasador teorii, niż kiedykolwiek byłaby ona). Ale powściągliwość Darwina także ją frustrowała. Czasami pragnęła nim potrząsnąć i pchnąć go do walki. Gdyby znalazła się na jego miejscu, hulałaby do upadłego, jak Henry Whittaker. Można być pewnym, że dorobiłaby się zakrwawionego nosa, ale i ona pokrwawiłaby inne nosy. Walczyłaby do upadłego w obronie ich teorii (nie potrafiła myśleć o niej inaczej niż jak o „ich" teorii...)... to znaczy, gdyby w ogóle ją opublikowała. Czego, oczywiście, nie uczyniła. Nie miała więc podstaw do walki. I w związku z tym milczała.

Wszystko to było w największym stopniu dręczące, absorbujące, zagmatwane.

Co więcej – Alma nie mogła tego nie spostrzec – nikt nie rozwiązał dotychczas „problemu Prudence" tak, by się czuła usatysfakcjonowana.

Jeśli jasno widziała, w teorii nadal tkwiła szczelina.

Teoria była wciąż niekompletna.


Wkrótce coś nowego sprawiło, że Alma znalazła się w rozterce oraz w stanie rosnącego urzeczenia.

Mianowicie wraz z nabierającą rozpędu debatą nad Darwinem stawała się – z początku niewyraźnie, a potem coraz intensywniej – świadoma ukrytej na jej obrzeżach jeszcze jednej figury. Tak samo, jak kiedy w czasach młodości chwytała kątem oka błysk jakiegoś ruchu na krawędzi pola widzenia mikroskopu i usiłowała przesunąć nań ostrość (podejrzewając, zanim jeszcze wiedziała, co to, że może to być coś ważnego), tak teraz również dostrzegała coś dziwnego i być może istotnego, ukrytego w kącie. Coś jej nie pasowało. Było coś takiego w historii Karola Darwina i doboru naturalnego, czego nie powinno być. Pokręciła gałkami, podniosła drążki, skupiła całą swoją uwagę na zagadce – i tym właśnie sposobem dowiedziała się o istnieniu człowieka imieniem Alfred Russel Wallace.

Po raz pierwszy zobaczyła nazwisko Wallace'a, gdy się cofnęła, z ciekawości, do pierwszych oficjalnych wzmianek na temat doboru naturalnego – co zarejestrowano 1 lipca 1858 roku, podczas posiedzenia Towarzystwa Linneuszowskiego w Londynie. Gdy zostały opublikowane, Alma z powodu żałoby je przegapiła, teraz jednak wróciła do nich i uważnie przestudiowała treść. Natychmiast zauważyła coś szczególnego: po przedstawieniu tezy Darwina tego samego dnia odczytany został jeszcze jeden esej, *O skłonności gatunków do nieskończonych odstępstw od pierwotnego rodzaju*, napisany przez niejakiego A.R. Wallace'a.

Alma zdobyła ów esej i przeczytała. Głosił dokładnie to samo, co Darwin mówił na temat doboru naturalnego. Prawdę powiedziawszy, autor mówił precyzyjnie to, co twierdziła Alma w teorii rywalizujących przekształceń. Pan Wallace dowodził, że życie jest ustawiczną walką o byt: że nie ma dla wszystkich wystarczającej ilości zasobów naturalnych; że populacje kontrolowane są przez drapieżniki, choroby oraz niedobór pożywienia; oraz że najsłabsi zawsze umrą pierwsi. Dalej esej przechodził do stwierdzenia, że każde odchylenie w gatunku, które wpłynęło na stopień przeżycia, mogło ostatecznie zmienić gatunek na zawsze. Twierdził, że najbardziej pomyślne odchylenia zaczynają się szerzyć, podczas gdy najmniej korzystne zanikają. W taki sposób gatunki powstają, transmutują, rozwijają się i wymierają.

Esej był krótki, napisany prosto i – dla Almy – brzmiał nader znajomo.

*Kim jest ten człowiek?*

Nigdy przedtem Alma o nim nie słyszała. Już samo w sobie było to nieprawdopodobne, ponieważ starała się nie przepuścić żadnych informacji dotyczących ludzi ze świata nauki. Napisała listy do kilku znajomych w Anglii z pytaniami: „Kim jest Alfred Russel Wallace? Co ludzie o nim mówią? Co się wydarzyło w Londynie w lipcu 1858 roku?".

To, czego się dowiedziała, zaintrygowało ją jeszcze bardziej. Zdobyła informacje, że Wallace urodził się w hrabstwie Monmouth, w pobliżu Walii, w należącej do klasy średniej rodzinie, której z czasem zaczęło się gorzej powodzić; że w zasadzie był samoukiem, geodetą z zawodu. W młodości został poszukiwaczem przygód. Na statkach docierał do przeróżnych dżungli i został niezmordowanym zbieraczem owadów oraz ptaków. W 1853 roku Wallace wydał książkę zatytułowaną *Palmy Amazonii i ich zasto-*

*sowanie*, którą Alma przegapiła, gdyż w owym czasie podróżowała pomiędzy Tahiti a Holandią. Od 1854 roku przebywał na Archipelagu Malajskim, badając tam rzekotki i tym podobne.

Właśnie tam, w dalekich lasach na wyspie Celebes, Wallace dostał poważnej gorączki i był bliski śmierci. Kiedy, drżąc w febrze, skupiał się na nadchodzącym końcu, nagle go olśniło: teoria ewolucji, oparta na walce o byt. W zaledwie kilka godzin zapisał swą tezę i wysłał w daleką podróż z Celebes do Anglii, do dżentelmena o nazwisku Karol Darwin, którego onegdaj spotkał przy pewnej okazji i którego wielce podziwiał. Wallace, pełen szacunku, zapytał pana Darwina, czy ta teoria ewolucji może mieć w ogóle jakąś wartość. Było to niewinne pytanie; Wallace nie mógł wiedzieć, że Darwin się trudzi nad tąż samą ideą od mniej więcej 1840 roku. W rzeczywistości miał już zapisane prawie dwa tysiące stron tekstu, z którego później ułoży *O powstawaniu gatunków*, ale swej pracy nie pokazywał jeszcze nikomu oprócz bliskiego przyjaciela Josepha Hookera, z królewskich ogrodów Kew. Hooker przez wiele lat namawiał go na publikację, lecz Darwin – co Alma dobrze rozumiała – się powstrzymywał z powodu braku pewności siebie oraz przekonania.

Po czym się okazało, że, jednym z wielkich naukowych zbiegów okoliczności, piękna i oryginalna myśl Darwina – którą w prywatnym zaciszu doskonalił blisko dwadzieścia lat – została nieomal słowo w słowo wyrażona na drugiej półkuli przez prawie nieznanego, trzydziestopięcioletniego, chorego na malarię przyrodnika samouka.

Londyńskie źródła donosiły Almie, że list Wallace'a zmusił Darwina do natychmiastowego ogłoszenia własnej teorii doboru naturalnego w obawie, iż straci autorstwo całej koncepcji, jeśli Wallace opublikuje pierwszy.

I tak, skonstatowała Alma, Darwin się przeląkł, że przegra, *współzawodnicząc* z samą koncepcją współzawodnictwa! Pragnąc się zachować po dżentelmeńsku, zadecydował, że 1 lipca 1858 roku, podczas posiedzenia Towarzystwa Linneuszowskiego, ma zostać przedstawiony również list Wallace'a – razem z wynikiem badań Darwina nad doborem naturalnym oraz wyjaśnieniem, że hipoteza Darwina powstała wcześniej. Niecałe półtora roku później pojawiła się publikacja *O powstawaniu gatunków*. Alma oceniła, że taki pośpiech musiał świadczyć o panice Darwina – całkiem słusznej! Wallace nacierał! Jak czyni wiele zwierząt i roślin pod groźbą zagłady, Karol Darwin zmuszony został do zrobienia kroku, do podjęcia działania – musiał się zaadaptować do sytuacji. Alma pamiętała, co sama napisała we własnej wersji teorii: „Im większe zagrożenie, tym szybciej postępująca ewolucja".

Analizując tę niezwykłą historię, Alma nie miała wątpliwości: dobór naturalny był najpierw pomysłem Darwina. Ale nie był *wyłącznie* jego pomysłem. Również Almy i jeszcze kogoś. Wprawiło ją to w coś więcej niż zdumienie. Intelektualnie zdawało się to całkowitą niemożliwością. Ale świadomość, że Alfred Russel Wallace istnieje, dostarczyła jej także swoistego pocieszenia. Zrobiło jej się ciepło na myśl, że nie jest w tym wszystkim sama. Miała towarzysza. Oto oni, Whittaker i Wallace: zapoznani towarzysze – aczkolwiek Wallace nie miał oczywiście pojęcia, że są towarzyszami w owym zapoznaniu, do tego stopnia ona była *bardziej* zapoznana. Alma odczuwała jego obecność – swego dziwnego, cudownego intelektualnego brata. Gdyby była bardziej religijna, dziękowałaby Bogu za Alfreda Russela Wallace'a, albowiem to skromne poczucie pokrewieństwa pomogło jej taktownie i bezpiecznie – w sposób pozbawiony wycieńczającego żalu, rozpaczy oraz wstydu – przejść przez całą tę wrzawę otaczającą pana Karola Darwina i jego rewolucyjną przeistaczającą świat teorię.

To Darwin będzie należeć do historii, owszem, ale Alma miała Wallace'a.

I to, przynajmniej na razie, stanowiło wystarczające pocieszenie.

Minął rok 1860. W Holandii panował spokój, ale Stany Zjednoczone były rozdarte nieprawdopodobną wojną. Z powodu wiadomości, które otrzymywała z domu w owym strasznym czasie, donoszących o przerażającej rzezi, Almę mniej angażowało rozprawianie na naukowe tematy. Prudence straciła nad Antietam najstarszego syna, oficera. Dwóch młodych wnuków zmarło na jakąś obozową chorobę, zanim w ogóle ujrzeli pole bitwy. Prudence całe życie walczyła o likwidację niewolnictwa, a teraz, kiedy ono się skończyło, straciła w walkach trzech bliskich mężczyzn. „Raduję się, a potem pogrążam w żalu", pisała Almie. „Później pogrążam się w żalu jeszcze większym". I znowu Alma rozważała, czy powinna wracać do domu – nawet to zaproponowała – ale siostra zachęcała ją do pozostania w Holandii. „Nasz naród zbyt wielką przeżywa w tej chwili tragedię, by przyjmować gości", zdawała relację Prudence. „Zostań tam, gdzie świat jest spokojniejszy, błogosław ów spokój".

Jakimś cudem Prudence zdołała nie zamknąć szkoły podczas wojny. Nie tylko trwała na posterunku, ale wzięła nawet więcej uczniów w czasie walk. Wojna się skończyła. Dokonano zamachu na prezydenta. Unia przetrwała. Ukończono budowę kolei transkontynentalnej. Alma pomyślała, że może to zdoła utrzymać Stany Zjednoczone w całości, zszyte – twardy, stalowy ścieg potężnej kolei. W tamtych dniach z jej bezpiecznej perspektywy Ameryka jawiła się jako miejsce niekontrolowanego i nieokiełznanego wzrostu. Cieszyła się, że jej tam nie ma. Ameryka należała do minionego, innego życia; Alma przypuszczała, że już nie poznałaby miejsca ani ono jej by nie rozpoznało. Lubiła życie Holenderki, i uczonej, i jednej z van Devenderów. Czytała każdy naukowy periodyk i w wielu z nich publikowała. Nad kawą z ciastkiem prowadziła zajmujące dyskusje z kolegami. Każdego lata Hortus przyznawał jej miesięczny urlop, by mogła zbierać mchy na całym kontynencie. Całkiem dobrze poznała i pokochała Alpy, przemierzając ich majestatyczne szczyty z laską oraz zestawem zbieracza.

Zamieniła się w wielce zadowoloną starszą panią.

Nadeszły lata siedemdziesiąte. Spokojny Amsterdam towarzyszył Almie przy wkraczaniu w ósmą dekadę życia, wciąż oddanego pracy. Chodzenie po górach zaczęło jej sprawiać trudność, ale zajmowała się nadal Grotą Mchów i od czasu do czasu wygłaszała w Hortus Botanicus pogadanki z briologii. Pogarszał się jej wzrok i miała obawy, czy długo będzie jeszcze zdolna rozróżniać mchy. Przygotowując się do smutnej konieczności, ćwiczyła pracę z mchami w ciemności, ucząc się ich rozróżniania poprzez dotyk. Stała się w tym całkiem sprawna. (Nie musi zawsze *widzieć* mchów, ale chciałaby zawsze je *znać*). Na szczęście, miała teraz wspaniałą pomoc. Ulubiona kuzynka Margaret – z czułością zwana Mimi – ujawniła wrodzoną pasję do mchów i szybko stała się protegowaną Almy. Gdy dziewczyna ukończyła studia, wróciła do Hortus Botanicus. Przy pomocy Mimi Alma zdołała ukończyć swe wyczerpujące, dwutomowe dzieło *Mchy północnej Europy*, które zostało dobrze przyjęte. Tomy były ładnie ilustrowane, choć artysta nie był Ambrose'em Pikiem.

Ale nikt nim nie był. I nigdy nie będzie.

Alma obserwowała, jak Karol Darwin staje się wielkim człowiekiem nauki. Nie zazdrościła mu sukcesu; zasługiwał na sławę i znosił ją godnie. Nie ustawał w badaniach nad ewolucją, i to w typowym dla siebie – co dostrzegała z zadowoleniem – stylu, będącym mieszanką perfekcji oraz dyskrecji. W 1871 roku wydał wielkie dzieło *O pochodzeniu człowieka* – w którym wreszcie zastosował zasady doboru naturalnego w odniesieniu do ludzi. Alma uznała, że to było mądre posunięcie, aby tak długo czekać. Na tym etapie ostateczne rozstrzygnięcie książki (*Tak, jesteśmy małpami*) było konkluzją niemal przesądzoną. Po upływie z górą dziesięciu lat od ukazania się *O powstawaniu...* świat czekał na wypłynięcie „pytania o małpę" i z góry gorąco o nim dyskutował. Utworzyły się stronnictwa, napisano wiele artykułów, przedłożono riposty i argumenty. Jak gdyby Darwin czekał, by świat się przyzwyczaił do niepokojącego poglądu, że Bóg mógł nie stworzyć ludzkości z pyłu, zanim postanowił ogłosić swój wyzuty z emocji, uporządkowany, starannie udowodniony werdykt w tej sprawie. Alma przeczytała książkę, znowu dokładnie jak nikt, i była nią zachwycona.

Jednakże nadal nie znajdowała rozwiązania „problemu Prudence".

Nie mówiła nikomu o własnej teorii ewolucji ani o swym subtelnym powiązaniu z Darwinem. Nadal była bardziej zainteresowana bratem-duchem, Alfredem Russelem Wallace'em. Przez lata z uwagą obserwowała jego karierę, odczuwając pośrednio dumę z jego sukcesów i martwiąc się porażkami. Z początku odnosiła wrażenie, że Wallace na zawsze zostanie jedynie przypiskiem do Darwina – czy wręcz jego przybocznym, albowiem większą część lat sześćdziesiątych spędził na pisaniu artykułów broniących naturalnego doboru, a co za tym idzie, Darwina. Ale wtedy Wallace wykonał dziwny zwrot. Pośrodku owej dekady odkrył spirytualizm, hipnozę oraz mesmeryzm i zaczął eksplorować to, co szanujące się osoby nazywają okultyzmem. Alma wręcz słyszała poprzez kanał La Manche, jak Darwin zgrzyta zębami – ponieważ nazwiska obu mężczyzn zawsze łączono, a Wallace się zajął, trzeba przyznać, wielce nienaukowym i podejrzanym zamiłowaniem. Fakt, że Wallace chadzał na seanse oraz czytanie z dłoni i przysięgał, że rozmawiał ze zmarłymi, mógłby być prawdopodobnie wybaczalny, ale to, że publikował artykuły o tytułach typu *Naukowy aspekt nadprzyrodzonego*, było nie do przyjęcia.

Jednakże Alma nie umiała nie kochać Wallace'a za jego nieortodoksyjne wierzenia oraz pełne pasji, nieulękłe argumentowanie. Jej własne życie stawało się coraz bardziej stateczne oraz ograniczone, czerpała więc tym większą przyjemność z obserwowania, jak Wallace – dziki, niepohamowany myśliciel – wywołuje akademicki zamęt w wielu kierunkach naraz. Nie posiadał arystokratycznych manier Darwina; pluł naokoło natchnieniem i rozterkami oraz niedogotowanymi poglądami. Ani też nie pozostawał zbyt długo przy jednej idei, przefruwając od jednego kaprysu do drugiego.

W swych najbardziej transcendentnych fascynacjach Wallace przypominał Almie Ambrose'a i to kazało jej lubić go jeszcze bardziej. Tak jak Ambrose był marzycielem. Zdecydowanie opowiadał się po stronie cudów. Dowodził, że nie ma rzeczy ważniejszej od badania tego, co przeciwstawia się prawom natury, albowiem kimże jesteśmy, by twierdzić, że rozumiemy prawa natury? Wszystko, dopóki nie odgadniemy, czym jest, jest cudem. Wallace pisał, że pierwszy człowiek, który ujrzał latającą rybę, zapewne myślał, że jest świadkiem cudu – a pierwszego człowieka, który *opisał* latającą rybę, bez wątpienia nazwano kłamcą. Alma wielbiła go za takie przekorne, nieugięte poglądy. Dobrze by sobie radził podczas obiadu przy stole w White Acre, myślała często.

Przy czym Wallace nie porzucił całkowicie swych bardziej uzasadnionych naukowych eksploracji. W 1876 roku opublikował własne dzieło: *Geograficzne rozmieszczenie zwierząt*, które zostało natychmiast okrzyknięte najpełniejszym tekstem, jaki kiedykolwiek ukazał się na polu zoogeografii. Książka była zdumiewająca. Mimi przeczytała Almie większość dzieła, albowiem jej wzrok zdążył się wyraźnie pogorszyć. Almie tak podobały się pomysły Wallace'a, że podczas czytania niektórych fragmentów wznosiła na jego cześć głośne okrzyki.

Mimi podnosiła wtedy głowę znad książki i mówiła:

– Bardzo lubisz tego Alfreda Russela Wallace'a, ciociu, prawda?

– To książę nauki! – z uśmiechem odpowiadała Alma.

Wkrótce Wallace sam jednak podkopał swoją odbudowaną reputację, gdyż zaczął się angażować w radykalną politykę – hałaśliwie walcząc o reformę gruntową, o sufrażystki, o prawa dla ubogich oraz wywłaszczonych. Po prostu nie potrafił żyć bez zaangażowania. Wysoko postawieni przyjaciele i wielbiciele próbowali znaleźć mu stałą posadę w dobrej instytucji, ale uchodził za ekstremistę i nikt nie chciał ryzykować. Alma martwiła się o jego dochody. Czuła, że nie umie mądrze zarządzać pieniędzmi. Wallace w każdym aspekcie po prostu odmawiał odgrywania roli porządnego angielskiego dżentelmena – prawdopodobnie dlatego, że w rzeczywistości nie był porządnym angielskim dżentelmenem, lecz raczej pochodzącym z klasy robotniczej podżegaczem, który nigdy nie pomyślał, zanim zabrał głos, i nigdy się nie zawahał, nim coś opublikował. Jego pasje wywoływały zamieszanie, a kontrowersje przylgnęły doń niczym poświata, Alma jednak nie chciałaby, żeby się wycofał. Lubiła patrzeć, jak dokucza światu.

– Przygadaj im, chłopcze – mruczała, kiedy tylko słyszała o jego najnowszych skandalach. – Utrzyj im nosa!

Darwin nigdy publicznie nie powiedział złego słowa na temat Wallace'a, ani skandalista na temat poważnego uczonego, lecz Alma zawsze się zastanawiała, co owych dwóch mężczyzn – tak wybitnych, a przy tym tak różnych w usposobieniu i stylu – naprawdę o sobie nawzajem myśli. Jej pytanie doczekało się odpowiedzi w kwietniu 1882 roku, kiedy Karol Darwin zmarł, a Alfred Russel Wallace niósł, według zapisanej instrukcji Darwina, trumnę podczas pogrzebu wielkiego człowieka.

Oni się kochali, nagle zrozumiała. Kochali się, ponieważ się znali.

Gdy dotarła do niej cała prawda tej myśli, Alma poczuła się głęboko samotna, po raz pierwszy od dziesiątek lat.

Śmierć Darwina ją zaalarmowała. Alma miała teraz osiemdziesiąt dwa lata i była coraz słabsza. On miał tylko siedemdziesiąt trzy! Nigdy się nie spodziewała, że go przeżyje. Stan alarmu utrzymywał się w niej jeszcze przez kilka miesięcy po odejściu uczonego. Czuła, jakby razem z jego śmiercią odszedł kawałek jej własnej historii, której już nikt nigdy nie pozna. Oczywiście, nie żeby ktokolwiek przedtem o czymś wiedział, ale bez wątpienia zostało utracone pewne ogniwo – ogniwo, które wiele dla niej znaczyło. Niedługo i Alma umrze, a wtedy pozostanie jeszcze tylko jedno ogniwo – młody Wallace, który w owej chwili zbliżał się do sześćdziesiątki i może nie był już w sumie taki młody. Jeśli życie potoczy się tak, jak się zawsze toczy, umrze, nigdy nie poznawszy Wallace'a, tak jak nigdy nie poznała Darwina. Ta myśl wywoływała w niej smutek nie do zniesienia. Nie może na to pozwolić.

Alma rozważała to wszystko przez wiele miesięcy. Na koniec podjęła decyzję. Poprosiła Mimi, aby napisała miły list, na firmowym papierze Hortus Botanicus, zapraszający Alfreda Russela Wallace'a, aby wiosną 1883 roku wygłosił w Ogrodzie Botanicznym w Amsterdamie odczyt na temat doboru naturalnego. Za trud oraz kłopot dżentelmena obiecano mu honorarium w wysokości dziewięciuset funtów szterlingów, a także, naturalnie, pokrycie przez Hortus wszelkich kosztów podróży. Mimi protestowała przeciwko zapłacie – dla niektórych ludzi to był kilkuletni dochód! – jednakże Alma ze spokojem odpowiedziała: „Za wszystko zapłacę sama, co więcej, pan Wallace potrzebuje pieniędzy".

W dalszej części listu pan Wallace został poinformowany, że najserdeczniej zaprasza się go do skorzystania z gościny wygodnej rodzinnej rezydencji van Devenderów, która jest dogodnie zlokalizowana naprzeciwko ogrodu, w najładniejszej dzielnicy Amsterdamu. Spotka tam wielu młodych botaników, którzy z ochotą pokażą słynnemu biologowi wszystkie cuda Hortus Botanicus oraz innych części miasta. Dla ogrodów byłby to honor przyjąć tak znakomitego gościa. List podpisała Alma: „Z wyrazami największego szacunku. Panna Alma Whittaker – nadzorca mchów".

Odpowiedź nadeszła szybko, od żony Wallace'a, Annie (której ojcem, jak Alma dowiedziała się z przejęciem, był wielki William Mitten, chemik farmaceutyczny oraz pierwszorzędny briolog). Pani Wallace powiadomiła, że jej mąż będzie zachwycony, mogąc przyjechać do Amsterdamu. Przybędzie dziewiętnastego marca roku 1883, i pozostanie przez dwa tygodnie. Wallace'owie są wielce wdzięczni za zaproszenie i uważają honorarium za zaiste nader hojne. Propozycja, list delikatnie sugerował, nadeszła w samą porę – tak jak i pieniądze.

# ROZDZIAŁ TRZYDZIESTY PIERWSZY

A leż on był wysoki!
Alma się tego nie spodziewała. Alfred Russel Wallace był równie wysoki i chudy jak Ambrose, urodził się też w tym samym czasie i poza tym cieszył się dobrym zdrowiem, mimo lekkiego przygarbienia. (Wyraźnie spędził zbyt wiele lat pochylony nad mikroskopem, oglądając okazy). Był siwy, miał wielką brodę i Alma musiała poskromić pragnienie muśnięcia palcami jego twarzy. Wzrok miała już kiepski, a chciałaby lepiej poznać jego rysy. To byłoby jednak niegrzeczne i szokujące, więc się powstrzymała. I znowu, kiedy tylko go poznała, czuła, jak gdyby witała najstarszego przyjaciela na świecie.

Na początku wizyty tyle się działo, że Alma lekko gubiła się w tłumie. To prawda, była pokaźnej postury, ale stare kobiety zwykle odsuwa się na bok podczas tłumnych zgromadzeń – nawet jeśli to one pokryły koszty takiego zgromadzenia. Wiele osób chciało poznać wielkiego biologa ewolucyjnego i młodzi kuzyni i kuzynki Almy, z zapałem studiujący różne nauki, zajęli jego uwagę niczym dobrze zapowiadający się *beaux* i *belles*. Wallace był bardzo uprzejmy i wielce przyjazny – szczególnie wobec młodych. Pozwalał, by chwalili się własnymi projektami i szukali u niego wskazówek. Naturalnie koniecznie chcieli oprowadzić go po Amsterdamie i tym sposobem kilka dni upłynęło na głupiej turystyce i wychwalaniu miasta.

Po odczycie w palmiarni uczeni, dziennikarze i dygnitarze zadawali niezręczne pytania, a potem nastąpił długi, nudny, uroczysty obiad. Odpowiedzi Wallace'a były wyważone, tak podczas wykładu, jak i obiadu. Zdołał uniknąć kontrowersji i z wielką cierpli-

wością odpowiadał na wszystkie nużące i wskazujące na nieprzy-
gotowanie pytania dotyczące doboru naturalnego. Żona musiała
wyćwiczyć w nim takie dobre zachowanie, pomyślała Alma. *Jesteś
grzeczną dziewczynką, Annie.*

Alma czekała. Nie należała do tych, których męczy czekanie.

Z biegiem czasu ożywienie wizytą Wallace'a osłabło i czyniący
dookoła niego wrzawę tłum się zmniejszył. Młodzi ruszyli ku innym ekscytacjom i Alma mogła usiąść z gościem do kilku śniadań
pod rząd. Oczywiście, znała go lepiej od innych i rozumiała, że
nie ma ochoty stale mówić o doborze naturalnym. Zajmowała go
tematami, o których wiedziała, że są bliskie jego sercu – mimikra
motyli, odmiany chrząszczy, czytanie w myślach, wegetarianizm,
zło płynące z dziedziczenia majątku, plan obalenia giełdy, plan
zakończenia wszelkich wojen, obrona samorządności Indian oraz
Irlandczyków, sugestia, iż brytyjskie władze powinny prosić świat
o wybaczenie krzywd wyrządzonych przez imperium, pragnienie
zbudowania modelu planety Ziemi o średnicy czterystu stóp, aby
ludzie mogli oblatywać go w ogromnym balonie w celach eduka-
cyjnych… tego typu zagadnienia.

Innymi słowy, odpoczywał przy Almie, a ona przy nim. Był
czarującym rozmówcą, gdy mógł sobie pozwolić na całkowite
nieskrępowanie; tak właśnie zawsze go sobie wyobrażała – skore-
go do rozmowy na dowolny temat. Od lat nie bawiła się tak dobrze. Do tego był tak miły i zajmujący, że wypytywał także o jej
życie, nie chcąc cały czas mówić tylko o sobie. I tym sposobem
Alma zaczęła opowiadać mu o swoim dzieciństwie w White Acre,
o zbieraniu okazów botanicznych, kiedy miała pięć lat i dosia-
dała przybranego w jedwabie kuca, o ekscentrycznych rodzicach
i ich zaczepnych rozmowach przy stole podczas obiadu, o ojcu i jego opowieściach o syrenkach i kapitanie Cooku, o niezwykłej bibliotece w posiadłości, o swoim niemal komicznie archaicznym
wykształceniu klasycznym, o latach spędzonych na badaniu stanowisk mchów w Filadelfii, o siostrze dzielnej abolicjonistce
oraz o przygodach na Tahiti. Zdumiewające – choć nigdy nikomu
nie opowiadała w szczegółach o Ambrosie – jemu opowiedziała nawet o swym niezwykłym mężu, który malował orchidee piękniej

niż ktokolwiek inny na świecie i który zmarł na morzach południowych.

– Jakież to niezwykłe życie! – rzekł Wallace.

Alma musiała odwrócić głowę na te słowa. Był pierwszą osobą, która tak powiedziała. Ogarnęła ją nieśmiałość, ale także pragnienie, znowu, aby położyć mu na twarzy dłonie i poczuć jego rysy – tak właśnie, jak sprawdzała w owych czasach mchy, zapamiętując palcami to, czego już nie mogła podziwiać wzrokiem.


Nie planowała, kiedy mu powiedzieć ani jak właściwie powiedzieć. Nawet nie planowała, czy w ogóle mu powie. W ciągu ostatnich dni wizyty zaczęła nawet myśleć, że prawdopodobnie wcale nie będzie nic mówić. Naprawdę uważała, że to wystarczy – po prostu poznać tego człowieka i zlikwidować dystans, jaki ich dzielił przez te wszystkie lata.

Lecz podczas ostatniego popołudnia w Amsterdamie Wallace poprosił Almę, aby osobiście oprowadziła go po Grocie Mchów, udali się więc w tamtą stronę. Gdy przemierzali ogród, cierpliwie dotrzymywał kroku zbolałej, powolnej Almie.

– Proszę wybaczyć, że taka jestem ślamazara – powiedziała. – Ojciec zwykł nazywać mnie dromaderem, ale teraz męczę się po dziesięciu krokach.

– A więc będziemy odpoczywać po każdych dziesięciu krokach – odparł i ujął ją pod ramię, by się mogła wesprzeć.

Było dżdżyste czwartkowe popołudnie i Hortus prawie całkiem opustoszał. Alma i Wallace mieli Grotę Mchów wyłącznie dla siebie. Prowadziła go od głazu do głazu, pokazując mchy z wszystkich kontynentów i wyjaśniając, w jaki sposób przeplotła je ze sobą w jednym miejscu. Zachwycał się – jak czyniłby każdy, kto kocha świat.

– Mój teść byłby urzeczony, gdyby to zobaczył – powiedział.

– Wiem – odparła Alma. – Zawsze chciałam pokazać to panu Mittenowi. Może kiedyś przyjedzie.

– Gdybym mógł – powiedział, zajmując miejsce na ławce pośrodku ekspozycji – myślę, że codziennie bym tu przychodził.

– Ja jestem tutaj codziennie – rzekła Alma, sadowiąc się obok niego. – Często na kolanach i z pęsetą w ręku.

– Jakąż wspaniałą schedę pani stworzyła – stwierdził.

– To miła pochwała, panie Wallace, szczególnie w ustach kogoś, kto sam stworzył niezłą schedę.

– Ech – machnął ręką na ten komplement.

Przez chwilę siedzieli w przyjemnym milczeniu. Alma rozmyślała o pierwszym sam na sam spotkaniu z Jutrzejszym Porankiem na Tahiti. Myślała o tym, co mu powiedziała: „Losy pana i moje są... jak sądzę... bardziej ze sobą związane, niż ktokolwiek mógłby przypuszczać". Pragnęła powiedzieć to samo Alfredowi Russelowi Wallace'owi, ale nie była pewna, czy byłoby to na miejscu. Nie chciała, żeby odniósł wrażenie, iż chwali się własną teorią ewolucji. Albo – co gorsza – że kłamie. Albo – co najgorsza – że podważa jego dorobek lub Darwina. Najlepiej będzie po prostu nic nie mówić.

Ale wtedy się odezwał.

– Panno Whittaker, muszę wyznać, że bardzo mi się podobały te ostatnie dni z panią spędzone.

– Dziękuję – odpowiedziała. – A ja bardzo polubiłam pana. Bardziej, niż pan sądzi.

– Była pani taka wspaniałomyślna, wysłuchując moich poglądów na temat niczego i wszystkiego – zauważył. – Niewiele jest takich osób jak pani. Przekonałem się, że jeśli mówię na temat biologii, porównują mnie z Newtonem. Lecz kiedy mówię o świecie duchowym, nazywają mnie chorym na umyśle, dziecinnym idiotą.

– Proszę ich nie słuchać. – Alma opiekuńczo poklepała go po dłoni. – Nigdy mi się nie podobało, kiedy pana obrażali.

– Czy mogę o coś zapytać, panno Whittaker? – rzekł po chwili milczenia.

Skinęła głową.

– Czy mogę spytać, skąd pani tyle o mnie wie? Proszę nie myśleć, że czuję się obrażony... wprost przeciwnie, schlebia mi to... ale po prostu nie widzę w tym sensu. Pani dziedziną jest briologia, rozumie pani, a moją nie. Nie jest też pani ani spirytystką, ani mesmerystką. A jednak wykazuje pani ogromną znajomość moich tekstów z wszelkich możliwych dziedzin i na dokładkę zna pani moich krytyków. Wie pani nawet, kto jest ojcem mojej żony. Czemu? Nie potrafię tego zrozumieć...

Zamilkł, zapewne pojmując, że zaczyna być niegrzeczny. Bardzo nie chciała, aby pomyślał, że stał się grubiański wobec starszej kobiety. Nie chciała też, aby pomyślał, że ona jest niezrównoważoną starą wiedźmą, ogarniętą jakąś niestosowną obsesją. Co innego mogła zrobić w takiej sytuacji?

Wszystko mu opowiedziała.

Kiedy skończyła wreszcie mówić, milczał przez długi czas.

– Czy ma pani wciąż ten artykuł? – zapytał w końcu.

– Oczywiście.

– Czy mógłbym go przeczytać?

Nie mówiąc nic więcej, poszli powoli w kierunku tylnej bramy Hortus Botanicus, do biura Almy. Otworzyła drzwi, zadyszana ciężko po wejściu na schody, i zaprosiła pana Wallace'a, by się rozgościł przy jej biurku. Spod otomany stojącej w rogu wyciągnęła małą, zakurzoną skórzaną walizkę – tak zniszczoną, jakby musiała kilka razy okrążyć świat, co w istocie uczyniła – i otworzyła. Wewnątrz znajdował się jeden przedmiot: czterdziestostronicowy dokument, pisany ręcznie, czule otulony we flanelę, niczym niemowlę.

Alma podała go Wallace'owi, po czym usiadła wygodnie na otomanie, podczas gdy on czytał. Zajęło mu to trochę czasu. Musiała przysnąć – co zdarzało jej się często ostatnimi czasy, i to w najdziwniejszych momentach – ponieważ później jego głos najwyraźniej ją obudził.

– Mówiła pani, że kiedy to napisała, panno Whittaker? – zapytał.

Przetarła oczy.

– Na końcu jest data – wyjaśniła. – Dodawałam później jakieś rzeczy, pomysły, ale te addenda leżą osobno gdzieś w biurze. To, co pan trzyma w rękach, to oryginał, który napisałam w 1854 roku.

Zastanawiał się chwilę.

– Więc Darwin nadal jest pierwszy – w końcu stwierdził.

– O tak, z całą pewnością – odparła. – Pan Darwin był zdecydowanie pierwszy i najbardziej dokładny. Nigdy nie miałam co do tego najmniejszej wątpliwości. Proszę mnie zrozumieć, panie Wallace, w żaden sposób nie roszczę sobie...

– Ale doszła pani do swego wniosku przede mną – mówił dalej Wallace. – Darwin pobił nas oboje, to pewne, ale pani opracowała swą koncepcję cztery lata przede mną.

– Lecz... – Alma się zawahała – w każdym razie nie o tym chciałam mówić.

– Ależ, panno Whittaker – powiedział głosem pojaśniałym od podniecenia, jak gdyby coś sobie uprzytomnił. – To znaczy, że było nas troje!

Almie na chwilę zaparło dech.

Przeniesiona została momentalnie z powrotem do White Acre, w ów piękny jesienny dzień 1819 roku – dzień, w którym razem z Prudence po raz pierwszy zobaczyły Rettę Snow. Były wtedy takie młode, i niebo miało błękitny kolor, i miłość jeszcze nie zraniła dotkliwie żadnej z nich. Retta powiedziała, spoglądając na Almę żywymi, lśniącymi oczyma: „Jesteśmy więc teraz we trzy! Co za szczęście!".

Jaką to piosenkę Retta dla nich ułożyła?

> Jesteśmy skrzypce, łyżka i widelec,
> A z nami tańczy księżyc-zuchwalec.
> Jeśli całusa nam ukraść chcesz,
> Chodź tutaj do nas i szybko go bierz.

Alma nie odpowiedziała od razu, więc Wallace podszedł i usiadł obok niej.

– Panno Whittaker – rzekł nieco spokojniejszym tonem. – Czy pani rozumie? Było nas troje.

– Tak, panie Wallace. Wynika z tego, że było.

– To najbardziej niezwykła równoczesność.

– Zawsze tak myślałam – odparła.

Przez moment patrzył na ścianę i zamilkł na kolejną długą chwilę.

– Kto jeszcze o tym wie? – zapytał wreszcie. – Kto mógłby za panią poręczyć?

– Jedynie mój wuj Dees.

– A gdzie jest pani wuj Dees?

– Rozumie pan, nie żyje – odparła Alma i nie zdołała się powstrzymać od śmiechu.

Wuj Dees tak właśnie chciałby, żeby to zostało powiedziane. Och, jakże jej brakowało tego zaciekłego Holendra. Jakże rozkoszowałby się tą chwilą!

– Ale czemu pani nigdy tego nie opublikowała? – zapytał Wallace.

– Ponieważ to nie było wystarczająco dobre.

– Bzdura! Wszystko tutaj jest. Jest tutaj cała teoria. Z pewnością lepiej rozwinięta niż w moim absurdalnym, gorączkowym liście, który napisałem do Darwina w pięćdziesiątym ósmym. Powinniśmy teraz to opublikować.

– Nie – odparła Alma. – Nie ma potrzeby tego publikować. Naprawdę, nie czuję takiej potrzeby. Wystarczy mi to, co pan właśnie powiedział... że było nas troje. Mnie to wystarczy. Uszczęśliwił pan starą kobietę...

– Ale *moglibyśmy* to wydać – naciskał. – Zrobiłbym pani prezent...

Położyła rękę na jego dłoni.

– Nie – powiedziała stanowczo. – Proszę mi zaufać. To nie jest potrzebne.

Przez chwilę siedzieli bez ruchu.

– Czy mogę przynajmniej zapytać, dlaczego pani uważała w 1854 roku, że praca nie jest warta druku? – zapytał Wallace, przełamując milczenie.

– Nie wydałam jej, ponieważ byłam przekonana, że tej teorii czegoś brakuje. I powiem coś panu, panie Wallace... *nadal* tak myślę.

– A konkretnie czego?

– Przekonującego wyjaśnienia ludzkiego altruizmu i poświęcenia w kontekście ewolucjonizmu – odparła.

Nie wiedziała, czy będzie potrzebował wyjaśnienia. Nie wiedziała też, czy starczy jej energii, aby znowu zagłębić się w owo wielkie pytanie – opowiedzieć wszystko o Prudence i sierotach, o kobietach, które wyciągają dzieci z kanałów, o mężczyznach, którzy wskakują w ogień, aby ratować obcych ludzi, oraz o głodujących więźniach, o misjonarzach, którzy wybaczają cudzołożnikom, oraz pielęgniarkach roztaczających opiekę nad obłąkanymi, a także o ludziach, którzy kochają psy, których nikt inny nie chce kochać, i o całej innej oprócz tego reszcie.

Ale nie było potrzeby wchodzić w szczegóły. Zrozumiał od razu.

– Powiem pani, że i ja miałem takie pytania.

– Wiem, że pan je miał – odparła. – Zawsze mnie zastanawiało... czy Darwin też miał takie pytania?

– Tak – odpowiedział Wallace, a po krótkiej przerwie dodał: – Chociaż, mówiąc szczerze, nigdy właściwie się nie dowiedziałem, do jakiego Darwin doszedł wniosku w tej sprawie. Wie pani, on był bardzo ostrożny, nigdy nie ogłaszał niczego, czego nie byłby całkowicie pewien. Inaczej niż ja.

– Inaczej niż pan – zgodziła się Alma. – Ale nie inaczej aniżeli ja.

– To prawda.

– Czy pan lubił Darwina? – zapytała. – To też mnie zawsze zastanawiało.

– O, tak – odpowiedział swobodnie Wallace. – Zdecydowanie. Był najlepszym z ludzi. Uważam, że to największy człowiek naszych czasów albo wręcz wszech czasów. Do kogo moglibyśmy go przyrównać? Był Arystoteles. Był Kopernik. Był Galileusz. Był Newton. I potem był Darwin.

– A więc nigdy się pan na niego nie oburzał?

– Dobre nieba, nie, panno Whittaker. W nauce cała zasługa powinna być przypisana pierwszemu odkrywcy i dlatego teoria doboru naturalnego była zawsze zarezerwowana dla niego. Co więcej, tylko on reprezentował wielkość jej potrzebną. Sądzę, że był Wergiliuszem naszych czasów i zabrał nas na wycieczkę po raju, piekle i czyśćcu. Był naszym boskim przewodnikiem.

– Też tak zawsze myślałam.

– Powiem coś pani, panno Whittaker. W ogóle mnie nie martwi, że pani wyprzedziła mnie w teorii doboru naturalnego, ale byłbym tragicznie przybity, gdybym się dowiedział, że wyprzedziła pani także Darwina. Bo, widzi pani, tak bardzo go podziwiam. Chciałbym, żeby zachował swój tron.

564

– Nie zagrażam jego tronowi, młody człowieku – odpowiedziała łagodnie Alma. – Nie ma powodu do paniki.

Wallace się roześmiał.

– Całkiem mi się to podoba, panno Whittaker, że nazwała mnie pani młodym człowiekiem. Dla człeka po sześćdziesiątce to niezły komplement.

– Od niewiasty po osiemdziesiątce, sir, to po prostu prawda.

W rzeczy samej wydawał się jej młody. Ciekawe – najlepsze lata życia minęły jej w towarzystwie starych mężczyzn. Wszystkie te stymulujące przyjęcia w czasach dzieciństwa, kiedy siedziała przy stole razem z nieskończoną paradą znakomitych podstarzałych umysłów. Lata spędzone w White Acre z ojcem i dyskusje na temat botaniki oraz handlu, ciągnące się do późnej nocy. Czas na Tahiti z dobrym i poczciwym wielebnym Francisem Wellesem. Cztery szczęśliwe lata tutaj, w Amsterdamie, z wujem Deesem, zanim umarł. A teraz ona sama jest stara i już nie ma starych mężczyzn! Oto siedzi z przygarbionym siwowłosym starcem – zaledwie sześćdziesięcioletnim dzieckiem – i to ona jest przy nim przedpotopowym żółwiem.

– Czy pani wie, panno Whittaker, co ja uważam? W związku z pani pytaniem o pochodzenie ludzkiego współczucia oraz poświęcenia? Sądzę, że ewolucja wyjaśnia w nas *prawie* wszystko, i jestem całkowicie przekonany, że wyjaśnia absolutnie wszystko co do reszty przyrody. Ale nie wierzę, aby sama ewolucja odpowiadała za naszą jedyną w swoim rodzaju ludzką świadomość. Nie istnieje taka ewolucyjna potrzeba, rozumie pani, abyśmy mieli tak wyostrzoną wrażliwość intelektualną oraz emocjonalną… Nie ma praktycznego zastosowania dla takich mózgów, jakie mamy. Nie potrzebujemy umysłu, który może grać w szachy, panno Whittaker. Nie potrzebujemy umysłu, który potrafi wynaleźć religie albo dyskutować nad naszym pochodzeniem. Nie jest nam potrzebny umysł, za sprawą którego płaczemy w operze. Nie potrzebujemy w ogóle opery, prawdę powiedziawszy… ani nauki, ani sztuki. Nie potrzebujemy etyki, moralności, godności ani ofiarności. Nie potrzebujemy afektu ani miłości… z pewnością nie w stopniu, w jakim je odczuwamy. Jeżeli w ogóle nasza wrażliwość czymś jest, to najwyżej ciężarem, ponieważ powoduje, że cierpimy. Tak więc nie sądzę, aby to proces doboru naturalnego obdarzył nas takimi umysłami... nawet jeśli uważam, że to dzięki niemu mamy takie ciała i większość naszych umiejętności. Czy wie pani, dlaczego moim zdaniem mamy takie niezwykłe umysły?

– Nie wiem, panie Wallace – odrzekła cicho Alma. – Czytałam większość pana prac, ale proszę mi przypomnieć.

– Powiem pani, dlaczego mamy takie niezwykłe umysły, panno Whittaker – ciągnął, jakby jej nie usłyszał. – Mamy je, ponieważ we wszechświecie istnieje nadrzędna inteligencja, która pragnie zjednoczenia z nami. Pragnie spotkania z nami. Wzywa nas. Podprowadza nas blisko do swej tajemnicy i obdarza owymi niezwykłymi umysłami, abyśmy spróbowali po nią sięgnąć. Pragnie, byśmy ją odkryli. Ponad wszystko pragnie się z nami zjednoczyć.

– Wiem, że tak pan uważa – poklepała go znowu po ręce – i sądzę, że to całkiem pomysłowy pogląd, panie Wallace.

– Czy nie uważa pani, że mam rację?

– Nie umiem powiedzieć – odrzekła Alma – ale teoria jest piękna. Jest bliższa odpowiedzi na moje pytanie niźli cokolwiek innego. Ale jednak nadal wyjaśnia pan tajemnicę tajemnicą i nie mogę powiedzieć, że nazwałabym to nauką... choć mogłabym to nazwać poezją. Ja, niestety, tak jak pana przyjaciel, pan Darwin, wciąż szukam solidnych odpowiedzi, jakie przynoszą nauki empiryczne. Przykro mi, taką mam naturę. Ale pan Lyell zgodziłby się z panem. Dowodził, że ludzkiego mózgu nie mogło stworzyć nic, co było pozbawione boskości. Mój mąż przepadałby za pana teorią. Ambrose wierzył w takie rzeczy. Tęsknił za takim zjednoczeniem, o jakim pan mówi, z nadrzędną inteligencją. Zmarł w trakcie szukania tego zjednoczenia.

Znowu milczeli.

Po chwili Alma się uśmiechnęła.

– Zawsze się zastanawiałam, co pan Darwin sądził o tym pana pomyśle... że nasze umysły są wyłączone poza prawa ewolucji oraz że wszechświatem rządzi nadrzędna inteligencja.

Wallace również się uśmiechnął.

– Nie uznawał go.

- Powinnam się była tego spodziewać.

- Och, ani trochę mu się nie podobał, panno Whittaker. Był przerażony, kiedy tylko poruszałem ten temat. Nie mógł uwierzyć... po wszystkich naszych wspólnych bitwach... że wprowadzam z powrotem do rozmowy Boga!

- I co pan miał na to do powiedzenia?

- Próbowałem mu wytłumaczyć, że nigdy nie używam słowa *Bóg*. To on używał takiego słowa. Jedyne, co twierdzę, to że we wszechświecie istnieje nadrzędna inteligencja i że tęskni do zjednoczenia z nami. Wierzę w świat duchów, panno Whittaker, ale nigdy nie użyłbym słowa *Bóg* podczas naukowej dysputy. Poza tym jestem przecież ścisłym ateistą.

- Oczywiście, że pan jest, mój drogi - powiedziała, znowu poklepując go po ręce.

Tak bardzo spodobało się jej klepanie go po ręce. Cieszyła ją każda chwila tej rozmowy.

- Uważa mnie pani za naiwnego - stwierdził Wallace.

- Uważam pana za cudownego - sprostowała Alma. - Uważam, że spośród żyjących jest pan najcudowniejszym człowiekiem, jakiego kiedykolwiek spotkałam. Dzięki panu cieszę się, że wciąż tutaj jestem, bo mogę poznać kogoś takiego jak pan.

- No tak, ale pani nie jest sama na tym świecie, panno Whittaker, nawet jeśli pani wszystkich przeżyła. Wierzę, że otacza nas cały zastęp niewidzialnych przyjaciół i tych, których kochaliśmy, a oni odeszli, ale teraz wywierają wpływ na nasze życie i nigdy nas nie opuszczą.

- To piękny pogląd - powiedziała Alma i znowu go poklepała.

- Czy uczestniczyła pani kiedykolwiek w seansie, panno Whittaker? Mógłbym panią zabrać. Mogłaby pani porozmawiać z mężem pomimo rozdzielenia.

Alma zastanowiła się nad tą propozycją. Miała w pamięci noc z Ambrose'em w składziku introligatorskim, gdy mówili do siebie za pośrednictwem dłoni: jedyne jej doświadczenie z mistycznym i niewyrażalnym. Dotąd naprawdę nie wie, co to było. Dotąd nie jest całkiem pewna, czy sobie tego wszystkiego nie wyimaginowała, w przypływie miłości i pożądania. Z drugiej strony, czasami się zastanawiała, czy Ambrose nie był naprawdę jakimś magicznym bytem... być może pewną ewolucyjną odmianą samego siebie, urodzoną po prostu w niewłaściwych okolicznościach albo w nie-odpowiednim momencie historycznym. Być może już nigdy nie będzie drugiego takiego jak on. Być może był nieudanym eksperymentem.

Jednakże, czymkolwiek był, nie skończył dobrze.

– Muszę przyznać, panie Wallace – odpowiedziała – że jest to bardzo uprzejme z pana strony, zaprosić mnie na seans, ale myślę, że nie skorzystam. Mam drobne doświadczenie z bezsłowną komunikacją i wiem, że to, iż ludzie mogą się *usłyszeć* ponad rozdziałem, jeszcze nie znaczy, że koniecznie muszą siebie nawzajem *zrozumieć*.

Roześmiał się.

– W takim razie jeśli kiedykolwiek zmieni pani zdanie, proszę mi przysłać słowo.

– Może być pan pewien, że tak uczynię. Ale jest znacznie bardziej prawdopodobne, panie Wallace, że to pan przyśle słowo *do mnie*, podczas któregoś z pańskich spirytualistycznych zebrań. I raczej nie będzie pan długo czekał na sposobność, ponieważ już wkrótce odejdę.

– Pani nigdy nie odejdzie. Dusza niewiele pomieszkuje w ciele, panno Whittaker. Śmierć jedynie rozdziela ów dualizm.

– Dziękuję panu, panie Wallace. Mówi pan najlepsze z rzeczy. Ale nie potrzeba mnie pocieszać. Jestem za stara na lęk przed wielką życiową zmianą.

– Czy pani wie, panno Whittaker... jestem tutaj, rozprawiając na temat wszystkich własnych poglądów, ale ani razu się nie zatrzymałem, aby zapytać panią, mądrą kobietę, w co pani wierzy.

– To, w co ja wierzę, nie jest prawdopodobnie tak ekscytujące jak to, w co wierzy pan.

– Mimo wszystko chciałbym to usłyszeć.

Alma westchnęła. To jest poważne pytanie. W co *kiedyś* wierzyła?

– Wierzę, że wszyscy przemijamy – zaczęła; pomyślała przez chwilę i dodała: – Wierzę, że jesteśmy na wpół ślepi i popełniamy błędy. Wierzę, że bardzo mało rozumiemy, a w tym, co rozumiemy, się mylimy. Wierzę, że życia nie można ciągle żyć... *to* jest pewne!... ale jeśli ktoś ma szczęście, może przedłużać życie całkiem długo. Jeśli ktoś ma jedno i drugie, szczęście oraz upór, życie może nawet czasami być przyjemne.

– Czy wierzy pani w świat pozagrobowy? – zapytał Wallace.

Poklepała go ponownie po dłoni.

– Och, panie Wallace, a ja tak się staram nie mówić rzeczy, które sprawiają ludziom przykrość.

Znowu się roześmiał.

– Nie jestem taki delikatny, jak mogłaby pani przypuszczać, panno Whittaker. Musi mi pani powiedzieć, w co pani wierzy.

– Jeśli rzeczywiście musi pan wiedzieć, wierzę, że większość ludzi jest całkiem krucha. Wierzę, że to musiał być koszmarny cios dla ludzkiego wyobrażenia o sobie, gdy Galileusz ogłosił, że nie stanowimy centrum wszechświata... taki sam cios dla świata, jak kiedy Darwin ogłosił, że nie zostaliśmy specjalnie ukształtowani przez Boga w jednej chwili cudu. Wierzę, że takich rzeczy trudno słuchać większości ludzi. Wierzę, że od tego ludzie zaczynają się czuć nieważni. Mówiąc to, zastanawiam się, panie Wallace, czy pańska tęsknota za światem duchów oraz życiem pozagrobowym nie jest wyłącznie przejawem wiecznej ludzkiej pogoni za poczuciem, że się jest... ważnym? Proszę mi wybaczyć, nie chcę pana obrazić. Człowiek, którego bardzo kochałam, miał taką samą potrzebę jak pan, tak samo gonił... za duchowym złączeniem z tą samą tajemniczą boskością, za wykroczeniem poza ciało oraz ten świat i za okazaniem się ważnym w owym lepszym królestwie. Odbierałam go jako samotnego człowieka, panie Wallace. Pięknego, ale samotnego. Nie wiem, czy pan jest samotny, ale zaczynam się zastanawiać.

Nie odpowiedział na to.

Po chwili po prostu zapytał:

– A pani nie ma tej potrzeby, panno Whittaker? Aby czuć się ważną?

– Coś panu powiem, panie Wallace. Uważam, że byłam kobietą mającą szczęście jak żadna z żyjących. Złamano mi serce, oczywiście, i większość moich pragnień się nie ziściła. Zawiodłam sama siebie własnym zachowaniem oraz inni mnie zawiedli. Przeżyłam niemal wszystkich, których kochałam. Przy życiu nie pozostaje nikt na tym świecie, prócz jednej siostry, której nie widziałam od ponad trzydziestu lat... i z którą nie byłyśmy sobie bliskie przez większość życia. Nie zrobiłam zawrotnej kariery. W swoim życiu stworzyłam jedną oryginalną koncepcję... która, jak się okazało, była ważną koncepcją, taką, dzięki której mogłam się stać znana... ale zawahałam się, by ją ogłosić, i tym sposobem straciłam swoją szansę. Nie mam męża. Nie mam spadkobierców. Kiedyś miałam majątek, ale oddałam go. Wzrok mnie opuszcza, a płuca i nogi sprawiają mi wiele kłopotu. Nie sądzę, abym dożyła następnej wiosny. Umrę po drugiej stronie oceanu od miejsca, w którym się urodziłam, i pochowana zostanę tutaj, daleko od rodziców oraz siostry. Z pewnością musi pan zadawać sobie teraz pytanie... dlaczego ta nieszczęsna pechowa kobieta mówi, że miała szczęście?

Nic nie powiedział. Był zbyt grzeczny, aby odpowiedzieć na takie pytanie.

– Proszę się nie martwić, panie Wallace. Nie stroję sobie z pana żartów. Naprawdę wierzę, że miałam szczęście. Miałam szczęście, ponieważ dane mi było spędzić życie na badaniu świata. I dlatego nigdy nie czułam się nieważna. Życie to tajemnica, zgoda, i często wystawia na próbę, lecz jeśli ktoś potrafi znajdować w nim fakty, powinien zawsze to robić... albowiem wiedza jest najcenniejszym z wszystkich towarów.

Ponieważ nadal nic nie mówił, Alma ciągnęła:

– Widzi pan, nigdy nie czułam potrzeby wynajdywania innego świata niż ten tutaj, gdyż był zawsze dla mnie wystarczająco wielki i piękny. Zastanawiałam się, dlaczego nie jest wystarczająco wielki i piękny dla innych... czemu muszą marzyć o nowych cudownych obszarach albo pragnąć przebywania gdzie indziej, poza tym dominium... ale to nie moja sprawa. Przypuszczam, że wszyscy jesteśmy inni. Jedynym, czego zawsze pragnęłam, było poznać *ten* świat. Mogę teraz powiedzieć, gdy zbliżam się do końca, że znam go cokolwiek lepiej niż wtedy, gdy się na nim pojawiłam. A ponadto moje małe trochę wiedzy zostało dodane do całej skumulowanej przez historię wiedzy... dodane do wielkiej biblioteki, że tak powiem. To wcale nie jest takie małe dokonanie, sir. Każdy, kto może tak powiedzieć, miał szczęście w życiu.

Teraz on poklepał ją po dłoni.

– Dobrze powiedziane, panno Whittaker – stwierdził.

– W rzeczy samej, panie Wallace – odparła.


Wydawało się, że rozmowa dobiegła końca. Obydwoje byli zamyśleni i zmęczeni. Alma włożyła z powrotem manuskrypt do walizki Ambrose'a, wsunęła ją pod otomanę i zamknęła drzwi do biura na klucz. Nigdy więcej nikomu nie pokaże manuskryptu. Wallace pomógł jej zejść ze schodów. Na zewnątrz panowała ciemność i mgła. Ruszyli razem powoli z powrotem do rezydencji van Devenderów, oddalonej o dwie kamienice. Wpuściła go do środka i stanęli w westybulu. Powiedzieli sobie dobranoc. Wallace wyjeżdżał następnego dnia rano i nigdy więcej się nie zobaczą.

– Bardzo się cieszę, że pan przyjechał – powiedziała.

– Bardzo się cieszę, że pani mnie wezwała – odrzekł.

Podniosła rękę i dotknęła jego twarzy. Pozwolił. Badała jego ciepłe rysy. Miał dobrą twarz – czuła to.

Potem poszedł na górę, do swego pokoju, ale Alma czekała w hallu. Nie chciała iść spać. Kiedy usłyszała, że zamknęły się jego drzwi, wzięła z powrotem laskę i szal i wróciła na zewnątrz. Nie miało już dla Almy znaczenia, że jest ciemno; ledwo cokolwiek widziała w dziennym świetle, rozpoznawała doskonale otoczenie po dotyku. Znalazła tylną furtkę do Hortus Botanicus – prywatne wejście, którego van Devenderowie używali teraz już od ponad trzystu lat – i pozwoliła sobie wejść do ogrodu.

Miała zamiar wrócić do Groty Mchów i przemyśleć jeszcze raz wszystkie sprawy, ale wkrótce zabrakło jej tchu, przez chwilę więc odpoczywała, opierając się o najbliższe drzewo. Dobre nieba, ależ ona jest stara! Jak to szybko nadeszło! Wdzięczna była za drzewo za jej plecami. Wdzięczna była za ogrody w ich ciemnej piękności. Wdzięczna była za ciche miejsce, w którym może odpocząć. Przypomniała sobie, co zwykła mówić biedna, mała, szalona Retta Snow: „Dzięki niebiosom, że mamy ziemię! Bo na czym byśmy siadali?". Almie trochę się kręciło w głowie. Cóż to była za noc!

*Było nas troje*, powiedział.

Rzeczywiście, było ich troje, a teraz jest tylko dwoje. Wkrótce będzie tylko jeden. A potem także nie będzie Wallace'a. Ale teraz on przynajmniej wie o jej istnieniu. Jest *znana*. Alma przycisnęła policzek do drzewa zadziwiona tym wszystkim – tempem spraw, zdumiewającymi zbieżnościami.

Człowiek nie może jednak się zadziwiać w pełnym zdumienia oniemieniu wiecznie i po chwili Alma zainteresowała się, pod jakimż to właściwie stoi drzewem. Znała każde drzewo w Hortus Botanicus, ale straciła orientację, gdzie się znajduje, więc nie mogła sobie tego uzmysłowić. Pachniało znajomo. Pogłaskała korę i wtedy poznała – oczywiście jest to hikora, jedyna taka w całym Amsterdamie. *Juglandaceae*. Orzechowate. Ten konkretny egzemplarz przybył z Ameryki dobrze ponad sto lat temu, prawdopodobnie z zachodniej Pensylwanii. Drzewo trudne do przesadzania ze względu na długi korzeń główny. Musi przybywać jako mała sadzonka. Rośnie na niskim terenie, ten konkretnie gatunek. Wielbiciel iłu oraz mułu; przyjaciel przepiórki i lisa; odporne na lód; skłonne do gnicia. Stare. I ona jest stara.

Szereg dowodów zbiegał się w Almie – dowodów z każdej strony – doprowadzając ją do straszliwej konkluzji: niebawem, niezwykle niebawem, przyjdzie na nią czas. Wiedziała, że tak jest. Może nie tej nocy, ale którejś bliskiej nocy. Nie bała się śmierci, teoretycznie. Czuła najwyżej jedynie respekt i szacunek wobec geniusza Śmierci, który kształtował ten świat bardziej niż jakakolwiek inna siła. To nie znaczy, że chciała umierać właśnie w tej chwili. Wciąż pragnęła zobaczyć, co nastąpi dalej, mocno pragnęła, tak samo jak zawsze. Chodzi o to, aby odpierać zanurzenie, dopóki to tylko możliwe.

Chwyciła się wielkiego drzewa, jakby było koniem. Przyciskała policzek do jego milczącego, żywego boku.

– Ty i ja jesteśmy bardzo daleko od domu, nieprawdaż? – powiedziała.

W ciemnym ogrodzie, pośród cichej miejskiej nocy, drzewo nie odpowiedziało.

Ale jeszcze trochę ją podtrzymywało.

# PODZIĘKOWANIA

Autorka pragnie, aby jej podziękowania za pomoc oraz inspirację zechcieli przyjąć: Royal Botanical Gardens w Kew; New York Botanical Garden; Hortus Botanicus w Amsterdamie; Bartram's Garden; Woodlands; muzeum Liberty Hall oraz Esalen; a także Margaret Cordi, Anne Connell, Shea Hembrey, Rayya Elias, Mary Bly, Linda Shankara Barrera, Tony Freund, Barbara Paca, Joel Fry, Marie Long, Stephen Sinon, Mia D'Avanza, Courtney Allen, Adam Skolnick, Celeste Brash, Roy Withers, Linda Tumarae, Cree LeFavour, Jonny Miles, Ernie Sesskin, Brian Foster, Sheryl Moller, Deborah Luepnitz, Ann Patchett, Eileen Marolla, Karen Lessig, Michael oraz Sandra Flood, Tom oraz Deann Higgins, Jeannette Tynan, Jim Novak, Jim oraz Dave Cahill, Bill Burdin, Ernie Marshall, Sarah Chalfant, Charles Buchan, Paul Slovak, Lindsay Prevette, Miriam Feuerle, Alexandra Pringle, Katie Bond, Terry oraz Deborah Olson, Catherine Gilbert Murdock, John oraz Carole Gilbert, José Nunes. Autorka wyraża też wdzięczność ludziom, którzy już odeszli: Stanleyowi Gilbertowi oraz Sheldon Potter. Specjalne uznanie należy się dr. Robinowi Wall-Kimmererowi (rzeczywistemu zbieraczowi mchów) oraz, oczywiście, wszystkim kobietom nauki w historii.

*Bądź pewien, drogi przyjacielu, iż moc godnych uwagi i wielkich nauk oraz sztuk odkryto dzięki sposobowi rozumowania, a także subtelności kobiet, tak w poznawczych spekulacjach, przedstawianych na piśmie, jak i w sztukach, przejawiających się w dziełach pracy ręcznej. Dam ci na to wielką mnogość przykładów.*

Christine de Pizan
*Livre de la Cité des Dames*, 1405

# SPIS TREŚCI

*Ranunculus pol...*

*Lathyrus sylvestris*

*Astragalus danicus*

*Melica picta*